Cassandra Clare

Chroniken der Unterwelt

City of Glass

Die Titel von Cassandra Clare im Arena-Programm:

Chroniken der Unterwelt
City of Ashes*
City of Fallen Angels*
City of Lost Souls*
City of Heavenly Fire*
Die Hörbücher erscheinen bei Lübbe Audio

Chroniken der Schattenjäger
Clockwork Angel*
Clockwork Angel - Graphic Novel
Clockwork Prince*
Clockwork Princess*

Die Chroniken des Magnus Bane
(mit Sarah Rees Brennan und Maureen Johnson)*

Legenden der Schattenjäger-Akademie
(mit Sarah Rees Brennan, Maureen Johnson und
Robin Wasserman)*

*Auch als E-Book erhältlich

Cassandra Clare

CHRONIKEN DER UNTERWELT
CITY OF GLASS

Aus dem Amerikanischen von
Franca Fritz und Heinrich Koop

Arena

FÜR MEINE MUTTER
»Zähl die heitren Stunden nur.«

MIX
Papier aus verantwor-
tungsvollen Quellen
FSC® C110508
FSC
www.fsc.org

9. Auflage der Sonderausgabe 2018
Die Originalausgabe erschien 2009 unter dem Titel
The Mortal Instruments. Book Three. City of Glass
bei Margaret K. McElderry Books, einem Imprint der
Simon & Schuster Children's Publishing Division, New York.
Copyright © 2009 by Cassandra Clare, LLC
Für die deutschsprachige Ausgabe:
© 2009 Arena Verlag GmbH, Würzburg
Alle Rechte vorbehalten
Aus dem Amerikanischen von Franca Fritz und Heinrich Koop
Umschlaggestaltung: Frauke Schneider
Umschlagtypografie: knaus. büro für konzeptionelle
und visuelle identitäten, Würzburg
Gesamtherstellung: Westermann Druck Zwickau GmbH
ISSN 0518-4002
ISBN 978-3-401-50262-5

www.arena-verlag.de
Mitreden unter forum.arena-verlag.de

INHALT

Lang ist der Weg und hart,
der aus der Hölle zum Lichte führt.

JOHN MILTON, DAS VERLORENE PARADIES

TEIL EINS

FUNKEN, DIE AUFWÄRTS FLIEGEN

Der Mensch ist zum Unglück geboren,
wie die Funken aufwärts fliegen.

HIOB 5,7

1
Das Portal

Der Kälteeinbruch der vorangegangenen Woche war vorüber und die Sonne schien strahlend vom Himmel, als Clary die staubige Auffahrt vor Lukes Haus überquerte. Sie hatte die Kapuze ihrer Jacke übergezogen, damit ihr die Haare nicht ins Gesicht flogen. Die Temperaturen mochten zwar etwas gestiegen sein, aber der Wind, der vom East River heraufwehte, war immer noch eisig. Er trug einen schwachen, leicht chemischen Geruch mit sich, kombiniert mit der für Brooklyn typischen Mischung aus Asphalt, Benzin und gebranntem Zucker von der abbruchreifen Zuckerfabrik am Ende der Straße.

Simon erwartete Clary bereits auf der Veranda, tief in einen durchgesessenen alten Sessel versunken. Er balancierte seinen Nintendo DS auf den Knien und stocherte eifrig mit dem Touchpen auf dem Gerät herum. »Bingo!«, rief er, als Clary die Stufen hinaufstieg. »Ich mach sie alle fertig bei Mario Kart.«

Clary schob ihre Kapuze nach hinten, schüttelte sich die Haare aus den Augen und wühlte in ihrer Tasche nach dem Schlüssel. »Wo hast du gesteckt? Ich hab schon den ganzen Vormittag versucht, dich zu erreichen.«

Simon rappelte sich auf und stopfte das blinkende Rechteck in seine Kuriertasche. »Ich war bei Eric. Wir hatten Probe.«

Clary versuchte, den Schlüssel ins Schloss zu bekommen –

wie immer klemmte er –, hielt dann aber inne und musterte Simon stirnrunzelnd. »*Probe?* Du meinst, du spielst noch immer . . .«

»In der Band? Klar, warum auch nicht?« Simon beugte sich vor und griff nach dem Schlüssel. »Lass mich mal.«

Clary verharrte reglos, während Simon den Schlüssel mit der genau richtigen Dosierung an Druck drehte und das widerspenstige alte Schloss aufspringen ließ. Dabei streifte er ihre Hand. Seine Haut war kühl, hatte exakt die Temperatur der Außenluft. Clary erschauderte leicht. Erst eine Woche zuvor hatten sie ihren Versuch einer Liebesbeziehung aufgegeben und sie fühlte sich noch immer etwas durcheinander, wenn sie Simon sah.

»Danke.« Mit abgewandtem Blick nahm sie den Schlüssel wieder in Empfang.

Im Wohnzimmer war es stickig und warm. Clary hängte ihre Jacke an die Garderobe im Flur und steuerte auf das Gästezimmer zu, Simon im Schlepptau. Stirnrunzelnd warf sie einen Blick auf das Bett, auf dem ihr Koffer wie eine aufgeplatzte Muschel ausgebreitet lag, umgeben von all ihren Sachen und Malutensilien.

»Ich dachte, du würdest nur ein paar Tage in Idris bleiben«, sagte Simon und betrachtete bestürzt das Chaos auf dem Bett.

»Tu ich auch, aber ich kann mich nicht entscheiden, was ich mitnehmen soll. Ich habe so gut wie keine Kleider oder Röcke, aber was mach ich, wenn ich dort keine Hosen tragen kann?«

»Warum solltest du in Idris keine Hosen tragen können? Das ist nur ein anderes Land, kein anderes Jahrhundert.«

»Aber die Schattenjäger sind so altmodisch und Isabelle

trägt immer nur Kleider . . .«, setzte Clary an, brach dann aber seufzend ab. »Ach, vergiss es. Ich projiziere nur all meine Sorgen um meine Mutter auf meine Klamotten. Lass uns von was anderem reden. Wie war denn die Probe? Habt ihr noch immer keinen Namen für die Band?«

»Die Probe war gut.« Simon setzte sich auf den Schreibtisch und ließ die Beine herabbaumeln. »Wir denken über ein neues Motto nach. Etwas Ironisches, wie ›We've seen a million faces and rocked about eighty percent of them‹.«

»Hast du Eric und den anderen erzählt, dass . . .«

»Dass ich ein Vampir bin? Nein. Irgendwie gehört das nicht zu den Dingen, die man mal eben beiläufig im Gespräch fallen lässt.«

»Ja, vielleicht, aber das sind doch deine *Freunde*. Sie sollten es erfahren. Außerdem werden sie nur denken, dass dich das noch mehr zu einem Rockstar macht, so wie diesen Vampir Lester.«

»Lestat«, erwiderte Simon. »Du meinst wohl den Vampir Lestat. Und der ist eine Romanfigur. Übrigens habe ich dich auch nicht gerade dabei beobachten können, wie du all deinen Freunden fröhlich mitteilst, dass du eine Schattenjägerin bist.«

»Welchen Freunden? *Du* bist mein Freund.« Clary warf sich aufs Bett und schaute zu Simon auf. »Und dir habe ich es doch erzählt, oder etwa nicht?«

»Weil dir keine andere Wahl blieb.« Simon neigte den Kopf leicht zur Seite und musterte sie. Das Licht der Nachttischlampe spiegelte sich in seinen Augen und ließ sie silbern schimmern. »Du wirst mir fehlen.«

»Du wirst mir auch fehlen«, sagte Clary, obwohl ihre Haut vor Aufregung und Vorfreude förmlich kribbelte und sie sich kaum konzentrieren konnte. *Ich werde nach Idris reisen!*, jubilierte ihr Verstand. *Ich werde die Heimat der Schattenjäger sehen, die Gläserne Stadt. Ich werde meine Mutter retten.*

Und ich werde bei Jace sein.

Simons Augen blitzten auf, als hätte er ihre Gedanken gehört, doch seine Stimme klang sanft. »Erklär's mir noch mal: Warum musst du nach Idris? Warum können Madeleine und Luke sich nicht um die Angelegenheit kümmern, und zwar ohne deine Hilfe?«

»Meine Mutter hat den Zauberbann, der sie in diesen komaartigen Zustand versetzt hat, von einem Hexenmeister – Ragnor Fell. Madeleine meint, wir müssen ihn aufspüren, wenn wir herausfinden wollen, wie sich der Bann umkehren lässt. Aber dieser Hexenmeister kennt Madeleine nicht. Er kennt nur meine Mom und Madeleine denkt, dass er mir vertrauen würde, weil ich meiner Mutter so ähnlich sehe. Und Luke kann mich einfach nicht begleiten. Er könnte zwar nach Idris reisen, darf Alicante aber ohne Genehmigung des Rats nicht betreten . . . und die wollen sie ihm nicht erteilen. Aber sprich ihn *bitte* nicht darauf an – er ist ohnehin nicht sehr glücklich darüber, dass er nicht mitkann. Wenn er Madeleine nicht schon von früher kennen würde, hätte er mich vermutlich überhaupt nicht gehen lassen.«

»Aber die Lightwoods werden doch auch dort sein. Und Jace. Sie werden dir helfen. Ich meine, Jace hat gesagt, dass er dir helfen wird, oder? Es macht ihm nichts aus, dass du mitreist, oder?«

»Natürlich wird er mir helfen«, sagte Clary. »Und selbstverständlich macht es ihm nichts aus. Er hat überhaupt kein Problem damit.«

Doch das war eine Lüge, wie Clary nur allzu gut wusste.

Nachdem sie mit Madeleine vor dem Krankenhaus gesprochen hatte, war Clary direkt zum Institut aufgebrochen. Jace war der Erste, dem sie vom Geheimnis ihrer Mutter erzählt hatte, noch vor Luke. Doch er hatte nur dagestanden und sie angestarrt und war mit jedem ihrer Worte bleicher im Gesicht geworden – so als hätte sie ihm nicht gerade erklärt, wie sie ihre Mutter retten konnte, sondern als würde sie ihm all sein Blut langsam und grausam aus den Adern ablassen.

»Du wirst auf keinen Fall nach Idris reisen«, erwiderte er in dem Moment, als sie ihre Schilderung beendete. »Und wenn ich dich festbinden und mich auf dich draufhocken muss, bis du diese verrückte Idee aufgegeben hast! Du reist *nicht* nach Idris!«

Clary hatte das Gefühl, als hätte Jace sie ins Gesicht geschlagen. Sie war davon ausgegangen, dass er sich freuen würde, und war den ganzen Weg zum Institut gelaufen, um ihm davon zu erzählen. Doch nun stand er hier in der Eingangshalle und starrte sie mit finsterer, verbissener Miene an. »Aber du gehst doch auch nach Idris«, protestierte sie.

»Ja, wir alle. Wir müssen. Der Rat hat jedes aktive Mitglied der Schattenjägergemeinschaft, das in den weltweiten Botschaften entbehrt werden kann, zu einer Vollversammlung nach Alicante berufen. Es soll darüber abgestimmt werden, was man jetzt gegen Valentin unternehmen will. Und da wir die Letzten waren, die ihn lebend gesehen haben . . .«

Ungerührt wischte Clary dieses Argument beiseite. »Also, wenn du nach Idris reist, warum kann ich dann nicht mitkommen?«

Ihre unverblümte Frage schien ihn noch wütender zu machen. »Weil es für dich dort nicht sicher ist!«

»Ach, aber hier ist es ja so supersicher, oder wie? Im vergangenen Monat bin ich etwa ein Dutzend Mal fast umgebracht worden und das war jedes Mal hier, mitten in New York.«

»Das lag daran, dass Valentin sich auf die beiden Insignien der Engel konzentriert hat, die sich hier in der Stadt befanden«, stieß Jace zwischen zusammengebissenen Zähnen hervor. »Er wird seine Aufmerksamkeit nun auf Idris lenken, das wissen wir ja wohl alle . . .«

»Dessen können wir uns keineswegs sicher sein«, sagte Maryse Lightwood in dem Moment. Sie hatte, von Jace und Clary unbemerkt, im Schatten des langen Korridors gestanden und trat nun in das grelle Licht der Eingangshalle. Der harte Lichtschein unterstrich ihre müden, abgespannten Züge. Ihr Mann, Robert Lightwood, war bei der Schlacht in der Woche zuvor von einem Dämon angegriffen und durch dessen Gift schwer verletzt worden und musste seitdem rund um die Uhr gepflegt werden. Clary konnte nur ansatzweise ahnen, wie erschöpft Maryse sein musste. »Außerdem möchte der Rat Clarissa kennenlernen. Das weißt du doch, Jace.«

»Der Rat kann mich mal.«

»Jace«, tadelte Maryse nun in typisch elterlichem Ton. »So was sagt man nicht.«

»Der Rat möchte eine Menge Dinge«, fügte Jace hinzu. »Aber das heißt nicht, dass er sie auch bekommen muss.«

Maryse warf ihm einen Blick zu, als wüsste sie genau, wovon er redete, könnte seine Meinung aber nicht gutheißen. »Der Rat hat meistens recht, Jace. Und es ist keineswegs unangemessen, dass er sich mit Clary unterhalten möchte, nach allem, was sie durchgemacht hat . . . Sie könnte ihm so vieles berichten.«

»Ich werde dem Rat alles berichten, was er wissen will«, erwiderte Jace.

Maryse seufzte und heftete ihre blauen Augen auf Clary. »Also, wenn ich es richtig verstanden habe, möchtest du nach Idris reisen?«

»Nur für ein paar Tage. Ich werde bestimmt keine Umstände machen«, sagte Clary und schaute flehentlich an Jace' wütendem Funkeln vorbei zu Maryse. »Das schwöre ich.«

»Die Frage ist nicht, ob du irgendwelche Umstände machen wirst. Sie lautet vielmehr, ob du bereit bist, den Rat aufzusuchen, während du dort bist. Er möchte sich mit dir unterhalten. Wenn du diese Bitte abschlägst, bezweifle ich, dass wir die Genehmigung bekommen, dich mitzunehmen.«

»Nein . . .«, setzte Jace an.

»Ich werde den Rat aufsuchen«, unterbrach Clary ihn, obwohl allein der Gedanke daran ihr einen eisigen Schauer über den Rücken jagte. Der einzige Gesandte des Rats, den sie bisher kennengelernt hatte, war die Inquisitorin gewesen – und sie hatte sich nicht gerade als besonders angenehme Zeitgenossin erwiesen.

Maryse rieb sich mit den Fingerspitzen die Schläfen. »Dann wäre das also entschieden.« Doch sie selbst klang alles andere als entschieden, sondern wirkte so angespannt und zerbrechlich wie eine zu straff aufgezogene Geigensaite. »Jace, begleite Clary bitte zur Tür und komm anschließend in die Bibliothek. Ich muss mit dir reden.«

Dann machte sie auf dem Absatz kehrt und verschwand ohne Abschiedsgruß wieder in den Schatten. Clary starrte ihr nach und hatte das Gefühl, als hätte man sie gerade mit eiskaltem Wasser übergossen. Alec und Isabelle schienen ihre Mutter aufrichtig zu lieben und Clary war sich sicher, dass Maryse kein schlechter Mensch sein konnte, aber sie wirkte nun mal nicht gerade *herzlich*.

Jace presste die Lippen zu einer harten, dünnen Linie zusammen. »Jetzt sieh dir an, was du gemacht hast.«

»Ich muss unbedingt nach Idris, auch wenn du das nicht verstehen kannst«, erklärte Clary. »Das bin ich meiner Mutter schuldig.«

»Maryse vertraut dem Rat viel zu sehr«, entgegnete Jace. »Sie will einfach glauben, dass der Rat vollkommen ist, und ich kann ihr nicht sagen, dass er das nicht ist, weil . . .« Abrupt brach er ab.

»Weil das etwas wäre, was Valentin sagen würde.«

Clary rechnete mit einem wütenden Aufbrausen, doch Jace antwortete nur: »Niemand ist vollkommen.« Dann streckte er den Arm aus und drückte mit dem Zeigefinger ungeduldig auf den Aufzugknopf. »Nicht einmal der Rat.«

Clary verschränkte die Arme vor der Brust. »Ist das wirklich der Grund, warum du mich nicht mitnehmen willst? Weil es für mich dort nicht sicher wäre?«

Ein überraschter Ausdruck breitete sich auf Jace' Gesicht aus. »Was meinst du damit? Warum sollte ich sonst nicht wollen, dass du mitkommst?«

Clary schluckte. »Weil . . .« *Weil du mir gesagt hast, du würdest für mich nichts mehr empfinden. Aber das Merkwürdige ist, dass ich noch immer etwas für dich empfinde. Und ich wette, das weißt du auch.*

»Weil ich nicht will, dass mir meine kleine Schwester auf Schritt und Tritt folgt?« In seiner Stimme klang ein scharfer Unterton mit, eine Mischung aus Spott und irgendetwas anderem.

Im nächsten Moment kam der Aufzug quietschend zum Stehen. Clary stieß die Tür auf, marschierte hinein und drehte sich dann zu Jace um. »Ich möchte nicht nach Idris, weil *du* dort sein wirst, sondern weil ich meiner Mutter helfen will. *Unserer* Mutter. Ich muss ihr einfach helfen. Verstehst du das denn nicht? Wenn ich diese Reise nicht unternehme, wird sie vielleicht nie wieder aufwachen. Du könntest wenigstens so tun, als ob dich das ein bisschen interessieren würde.«

Jace legte Clary die Hände auf die Schultern; seine Fingerspitzen streiften die nackte Haut über ihrem Kragen und jagten sinnlose, hilflose Schauer durch ihren Körper. Unwillkürlich schaute sie auf und stellte fest, dass sich tiefe Schatten unter Jace' Augen abzeichneten und seine Wangen hohl wirkten. Sein schwarzer Pullover – aber auch seine dunklen Wimpern – ließen die violetten Spuren der zahlreichen Verletzungen auf der Haut besonders deutlich hervortreten. Jace war eine Kontraststudie, ein Bild in Schattierungen von Schwarz, Weiß und Grau, mit goldenen Tupfern als Farbakzenten, zum Beispiel in seinen Augen . . .

»Lass mich diese Aufgabe erledigen.« Seine Stimme klang sanft, drängend. »Ich könnte ihr helfen, dann brauchst du das nicht zu tun. Sag mir einfach, wohin ich gehen soll, an wen ich mich wenden soll. Ich werde alles tun, was du sagst.«

»Madeleine hat dem Hexenmeister mitgeteilt, dass ich persönlich vorbeikommen werde. Also wird er Jocelyns Tochter erwarten, nicht Jocelyns Sohn.«

Jace' Griff um Clarys Schultern verstärkte sich. »Dann sag ihr einfach, dass der Plan geändert wurde. Ich werde den Hexenmeister aufsuchen, nicht du. *Nicht du.*«

»Jace . . .«

»Ich tue alles . . . alles, was du willst, wenn du versprichst hierzubleiben.«

»Das kann ich nicht.«

Ruckartig ließ er sie los, als hätte sie ihn von sich gestoßen. *»Und warum nicht?«*

»Weil . . .«, setzte Clary an, »weil sie meine Mutter ist, Jace.«

»Aber meine ebenfalls.« Seine Stimme wirkte kühl. »Genau genommen stellt sich die Frage: Warum hat Madeleine eigentlich nicht uns beide angesprochen? Warum nur dich?«

»Du weißt, warum.«

»Weil für sie nur du Jocelyns Tochter bist«, erwiderte er mit noch eisigerem Tonfall. »Ich dagegen werde immer nur Valentins Sohn sein.«

Aufgebracht schlug er das Absperrgitter zwischen ihnen zu. Einen Moment lang starrte Clary ihn durch die Gitterstäbe an – sie unterteilten sein Gesicht in eine Reihe von Rautenformen, eingefasst in Metall. Ein einzelnes goldbraunes Auge funkelte sie wütend aus einer der Rauten heraus an.

»Jace . . .«, hob Clary an.

Im nächsten Moment setzte sich der Aufzug jedoch ruckelnd und ächzend in Bewegung und trug sie nach unten, hinab in die dunkle Stille der Kathedrale.

»Erde an Clary.« Simon wedelte mit den Armen vor Clarys Gesicht. »Jemand zu Hause?«

»Ja. Tut mir leid.« Clary setzte sich auf und schüttelte den Kopf, um wieder einen klaren Gedanken zu fassen. Seit diesem Gespräch in der Eingangshalle hatte sie Jace nicht mehr gesehen. Und da er auch nicht ans Telefon ging, hatte sie sämtliche Vorbereitungen für die Reise nach Idris mithilfe der Lightwoods treffen müssen, wobei Alec widerstrebend und peinlich berührt als Mittelsmann diente. Armer Alec ... eingekeilt zwischen Jace und seiner Mutter und immer bemüht, es allen recht zu machen. »Hattest du irgendwas gesagt?«, wandte Clary sich nun an Simon.

»Nur, dass ich glaube, dass Luke zurück ist«, erwiderte Simon und sprang genau in dem Moment vom Schreibtisch, als sich die Tür des Gästezimmers öffnete. »Hab ich mich also doch nicht verhört.«

»Hi, Simon.« Luke klang ruhig, sogar ein wenig müde. Er trug eine abgewetzte Jeansjacke über dem Karohemd und die Beine seiner alten Cordhose steckten in ein paar derben Stiefeln, die aussahen, als hätten sie ihre besten Tage schon lange hinter sich. Seine Brille hatte er in die braunen Haare zurückgeschoben, die deutlich mehr graue Strähnen aufwiesen, als Clary sich erinnern konnte. Unter seinem Arm klemmte eine rechteckige Schachtel, zusammengebunden mit einem grünen Samtband, die er Clary nun entgegenstreckte. »Ich hab hier etwas für deine Reise.«

»Das wäre doch nicht nötig gewesen!«, protestierte Clary. »Du hast schon so viel für mich getan . . .« Sie musste an die vielen Kleidungsstücke denken, die er ihr neu gekauft hatte, nachdem all ihre Sachen in der alten Wohnung zerstört worden waren. Außerdem hatte er ihr ein neues Mobiltelefon besorgt und neue Malutensilien – ohne dass sie ihn darum hatte bitten müssen. Fast alles, was Clary nun besaß, war ein Geschenk von Luke. *Und dabei findest du es nicht einmal gut, dass ich nach Idris reise.* Dieser letzte Gedanke hing unausgesprochen zwischen ihnen in der Luft.

»Ich weiß. Aber ich habe es gesehen und musste sofort an dich denken.« Luke reichte ihr die Schachtel.

Der Gegenstand in der Schachtel war in mehrere Lagen Seidenpapier gehüllt.

Clary wühlte sich durch die Schichten, und als ihre Hände auf etwas trafen, das sich so weich wie ein Katzenfell anfühlte, stieß sie einen kleinen Schrei aus: Die Schachtel enthielt ein wunderbar altmodisch geschnittenes Cape aus flaschengrünem Samt, mit goldfarbenem Seidenfutter, Messingknöpfen und einer großen Kapuze. Vorsichtig zog sie es auf den Schoß, strich liebevoll über den weichen Stoff. »Es sieht genau wie eines der Kleidungsstücke aus, die Isabelle tragen würde«, rief sie begeistert. »Wie ein Reiseumhang der Schattenjäger.«

»Richtig. Damit wirst du eher wie eine von ihnen gekleidet sein«, sagte Luke. »Wenn du in Idris bist.«

Clary sah zu ihm auf. »Möchtest du denn, dass ich wie eine von ihnen aussehe?«

»Clary, du *bist* eine von ihnen.« Lukes Lächeln hatte eine traurige Note. »Außerdem weißt du doch, wie sie Außenseiter behandeln. Also solltest du dir alles zunutze machen, was dich besser in ihre Reihen passen lässt . . .«

Simon gab ein seltsames Geräusch von sich und Clary warf ihm einen schuldbewussten Blick zu – sie hatte seine Anwesenheit fast vollkommen vergessen. Nachdrücklich schaute er auf seine Armbanduhr. »Ich sollte besser gehen.«

»Aber du bist doch gerade erst gekommen!«, protestierte Clary. »Ich dachte, wir machen was zusammen . . . sehen uns einen Film an oder sonst irgendwas . . .«

»Du musst Koffer packen.« Simon lächelte, so strahlend wie die Sonne nach einem Regenguss. Fast hätte Clary ihm geglaubt. »Ich komm später noch mal vorbei, um dir Tschüss zu sagen.«

»Ach, bitte«, beharrte Clary. »Bleib doch noch . . .«

»Ich kann nicht.« Sein Ton klang entschieden. »Ich treffe mich mit Maia.«

»Oh . . . ja, toll«, sagte Clary. Maia war nett, ermahnte sie sich. Maia war clever. Sie war hübsch. Und sie war eine Werwölfin. Eine Werwölfin mit einer Schwäche für Simon. Aber vielleicht war es besser so. Vielleicht *sollte* seine neue Freundin ja ein Schattenwesen sein. Schließlich war Simon jetzt auch ein Schattenweltler. Genau genommen hätte er sich mit Schattenjägern wie Clary nicht einmal mehr treffen dürfen. »Ich schätze, dann solltest du jetzt besser gehen.«

»Ja, schätze ich auch.« Simons dunkle Augen wirkten unergründlich. Das war für Clary eine vollkommen neue Erfahrung – bisher hatte sie in Simons Gesicht immer wie in einem Buch lesen können. Erstaunt fragte sie sich nun, ob das möglicherweise eine Nebenwirkung des Vampirdaseins war oder

vielleicht mit etwas völlig anderem zusammenhing. »Leb
wohl«, sagte er, beugte sich vor, als wollte er sie auf die Wange küssen, und schob ihre Haare mit einer Handbewegung
nach hinten. Doch dann hielt er inne und zog sich zurück; ein
unsicherer Ausdruck lag auf seinem Gesicht. Überrascht runzelte Clary die Stirn, doch Simon stürmte bereits aus dem
Zimmer und streifte Luke, der noch immer in der Tür stand.
Sekunden später hörte Clary, wie die Haustür mit einem Knall
ins Schloss fiel.

»Er verhält sich so *merkwürdig*«, stieß sie ratlos hervor und
drückte den Samtumhang trostsuchend an sich. »Glaubst du,
das hängt mit dieser ganzen Vampirgeschichte zusammen?«

»Vermutlich nicht.« Luke musterte sie leicht amüsiert.
»Wenn man sich in einen Schattenweltler verwandelt, bedeutet das nicht, dass man plötzlich völlig anders empfindet oder
sich die Gefühle für andere verändern. Gib ihm etwas Zeit.
Schließlich hast du mit ihm Schluss gemacht.«

»Hab ich nicht! Er hat mit mir Schluss gemacht.«

»Weil du nicht in ihn verliebt warst. Das ist eine ziemlich ver-
zwickte Situation und meines Erachtens trägt er sie mit großer Fassung. Viele andere Jungs an seiner Stelle wären eingeschnappt oder würden mit einem Gettoblaster unter deinem
Fenster herumlungern.«

»Heutzutage hat niemand mehr einen Gettoblaster. Das war
in den Achtzigern.« Clary krabbelte vom Bett herunter und
streifte den Umhang über. Sie schloss ihn bis zum Kragen und
genoss die flauschige Weichheit des Samtstoffs. »Ich möchte
einfach nur, dass Simon sich wieder normal verhält.« Clary betrachtete sich im Spiegel und war angenehm überrascht: Der

grüne Farbton brachte ihre roten Haare besonders schön zur Geltung und unterstrich die Farbe ihrer Augen. Schließlich wandte sie sich wieder Luke zu. »Was meinst du?«

Luke lehnte am Türrahmen, die Hände in den Taschen; ein Schatten huschte über sein Gesicht, als er sie betrachtete. »Deine Mutter hatte in deinem Alter exakt den gleichen Umhang«, erwiderte er lediglich und verstummte dann.

Clary umklammerte die Ärmel des Capes und grub ihre Finger in den weichen Stoff. Die Erwähnung ihrer Mutter in Kombination mit Lukes traurigem Gesichtsausdruck ließ sie heftig schlucken. »Wir besuchen sie doch später noch, oder?«, fragte sie mit erstickter Stimme. »Ich möchte mich noch von ihr verabschieden, bevor ich aufbreche, und ihr sagen . . . ihr sagen, was ich vorhabe. Und dass es ihr bald wieder gut gehen wird.«

Luke nickte. »Wir fahren nachher ins Krankenhaus. Ach ja, noch etwas, Clary . . .«

»Ja?« Am liebsten hätte sie Luke nicht angeschaut, doch dann stellte sie zu ihrer Erleichterung fest, dass der traurige Ausdruck aus seinen Augen verschwunden war.

Er lächelte sogar. »So toll ist ›normal‹ nun auch wieder nicht.«

Simon warf einen Blick auf das Papier in seiner Hand, kniff die Augen gegen die blendende Nachmittagssonne zusammen und schaute dann zur Kathedrale. Das Institut ragte hoch vor dem strahlend blauen Himmel auf – ein wuchtiges Bauwerk mit schmalen Bogenfenstern, umgeben von einer massiven Steinmauer. Groteske Fratzen grinsten ihm hämisch vom Gesims entgegen, als wollten sie ihn dazu herausfordern, sich dem Eingangsportal zu nähern. Das Gebäude wirkte völlig anders als damals, als er es zum ersten Mal gesehen hatte ... wo es ihm wie eine verlassene Ruine erschienen war. Aber Zauberglanz funktionierte bei Schattenwesen nun mal nicht.

Du gehörst nicht hierher. Die Worte klangen harsch, ätzend wie Säure. Simon war sich nicht sicher, ob eine der Fratzen mit ihm sprach oder ob er seine eigene innere Stimme hörte. *Dies ist eine Kirche und du bist verdammt.*

»Klappe«, murmelte er halbherzig. »Außerdem interessieren mich Kirchen sowieso nicht. Ich bin Jude.«

Vor ihm tauchte ein mit filigranen Ornamenten verziertes Eisentor in der Steinmauer auf. Als Simon die Hand auf den Riegel legte, erwartete er fast, dass seine Haut verbrennen und er vor Schmerz aufschreien würde, doch nichts geschah. Anscheinend zählte das Tor noch nicht zum Geweihten Boden. Er stieß es auf und hatte bereits die Hälfte des brüchigen Steinwegs zum Hauptportal zurückgelegt, als er plötzlich Stimmen hörte – verschiedene Stimmen ... vertraute Stimmen. Sie schienen ganz aus der Nähe zu kommen.

Oder auch nicht. Simon hatte beinahe vergessen, wie sehr sich sein Gehör, zusammen mit seiner Sehschärfe, seit der Verwandlung verbessert hatte. Es klang, als stammten die Stimmen von Menschen, die sich direkt hinter ihm befanden, doch als er einem schmalen Pfad um die Ostseite des Instituts herum folgte, sah er, dass die Leute tatsächlich ein ganzes Stück entfernt standen, am hinteren Ende des Geländes. Dort wuchs das Gras ungehindert über die gepflasterten Nebenpfade, die früher vermutlich einmal um ordentlich gestutzte Rosenhecken geführt hatten. Simon entdeckte sogar eine Steinbank inmitten von wild wucherndem Unkraut. Früher war dies einmal eine richtige Kirche gewesen, ehe die Schattenjäger das Gebäude übernommen hatten.

Als Ersten erblickte er Magnus, der gegen eine moosbedeckte Steinmauer lehnte. Der Hexenmeister war wie immer kaum zu übersehen. Er trug ein weißes T-Shirt mit bunten Sprenkeln zu einer regenbogenfarbenen Lederhose und wirkte wie eine exotische Orchidee inmitten der schwarz gekleideten Schattenjäger: Alec, der bleich und irgendwie unruhig aussah, Isabelle, deren lange schwarze Haare mit silbernen Bändern zu dicken Zöpfen gebunden waren, und neben ihr ein kleiner Junge. Das musste Max sein, überlegte Simon, der Jüngste der Familie Lightwood. Nicht weit von den Geschwistern stand ihre Mutter, die wie eine größere, hagerere Version ihrer Tochter wirkte, mit den gleichen langen schwarzen Haaren. Neben ihr wartete eine weitere Frau, die Simon jedoch nicht kannte. Im ersten Moment hatte er sie für ziemlich alt gehalten, da ihre Haare fast weiß schimmerten, aber als sie sich umdrehte und mit Maryse sprach, erkannte Simon, dass sie nicht älter sein konnte als fünfunddreißig oder vierzig.

Und dann entdeckte er Jace, der etwas abseits stand, als würde er nicht richtig dazugehören. Genau wie die anderen trug auch er die schwarze Schattenjägerkleidung. Wenn Simon sich ganz in Schwarz kleidete, erweckte er jedes Mal den Eindruck, als ginge er zu einer Beerdigung, doch Jace erschien darin nur cool . . . hart und gefährlich. Und irgendwie noch blonder. Simon spürte, wie sich seine Schultern anspannten, und fragte sich, ob irgendetwas – vielleicht die Zeit oder seine eigene Vergesslichkeit – seine Abneigung gegen Jace jemals würde lindern können. Simon wünschte, er würde anders empfinden, doch da war sie wieder, die Last, die wie ein zentnerschwerer Stein auf sein pulsloses Herz drückte.

Irgendetwas kam Simon an dieser Versammlung merkwürdig vor. Doch dann drehte Jace sich zu ihm um, als hätte er seine Anwesenheit gespürt, und Simon erkannte selbst aus dieser Entfernung die dünne weiße Narbe an seiner Kehle, direkt oberhalb des Kragens. Der Groll in seinem Herzen verblasste und wich einem anderen Gefühl.

Jace nickte ihm kurz zu. »Bin gleich wieder da«, wandte er sich in einem Ton an Maryse, den Simon niemals seiner Mutter gegenüber angeschlagen hätte. Jace klang wie ein Erwachsener, der mit einem anderen Erwachsenen spricht.

Maryse deutete ihr Einverständnis mit einer geistesabwesenden Handbewegung an. »Ich verstehe einfach nicht, warum das so lange dauert«, attackierte sie Magnus. »Ist das denn üblich?«

»Der Rabatt, den ich euch eingeräumt habe, ist auch nicht gerade üblich.« Magnus klopfte mit dem Stiefelhacken gegen die Mauer. »Normalerweise verlange ich das Doppelte.«

»Aber es geht doch nur um ein *zeitweiliges* Portal. Es muss uns lediglich nach Idris bringen. Und danach erwarte ich von dir, dass du es sofort wieder schließt. So lautet schließlich die Vereinbarung.« Maryse wandte sich an die Frau an ihrer Seite. »Und du bleibst hier, um sicherzugehen, dass er sich auch wirklich an die Abmachung hält, Madeleine?«

Madeleine. Dann war dies also Jocelyns Freundin. Aber Simon blieb keine Zeit, sie lange anzustarren – Jace hatte ihn bereits am Arm gepackt und zog ihn um die Kathedrale herum, außer

Sichtweite der anderen Schattenjäger. Hier war der Weg von noch höher gewachsenem Gras und Unkraut überdeckt und dicke Ranken wucherten über die Steinplatten. Jace schob Simon hinter eine wuchtige alte Eiche, schaute sich misstrauisch in alle Richtungen um, ob ihnen auch niemand gefolgt war, und ließ ihn dann los. »Alles klar. Hier können wir reden.«

In dieser Ecke war es tatsächlich ruhiger; der laute Verkehrslärm der York Avenue wurde vom massiven Gebäude des Instituts deutlich gedämpft. »Du hast *mich* doch hierherbestellt«, stellte Simon klar. »Ich hab deine Nachricht heute Morgen an meinem Fenster gefunden. Benutzt du eigentlich nie das Telefon wie normale Leute?«

»Nicht, wenn ich es vermeiden kann, Vampir«, erwiderte Jace. Nachdenklich musterte er Simon, als würde er die Seiten eines Buches studieren. Auf seinem Gesicht spiegelten sich zwei widerstreitende Gefühle – eine leichte Verwunderung und etwas anderes, das Simon als Enttäuschung deutete. »Dann hat sich also nichts daran geändert: Du kannst noch immer im Sonnenschein herumspazieren. Nicht einmal die Mittagssonne versengt deine Haut.«

»Stimmt«, sagte Simon. »Aber das wusstest du doch bereits – schließlich warst du dabei.« Er brauchte nicht zu erklären, was er mit »dabei« meinte – an Jace' Gesichtsausdruck erkannte er, dass dieser sich ebenfalls an den Fluss erinnerte, an die Ladefläche von Lukes Pick-up, an die Sonne, die über dem Wasser aufstieg, an Clarys Aufschrei. Er erinnerte sich mindestens so gut daran wie Simon selbst.

»Ich dachte, die Wirkung hätte vielleicht nachgelassen«, erklärte Jace, klang aber nicht so, als würde er es ernst meinen.

»Falls ich je den Drang verspüren sollte, in Flammen aufzu-
gehen, wirst du der Erste sein, der es erfährt.« Simon brachte
gegenüber Jace nie besonders viel Geduld auf. »Also, was ist
jetzt? Hast du mich etwa den ganzen Weg von Brooklyn hierherkommen lassen, nur um mich wie ein Objekt unter dem
Mikroskop anzustarren? Nächstes Mal schick ich dir einfach
ein Foto.«

»Das ich mir dann rahme und auf den Nachttisch stelle«, konterte Jace sarkastisch. Allerdings klang er nicht so, als wäre er
mit dem Herzen bei der Sache. »Ich habe dich aus einem bestimmten Grund hierhergebeten. So ungern ich es auch einge-
stehe, Vampir, aber uns beide verbindet etwas.«

»Unglaublich tolle Haare?«, schnaubte Simon, aber auch er
war im Grunde nicht an einem Schlagabtausch mit Jace interessiert. Irgendetwas an dessen Gesichtsausdruck bereitete
ihm zunehmend Unbehagen.

»Clary«, sagte Jace.

Darauf war Simon nicht vorbereitet. »Clary?«, fragte er völlig
überrumpelt.

»Clary«, wiederholte Jace. »Du weißt schon: klein, rothaarig,
aufbrausend.«

»Ich wüsste nicht, wieso Clary etwas sein sollte, das uns verbindet«, erwiderte Simon, obwohl er genau wusste, was Jace
meinte. Trotzdem war dies kein Thema, über das er sich mit
Jace unterhalten wollte, weder jetzt noch zu einem zukünftigen Zeitpunkt. Gab es nicht irgendeine Art von Kodex, der Gespräche wie dieses unter Männern ausschloss – Gespräche
über *Gefühle*?

Offensichtlich nicht. »Uns beiden liegt etwas an ihr«, verkündete Jace und warf Simon einen wohlbedachten Blick zu. »Sie ist uns beiden wichtig. Richtig?«

»Du fragst mich, ob mir etwas an ihr *liegt?*« Das erschien Simon als eine ziemlich unzureichende Beschreibung seiner Gefühle. Er fragte sich, ob Jace sich vielleicht über ihn lustig machte – was aber außerordentlich grausam gewesen wäre, selbst für Jace. Hatte der Schattenjäger ihn herkommen lassen, nur um ihn zu verspotten, weil es mit Clary und ihm nicht geklappt hatte? Allerdings hegte Simon tief in seinem Inneren nach wie vor die Hoffnung, dass sich die Lage eines Tages ändern könnte und Jace und Clary nur noch das füreinander empfinden würden, was Geschwister füreinander zu empfinden hatten . . .

Doch dann begegnete er Jace' Blick und selbst diese winzige Hoffnung schwand dahin. Der Ausdruck im Gesicht des anderen Jungen entsprach nicht gerade der Miene, die Brüder aufsetzen, wenn sie von ihrer Schwester reden. Andererseits war nun klar, dass er ihn nicht herbestellt hatte, um sich über seine Gefühle lustig zu machen: Die Qual, die in Simons Gesicht geschrieben stand, spiegelte sich auch in Jace' Augen.

»Glaub ja nicht, es würde mir Spaß machen, dir diese Fragen zu stellen«, fauchte Jace. »Ich muss wissen, was du alles für Clary tun würdest. Wärst du bereit, für sie zu lügen?«

»Was meinst du mit ›lügen‹? Was geht hier überhaupt vor?« Im nächsten Moment erkannte Simon, was ihn am Anblick der Schattenjäger im Garten gestört hatte. »Warte mal«, sagte er gedehnt. »Ihr brecht *jetzt gleich* nach Idris auf, stimmt's? Aber Clary denkt, ihr würdet erst heute Abend reisen.«

»Ich weiß«, erwiderte Jace. »Und ich möchte, dass du den anderen erzählst, Clary hätte dich geschickt, um auszurichten, dass sie nicht mitkommt. Sag ihnen, dass sie nicht mehr nach Idris reisen möchte.« Eine angespannte Note hatte sich in Jace' Stimme geschlichen, ein Ton, den Simon nicht deuten konnte oder der aus Jace' Mund vielleicht so seltsam klang, dass Simon ihn einfach nicht einzuordnen wusste. Jace *flehte* ihn an. »Dir werden sie glauben. Sie wissen, wie . . . wie nahe ihr beide euch steht.«

Simon schüttelte den Kopf. »Ich glaub dir nicht. Du tust so, als wolltest du, dass ich etwas für Clary tue, aber tatsächlich willst du nur, dass ich *dir* einen Gefallen tue.« Langsam wandte er sich ab. »Kommt nicht infrage.«

Jace erwischte ihn am Arm und wirbelte ihn wieder herum. »Das tue ich für Clary. Ich versuche nur, sie zu beschützen. Und ich dachte, du wärst wenigstens ein bisschen daran interessiert, mir dabei zu helfen.«

Simon warf einen langen Blick auf Jace' Hand, die seinen Oberarm umklammerte. »Wie kann ich sie beschützen, wenn du mir nicht verrätst, wovor ich sie schützen soll?«

Jace hielt ihn weiterhin fest. »Kannst du mir nicht einfach vertrauen, wenn ich dir sage, dass es hier um eine ernste Sache geht?«

»Du verstehst nicht, wie sehr Clary ihr Herz daran gehängt hat, nach Idris zu reisen«, erwiderte Simon. »Wenn ich sie davon abhalte, brauche ich einen verdammt guten Grund dafür.«

Jace stieß langsam und zögernd einen Seufzer aus und ließ dann Simons Arm los. »Es geht darum, was Clary auf Valentins Jacht getan hat«, sagte er mit gesenkter Stimme. »Die Rune an der Schiffswand . . . diese Entriegelungsrune . . . du hast ja selbst gesehen, was danach passiert ist.«

»Sie hat das Schiff zerstört«, sagte Simon. »Und uns allen das Leben gerettet.«

»Jetzt sprich doch nicht so laut.« Nervös schaute Jace sich um.

»Du willst mir doch wohl nicht sagen, dass niemand sonst davon weiß?«, hakte Simon ungläubig nach.

»Ich weiß es. Du weißt es. Luke weiß davon und Magnus weiß davon. Aber sonst niemand.«

»Ja, und was glauben die anderen denn, was passiert ist? Dass das Schiff zufälligerweise im richtigen Moment von selbst auseinandergebrochen ist?«

»Ich habe ihnen erzählt, dass bei Valentins Ritual der Infernalischen Umkehrung irgendetwas schiefgegangen sein muss.«

»Du hast den Rat angelogen?« Simon war sich nicht sicher, ob er beeindruckt oder bestürzt sein sollte.

»Ja, ich habe den Rat belogen. Isabelle und Alec wissen, dass Clary die Fähigkeit besitzt, neue Runen zu schaffen, deshalb werde ich das vor dem Rat oder dem neuen Inquisitor wohl kaum geheim halten können. Aber wenn sie wüssten, wozu Clary wirklich fähig ist . . . dass sie einfache Runen so verstärken kann, dass sie eine ungeheure Zerstörungskraft entfalten . . . dann würde der Rat sie im Kampf einsetzen wollen – als eine Art Waffe! Aber dafür ist Clary nicht gerüstet. Dazu wurde sie nicht ausgebildet . . .« Er unterbrach sich, als er sah, wie Simon den Kopf schüttelte. »Was ist?«

»Du bist ein Nephilim«, sagte Simon langsam. »Solltest du nicht das Beste für den Rat wollen? Und wenn das die Nutzung von Clarys Kräften beinhaltet . . .«

»Du willst also, dass der Rat sie in die Finger bekommt? Sie in vorderster Front aufstellt, gegen Valentin und seine Armee aus Dämonen und was weiß ich welchen Kreaturen?«

»Nein«, erwiderte Simon. »Das will ich nicht. Aber ich bin keiner von euch. Ich muss mich nicht fragen, wen ich an oberste Stelle setze, Clary oder meine Familie.«

Eine dunkle Röte breitete sich langsam auf Jace' Gesicht aus. »Darum geht es nicht. Wenn ich davon überzeugt wäre, dass dem Rat dadurch geholfen würde . . . Aber genau das wird nicht passieren. Clary wird lediglich verletzt werden . . .«

»Selbst *wenn* du davon überzeugt wärst, würdest du niemals zulassen, dass der Rat sie bekommt«, sagte Simon.

»Was bringt dich auf diese Idee, Vampir?«

»Weil niemand außer dir sie haben darf«, erklärte Simon.

Sämtliche Farbe wich aus Jace' Gesicht. »Dann wirst du mir also nicht helfen?«, fragte er ungläubig. »Du willst *Clary* nicht helfen?«

Simon zögerte, doch ehe er etwas erwidern konnte, zerriss ein Geräusch die Stille zwischen ihnen – ein hohes, schrilles Kreischen, ein schrecklicher, verzweifelter Schrei, der jäh abbrach und dadurch noch unheimlicher klang.

Jace wirbelte herum. »Was war das?«

Plötzlich schlossen sich dem einzelnen Aufschrei weitere Rufe und Schreie an und ein hartes Klirren von Metall drang an Simons Ohren. »Irgendetwas passiert gerade – die anderen . . .«

Doch Jace war bereits verschwunden. Er rannte den Pfad entlang, sprang über Ranken und dichtes Gestrüpp. Simon zögerte einen Moment und folgte ihm dann. Er hatte ganz vergessen, wie schnell er nun laufen konnte, und war Jace dicht auf den Fersen, als sie um die Ecke der Kathedrale bogen und in den Garten stürmten.

Vor ihnen herrschte das reinste Chaos. Dichter Nebel hüllte den Garten in ein weißes Tuch und ein scharfer Geruch lag in der Luft – der ätzende Gestank von Ozon, vermischt mit einer anderen, süßlichen, unangenehmen Note. Gestalten huschten hin und her – Simon konnte nur Schemen von ihnen erkennen, da sie durch die Nebelschwaden immer wieder der Sicht entzogen wurden. Er sah Isabelle, deren dicke Zöpfe wie schwarze Seile um sie herumwirbelten, während ihre Peitsche wie ein tödlicher, goldglitzernder Blitz durch die Schatten zuckte. Sie wehrte den Angriff einer riesigen, schwerfälligen Gestalt ab. *Ein Dämon!,* schoss es Simon durch den Kopf. Aber das war unmöglich – es war doch helllichter Tag. Als er vorwärtsstürmte, erkannte er, dass die Kreatur eine menschenartige Gestalt besaß, aber seltsam verkrüppelt und gekrümmt wirkte, irgendwie falsch . . . Das Wesen hielt eine schwere Holzplanke in der Hand und schwang sie fast blind gegen Isabelle.

Nicht weit davon entfernt konnte Simon durch ein Loch in der Steinmauer den ruhig fließenden Verkehr auf der York Avenue erkennen. Auch der Himmel über dem Institut war strahlend blau.

»Forsaken«, murmelte Jace leise. Seine Augen funkelten, als er eine der Seraphklingen aus seinem Gürtel zog. »Dutzende von Forsaken.« Fast grob stieß er Simon zur Seite. »Du bleibst hier! Hast du mich verstanden? Rühr dich auf keinen Fall von der Stelle.«

Simon blieb einen Moment wie angewurzelt stehen, während Jace sich in den Nebel stürzte. Das Licht der Klinge in seiner Hand ließ die Schwaden silbern aufleuchten, durch die dunkle Gestalten hin und her stürmten. Simon hatte den Eindruck, als würde er durch eine Milchglasscheibe schauen und verzweifelt versuchen, irgendetwas auf der anderen Seite zu erkennen. Isabelle war verschwunden; dafür sah er Alec, dessen Arm stark blutete, während er die Brust eines Forsaken aufschlitzte und zuschaute, wie dieser taumelnd zu Boden ging. Im nächsten Moment baute sich hinter ihm eine weitere dieser rücksichtslosen Tötungsmaschinen auf . . . doch Jace war sofort zur Stelle, diesmal in jeder Hand eine Waffe. Er machte einen Satz in die Luft und brachte die Klingen mit einer brutalen, scherenartigen Bewegung nach unten – und der abgetrennte Kopf des Forsaken fiel zu Boden, während schwarzes Blut pulsierend aus den Adern schoss. Simon spürte ein schmerzhaftes Ziehen im Magen – das Blut roch bitter, giftig.

Er konnte hören, wie die Schattenjäger sich durch den Nebel hindurch etwas zuriefen, wohingegen die Forsaken unheimlich still waren. Plötzlich lichtete sich der Nebel und Simon entdeckte Magnus, der mit weit aufgerissenen Augen vor der Wand des Instituts stand. Zwischen seinen hoch erhobenen Händen tanzten blaue Funken und in der Steinmauer schien sich eine rechteckige schwarze Öffnung aufzutun, die jedoch nicht in den Bereich dahinter führte. Stattdessen schimmerte ihre Oberfläche wie ein Spiegel, in dessen Glas ein loderndes Feuer gefangen war. »Das Portal!«, rief Magnus den Schattenjägern zu. »Geht durch das Portal!«

In dem Moment geschahen mehrere Dinge gleichzeitig: Maryse Lightwood tauchte aus dem Nebel auf, mit Max in den Armen.

Sie hielt einen Moment inne, rief etwas über ihre Schulter, stürzte dann auf das Portal zu und *hindurch* . . . und verschwand in der Mauer. Alec folgte ihr sofort nach und zog Isabelle hinter sich her, deren blutgetränkte Peitsche über den Boden schleifte. Als er sie in Richtung des Portals zerrte, ragte plötzlich etwas aus dem Nebel hinter ihnen hoch auf – ein Forsaken, der eine Doppelklinge schwang.

Simon erwachte aus seiner Starre. Er sprintete vorwärts, rief Isabelles Namen, strauchelte dann und schlug so heftig auf dem Boden auf, dass es ihm den Atem geraubt hätte – wenn er denn noch Luft benötigt hätte. Benommen setzte er sich auf und drehte sich um, um nachzusehen, worüber er gestolpert war.

Hinter ihm lag ein Leichnam. Der Leichnam einer Frau, mit aufgeschlitzter Kehle und weit aufgerissenen, totenstarren Augen. Blut sickerte durch ihre silberhellen Haare. Madeleine.

»Simon, pass auf!« Jace' Stimme drang zu ihm durch; Simon drehte sich wieder um und sah, dass der Schattenjäger durch den Nebel auf ihn zugerannt kam, zwei blutige Seraphklingen in den Händen. Dann schaute er auf. Der Forsaken, der Isabelle bedroht hatte, ragte nun turmhoch über ihm auf, das von Narben entstellte Gesicht zu einem hässlichen Grinsen verzerrt. Blitzschnell drehte Simon sich zur Seite, als das Doppelklingenmesser auf ihn herabfuhr, doch selbst mit seinen deutlich verbesserten Reflexen war er nicht schnell genug. Ein stechender Schmerz schoss ihm durch die Glieder und im nächsten Moment wurde alles um ihn herum schwarz.

2
DIE DÄMONENTÜRME
VON ALICANTE

Keine Magie dieser Welt würde es jemals schaffen, für freie Parkplätze auf den Straßen New Yorks zu sorgen, dachte Clary, als Luke und sie zum dritten Mal um den Häuserblock fuhren. Nirgendwo fand sich auch nur die kleinste Parklücke und in der halben Straße standen die Wagen bereits in zweiter Reihe. Schließlich hielt Luke vor einem Hydranten und schaltete den Pick-up seufzend in den Leerlauf. »Geh schon vor«, sagte er, »damit sie wissen, dass du da bist. Ich bring deinen Koffer gleich nach.«

Clary nickte, zögerte aber, ehe sie nach der Türklinke griff. Vor Aufregung war ihr Magen wie zusammengeballt und nicht zum ersten Mal wünschte sie inständig, Luke könnte sie begleiten. »Ich habe immer gedacht, dass ich bei meiner ersten Reise nach Übersee wenigstens einen Pass bei mir hätte«, scherzte sie halbherzig.

Doch Luke konnte nicht darüber lachen. »Ich weiß, dass du nervös bist«, sagte er. »Aber mach dir keine Sorgen – alles wird gut. Die Lightwoods werden sich gut um dich kümmern.«

Das hab ich dir *mindestens eine Million Mal versichert*, dachte Clary. Dann klopfte sie Luke leicht auf die Schulter und sprang aus dem Wagen. »Bis gleich.«

Clary folgte den brüchigen Steinplatten zum Hauptportal der Kathedrale und ließ den Verkehrslärm mit jedem Schritt weiter hinter sich. Es dauerte länger als üblich, den Zauberglanz, der über dem Institut lag, vollständig auszublenden. Clary hatte das Gefühl, als schwebte eine weitere Tarnschicht über dem alten Kirchengebäude, wie ein neuer Farbanstrich, und es kostete sie sehr viel Kraft, diese Schicht vor ihrem inneren Auge zu entfernen. Doch schließlich war der Zauberglanz verschwunden und Clary konnte die Kathedrale in ihrer vollen Pracht erkennen. Die schweren Holztüren des Hauptportals schimmerten, als hätte man sie gerade frisch poliert.

Aber in der Luft hing eine merkwürdige Mischung aus Ozon und Brandgeruch. Stirnrunzelnd legte Clary die Hand auf den Türknauf. *Ich bin Clary Morgenstern, eine der Nephilim, und ich erbitte Zugang zum Institut . . .*

Sofort schwang die Tür auf und Clary betrat das Kirchenschiff. Doch irgendetwas war anders als sonst. Blinzend schaute sie sich um und versuchte herauszufinden, was ihr am Inneren der Kirche so seltsam erschien . . .

Als die Tür hinter ihr ins Schloss fiel und sie in tiefe Dunkelheit hüllte, die nur vom schwachen Lichtschein des Rosettenfensters hoch über ihr ein wenig erhellt wurde, erkannte sie plötzlich die Ursache: Bei jedem ihrer vorherigen Besuche war der Zugang zum Institut von Dutzenden flackernder Kerzen erhellt worden, die in kunstvollen Kerzenständern in den Gängen zwischen den Kirchenschiffen gebrannt hatten.

Clary nahm ihren Elbenlichtstein aus der Jacke und hielt ihn hoch. Helles Licht brach aus dem Gestein hervor und sandte zwischen ihren Fingern glitzernde Strahlen hindurch, die selbst die staubigen Ecken der Kathedrale beleuchteten. Dann ging sie zum Aufzug in der Nähe des kahlen Altars und drückte ungeduldig auf den Knopf.

Doch nichts geschah. Nach einer halben Minute drückte sie erneut auf den Knopf des Aufzugs . . . und dann ein weiteres Mal. Schließlich legte sie ein Ohr gegen die Aufzugtür und lauschte. Es war nichts zu hören. Das Institut lag dunkel und schweigend da, wie eine Aufziehpuppe, deren innerer Mechanismus abgelaufen war.

Mit wild pochendem Herzen lief Clary den Gang zurück und stieß die schweren Türen auf. Auf den Stufen vor der Kathedrale hielt sie inne und schaute sich fieberhaft um. Der Himmel über ihr hatte inzwischen eine kobaltblaue Tönung angenommen und in der Luft lag noch immer dieser intensive Brandgeruch. *War hier irgendwo ein Feuer ausgebrochen? Hatten die Schattenjäger das Institut evakuiert? Aber das Gelände wirkte vollkommen unberührt . . .*

»Es war kein Feuer.« Die Stimme klang sanft, samtig und vertraut. Aus den Schatten tauchte eine hohe Gestalt auf, deren Haare wie ein Kranz unansehnlicher Stacheln abstanden. Die Person trug einen schwarzen Seidenanzug über einem schimmernden smaragdgrünen Hemd und schwere Juwelenringe an den schlanken Fingern. Elegante Schuhe und eine große Menge Glitter rundeten das Erscheinungsbild ab.

»Magnus?«, flüsterte Clary.

»Ich weiß, was du denkst«, sagte Magnus. »Aber hier hat es nicht gebrannt. Das, was du riechst, ist Höllendunst – eine Art verwunschener Dämonennebel. Er dämpft die Wirkung bestimmter Arten der Magie.«

»*Dämonen*dunst? Dann hat es also . . .«

»Einen Angriff auf das Institut gegeben? Ja. Am frühen Nachmittag. Forsaken – vermutlich ein paar Dutzend dieser Kreaturen.«

»Jace«, flüsterte Clary. »Die Lightwoods . . .«

»Der Höllendunst hat meine Fähigkeiten zur Bekämpfung der Forsaken stark eingeschränkt. Und auch die der Schattenjäger. Ich musste sie Hals über Kopf durch das Portal nach Idris schicken.«

»Aber es wurde niemand von ihnen verletzt?«

»Doch. Madeleine«, sagte Magnus. »Madeleine wurde getötet. Tut mir leid, Clary.«

Bestürzt ließ Clary sich auf die Stufen sinken. Sie hatte die ältere Frau zwar nicht besonders gut gekannt, aber Madeleine war eine wichtige Verbindung zu ihrer Mutter gewesen – ihrer *richtigen* Mutter, jener harten, kriegerischen Schattenjägerin, die Clary nie kennengelernt hatte.

»Clary?« Luke kam durch die anbrechende Abenddämmerung den Weg herauf. In der Hand hielt er ihren Koffer. »Was ist passiert?«

Clary umklammerte ihre Knie und hörte schweigend zu, während Magnus rasch die Ereignisse zusammenfasste. Trotz eines Anflugs von schlechtem Gewissen wegen Madeleines Tod verspürte sie ein enormes Gefühl der Erleichterung: Jace war nichts passiert. Den Lightwoods war nichts passiert. Wie eine Formel wiederholte sie diesen Gedanken ein ums andere Mal: *Jace geht es gut, ihm ist nichts passiert*.

»Diese Forsaken . . . wurden sie alle getötet?«, fragte Luke.

»Nicht alle.« Magnus schüttelte den Kopf. »Nachdem ich die

Lightwoods durch das Portal geschickt hatte, zerstreuten sie sich; an mir schienen sie nicht interessiert zu sein. Als ich das Portal wieder verschlossen hatte, waren alle Forsaken verschwunden.«

Clary hob den Kopf. »Das Portal ist geschlossen? Aber . . . du kannst mich doch noch immer nach Idris teleportieren, oder?«, fragte sie. »Ich meine, ich kann das Portal passieren und mich in Idris den Lightwoods anschließen, stimmt's?«

Luke und Magnus tauschten einen Blick und Luke setzte den Koffer ab.

»Magnus?« Clarys Stimme klang nun – selbst in ihren eigenen Ohren – höher, schriller. »Ich muss unbedingt nach Idris.«

»Das Portal ist geschlossen, Clary . . .«

»Dann öffne eben ein anderes!«

»So einfach ist das nicht«, erwiderte der Hexenmeister. »Der Rat überwacht jede magische Grenzüberschreitung nach Alicante mit Argusaugen. Die Hauptstadt ist den Nephilim das Allerheiligste – so ähnlich wie der Vatikan oder die Verbotene Stadt. Ohne Genehmigung hat kein Schattenweltler dort Zutritt und auch keine Irdische.«

»Aber ich bin eine Schattenjägerin!«

»Ja, aber eben nicht ganz«, sagte Magnus. »Außerdem verhindern die Türme, dass jemand in die Stadt portiert werden kann. Wenn ich jemanden direkt nach Alicante schicken wollte, müsste ich dafür sorgen, dass auf der anderen Seite eine Art Empfangskomitee wartet. Alles andere wäre ein grober Verstoß gegen das Gesetz und ich bin nicht gewillt, das für dich zu riskieren, Herzchen – ganz gleich, wie sehr ich dich als Person auch schätzen mag.«

Clary schaute von Magnus' betrübtem Gesicht zu Luke, der sie aufmerksam musterte. »Aber ich muss nach Idris. Ich *muss* einfach«, beharrte sie. »Ich muss meiner Mutter helfen. Es muss doch irgendeine andere Möglichkeit geben, dorthin zu kommen, irgendeinen Weg ohne Portal.«

»Der nächste Flughafen liegt ein Land weiter«, erklärte Luke. »Falls wir die Grenze überqueren könnten – und die Betonung liegt dabei auf *falls* –, läge immer noch eine lange und gefährliche Reise über Land vor uns, durch diverse Schattenweltler-Territorien. Es würde Tage dauern, ehe wir in Alicante wären.«

Clarys Augen brannten heiß, doch sie ermahnte sich: *Ich werde nicht in Tränen ausbrechen. Ich werde* auf keinen Fall *weinen.*

»Clary.« Lukes Stimme klang sanft. »Wir werden uns mit den Lightwoods in Verbindung setzen. Und dafür sorgen, dass sie alle Informationen bekommen, die sie zur Beschaffung des Gegenmittels für Jocelyn benötigen. Die Lightwoods können Kontakt zu Fell aufnehmen . . .«

Doch Clary war bereits aufgesprungen und schüttelte vehement den Kopf. »*Ich* bin diejenige, die Kontakt zu ihm aufnehmen muss«, erwiderte sie. »Madeleine hat gesagt, dass Fell mit niemand anderem reden würde.«

»Fell? Ragnor Fell?«, wiederholte Magnus. »Ich könnte versuchen, ihm eine Nachricht zukommen zu lassen. Ihm mitteilen, dass er Jace erwarten soll.«

Sofort erhellte sich Lukes Gesicht; ein Teil seiner Sorgen schien von ihm abzufallen. »Clary, hast du das gehört? Mit Magnus' Hilfe . . .«

Aber Clary wollte nichts von Magnus' Hilfe hören. Sie wollte überhaupt nichts mehr hören. Sie hatte sich gewünscht, ihre

Mutter retten zu können, doch nun schien ihr nichts anderes übrig zu bleiben, als tatenlos an ihrem Bett zu sitzen, ihre schlaffe Hand zu halten und darauf zu hoffen, dass irgendjemand anderes irgendwo anders in der Lage wäre, das zu tun, was sie nicht tun konnte.

Enttäuscht stürmte sie die Stufen hinunter und wich Luke aus, der die Hand nach ihr ausstreckte. »Ich muss jetzt einfach einen Moment allein sein.«

»Clary . . .« Sie hörte, wie Luke ihr hinterherrief, doch sie rannte weiter, lief um die Ecke der Kathedrale. Unwillkürlich nahm sie den Steinpfad, der zu dem kleinen Garten auf der Ostseite des Instituts führte, folgte dem Geruch von Brand und Asche, unter dem ein intensiver, beißender Gestank lag. Der Pesthauch der Dämonenmagie. Noch immer hingen Nebelfetzen im Garten, dünne Schwaden, die sich in den Rosenhecken oder zwischen Steinen verfangen hatten. Clary konnte deutlich erkennen, wo der Boden vom Kampf aufgewühlt war, und bei einer der Steinbänke entdeckte sie eine dunkelrote Lache, die sie lieber nicht allzu genau betrachten wollte.

Betrübt wandte Clary den Kopf ab. Und hielt plötzlich inne. An der Mauer der Kathedrale waren die unverkennbaren Zeichen der Runenmagie noch zu sehen – glühende, allmählich verblassende blaue Symbole auf dem grauen Stein. Zusammen bildeten sie eine rechteckige Kontur, wie die Umrisse einer halb geöffneten Tür . . .

Das Portal.

Irgendetwas in Clarys Innerem schien in Gang zu kommen: Sie erinnerte sich an andere Symbole, gefährlich schimmernde Zeichen auf der glatten Stahlwand eines Schiffsrumpfs. An das Kreischen von Metall und das Vibrieren der Stahlplatten, als sämtliche Nieten sich aus den Verankerungen gelöst hatten und das Schiff in tausend Stücke zerborsten war. An das schwarze Wasser des East River, das ins Innere der Jacht geströmt war. *Das sind nur Runen,* dachte sie. *Symbole. Die kann ich problemlos zeichnen. Wenn es meiner Mutter gelungen ist, den Kelch der Engel zwischen die Lagen eines Stück Kartons zu bannen, dann kann ich ja wohl ein Portal erschaffen.*

Clary spürte, wie ihre Füße sie zur Kirchenmauer trugen, wie ihre Hand in die Jackentasche griff und die Stele hervorholte. Sie zwang ihre zitternde Hand zur Ruhe und drückte die Spitze der Stele gegen das Mauerwerk.

Dann kniff sie die Augen fest zusammen und in der Dunkelheit hinter ihren Lidern begannen sich geschwungene Linien aus Licht abzuzeichnen. Linien, die ihr von Durchgängen erzählten, von wirbelnden Stürzen durch flirrende Luft, von Reisen und fernen Ländern. Die Linien vereinten sich zu einer Rune von der Anmut eines Vogels im freien Flug. Clary wusste nicht, ob diese Rune bereits zuvor bestanden oder ob sie sie in diesem Moment erschaffen hatte, doch nun existierte sie, als hätte es sie bereits seit Anbeginn der Zeit gegeben.

Portal.

Clary setzte die Stele an und die Symbole flossen in kohleschwarzen Linien förmlich aus der Spitze heraus. Das Mauerwerk begann zu zischen und ein ätzender Brandgeruch stieg ihr in die Nase. Glühende blaue Lichtlinien zeichneten sich durch ihre geschlossenen Lider hindurch ab. Clary spürte die Hitze auf ihrer Haut, als stünde sie vor einem offenen Feuer.

Mit einem leichten Keuchen stieß sie die angehaltene Luft aus, ließ die Hand sinken und öffnete die Augen.

Die Rune, die sie auf der Steinmauer gezeichnet hatte, erinnerte an eine dunkle, aufblühende Blume. Linien schienen zu verschmelzen und sich zu verändern; sie flossen sanft ineinander, entfalteten sich, formten sich neu. Innerhalb weniger Sekunden hatte sich die Gestalt der Rune vollkommen verwandelt: Sie bildete nun die Umrisse eines glühenden Durchgangs, der einige Köpfe größer war als Clary.

Wie gebannt starrte Clary auf den Durchgang, konnte sich nicht von seinem Anblick losreißen. Er schimmerte im gleichen dunklen Licht wie damals das Portal hinter Madame Dorotheas Vorhang. Langsam streckte sie die Hand danach aus . . .

Und zuckte zurück. Bevor man ein Portal benutzte, musste man sich in Gedanken vorstellen, wohin man wollte, an welchen Ort das Portal einen transportieren sollte, erinnerte Clary sich. Das Problem bestand darin, dass sie nie zuvor in Idris gewesen war. Natürlich hatten die anderen ihr davon erzählt: ein Land mit grünen Tälern, dunklen Wäldern und sprudelnden Bächen, mit Seen und Bergen. Und dann war da natürlich noch Alicante, die Stadt der Kristalltürme. Clary konnte sich natürlich ausmalen, wie es dort aussah, aber mit Fantasie allein würde sie nicht weit kommen, jedenfalls nicht bei dieser Runenmagie. *Wenn sie doch nur . . .*

Plötzlich sog sie scharf die Luft ein. Ja, natürlich! Sie hatte Idris schon einmal gesehen. Sie hatte die Stadt in einem Traum gesehen und sie wusste instinktiv – ohne allerdings zu wissen, warum –, dass es sich um einen Wahrtraum gehandelt hatte. Was hatte Jace ihr in diesem Traum noch mal über Simon gesagt? Dass er nicht bleiben durfte, denn »dieser Ort ist für die Lebenden«. Und kurz darauf war Simon gestorben . . .

Clary versuchte, sich wieder auf den Traum zu konzentrieren. Sie hatte in einem Ballsaal in Alicante getanzt. Die Wände waren ganz in Gold und Weiß getaucht gewesen und die hohe Decke hatte gefunkelt, als wäre sie mit Diamanten besetzt. In dem Saal hatte ein Champagnerbrunnen gestanden – eine riesige silberne Schale, in deren Mitte eine Meerjungfrau mit einem Krug aufragte. Bunte Lichter hatten in den Bäumen vor den Fenstern gehangen und Clary hatte ein Kleidungsstück aus grünem Samt getragen, genau wie jetzt auch.

Wie in Trance streckte Clary die Hand nach dem Portal aus. Ein strahlendes Licht breitete sich unter ihren Fingern aus, als sie die Oberfläche berührte – eine Tür, die sich zu einem erhellten, dahinter liegenden Ort öffnete. Gebannt starrte Clary auf einen wirbelnden goldenen Mahlstrom, der sich langsam zu unterschiedlichen Formen verdichtete: Sie glaubte, die Silhouette von Bergen erkennen zu können, ein Stück Himmel . . .

»Clary!« Luke kam den Weg heraufgerannt; auf seinem Gesicht spiegelte sich eine Mischung aus Wut und Entsetzen. Hinter ihm lief Magnus mit großen Schritten. Im leuchtenden Schein des Portals schimmerten seine Katzenaugen wie glühendes Metall. »Clary, nicht! Die Schutzschilde sind gefährlich! Du bringst dich noch um!«

Doch für Clary gab es kein Zurück. Jenseits des Portals gewann das goldene Licht immer mehr an Leuchtkraft. Sie dachte an die goldenen Wände des Ballsaals in ihrem Traum, das goldene Licht, das sich in den Kristallscheiben brach.

Lukes Worte waren nicht wahr; er verstand ihre Begabung nicht, begriff nicht, wie es funktionierte. Welche Rolle spielten schon Schutzschilde, wenn man seine eigene Wirklichkeit erschaffen konnte, nur mithilfe einer handgezeichneten Rune? »Ich muss es tun«, rief sie ihm zu und machte mit ausgestreckten Fingerspitzen einen Schritt nach vorn. »Tut mir leid, Luke . . .«

Sie ging einen weiteren Schritt vor . . . doch mit einem letzten, geschmeidigen Sprung war Luke an ihrer Seite und packte sie genau in dem Moment am Handgelenk, als das Portal um sie herum zu explodieren schien. Eine Kraft ergriff sie beide wie ein Tornado und hob sie hoch in die Lüfte. Clary erhaschte noch einen letzten Blick auf die kleiner werdenden Autos und Gebäude unter ihr, bis ein peitschender Wind sie erfasste und gnadenlos in einem goldenen Strudel umherwirbelte, während Luke ihr Handgelenk mit eisernem Griff umklammerte.

Simon erwachte, weil er das rhythmische Plätschern von Wasser hörte. Von plötzlicher Panik erfüllt, setzte er sich ruckartig auf: Als er das letzte Mal vom Geräusch der Wellen geweckt worden war, hatte er sich als Gefangener auf Valentins Schiff befunden. Und das sanfte Glucksen brachte die Erinnerung an jene schrecklichen Stunden mit einer Vehemenz zurück, als hätte man ihm einen Eimer eiskaltes Wasser ins Gesicht geschüttet.

Rasch schaute er sich um und stellte dann erleichtert fest,

dass er sich an einem völlig anderen Ort befand. Er lag unter einer weichen Decke in einem bequemen Bett, das in einem kleinen, sauberen Raum mit hellblau gestrichenen Wänden stand. Dunkle Vorhänge hingen vor dem Fenster, doch der schwache Lichtschein an den Kanten des Stoffs reichte Simons Vampiraugen, um seine Umgebung erkennen zu können. Auf dem Boden lag ein leuchtend bunter Flickenteppich, an einer der Wände ragte ein hoher, verspiegelter Kleiderschrank auf und irgendjemand hatte einen Sessel neben das Bett gezogen.

Simon schlug die Decke zurück und bemerkte zweierlei: Erstens trug er noch immer dieselben Sachen, die er auch bei seinem Treffen mit Jace vor dem Institut getragen hatte; und zweitens schien die Person, die in dem Sessel saß, zu dösen. Sie hatte den Kopf in die Hand gestützt und ihre langen schwarzen Haare umgaben sie wie ein feiner Schleier.

»Isabelle?«, fragte Simon.

Ruckartig wie ein erschreckter Schachtelteufel hob Isabelle den Kopf und riss die Augen auf. »Hey! Du bist wach!« Sie setzte sich auf und warf die Haare nach hinten. »Jace wird ja so erleichtert sein. Wir waren uns fast sicher, dass du sterben würdest.«

»Sterben?«, wiederholte Simon. Ihm war schwindlig und ein wenig übel. »Woran denn?« Blinzelnd schaute er sich im Raum um. »Bin ich im Institut?« Aber in dem Moment, als ihm die Worte über die Lippen kamen, wusste er bereits, dass das natürlich unmöglich war. »Ich meine – wo sind wir?«

Ein unbehaglicher Ausdruck huschte über Isabelles Gesicht. »Na ja . . . soll das heißen, dass du dich nicht daran erinnern kannst, was im Garten passiert ist?« Nervös zupfte sie am Brokatbesatz der Sesselpolsterung. »Wir wurden von Forsaken angegriffen. Es waren ziemlich viele und der Höllendunst hat dafür gesorgt, dass wir uns nur mühsam gegen sie wehren konnten. Daraufhin hat Magnus das Portal geöffnet und wir sind alle darauf zugelaufen, als ich dich plötzlich durch den Nebel hindurch entdeckte. Du wolltest zu uns, doch dann bist du gestolpert – über Madeleine. Und ein Forsaken tauchte direkt hinter dir auf; wahrscheinlich hast du ihn nicht bemerkt, aber Jace hat ihn gesehen. Er hat noch versucht, dich zu schützen, aber es war bereits zu spät. Der Forsaken hat dir sein Messer in die Rippen gerammt. Du hast geblutet – ziemlich stark sogar. Und Jace hat den Forsaken getötet, dich hochgehoben und durch das Portal geschleppt«, erklärte sie so hastig, dass ihre Worte zu verschmelzen schienen und Simon sich anstrengen musste, um sie zu verstehen. »Wir anderen waren schon auf dieser Seite des Portals und ich kann dir sagen, das war eine ziemliche Überraschung, als Jace mit dir hier auftauchte, vollkommen mit deinem Blut besudelt. Der Konsul war nicht gerade entzückt.«

Simon bekam einen trockenen Mund. »Der Forsaken *hat mir ein Messer in die Rippen gerammt?*« Das schien unmöglich – aber andererseits war er auch zuvor schon schnell geheilt, nachdem Valentin ihm die Kehle aufgeschlitzt hatte. Trotzdem hätte er sich doch wenigstens daran *erinnern* müssen. Er schüttelte den Kopf und schaute an sich hinab. »Wo genau?«

»Warte, ich zeig's dir.« Zu Simons Überraschung saß Isabelle eine Sekunde später neben ihm auf dem Bett, legte ihre kühlen Hände auf seine Magengrube und schob das T-Shirt hoch. Darunter kam ein Stück nackte helle Haut zum Vorschein, die durch eine dünne rote Linie unterteilt wurde – von einer Narbe konnte man kaum noch reden. »Hier«, sagte sie und strich mit den Fingern behutsam darüber. »Tut es noch weh?«

»N-nein.« Bei seiner ersten Begegnung mit Isabelle hatte Simon sie so atemberaubend gefunden, so voller Leben, Vitalität und Energie, dass er überzeugt gewesen war, endlich ein Mädchen entdeckt zu haben, das hell genug strahlte, um Clarys Bild dadurch auszulöschen – welches auf die Innenseite seiner Lider gebrannt zu sein schien. Erst als es Isabelle zugelassen hatte, dass er auf Magnus Banes Party in eine Ratte verwandelt wurde, war ihm klar geworden, dass diese Schattenjägerin für einen normalen Jungen wie ihn möglicherweise etwas *zu* hell strahlte. »Nein, es tut nicht weh.«

»Aber mir tun die Augen weh«, sagte in dem Moment eine kühle, leicht amüsierte Stimme an der Tür. Jace. Er war so leise in das Zimmer gekommen, dass nicht einmal Simon ihn gehört hatte. Nun schloss er die Tür hinter sich und grinste, als Isabelle Simons T-Shirt wieder nach unten zog. »Belästigst du etwa den Vampir, solange er zu schwach ist, sich zu wehren, Izzy?«, fragte er. »Ich bin mir ziemlich sicher, dass das gegen das Abkommen verstößt.«

»Ich habe ihm nur gezeigt, wo er verletzt wurde«, protestierte Isabelle, zog sich aber hastig wieder in ihren Sessel zurück. »Was ist da unten los?«, fragte sie. »Spielen noch immer alle verrückt?«

Das Lächeln verschwand von Jace' Gesicht. »Maryse ist mit Patrick zur Garnison marschiert«, erwiderte er. »Der Rat tagt in diesem Augenblick und Malachi hielt es für angebracht, dass sie persönlich zu einer Erklärung antritt.«

Malachi. Patrick. Garnison. Die unbekannten Namen und Begriffe wirbelten Simon nur so durch den Kopf. »*Was* soll sie erklären?«

Isabelle und Jace tauschten einen Blick. »Deine Anwesenheit«, sagte Jace schließlich. »Sie soll erklären, warum wir einen Vampir mit nach Alicante gebracht haben – was übrigens ausdrücklich gegen das Gesetz verstößt.«

»Nach Alicante? Wir sind in Alicante?« Simon spürte, wie ihn eine Woge nackter Panik erfasste, die unmittelbar darauf einem heftigen, ziehenden Schmerz in seiner Magengegend wich. Keuchend krümmte er sich zusammen.

»Simon!« Isabelle streckte die Hand nach ihm aus und musterte ihn besorgt aus dunklen Augen. »Alles in Ordnung mit dir?«

»Bitte geh, Isabelle.« Simon presste sich eine Faust in den Magen und schaute flehentlich zu Jace auf. »Sorg dafür, dass sie geht.«

Mit einem gekränkten Ausdruck auf dem Gesicht zuckte Isabelle zurück. »Kein Problem. Ich habe verstanden. Das musst du mir nicht zweimal sagen.« Pikiert erhob sie sich, stolzierte aus dem Zimmer und schlug die Tür mit einem Knall hinter sich zu.

Jace wandte sich wieder Simon zu und betrachtete ihn mit ausdruckslosem Blick. »Was ist los? Ich dachte, du würdest von selbst heilen.«

Simon hielt eine Hand hoch, um den anderen Jungen von sich fernzuhalten. Ein metallischer Geschmack brannte in seiner Kehle. »Darum geht es gar nicht«, stieß er mühsam hervor. »Ich bin nicht verletzt. Ich hab nur . . . Hunger.« Er spürte, wie seine Wangen rot anliefen. »Ich habe Blut verloren, daher . . . muss ich es ersetzen.«

»Natürlich«, erwiderte Jace in einem Ton, als hätte er gerade eine interessante, wenn auch nicht unbedingt erwähnenswerte, wissenschaftliche Tatsache erfahren. Der leicht besorgte Ausdruck auf seinem Gesicht verschwand und wich einer Miene, die Simon als eine Mischung aus Belustigung und Verachtung interpretierte und die ihn rasend machte. Wenn die Schmerzen ihn nicht derart geschwächt hätten, wäre er sicherlich in einem Anfall von Wut vom Bett aufgesprungen und hätte sich auf den Schattenjäger gestürzt. Doch nun blieb ihm nichts anderes übrig, als ein »Leck mich, Wayland!« hervorzupressen.

»Wayland? Ach wirklich?« Jace musterte ihn weiterhin mit belustigter Miene, doch seine Hände wanderten zu seiner Kehle und öffneten den Reißverschluss seiner Jacke.

»Nein!« Simon wich in die hintere Ecke des Betts zurück. »Es ist mir egal, wie hungrig ich bin. Ich werde dein Blut nicht trinken . . . nicht noch mal.«

Jace' Mundwinkel zuckten amüsiert. »Als wenn ich dir das ein weiteres Mal gestatten würde.« Dann griff er in die Innentasche seiner Jacke und zog eine flache Glasflasche hervor, die zur Hälfte mit einer dünnen, rötlich braunen Flüssigkeit gefüllt war. »Ich dachte, du könntest das hier vielleicht gebrauchen«, sagte er. »Ich hab in der Küche ein paar Pfund rohes Fleisch ausgepresst und den Saft aufgefangen. Mehr konnte ich nicht tun.«

Simon nahm die Flasche entgegen, doch seine Hände zitterten derart unkontrolliert, dass Jace für ihn den Deckel abschrauben musste. Die Flüssigkeit darin roch faulig – sie war zu dünn und salzig für echtes Blut und besaß einen unangenehmen Geschmack, der Simon verriet, dass das Fleisch schon ein paar Tage alt gewesen sein musste.

»Igitt«, murmelte er nach ein paar Schlucken. »Totes Blut.«

Jace zog die Augenbrauen hoch. »Ist Blut denn nicht immer tot?«

»Je länger das Tier, dessen Blut ich trinke, schon tot ist, desto widerlicher schmeckt es«, erklärte Simon. »Frisches Blut ist viel besser.«

»Aber du hast noch nie frisches Blut getrunken, oder?«

Nun zog auch Simon fragend die Augenbrauen hoch.

»Natürlich abgesehen von meinem«, sagte Jace. »Und ich bin mir sicher, mein Blut schmeckt einfach fan-*tastisch*.«

Simon stellte die leere Flasche auf die Armlehne des Sessels neben dem Bett. »Bei dir ist doch irgendwas ernsthaft nicht in Ordnung«, sagte er. »Im Oberstübchen, meine ich.« Er hatte den Geschmack des fauligen Blutes noch immer im Mund, aber die Schmerzen waren verschwunden. Und er fühlte sich deutlich besser, stärker, als wäre das Blut ein sofort wirkendes Medikament, eine Droge, die er zum Überleben brauchte. Simon fragte sich, ob Heroinabhängige sich vielleicht ähnlich fühlten. »Dann bin ich also in Idris.«

»In Alicante, um genau zu sein«, erklärte Jace. »Die Hauptstadt. Im Grunde die *einzige* Stadt.« Er spazierte zum Fenster und zog die Vorhänge auf. »Die Penhallows haben uns nicht geglaubt, dass die Sonne dir keine Probleme bereitet. Deshalb haben sie diese Verdunklungsvorhänge anbringen lassen. Aber wirf selbst mal einen Blick hinaus.«

Simon kletterte aus dem Bett und stellte sich neben Jace ans Fenster. Dann starrte er verblüfft hinaus.

Wenige Jahre zuvor hatte seine Mutter ihn und seine Schwester zu einem Urlaub in die Toskana mitgenommen – eine Woche mit mächtigen, unbekannten Nudelgerichten, ungesalzenem Brot, einer trockenen braunen Landschaft und einer halsbrecherischen Fahrt in einem Fiat über enge, gewundene Straßen, wobei seine Mutter häufig nur in letzter Sekunde einen Zusammenprall mit den wunderschönen, alten Gebäuden am Wegesrand hatte vermeiden können. Simon erinnerte sich, wie sie am Fuß eines Hügels direkt gegenüber einer Stadt namens San Gimignano haltgemacht hatten, einer Ansammlung rostbrauner Gebäude mit hohen Türmen, deren Spitzen steil in den Himmel hinaufragten. Wenn ihn der Anblick, der sich ihm nun bot, an irgendetwas erinnerte, dann an jene kleine Ortschaft. Doch die Stadt vor ihm war andererseits auch so fremd, dass sie sich mit keinem Ort, den er in seinem bisherigen Leben gesehen hatte, vergleichen ließ.

Er schaute aus dem Fenster eines ziemlich hohen Gebäudes. Wenige Meter über sich bemerkte er einen steinernen Dachvorsprung und dahinter den Himmel. Gegenüber lag ein weiteres Haus, das jedoch etwas kleiner war, und dazwischen verlief ein enger dunkler Kanal, von mehreren Brücken überspannt. Daher kam also das plätschernde Geräusch, das ihn geweckt hatte. Das Haus schien teilweise in einen Hügel gebaut zu sein; weiter unterhalb wimmelte es von sandfarbenen Gebäuden entlang schmaler Gassen, die von einer grünen, ringförmigen Hügellandschaft mit dichten Wäldern eingefasst

55

wurden. Von Simons Standort aus wirkten sie wie lange grüne und braune Streifen, die mit herbstlichen Farbtupfern gesprenkelt waren. Und dahinter erhoben sich steile, zerklüftete Berge mit schneebedeckten Gipfeln.

Während Simon eine solche Landschaft durchaus vertraut war, kamen ihm die offenbar wahllos über die Stadt verteilten hohen Türme, deren Spitzen mit einem reflektierenden silberweißen Material verkleidet waren, ziemlich merkwürdig vor. Wie schimmernde Dolche schienen sie den Himmel zu durchbohren und einen Moment später erinnerte sich Simon, wo er dieses Material schon einmal gesehen hatte – bei den harten, kristallartigen Waffen, die die Schattenjäger bei sich führten und die sie als Seraphklingen bezeichneten.

»Das sind die Dämonentürme«, beantwortete Jace Simons unausgesprochene Frage. »Sie steuern die Schutzschilde, die die Stadt abschirmen. Dank ihrer Existenz kann kein Dämon nach Alicante eindringen.«

Durch das geöffnete Fenster wehte eine klare, kalte Brise herein, eine Luft, wie sie Simon in New York noch nie begegnet war – ohne jeglichen Beigeschmack, ohne den geringsten Hauch von Schmutz, Rauch, Metall oder der Anwesenheit vieler Menschen. Einfach nur Luft. Simon atmete ein paarmal tief ein, ehe ihm einfiel, dass das überflüssig war; doch manche menschlichen Angewohnheiten ließen sich nur schwer ablegen. Schließlich wandte er sich an Jace: »Sag mir, dass es ein Versehen war, dass du mich hierhergebracht hast. Sag mir, dass das nicht ein Teil deines Plans war, um Clary daran zu hindern, mit euch zu reisen.«

Jace starrte unverwandt aus dem Fenster, aber seine Brust

hob und senkte sich rasch, als wollte er ein Schnauben unterdrücken. »Doch, natürlich«, erwiderte er. »Das hab ich von langer Hand geplant: Ich habe einen Haufen Forsaken erschaffen und dafür gesorgt, dass sie das Institut angreifen und Madeleine töten und beinahe auch den Rest meiner Familie, nur um sicherzustellen, dass Clary in New York bleibt. Und siehe da! Mein teuflischer Plan ist aufgegangen.«

»Na ja, irgendwie scheint er ja wirklich zu funktionieren«, sagte Simon leise. »Oder etwa nicht?«

»Jetzt hör mir mal gut zu, Vampir«, sagte Jace. »Der Plan bestand darin, Clary von Idris fernzuhalten. Dich hierherzubringen, gehörte nicht dazu. Ich habe dich durch das Portal geschleppt, weil die Forsaken dich getötet hätten, wenn ich dich bewusstlos und blutend zurückgelassen hätte.«

»Du hättest ja mit mir zusammen dableiben können . . .«

»Dann hätten sie uns beide getötet. Ich wusste ja nicht, wie viele von ihnen auf dem Gelände herumlungerten; bei diesem Höllendunst ließ sich das unmöglich sagen. Nicht einmal *ich* kann Hunderte Forsaken abwehren.«

»Aber ich wette, es fällt dir alles andere als leicht, das zuzugeben«, entgegnete Simon.

»Du bist ein Arschloch«, sagte Jace, ohne die Stimmlage zu verändern, »selbst für einen Schattenweltler. Ich habe dir das Leben gerettet und dafür das Gesetz gebrochen. Und das nicht zum ersten Mal, wenn ich mal darauf hinweisen darf. Du könntest wenigstens etwas Dankbarkeit zeigen.«

»*Dankbarkeit?*« Simon spürte, wie sich seine Finger krümmten und die Nägel sich in seine Handflächen bohrten. »Wenn du mich nicht zum Institut bestellt hättest, dann wäre ich jetzt nicht hier. Ich habe dir mit keinem Wort erlaubt, mich hierherzuschleppen.«

»Doch, das hast du«, erwiderte Jace, »als du gesagt hast, du würdest für Clary alles tun. *Das* hier ist alles.«

Simon setzte zu einer wütenden Antwort an, doch in diesem Moment klopfte es an der Tür. »Hallo?«, rief Isabelle von der anderen Seite. »Simon, ist dein Diven-Anfall wieder vorbei? Ich muss mit Jace reden.«

»Komm rein, Izzy«, sagte Jace, ohne die Augen von Simon abzuwenden. In seinem Blick lag eine siedende Wut und eine derart herausfordernde Haltung, dass sie in Simon das dringende Bedürfnis weckte, ihn mit irgendeinem schweren Gegenstand zu schlagen. Einem Pick-up beispielsweise.

In einem Wirbel aus schwarzen Haaren und silberfarbenen Lagenröcken fegte Isabelle ins Zimmer. Ihre elfenbeinfarbene Korsage ließ ihre Arme und Schultern mit den verschlungenen tintenschwarzen Runenmalen frei. Simon vermutete, dass es für die Schattenjägerin eine angenehme Abwechslung sein musste, ihre Male ungehindert zeigen zu können – in einer Stadt, in der niemand sich daran stören würde.

»Alec will gleich zur Garnison«, erklärte Isabelle ohne Umschweife. »Und er möchte mit dir noch über Simon reden, ehe er das Haus verlässt. Kannst du also bitte nach unten kommen?«

»Klar.« Sofort marschierte Jace zur Tür; als er sie fast erreicht hatte, wurde ihm jedoch bewusst, dass Simon ihm folgte, und er drehte sich mit einem finsteren Blick um. »Du bleibst hier.«

»Nein«, erwiderte Simon. »Wenn ihr über mich redet, will ich dabei sein.«

Einen kurzen Moment lang hatte es den Anschein, als würde Jace' mühsam bewahrte, eisige Gelassenheit zerbrechen: Er lief rot an, öffnete den Mund zu einer Entgegnung und seine Augen funkelten aufgebracht. Doch genauso schnell hatte er sich wieder im Griff und unterdrückte den drohenden Wutanfall. Er biss innerlich die Zähne zusammen und schenkte Simon ein strahlendes Lächeln. »Prima«, sagte er. »Von mir aus, komm ruhig mit nach unten, Vampir. Dann kannst du gleich die ganze traute Familie kennenlernen.«

Bei ihrer ersten Reise durch ein Portal hatte Clary das Gefühl gehabt, zu fliegen oder zumindest schwerelos zu fallen. Doch dieses Mal kam sie sich vor, als wäre sie inmitten eines Orkans: Heulende Winde zerrten an ihr, rissen ihre Hand aus Lukes festem Griff und fegten ihre Schreie fort, kaum dass sie ihre Lippen verlassen hatten. Sie fiel und fiel . . . durch die Strudel eines schwarz-goldenen Mahlstroms.

Plötzlich tauchte vor Clary etwas Flaches, Hartes, Silberfarbenes auf, wie die Oberfläche eines Spiegels. Mit unverminderter Geschwindigkeit stürzte sie darauf zu, stieß einen unterdrückten Schrei aus und riss die Hände schützend vors Gesicht. Sekundenbruchteile später traf sie auf der Fläche auf und brach durch sie hindurch, in eine Welt, deren schneidende Kälte ihr den Atem nahm. Haltlos sank sie durch eine dichte blaue Dunkelheit und versuchte, nach Luft zu schnappen, doch sie bekam einfach keinen Sauerstoff in ihre Lungen, nur noch mehr Eiseskälte . . .

Auf einmal wurde sie hinten an ihrem Cape gepackt und nach oben gezogen. Schwerfällig trat sie um sich, doch sie war zu geschwächt, um sich aus der Umklammerung zu befreien. Irgendetwas zerrte sie nach oben und die indigoblaue Dunkelheit wandelte sich in ein helles Blau und dann in ein goldenes Schimmern, als Clary durch die Wasseroberfläche brach und verzweifelt nach Atem rang. Oder es zumindest versuchte; stattdessen hustete und prustete sie schnaufend und vor ihren Augen tanzten schwarze Pünktchen. Dann spürte sie, wie sie mit großer Geschwindigkeit durch das Wasser gezogen wurde, während Algen und Schlingpflanzen sich um ihre Arme und Beine wickelten und sie wieder nach unten zu ziehen drohten. Fieberhaft wand Clary sich hin und her und erhaschte dabei einen Blick auf eine Furcht einflößende Kreatur – halb Wolf, halb Mensch, mit spitzen Ohren und gebleckten Lefzen, sodass die scharfen weißen Zähne zum Vorschein kam. Clary versuchte zu schreien, doch aus ihrem Mund schoss nur ein Schwall Wasser hervor.

Einen Augenblick später wurde sie aus dem Wasser gezerrt und auf den feuchten, harten Erdboden geschleudert. Hände packten sie an den Schultern und drückten sie mit dem Gesicht nach unten in die Uferböschung. Und dann schlugen ihr die Hände auf den Rücken, wieder und wieder, bis Clarys Brust sich verkrampfte und sie einen Schwall bitteres Wasser hervorwürgte.

Clary hustete noch immer, als die Hände sie auf den Rücken drehten. Sie schaute auf und sah Luke – ein schwarzer Schatten vor einem blauen Himmel mit weißen Wolken. Doch der sanfte Ausdruck in seinem Gesicht war verschwunden, und obwohl er seine Wolfsgestalt abgelegt hatte, musterte er sie aus rasenden, wilden Augen. Entschlossen riss er sie hoch und schüttelte sie hart und unnachgiebig, bis Clary keuchend nach Luft schnappte und sich schwach zur Wehr setzte. »Luke! Hör auf! Du tust mir weh . . .«

Ruckartig ließ er ihre Schultern los, packte sie stattdessen am Kinn und zwang ihren Kopf hoch, bis sie ihm in die Augen sah. »Das Wasser«, schnaubte er. »Hast du das Wasser vollständig ausgespuckt?«

»Ich glaub schon«, flüsterte Clary. Wegen der geschwollenen Kehle klang ihre Stimme dünn und gepresst.

»Wo ist deine Stele?«, fragte Luke drängend, und als Clary zögerte, hakte er scharf nach: »Clary. Deine Stele. Such sie!«

Clary befreite sich aus seinem Griff und kramte in ihren nassen Taschen herum, doch Verzweiflung beschlich sie, als ihre Finger nur auf den feuchten Stoff trafen. Mit einem bestürzten Ausdruck in den Augen wandte sie sich Luke wieder zu. »Ich muss sie im See verloren haben«, schniefte sie. »Meine . . . Moms Stele . . .«

»Herrje, Clary.« Luke erhob sich und verschränkte die Hände nachdenklich hinter dem Kopf. Auch er war triefend nass, das Wasser rann in dicken Rinnsalen aus seiner Jeans und der schweren Holzfällerjacke. Seine Brille, die normalerweise auf seiner Nasenspitze thronte, war verschwunden und er betrachtete Clary mit einem ernsten Blick. »Mit dir ist alles in Ordnung? Ich meine, jetzt in diesem Moment. Dir geht's gut, oder?«

Clary nickte. »Luke, was ist los? Wofür brauchen wir meine Stele?«

Doch Luke schwieg und schaute sich suchend um, als verspräche er sich von ihrer Umgebung irgendwelche Hilfe. Clary folgte seinem Blick. Sie standen am breiten, steinigen Ufer eines ziemlich großen Sees, in dessen hellblauem Wasser sich glitzernde Sonnenstrahlen spiegelten. Clary fragte sich, ob das vielleicht die Quelle des schimmernden goldenen Lichts war, das sie durch das halb geöffnete Portal gesehen hatte. Nun, da sie sich *neben* statt *in* den Fluten des Sees befand, hatte er nichts Unheilvolles mehr an sich. An seinen Ufern erhoben sich bewaldete Hügel, deren Grüntöne mit ersten rostroten und goldenen Herbstfarben gesprenkelt waren, und dahinter ragten steile, schneebedeckte Berge auf.

Clary erschauderte. »Luke, als wir vorhin im See waren . . . hast du dich da teilweise in einen Wolf verwandelt? Ich meine, ich hätte so was gesehen . . .«

»Mein Wolfs-Ich kann besser schwimmen als mein menschliches Ich«, erklärte Luke kurz angebunden. »Außerdem ist es stärker. Schließlich musste ich dich durchs Wasser ziehen und du hast mich nicht gerade dabei unterstützt.«

»Ich weiß«, räumte Clary ein. »Tut mir leid. Du hättest . . . du hättest mich ja eigentlich auch nicht begleiten sollen.«

»Wenn ich das nicht getan hätte, wärst du jetzt tot«, bemerkte er spitz. »Magnus hat es dir doch gesagt, Clary. Du kannst nicht mithilfe eines Portals in die Gläserne Stadt gelangen – es sei denn, auf der anderen Seite steht jemand und erwartet dich.«

»Er hat gesagt, es wäre gegen das Gesetz. Aber er hat nichts davon gesagt, dass ich *abprallen* würde, wenn ich es versuche.«

»Magnus hat dir erklärt, dass die Stadt von Schutzschilden umgeben ist, die eine direkte Teleportation unmöglich machen. Es ist nicht sein Fehler, dass du beschlossen hast, mit magischen Kräften herumzuspielen, von denen du kaum etwas verstehst. Nur weil du die Fähigkeit zur Erschaffung von Runen besitzt, heißt das noch lange nicht, dass du auch weißt, wie man damit umgeht«, entgegnete Luke mit finsterer Miene.

»Tut mir leid«, sagte Clary kleinlaut. »Ich wollte doch nur . . .« Sie verstummte einen Moment und fragte dann: »Wo sind wir jetzt genau?«

»Am Lyn-See«, sagte Luke. »Ich denke, das Portal hat uns so nah wie möglich an die Stadt herangebracht und uns dann einfach fallen lassen. Wir befinden uns in der Nähe der Außenbezirke von Alicante.« Erneut schaute er sich um und schüttelte den Kopf, teils verwundert und teils erschöpft. »Du hast es tatsächlich geschafft, Clary. Wir sind in Idris.«

»Idris?«, wiederholte Clary und starrte verwundert auf den See hinaus. Das Wasser funkelte ihr entgegen, blau und unberührt. »Hast du nicht gesagt, wir wären am Stadtrand von Alicante? Ich seh hier aber keine Stadt . . .«

»Wir sind noch kilometerweit von Alicante entfernt.« Luke zeigte in eine Himmelsrichtung. »Siehst du die Hügel dahinten? Die müssen wir überqueren – die Stadt liegt auf der anderen Seite. Wenn wir einen Wagen hätten, wären wir in einer Stunde dort, aber ich fürchte, wir müssen zu Fuß gehen . . . was uns wahrscheinlich den ganzen Nachmittag kosten wird.« Blinzelnd schaute er zum Himmel auf. »Wir sollten uns besser auf den Weg machen.«

Bestürzt schaute Clary an sich herab. Die Aussicht auf eine stundenlange Wanderung in triefend nassen Sachen gefiel ihr gar nicht. »Gibt es denn keine andere Möglichkeit . . .?«

»Nach Alicante zu kommen?«, fragte Luke in plötzlich scharfem Ton. »Hast du vielleicht irgendwelche Vorschläge, Clary? Schließlich bist du diejenige, die uns hierhergebracht hat!« Er deutete in die Richtung, die vom See wegführte. »Dahinten liegen hohe Berge . . . die lassen sich nur im Hochsommer passieren. Im Augenblick würden wir auf den Gipfeln erfrieren.« Dann drehte er sich um und zeigte mit dem Finger in eine andere Richtung. »Dort entlang erstrecken sich endlose Wälder bis zur Grenze. Sie sind nicht bewohnt, zumindest nicht von Menschen. Hinter Alicante liegen Ackerflächen und verschiedene Landsitze. Vielleicht könnten wir es schaffen, aus Idris herauszukommen, aber dazu müssten wir immer noch durch die Stadt hindurch. Eine Stadt, in der Schattenweltler wie meinesgleichen nicht gerade willkommen sind, wenn ich dich mal daran erinnern darf.«

Mit offenem Mund starrte Clary ihn an. »Luke, ich hab doch nicht gewusst . . .«

»Natürlich hast du das nicht gewusst. Du weißt überhaupt nichts über Idris. Und im Grunde ist dir dieses Land auch herzlich egal. Du warst lediglich sauer, dass man dich zurückgelassen hat, und hast daraufhin einen Trotzanfall bekommen . . . wie ein kleines Kind. Und jetzt sitzen wir hier. Fernab jeglicher Zivilisation, mit durchnässten Sachen, in dieser Eiseskälte und . . .« Luke verstummte und sah sie mit angespannter Miene an. »Also los. Machen wir uns auf den Weg.«

Bedrückt schweigend folgte Clary Luke den Weg am Seeufer entlang. Im Laufe der Zeit sorgte die Sonne dafür, dass ihre Haut und ihre Haare trockneten, aber der Samtumhang hielt das Wasser fest wie ein Schwamm. Er hing an Clary herab wie ein bleierner Vorhang, während sie hastig durch Geröll und

Matsch stolperte, im Bemühen, mit Lukes großen Schritten mitzuhalten. Mehrfach versuchte sie, ein Gespräch in Gang zu bringen, aber Luke schwieg eisern. Bisher hatte Clary noch nie etwas angestellt, das so schlimm gewesen war, dass Lukes Zorn sich nicht durch eine Entschuldigung hätte besänftigen lassen. Doch dieses Mal sah die Sache offensichtlich anders aus.

Die Felsen um den See herum schienen mit jedem Schritt steiler zu werden und mit düsteren Flecken übersät zu sein wie mit schwarzen Farbspritzern. Doch als Clary genauer hinsah, erkannte sie, dass es sich dabei um Höhlen handelte. Einige erweckten den Eindruck, als würden sie ziemlich tief in das dunkle Gestein hineinreichen. Sofort musste Clary an Fledermäuse und anderes Krabbelgetier denken, das in der Finsternis lauern konnte, und ein kalter Schauer jagte ihr über den Rücken.

Endlich fanden sie einen schmalen Pfad, der durch die Felsen hindurch zu einem breiteren Schotterweg führte. Der in der Nachmittagssonne indigoblau schimmernde See blieb schon bald hinter ihnen zurück und sie folgten dem Weg, der sich durch eine flache, grasbewachsene Ebene zog, welche in der Ferne in sanfte Hügel überging. Clarys Mut schwand: Von einer Stadt war weit und breit nichts zu sehen.

Mit einem Ausdruck äußersten Unbehagens starrte Luke in Richtung der Hügel. »Wir sind weiter entfernt, als ich dachte. Es ist so lange her, dass ich hier gewesen bin . . .«

»Vielleicht gelingt es uns ja, eine größere Straße zu finden«, meinte Clary. »Dann könnten wir per Anhalter fahren . . . uns in die Stadt mitnehmen lassen oder . . .«

»Clary. In Idris gibt es keine Autos.« Als er ihren geschockten Gesichtsausdruck sah, lachte Luke freudlos. »Die Schutzschilde würden die Motoren beeinträchtigen. Die meisten technologischen Errungenschaften funktionieren hier nicht – Mobiltelefone, Computer und dergleichen. Alicante selbst wird hauptsächlich von Elbenlicht beleuchtet und mit Strom versorgt.«

»Oh«, sagte Clary leise. »Na dann . . . Wie weit sind wir denn noch von der Stadt entfernt?«

»Zu weit.« Luke fuhr sich mit beiden Händen durch die kurzen Haare. »Es gibt da etwas, das ich dir besser sagen sollte«, murmelte er, ohne sie anzusehen.

Clary erstarrte. Die ganze Zeit hatte sie sich nichts sehnlicher gewünscht, als dass Luke wieder mit ihr reden würde; doch jetzt war der Wunsch auf einmal wie weggeblasen. »Schon in Ordnung . . . du brauchst nicht . . .«

»Ist dir eigentlich aufgefallen«, unterbrach Luke sie, »dass sich auf dem Lyn-See keine Boote befinden? Keine Boote, keine Anlegestege – nichts, was darauf hindeuten würde, dass die Menschen in Idris den See in irgendeiner Weise nutzen würden?«

»Ich hab gedacht, dass läge daran, dass er so weit weg ist.«

»So weit weg ist er nun auch wieder nicht. Nur ein paar Stunden von Alicante entfernt. Das Problem ist jedoch, dass der See . . .« Luke verstummte und seufzte. »Erinnerst du dich an das Intarsienmuster im Holzboden der Bibliothek im Institut?«

Clary blinzelte. »Ja, schon, aber ich konnte nicht erkennen, was es darstellen sollte.«

»Es zeigt einen Engel, der aus einem See aufsteigt, in den Händen einen Kelch und ein Schwert. Dieses Motiv findet sich bei vielen Nephilim-Dekorationen. Die Legende besagt, dass der Erzengel Raziel aus dem See Lyn aufgestiegen sei, als er Jonathan Shadowhunter, dem ersten der Schattenjäger, erschienen ist und ihm die Insignien der Engel überreicht hat. Seit diesem Zeitpunkt ist der See . . .«

»Heilig?«, schlug Clary vor.

»Verwunschen«, sagte Luke. »Das Wasser des Sees ist für Schattenjäger giftig. Schattenweltlern fügt er dagegen keinen Schaden zu . . . das Lichte Volk bezeichnet ihn als *Spiegel der Träume* und die Feenwesen trinken sogar sein Wasser, weil er ihnen angeblich Wahrträume schenkt. Aber für Schattenjäger stellt der Genuss des Seewassers eine große Gefahr dar. Es erzeugt Halluzinationen, Fieber . . . und es kann einen Menschen in den Wahnsinn treiben.«

Clary spürte, wie ihr eiskalt wurde. »Deshalb hast du also versucht, mich zum Würgen zu bringen . . . damit ich das Wasser ausspucke.«

Luke nickte. »Das ist auch der Grund, warum du deine Stele suchen solltest. Mit einer Heilrune könnten wir die Wirkung des Wassers abwehren. Aber ohne diese Hilfe müssen wir dich so schnell wie möglich nach Alicante schaffen. Es gibt ein Mittel gegen das Gift, einen Sud aus Kräutern, und ich kenne jemanden, der diese Kräuter mit großer Wahrscheinlichkeit in seinem Garten zieht.«

»Die Lightwoods?«

»Nein, nicht die Lightwoods«, erwiderte Luke mit fester Stimme. »Jemand anderes. Jemand, den ich kenne.«

»Und wer soll das sein?«

Doch Luke schüttelte den Kopf. »Lass uns nur hoffen, dass diese Person in den letzten fünfzehn Jahren nicht umgezogen ist.«

»Aber ich dachte, es wäre gegen das Gesetz, wenn ein Schattenweltler Alicante ohne Genehmigung betritt.«

Das Lächeln auf Lukes Gesicht erinnerte Clary plötzlich wieder an den Mann, der sie als Kind aufgefangen hatte, wenn sie vom Klettergerüst gefallen war, der Luke, der sie immer beschützt hatte. »Manche Gesetze müssen eben gebrochen werden.«

Das Haus der Familie Penhallow weckte bei Simon Erinnerungen an das Institut in New York – es verströmte die gleiche Atmosphäre, das Flair einer vergangenen Ära. Die engen Gänge und Treppen waren aus Stein und dunklem Holz gefertigt und aus den hohen, spitzen Fenstern boten sich immer wieder neue Ausblicke auf die Stadt. Dagegen zeigte die Gestaltung der Inneneinrichtung eine ausgeprägt asiatische Note: Auf dem Treppenabsatz im ersten Geschoss stand ein japanischer Shoji-Paravent, die Fensterbänke waren mit kostbaren chinesischen Vasen dekoriert und an den Wänden hingen mehrere Seidensiebdrucke, die offenbar Szenen aus der Sagenwelt der Schattenjäger darstellten, allerdings mit einem fernöstlichen Einschlag: Kriegsherren mit glühenden Seraphklingen neben farbenprächtigen, drachenartigen Kreaturen und sich schlängelnden, glupschäugigen Dämonen.

»Mrs Penhallow – Jia – hat früher das Institut in Peking geleitet. Heute verbringt sie die Hälfte des Jahres hier und die andere in der Verbotenen Stadt«, erklärte Isabelle, als Simon bewundernd vor einem Siebdruck stehen geblieben war. »Die Penhallows sind eine alte Schattenjägerfamilie. Und ziemlich wohlhabend.«

»Das seh ich«, murmelte Simon und schaute zu den schweren Lüstern hinauf, deren glitzernde Kristalle wie Tränen geformt waren.

Jace, der eine Stufe hinter ihnen ging, knurrte. »Vorwärts. Das ist hier keine Besichtigungstour.«

Simon erwog eine unhöfliche Antwort, beschloss dann aber, dass sich die Mühe nicht lohnte, und legte die restlichen Stufen im Eiltempo zurück. Die Treppe endete in einem großen Raum, einer seltsamen Mischung aus Altem und Neuem: ein Buntglasfenster, das zum Kanal hinausging, und leise Musik, die aus einer Stereoanlage rieselte, die Simon jedoch nirgends sehen konnte – genauso wenig wie ein Fernsehgerät, DVDs, CD-Stapel oder ähnliche Dinge, die er mit einer modernen Wohnzimmerausstattung in Verbindung brachte. Stattdessen gruppierten sich mehrere üppig gepolsterte Sofas um einen großen offenen Kamin, in dem ein warmes Feuer knisterte.

Alec stand am Kaminsims, in dunkle Schattenjägerkluft gekleidet, und streifte ein Paar schwarze Handschuhe über. Als Simon den Raum betrat, schaute er auf und zog wie üblich eine finstere Miene, sagte aber nichts.

Auf den Sofas saßen zwei Jugendliche, die Simon noch nie zuvor gesehen hatte – ein Junge und ein Mädchen. Das Mädchen sah aus, als hätte sie zumindest teilweise asiatische Vorfahren: zart geschnittene Mandelaugen, glänzende, zurückgekämmte dunkle Haare, ein schelmisches Lächeln und ein feines Kinn, das wie bei einer Katze spitz zulief. Sie war zwar nicht unbedingt das, was man eine Schönheit nannte, aber durchaus eine sehr bemerkenswerte Erscheinung.

Der schwarzhaarige Junge neben ihr hingegen war mehr als attraktiv. Er musste etwa Jace' Statur haben, wirkte jedoch größer, selbst im Sitzen. Er war schlank und muskulös und besaß ein blasses, elegantes, ruheloses Gesicht, das nur aus Wangenknochen und dunklen Augen zu bestehen schien. Irgendetwas an ihm kam Simon merkwürdig vertraut vor, als hätte er ihn schon einmal gesehen.

Das Mädchen richtete als Erste das Wort an Isabelle und Alec. »Ist das der Vampir?«, fragte sie und musterte Simon von Kopf bis Fuß, als würde sie seine Maße nehmen. »So nah bin ich einem Vampir noch nie gewesen – jedenfalls keinem, den ich nicht töten wollte.« Kokett legte sie den Kopf auf die Seite. »Er ist süß . . . für einen Schattenweltler.«

»Du musst ihr verzeihen; sie hat das Gesicht eines Engels, aber die Manieren eines Molochdämons«, sagte der Junge lächelnd, erhob sich vom Sofa und streckte Simon die Hand entgegen. »Ich heiße Sebastian. Sebastian Verlac. Und das hier ist meine Cousine, Aline Penhallow. Aline . . .«

»Ich gebe Schattenweltlern nicht die Hand«, schnaubte Aline und wich tiefer in die Sofakissen zurück. »Sie besitzen keine Seele . . . Vampire habe keine Seele.«

Sebastians Lächeln schwand. »Aline . . .«

»Aber es ist doch wahr. Deshalb können sie sich auch nicht im Spiegel sehen oder in die Sonne gehen.«

Bewusst langsam ging Simon ein paar Schritte zurück, in das rechteckige Feld aus Sonnenlicht vor dem Fenster. Er spürte, wie die Sonne ihm warm auf den Rücken und die Haare schien. Der Schatten, den er auf den Boden warf, war lang und dunkel und reichte fast bis zu Jace' Füßen.

Aline sog scharf die Luft ein, sagte aber nichts – im Gegensatz zu Sebastian, der Simon aus neugierigen schwarzen Augen musterte. »Dann stimmt es also wirklich. Die Lightwoods haben das zwar erzählt, aber ich hätte nicht gedacht . . .«

». . . dass wir die Wahrheit sagen würden?«, meldete Jace sich nun zum ersten Mal zu Wort, seit sie ins Erdgeschoss gekommen waren. »Bei so einer Sache würden wir doch nicht lügen. Simon ist . . . einzigartig.«

»Ich hab ihn mal geküsst«, sagte Isabelle, ohne irgendjemanden direkt anzuschauen.

Alines Augenbrauen schnellten in die Höhe. »In New York lässt man dich tatsächlich machen, was du willst, stimmt's?«, fragte sie mit einer Mischung aus Entsetzen und Neid in der Stimme. »Als ich dich das letzte Mal gesehen habe, Izzy, hättest du nicht einmal im Traum daran gedacht . . .«

»Als wir uns das letzte Mal gesehen haben, war Izzy acht«, warf Alec ein. »Die Dinge ändern sich nun mal. Jetzt aber wieder zur Sache: Mom ist völlig überstürzt aufgebrochen, deshalb muss ihr irgendjemand ihre Notizen und Unterlagen in die Garnison bringen. Und da ich hier der einzige Achtzehnjährige bin, kann ich auch als Einziger in das Gebäude hinein, solange der Rat tagt.«

»Das wissen wir«, erwiderte Isabelle und ließ sich auf das Sofa fallen. »Das hast du uns jetzt schon fünf Mal gesagt.«

Alec, der eine wichtigtuerische Miene zog, ignorierte ihren Einwurf. »Jace, du hast den Vampir hierhergebracht, also trägst du auch die Verantwortung für ihn. Lass ihn nicht aus dem Haus.«

Der *Vampir*, dachte Simon. Es war ja nicht so, als würde Alec seinen Namen nicht kennen. Und vor nicht allzu langer Zeit hatte er Alec sogar das Leben gerettet. Doch jetzt war er »der Vampir«. Selbst für Alec, der gelegentlich zu unerklärlichen Launen neigte, war dieses Verhalten einfach widerwärtig. Vielleicht hing es damit zusammen, dass sie sich in Idris befanden. Vielleicht verspürte Alec hier ein größeres Bedürfnis, sein Schattenjägerblut deutlich unter Beweis zu stellen.

»Ist *das* der Grund, warum du mich gerufen hast? Um mir zu sagen, ich soll den Vampir nicht aus dem Haus lassen? Das hätte ich sowieso nicht getan.« Jace marschierte zu einem der Sofas und setzte sich neben Aline, die ein erfreutes Gesicht zog. »Sieh lieber zu, dass du schnell zur Garnison und wieder zurückkommst. Nicht auszudenken, welch verwerfliche Ideen wir hier aushecken könnten . . . ohne dich, der uns den rechten Weg weist.«

Alec musterte Jace mit kühler Überlegenheit. »Jetzt reiß dich mal zusammen. Ich bin in einer halben Stunde wieder zurück.« Dann verschwand er durch einen Torbogen, der zu einem langen Flur führte, und Sekunden später fiel irgendwo in der Ferne eine Tür ins Schloss.

»Du solltest ihn nicht so reizen«, sagte Isabelle tadelnd und warf Jace einen strengen Blick zu. »Man hat ihm tatsächlich die Verantwortung für uns übertragen.«

Simon konnte nicht umhin zu bemerken, dass Aline sehr dicht neben Jace saß – ihre Schultern berührten einander, obwohl auf dem Sofa noch jede Menge Platz war.

»Ist dir jemals der Gedanke gekommen, dass Alec in einem früheren Leben vielleicht mal eine alte Frau mit neunzig Katzen gewesen sein könnte, die den ganzen Tag die Nachbarskinder angeschrien hat, sie sollen von ihrem Rasen verschwinden? Mir hat sich dieser Gedanke nämlich schon mehrfach aufgedrängt«, erklärte Jace nun und Aline kicherte. »Nur weil er der Einzige ist, der in die Garnison darf . . .«

»Was ist die Garnison?«, fragte Simon, der es satthatte, nicht zu wissen, wovon die anderen sprachen.

Jace warf ihm einen Blick zu. Sein Gesichtsausdruck war kühl, unfreundlich und seine Hand lag auf Alines Hand, die auf ihrem Oberschenkel ruhte. »Setz dich«, sagte er und deutete mit einer ruckartigen Kopfbewegung auf einen Sessel. »Oder hattest du vor, wie eine Fledermaus in der Ecke zu flattern?«

Na, großartig. Fledermauswitze. Unbehaglich ließ Simon sich in den Sessel sinken.

»Die Garnison ist der offizielle Versammlungsort des Rats«, sagte Sebastian, der offenbar Mitleid mit Simon hatte. »Dort werden die Gesetze erlassen; außerdem dient das Gebäude als Amtssitz des Konsuls und des Inquisitors. Nur volljährige Schattenjäger dürfen das Gelände betreten, solange der Rat tagt.«

»Der Rat tagt?«, fragte Simon, als er sich erinnerte, was Jace ihm kurz zuvor im Obergeschoss gesagt hatte. »Aber doch nicht meinetwegen?«

Sebastian lachte. »Nein. Wegen Valentin und den Insignien der Engel. Deshalb sind alle hier zusammengekommen. Um zu beraten, was Valentin wohl als Nächstes unternehmen wird.«

Jace schwieg, doch bei der Erwähnung von Valentins Namen versteinerte sich seine Miene.

»Na ja, er wird bestimmt versuchen, den Spiegel in seinen Besitz zu bringen«, sagte Simon. »Die dritte der Insignien der Engel. Ist der Spiegel hier in Idris? Sind deshalb alle hier?«

Nach einem kurzen Moment der Stille setzte Isabelle zu einer Antwort an: »Das Problem bei diesem Spiegel ist, dass niemand weiß, wo er sich befindet. Genau genommen wissen wir nicht einmal, worum es sich dabei handelt.«

»Um einen Spiegel«, sagte Simon. »Du weißt schon – reflektierend, aus Glas . . . würde ich mal vermuten.«

»Isabelle meint damit, dass niemand etwas Genaues über den Spiegel weiß«, erläuterte Sebastian freundlich. »Natürlich wird er in der Geschichte der Schattenjäger etliche Male erwähnt, aber es gibt keinerlei Hinweise darauf, wo er sich befindet, wie er aussieht oder – vielleicht das Wichtigste – was er bewirkt.«

»Wir vermuten, dass Valentin hinter ihm her ist«, sagte Isabelle, »aber das hilft uns auch nicht gerade weiter, weil niemand weiß, wo der Spiegel steckt. Die Stillen Brüder hätten vielleicht eine Ahnung gehabt, aber Valentin hat sie ja alle getötet. Und es wird eine ganze Weile dauern, bis es wieder Brüder der Stille geben wird.«

»Er hat *alle* getötet?«, hakte Simon überrascht nach. »Ich dachte, er hätte nur die in New York umgebracht.«

»Die Stadt der Gebeine befindet sich genau genommen nicht in New York«, sagte Isabelle. »Es ist eher so . . . erinnerst du dich noch an den Eingang zum Lichten Hof im Central Park? Nur weil der Eingang dort liegt, heißt das noch lange nicht, dass sich der Hof des Lichten Volkes auch unter dem Park befindet. Und genauso verhält es sich mit der Stadt der Gebeine: Es gibt mehrere Eingänge, doch die Stille Stadt selbst . . .« Isabelle verstummte, als Aline sie mit einer raschen Geste zum Schweigen brachte.

Simon schaute von Isabelle zu Jace und dann zu Sebastian. Auf den Gesichtern der drei spiegelte sich derselbe vorsichtig-zurückhaltende Ausdruck, als wäre ihnen gerade bewusst geworden, was sie da taten – einem Schattenweltler Geheimnisse der Nephilim anvertrauen. Einem Vampir. Nicht gerade einem Feind, aber ganz gewiss niemand, dem man vertrauen konnte.

Aline brach als Erste das Schweigen. »Also«, setzte sie an und heftete ihre hübschen dunklen Augen auf Simon, »erzähl doch mal: Wie ist es so als Vampir?«

»Aline!« Isabelle wirkte entsetzt. »Du kannst doch nicht einfach jemanden fragen, wie das Vampirdasein ist.«

»Ich wüsste nicht, was dagegen spricht«, erwiderte Aline. »Er ist noch nicht sehr lange Vampir, oder? Dann muss er sich doch daran erinnern, wie es als Mensch war.« Erneut wandte sie sich Simon zu. »Schmeckt Blut für dich noch immer wie Blut? Oder schmeckt es jetzt nach irgendetwas anderem, vielleicht wie Orangensaft oder etwas Ähnliches? Denn ich könnte mir vorstellen, der Geschmack von Blut . . .«

»Es schmeckt wie Hühnchen«, sagte Simon, nur um sie zum Schweigen zu bringen.

»Tatsächlich?« Aline sah ihn erstaunt an.

»Er nimmt dich auf den Arm, Aline«, sagte Sebastian, »und dazu hat er auch allen Grund. Ich muss mich nochmals für meine Cousine entschuldigen, Simon. Diejenigen unter uns, die außerhalb von Idris erzogen wurden, sind in der Regel etwas besser mit Schattenweltlern vertraut.«

»Aber bist du denn nicht in Idris aufgewachsen?«, fragte Isabelle. »Ich dachte, deine Eltern . . .«

»Isabelle«, unterbrach Jace sie, doch es war schon zu spät – Sebastians Miene hatte sich bereits verdüstert.

»Meine Eltern sind tot«, sagte er. »Ein Dämonennest in der Nähe von Calais . . . Aber das ist schon okay, das liegt alles schon sehr lange zurück.« Er wischte Isabelles Beileidsbeteuerungen mit einer Handbewegung beiseite. »Meine Tante, die Schwester von Alines Vater, hat mich mit nach Paris genommen und im dortigen Institut aufgezogen.«

»Dann sprichst du also Französisch?«, seufzte Isabelle. »Ich wünschte, *ich* könnte eine andere Sprache sprechen. Aber Hodge hielt es nicht für erforderlich, uns etwas anderes beizubringen als Altgriechisch und Latein, und diese Sprachen spricht nun mal kein Mensch mehr.«

»Neben Französisch spreche ich auch Russisch und Italienisch. Und etwas Rumänisch«, erklärte Sebastian mit einem bescheidenen Lächeln. »Ich könnte dir ein paar Brocken beibringen . . .«

»Rumänisch? Das ist ja beeindruckend«, sagte Jace. »Nicht viele Leute sprechen diese Sprache.«

»Du vielleicht?«, fragte Sebastian interessiert nach.

»Nein, im Grunde nicht«, erwiderte Jace mit einem solch entwaffnenden Lächeln, dass Simon sofort wusste, dass er log. »Meine Rumänischkenntnisse beschränken sich auf ein paar nützliche Floskeln wie ›Sind diese Schlangen giftig?‹

oder ›Aber für eine Polizistin sehen Sie doch viel zu jung aus‹.«

Doch Sebastian erwiderte Jace' Lächeln nicht. Irgendetwas war merkwürdig an seinem Gesichtsausdruck, überlegte Simon. Die Gesichtszüge des Jungen wirkten mild – alles an ihm schien mild und sanft –, aber Simon hatte das untrügliche Gefühl, dass diese Sanftmut irgendetwas kaschierte, das seine äußerliche Gelassenheit Lügen strafte. »Ich reise zwar gern in andere Länder, aber es ist doch schön, wieder zurück zu sein, nicht wahr?«, sagte Sebastian nun, den Blick unverwandt auf Jace gerichtet.

Jace, der mit Alines Fingern gespielt hatte, hielt einen Moment inne. »Was meinst du damit?«

»Ach, ich meine lediglich, dass es nirgendwo sonst wie in Idris ist, selbst wenn wir Nephilim uns an anderen Orten häuslich einrichten. Bist du nicht auch meiner Meinung?«

»Warum fragst du das ausgerechnet mich?« Jace musterte ihn mit eisigem Blick.

Sebastian zuckte die Achseln. »Na ja, du hast doch als Kind hier gelebt oder nicht? Und es ist Jahre her, dass du hier gewesen bist. Oder habe ich das vielleicht falsch verstanden?«

»Nein, das hast du nicht falsch verstanden«, erwiderte Isabelle ungeduldig. »Jace tut gern so, als würden nicht alle über ihn reden, dabei weiß er genau, dass sie sehr wohl über ihn reden.«

»Natürlich tun sie das.« Obwohl Jace ihn wütend anstarrte, ließ Sebastian sich offenbar nicht aus der Ruhe bringen. Simon empfand eine gewisse Sympathie für den dunkelhaarigen Schattenjäger, auch wenn er es sich nur widerstrebend eingestand. Man traf selten auf jemanden, der auf Jace' Spötteleien nicht einging. »Im Moment drehen sich sämtliche Gespräche in Idris nur um dieses Thema: um dich, die Insignien der Engel, deinen Vater, deine Schwester . . .«

»Clarissa sollte doch eigentlich mitkommen, oder nicht?«, fragte Aline. »Ich hatte mich schon so darauf gefreut, sie kennenzulernen. Was ist passiert?«

Obwohl Jace keine Miene verzog, nahm er die Hand von Alines Oberschenkel und ballte sie zur Faust. »Sie wollte New York nicht verlassen. Ihrer Mutter geht es nicht gut, sie liegt im Krankenhaus.« *Er sagt nie* unsere *Mutter,* dachte Simon. *Immer nur* ihre *Mutter.*

»Das ist ja merkwürdig«, warf Isabelle ein. »Und ich dachte, sie wollte unbedingt mitkommen.«

»Ja, das stimmt auch«, setzte Simon an. »Genau genommen . . .«

Doch Jace war bereits aufgesprungen, und zwar so schnell, dass Simon nicht einmal gesehen hatte, dass er sich bewegte. »Da fällt mir ein: Ich muss dringend etwas mit Simon besprechen. Unter vier Augen.« Mit einer ruckartigen Kopfbewegung deutete er auf die Doppeltür am hinteren Ende des Raums und seine Augen glitzerten herausfordernd. »Komm schon, Vampir«, sagte er in einem Ton, der Simon das deutliche Gefühl vermittelte, dass eine Weigerung vermutlich zu irgendeiner Form von Gewalt führen würde. »Zeit für ein Schwätzchen.«

3

AMATIS

Am späten Nachmittag hatten Luke und Clary den See weit hinter sich gelassen und hasteten durch eine scheinbar endlose, mit hohem Gras bewachsene Ebene. In regelmäßigen Abständen erhoben sich aus den Wiesenflächen steile Hügel mit schwarzen Felsen und Clary war vom stundenlangen Auf- und Abklettern inzwischen sichtlich erschöpft. Sie rutschte mit ihren Schuhen auf dem feuchten Gras ständig aus, als wäre es eine schmierige Marmorfläche, und als sie endlich einen schmalen Feldweg erreichten, bluteten ihre mit Grasflecken übersäten Hände aus mehreren Wunden.

Luke marschierte entschlossenen Schrittes vor ihr her, deutete gelegentlich auf irgendeine Sehenswürdigkeit und fügte mit düsterer Stimme ein paar kurze Erläuterungen hinzu, als sei er der deprimierteste Reiseleiter der Welt. »Wir haben gerade die Brocelind-Ebene durchquert«, sagte er, als sie wieder einmal auf einem Hügel standen und in westlicher Richtung ein dunkles Dickicht hoher Bäume sahen, hinter denen die Sonne bereits tief über dem Horizont stand. »Das ist der Wald. Früher waren die Tiefebenen des Landes fast vollständig von Wäldern bedeckt, doch große Teile wurden gerodet, um Platz für die Stadt zu schaffen – und um die Wolfsrudel und Vampirnester zu vertreiben, die sich dort angesiedelt hatten. Der

Brocelind-Wald war schon immer ein Zufluchtsort für Schattenweltler.«

Schweigend folgten Luke und Clary der Schotterstraße, die mehrere Kilometer parallel zum Waldrand verlief und dann eine scharfe Kurve machte. Die Bäume schienen schlagartig zu verschwinden, als ein Gebirgsgrat über ihnen aufragte. Nachdem sie um den Felsvorsprung eines steilen Hügels gebogen waren, musste Clary erstaunt blinzeln: Wenn ihre Augen sie nicht täuschten, lagen dort unten *Häuser*. Kleine weiße Häuser, ordentlich aufgereiht wie in einem Märchendorf. »Wir sind da!«, rief sie und stürmte los. Erst als ihr auffiel, dass Luke nicht länger an ihrer Seite war, hielt sie inne.

Clary drehte sich um und sah, dass er in der Mitte der staubigen Straße stand und den Kopf schüttelte. »Nein«, sagte er, während er sich in Bewegung setzte, um zu ihr aufzuschließen. »Das ist nicht Alicante.«

»Dann ist es eine andere Stadt? Du hast doch gesagt, es gäbe hier in der Nähe keine Ortschaften . . .«

»Das ist ein Friedhof – Alicantes Stadt der Gebeine. Oder hast du geglaubt, die Stille Stadt in New York wäre unsere einzige Ruhestätte?« Lukes Ton klang traurig. »Dies ist die Totenstadt, in der all diejenigen beigesetzt werden, die in Idris sterben. Aber das wirst du gleich sehen. Wir müssen nämlich durch die Nekropole hindurch, um nach Alicante zu kommen.«

Seit jener Nacht, in der Simon gestorben war, hatte Clary keinen Friedhof mehr betreten und die Erinnerung daran jagte ihr einen eisigen Schauer über den Rücken, während sie die schmalen Wege passierten, die sich wie weiße Bänder zwischen den Mausoleen hindurchwanden. Irgendjemand kümmerte sich hingebungsvoll um die Grabstätten: Der Marmor glänzte wie frisch poliert und der Rasen war sorgfältig geschnitten. Auf manchen Grabplatten lagen weiße Blumen, die Clary zunächst für Lilien hielt. Doch sie verströmten einen würzigen, unbekannten Duft, der in ihr die Frage weckte, ob es sich vielleicht um Pflanzen handelte, die nur in Idris wuchsen. Jedes der Mausoleen wirkte wie ein gedrungenes Haus; manche besaßen kleine Metall- oder Gittertore und über den Eingängen waren die Namen der Schattenjägerfamilien in den Marmor gemeißelt. CARTWRIGHT. MERRYWEATHER. HIGHTOWER. BLACKWELL. MIDWINTER. Vor einer Grabstätte blieb Clary stehen: HERONDALE.

Langsam drehte sie sich zu Luke um. »Das war der Name der Inquisitorin.«

»Stimmt. Das hier ist die Gruft ihrer Familie. Sieh mal.« Er zeigte auf die weißen Buchstaben, die neben der Tür in das graue Gestein gemeißelt waren: MARCUS HERONDALE. STEPHEN HERONDALE. Beide waren im selben Jahr gestorben. Clary spürte einen Stich, einen Anflug von Mitleid, den sie nicht unterdrücken konnte, sosehr sie die Inquisitorin auch gehasst haben mochte – den Ehemann und den Sohn zu verlieren und dann auch noch so kurz hintereinander ... Unter Stephens Name standen drei lateinische Worte: AVE ATQUE VALE.

»Was bedeutet diese Inschrift?«, fragte Clary und wandte sich erneut Luke zu.

»Sie bedeutet ›Sei gegrüßt und leb wohl!‹. Es sind die Schlussworte aus einem Gedicht von Catull. Irgendwann haben sie sich als Abschiedsgruß der Nephilim bei Begräbnissen oder im Schlachtengetümmel eingebürgert. Aber jetzt komm weiter – mit solchen Dingen sollte man sich nicht zu intensiv beschäftigen, Clary.« Luke nahm sie an den Schultern und schob sie sanft von dem Mausoleum fort.

Vielleicht hat er recht, dachte Clary. Vielleicht war es wirklich besser, sich in diesem Moment nicht zu sehr mit den Gedanken an den Tod zu beschäftigen. Mit gesenkten Augen folgte sie Luke durch die Nekropole, doch als sie schon vor dem Eisentor am anderen Ende standen, fiel ihr Blick auf eine kleine Grabstätte, die wie ein weißer Pilz im Schatten einer dicht belaubten Eiche aufragte. Der Name über der Tür sprang ihr entgegen, als wären die Buchstaben in Neonfarben gemalt worden.

FAIRCHILD.

»Clary . . .« Luke streckte den Arm nach ihr aus, aber sie steuerte bereits darauf zu. Seufzend folgte er ihr in den Schatten des Baums, wo Clary wie angewurzelt stehen blieb und die Namen ihrer Großeltern und Urgroßeltern las, von deren Existenz sie nicht einmal geahnt hatte. ALOYSIUS FAIRCHILD. ADELE FAIRCHILD, GEB. NIGHTSHADE. GRANVILLE FAIRCHILD. Und unter all diesen Namen: JOCELYN MORGENSTERN, GEB. FAIRCHILD. Eine eisige Woge erfasste Clary. Der Anblick des Namens ihrer Mutter brachte schlagartig die Erinnerung an ihre schlimmsten Albträume hoch, in denen sie am Grab ihrer Mom stand und niemand ihr sagen wollte, was geschehen oder woran sie gestorben war.

»Aber sie ist doch gar nicht tot«, protestierte Clary und schaute zu Luke auf. »Sie ist nicht tot . . .«

»Das hat der Rat nicht gewusst«, erklärte Luke sanft.

Clary schnappte nach Luft. Plötzlich konnte sie Lukes Stimme nicht mehr hören und ihn auch nicht mehr erkennen. Stattdessen sah sie eine zerklüftete Hügellandschaft, aus der grauweiße Gräber aufragten wie abgebrochene Knochen. Ein schwarzer Grabstein tauchte drohend vor ihr auf. Unregelmäßige Buchstaben waren in die düstere Vorderseite gemeißelt: CLARISSA MORGENSTERN, geb. 1991, gest. 2007. Unter den Worten befand sich die ungelenke Kinderzeichnung eines Schädels mit gähnend schwarzen Augenhöhlen. Clary stieß einen Schrei aus und wich taumelnd zurück.

Luke fing sie auf und hielt sie an den Schultern. »Clary, was ist los? Was hast du?«

Clary zeigte auf das Grab. »Da . . . sieh nur . . .«

Doch das Bild hatte sich in Luft aufgelöst. Vor ihr lag eine grüne, ebene Grasfläche, mit den weißen Mausoleen in sauber angeordneten Reihen. Clary wirbelte zu Luke herum. »Ich habe gerade meinen eigenen Grabstein gesehen«, murmelte sie. »Darauf stand, dass ich sterben würde . . . noch in diesem Jahr.« Sie erschauderte.

Luke zog ein bedenkliches Gesicht. »Das sind die ersten Auswirkungen des Seewassers«, sagte er. »Du beginnst zu halluzinieren. Komm, wir müssen weiter – uns bleibt nicht mehr viel Zeit.«

Jace marschierte mit Simon die Treppe hinauf und durch einen kurzen Flur, von dem auf beiden Seiten mehrere Türen abgingen. Mit unvermindertem Tempo hielt er auf eine der Türen zu und stieß sie mit gestrecktem Arm auf. »Hier rein«, sagte er mit finsterer Miene und schob Simon durch den Türrahmen. Dahinter lag ein Raum, der Simon an eine Bibliothek erinnerte: lange Reihen mit hohen Bücherregalen, mehrere Sofas und Ohrensessel. »Hier dürften wir einigermaßen ungestört sein . . .«, fügte Jace hinzu und verstummte plötzlich, als er jemanden bemerkte.

Eine kleine Gestalt erhob sich nervös aus einem der Sessel – ein Junge mit braunen Haaren und einer Brille. Auf seinem zarten Gesicht lag ein ernster Ausdruck und er hielt ein dickes Buch in der Hand. Simon war hinreichend mit Clarys Lesegewohnheiten vertraut, um selbst aus dieser Entfernung erkennen zu können, dass es sich um einen Manga-Band handelte.

Jace runzelte die Stirn. »Tut mir leid, Max, aber wir brauchen diesen Raum. Für ein Erwachsenengespräch.«

»Aber Izzy und Alec haben mich bereits aus dem Wohnzimmer verjagt, damit sie Erwachsenengespräche führen können«, protestierte Max. »Wo soll ich denn dann hingehen?«

Jace zuckte die Achseln. »Wie wär's mit deinem Zimmer?« Dann zeigte er mit dem Daumen auf die Tür. »Tu mal was für dein Vaterland, Kleiner. Abmarsch!«

Gekränkt stakste Max zur Tür, das Buch fest an die Brust gedrückt. Sofort verspürte Simon Mitleid mit dem Jungen. Dieses Lebensalter war wirklich übel: einerseits alt genug, um wissen zu wollen, was los war, aber andererseits noch so jung, dass man ständig weggeschickt wurde. Als der Junge an ihm vorbeiging, warf er Simon einen verängstigten, argwöhnischen Blick zu. *Das ist der Vampir,* sagten seine Augen.

»Komm schon.« Jace schob Simon in die Bibliothek, drückte die Tür hinter ihnen ins Schloss und verriegelte sie. Der Raum roch staubig und war dank der geschlossenen Tür nun so dunkel, dass selbst Simon kaum etwas erkennen konnte. Zügig durchquerte Jace das Zimmer und riss die Vorhänge auf der anderen Seite auf, hinter denen ein hohes Buntglasfenster zum Vorschein kam, das auf den Kanal neben dem Haus hinausging. Nur wenige Meter unter ihnen spritzte Wasser gegen das Mauerwerk und in die steinerne Brüstung war ein verwittertes Dekor aus Runen und Sternen gemeißelt.

Mit finsterer Miene wandte Jace sich nun an Simon: »Was zum Teufel hast du für ein Problem, Vampir?«

»*Ich* ein Problem? Du bist doch derjenige, der mich fast an den Haaren aus dem Wohnzimmer geschleift hat.«

»Weil du den anderen gerade verraten wolltest, dass Clary ihre Reisepläne keineswegs abgeblasen hatte. Und weißt du, was dann passiert wäre? Sie hätten sich mit ihr in Verbindung gesetzt und dafür gesorgt, dass sie nachkommt. Und ich hab dir doch bereits erklärt, warum das auf keinen Fall geht.«

Simon schüttelte den Kopf. »Ich versteh dich echt nicht«, sagte er. »Manchmal verhältst du dich so, als würde dir etwas an Clary liegen, und dann wiederum . . .«

Jace starrte ihn an. Staubpartikel tanzten in der warmen Luft und bildeten einen schimmernden Vorhang zwischen den beiden Jungen. »Dann *was*?«

»Du hast mit Aline geflirtet«, erklärte Simon. »Und in dem Moment sah es nicht danach aus, als würdest du auch nur einen Gedanken an Clary verschwenden.«

»Das geht dich absolut gar nichts an«, schnaubte Jace. »Außerdem ist Clary meine Schwester. Das weißt du ganz genau.«

»Ich war auch am Lichten Hof! Schon vergessen?«, erwiderte

Simon. »Und ich erinnere mich sehr gut, was die Feenkönigin gesagt hat: *Das Mädchen kann nur durch den Kuss erlöst werden, den sie am meisten ersehnt.*«

»Keine Frage, dass du dich daran erinnerst! Dieser Moment scheint sich dir förmlich ins Gehirn gebrannt zu haben, was, Vampir?«

Simon stieß tief aus seiner Kehle ein Geräusch hervor, von dem er gar nicht gewusst hatte, dass er dazu fähig war. »Oh, nein, da spiel ich nicht mit. Ich werde mich nicht mit dir über Clary streiten. Das ist einfach lächerlich.«

»Und warum hast du dann überhaupt damit angefangen?«

»Aus einem bestimmten Grund«, sagte Simon. »Wenn du willst, dass ich lüge – nicht Clary gegenüber, aber gegenüber deinen ganzen Schattenjägerfreunden . . . wenn du also willst, dass ich so tue, als wäre es Clarys eigene Entscheidung gewesen, nicht nach Idris zu kommen, und wenn ich so tun soll, als wüsste ich nichts von ihren besonderen Kräften oder davon, wozu sie wirklich fähig ist, dann musst *du* umgekehrt auch was für mich tun.«

»Prima«, erwiderte Jace. »Und was willst du?«

Simon schwieg einen Moment und schaute an Jace vorbei zu der Häuserzeile auf der anderen Seite des Kanals. Hinter den Zinnen der Dächer konnte er die glänzenden Spitzen der Dämonentürme erkennen. »Ich will, dass du dein Möglichstes tust, um Clary davon zu überzeugen, dass du nichts für sie empfindest. Und jetzt erzähl mir nicht, du wärst ihr Bruder; das weiß ich bereits. Hör auf, sie hinzuhalten, obwohl du genau weißt, dass das, was zwischen euch beiden auch immer sein mag, keine Zukunft hat. Und das sage ich jetzt nicht, weil ich sie für mich selbst möchte. Ich sage das, weil ich ihr Freund bin und nicht will, dass sie verletzt wird.«

Einen langen Moment schaute Jace schweigend auf seine Hände – schlanke Hände, deren Finger und Knöchel mit alten Narben übersät waren und auf deren Rücken das feine weiße Gittermuster verblasster Runenmale prangte. Die Hände eines Kriegers, nicht die eines Jugendlichen. »Das habe ich bereits getan«, sagte er schließlich. »Ich habe ihr gesagt, dass ich von jetzt an nur noch ihr Bruder sein werde.«

»Oh.« Simon hatte damit gerechnet, dass Jace sich ihm in diesem Punkt widersetzen, mit ihm streiten würde. Dass er einfach *aufgab,* hatte er nicht erwartet. Ein Jace, der einfach aufgab, war etwas vollkommen Neues und Simon hatte fast ein schlechtes Gewissen, dass er diesen Gefallen überhaupt von ihm verlangt hatte. *Das hat Clary gar nicht erwähnt,* lag es ihm auf der Zunge. *Aber anderseits: Warum sollte sie auch?* Wenn er es sich recht überlegte, war sie in letzter Zeit ungewöhnlich still und in sich gekehrt gewesen, sobald Jace' Name fiel. »Okay, das wäre dann ja geregelt«, sagte er. »Aber da ist noch eine letzte Sache.«

»Ah ja?«, fragte Jace ohne großes Interesse. »Und was soll das sein?«

»Was hat Valentin gesagt, als Clary diese Rune an die Schiffswand gezeichnet hat? Es klang irgendwie nach einer fremden Sprache. *Meme* soundso . . .?«

»*Mene, Mene, Tekel, Upharsin*«, sagte Jace mit einem matten Lächeln. »Das kennst du nicht? Es handelt sich um einen Spruch aus der Bibel, Vampir. Aus dem alten Teil . . . das ist doch dein Buch der Bücher, oder?«

»Nur weil ich Jude bin, bedeutet das noch lange nicht, dass ich das Alte Testament auswendig kann.«

»Das ist die geisterhafte Schrift an der Wand. ›Gott hat die Tage deines Königtums gezählt und ihm ein Ende bereitet! Du bist auf einer Waage gewogen und als zu leicht befunden worden!‹ Es ist ein Omen, ein Anzeichen eines drohenden Unheils – es bedeutet den Untergang eines Königreichs.«

»Aber was hat das mit Valentin zu tun?«

»Nicht nur mit Valentin . . . das hat etwas mit uns allen zu tun«, sagte Jace. »Mit dem Rat und den Gesetzen. Das, wozu Clary fähig ist, wirft alles über den Haufen, was man bisher für wahr gehalten hat. Kein Mensch kann neue Runen erschaffen oder die Sorte von Runen zeichnen, die Clary zeichnen kann. Diese Macht besitzen nur Engel. Aber da Clary offensichtlich doch dazu in der Lage ist . . . na ja, es sieht ganz nach einem Omen aus. Die Dinge sind im Umbruch. Die Gesetzmäßigkeiten ändern sich. Die alten Vorgehensweisen werden vielleicht nie wieder die richtigen sein. So wie der Aufstand der Engel das Ende der damaligen Welt einläutete, den Himmel teilte und die Hölle erschuf, so könnte dies das Ende der Nephilim bedeuten. Dies ist unser Krieg im Himmel, Vampir, und nur eine Seite kann siegreich daraus hervorgehen. Und mein Vater setzt alles daran, dass seine Seite gewinnt.«

Obwohl die Luft ziemlich kalt war, war es Clary in ihren feuchten Sachen unheimlich heiß. Schweiß rann ihr in Strömen übers Gesicht und tränkte den Kragen ihres Capes, während Luke sie am Arm packte und in der anbrechenden Dunkelheit eilig über die staubige Straße schob. Inzwischen konnten sie die ersten Lichter von Alicante erkennen. Die Stadt lag in einer Talmulde, durch die ein silbrig glänzender Fluss strömte – es hatte den Anschein, als würde er an einem Ende der Häuserschluchten im Erdboden verschwinden und erst auf der anderen Seite wieder auftauchen. Ein Meer sandfarbener Häuser mit roten Schieferdächern schlängelte sich in einem Labyrinth schmaler, gewundener Gassen einen steilen Hügel hinauf. Und auf dem Kamm des Hügels erhob sich ein dunkles, wuchtiges Steingemäuer, mit Säulen und Zinnen und vier glitzernden Türmen – einem in jeder Himmelsrichtung. Zwischen den anderen Häusern verteilt ragten weitere dieser hohen, dünnen, kristallartigen Türme auf, die allesamt wie Quarz schimmerten. Sie erinnerten an Glasnadeln, die den Himmel durchbohrten. Das schwindende Licht der Sonne erzeugte glitzernde Regenbögen auf ihren Oberflächen, die wie Funken eines Streichholzes aufleuchteten. Es war ein wundervoller, wenngleich auch sehr seltsamer Anblick.

Erst wenn du Alicante mit seinen Gläsernen Türmen gesehen hast, weißt du überhaupt, was eine Stadt ist.

»Was war das?«, fragte Luke, der Clarys Murmeln zufällig gehört hatte. »Was hast du gerade gesagt?«

Clary war sich nicht bewusst gewesen, dass sie laut gesprochen hatte. Verlegen wiederholte sie ihre Worte, woraufhin Luke sie überrascht ansah. »Von wem hast du das?«

»Von Hodge«, erklärte Clary. »Das hat Hodge mal zu mir gesagt.«

Luke studierte sie eingehender. »Du bist ja glühend rot im Gesicht«, bemerkte er. »Wie fühlst du dich?«

Clarys Nacken schmerzte, ihr ganzer Körper schien in Flammen zu stehen und ihr Mund war vollkommen ausgetrocknet. »Gut. Mir geht's gut«, erwiderte sie. »Lass uns einfach weitergehen, okay?«

»Okay.« Luke deutete auf die Stadt. Am Rand, wo die Bebauung endete, konnte Clary einen Torbogen erkennen, mit zwei geschwungenen Seitenflügeln, die sich in der Mitte trafen. In seinem Schatten stand ein Schattenjäger in schwarzer Kampfmontur und hielt Wache. »Das da drüben ist das Nordtor. Hier können Schattenweltler die Stadt auf offiziellem Wege betreten – vorausgesetzt, sie haben die nötigen Dokumente. Der Zugang wird Tag und Nacht bewacht. Wenn wir also in einer geschäftlichen Angelegenheit hier wären oder eine Aufenthaltsgenehmigung besäßen, würden wir Alicante durch dieses Tor betreten.«

»Aber da sind doch überhaupt keine Mauern um die Stadt«, bemerkte Clary. »Das Ganze sieht nicht gerade nach einem wehrhaften Tor aus.«

»Die Schutzschilde sind zwar unsichtbar, aber nicht zu unterschätzen. Sie werden von den Dämonentürmen gesteuert, die diese Aufgabe seit Tausenden von Jahren wahrnehmen. Aber das wirst du gleich selbst spüren, wenn du sie passierst.« Erneut warf er einen besorgten Blick auf Clarys gerötetes Gesicht. »Bist du bereit?«

Clary nickte. Gemeinsam entfernten sie sich vom Tor und bewegten sich in östlicher Richtung um die Stadt herum, wo die Gebäude in dichten Gruppen beieinanderstanden. Mit einer Handbewegung bedeutete Luke Clary, sich leise zu verhalten, und zog sie auf eine schmale Gasse zwischen zwei Häusern zu. Clary schloss die Augen, als erwartete sie, gegen eine unsichtbare Wand zu prallen, sobald sie einen Fuß in die Straßen Alicantes setzte – was jedoch nicht geschah. Stattdessen spürte sie einen plötzlichen Druck, als säße sie in einem Flugzeug, das in ein Luftloch fällt. Es knackste kurz in ihren Ohren – und dann war das Gefühl auch schon vorüber und sie stand in der Gasse zwischen den beiden Gebäuden.

Genau wie in jeder Gasse in New York – oder offenbar jeder anderen Stadt dieser Welt – stank es dort nach Katzenpisse.

Vorsichtig spähte Clary um die Ecke eines der Gebäude. Eine breitere Straße mit kleinen Geschäften und Häusern zog sich in Serpentinen den Hügel hinauf. »Weit und breit niemand zu sehen«, stellte sie überrascht fest.

Im schwindenden Licht der Abenddämmerung wirkte Luke fast grau. »Wahrscheinlich findet in der Garnison gerade eine wichtige Versammlung statt, an der alle teilnehmen. Das wäre das Einzige, was die Straßen derartig leer fegen könnte.«

»Aber das ist doch prima, oder? So kann uns niemand entdecken.«

»Es ist gut und schlecht zugleich. Die Straßen sind größtenteils verlassen, was von Vorteil ist. Aber sollte uns doch jemand begegnen, wächst auch das Risiko, dass ihm unsere Anwesenheit auffällt und er uns anspricht.«

»Hast du nicht gesagt, *alle* wären in der Garnison?«

Luke lächelte matt. »Das darfst du nicht so wörtlich nehmen, Clary. Ich meinte, alle erwachsenen Schattenjäger. Kinder, Jugendliche und alle anderen, die von der Sitzung ausgeschlossen sind, bleiben natürlich in ihrem Viertel.«

Jugendliche. Sofort musste Clary an Jace denken und ihr Puls machte unwillkürlich einen Sprung wie ein Rennpferd beim Start aus der Box.

Luke runzelte die Stirn, so als könnte er ihre Gedanken lesen. »Von diesem Moment an breche ich das Gesetz durch meine Anwesenheit in Alicante, da ich mich am Tor nicht angemeldet habe. Wenn irgendjemand mich erkennen sollte, könnten wir in enorme Schwierigkeiten geraten.« Rasch schaute er zu dem schmalen Streifen rötlichen Abendhimmels hinauf, der zwischen den Dächern zu sehen war. »Wir müssen unbedingt weg von den Straßen.«

»Ich dachte, wir wollten zum Haus deines Freunds oder deiner Freundin.«

»Das stimmt, wir sind bereits auf dem Weg dorthin. Allerdings handelt es sich genau genommen nicht um eine Freundin.«

»Aber wer ist sie dann . . .?«

»Folg mir einfach.« Luke tauchte in einen Durchgang zwischen zwei Häusern ein, der so schmal war, dass Clary die Arme ausstrecken und beide Hausmauern mit den Fingerspitzen berühren konnte. Sie folgte ihm bis zu einer gewundenen Kopfsteinstraße, an der zahlreiche kleine Geschäfte lagen. Die Gebäude erinnerten sie an eine Mischung aus gotisch anmutender Traumlandschaft und Kindermärchen und die Steinfassaden waren mit diversen Gestalten aus Sagen und Legenden dekoriert: Monster- und Dämonenköpfe, geflügelte Pferde, ein Bauwerk, das aussah wie ein Haus auf Hühnerbeinen, Meerjungfrauen und natürlich Engel. Steinerne Wasserspeier mit grotesken Fratzen ragten an jeder Häuserecke hervor und sämtliche Flächen trugen Runen – sie waren über die Türen verteilt, geschickt im Design einer abstrakten Steinmetzarbeit verborgen oder an dünnen Metallketten aufgehängt, die wie Windspiele in der leichten Brise tanzten. Schutzrunen, glückbringende Runen und sogar solche für erfolgreiche Geschäfte. Als Clary all diese geheimen Zeichen betrachtete, wurde ihr zunehmend schwindlig.

Schweigend liefen sie weiter, immer im Schatten der Gebäude. Das Kopfsteinpflaster lag verlassen vor ihnen; sämtliche Geschäfte hatten geschlossen und waren verriegelt. Hin und wieder warf Clary einen verstohlenen Blick in die Schaufenster, die sie passierten. Es erschien ihr merkwürdig, in einer Ladenvitrine luxuriös verzierte, köstliche Pralinen zu entdecken und im nächsten Fenster eine ebenso üppige Präsentation tödlich glitzernder Waffen – Macheten, Streitkolben, mit Nägeln gespickte Knüppel und eine Fülle von Seraphklingen in unterschiedlichen Größen. »Keine Schusswaffen«, murmelte Clary, wobei ihr ihre eigene Stimme wie aus großer Ferne erschien.

Luke sah sie blinzelnd an. »Was meinst du damit?«

»Schattenjäger scheinen keinerlei Schusswaffen zu verwenden«, sagte Clary.

»Die Runen verhindern, dass sich das Schießpulver entzünden kann«, erklärte Luke. »Aber niemand weiß, warum. Trotzdem hat es Nephilim gegeben, die gegenüber Lykanthropen Gewehre eingesetzt haben. Um uns zu töten, braucht man keine Runen – eine einfache Silberkugel erfüllt den gleichen Zweck«, fügte er finster hinzu. Plötzlich hob er den Kopf. Im schwachen Licht der Dämmerung sah es fast so aus, als würde er wie ein Wolf die Ohren spitzen. »Stimmen«, sagte er. »Die Versammlung in der Garnison scheint vorüber sein.«

Rasch nahm er Clary am Arm und zog sie von der Hauptstraße fort in eine Seitengasse, an deren Ende ein kleiner Platz mit einem Brunnen in der Mitte auftauchte. Direkt vor ihnen führte eine Steinbrücke über einen schmalen Kanal. Im schwindenden Licht wirkte das Wasser des Kanals fast schwarz. Clary konnte die Stimmen nun selbst hören, die aus den umliegenden Straßen zu ihnen drangen. Sie klangen laut und aufgebracht. Clarys Schwindelanfall wurde immer stärker – sie hatte das Gefühl, als würde der Boden unter ihren Füßen schwanken und sie jeden Moment fallen. Keuchend lehnte sie sich gegen eine Häuserwand und schnappte nach Luft.

»Clary«, stieß Luke leise hervor. »Clary, alles in Ordnung mit dir?«

Seine Stimme klang gepresst und irgendwie seltsam. Clary schaute ihn an und ihr stockte der Atem. Seine Ohren waren lang und spitz, seine Zähne blitzten rasiermesserscharf auf und seine Augen funkelten in einem gefährlichen Gelbton . . .

»Luke«, flüsterte Clary. »Was passiert mit dir?«

»Clary.« Luke streckte die Hand nach ihr aus. Seine Finger waren merkwürdig lang, seine Nägel spitz und rostrot. »Was ist los?«

Clary schrie auf und wich zurück. Sie verstand nicht, wovor sie sich so sehr fürchtete – schließlich hatte sie Luke schon öfter in Wolfsgestalt gesehen und er hatte ihr nie auch nur ein Haar gekrümmt. Doch ihre Angst wuchs ins Unermessliche, saß wie ein lebendiges Wesen tief in ihr drin und ließ sich nicht mehr steuern. Luke packte Clary an den Schultern, doch sie krümmte sich und duckte sich von ihm fort, fort von seinen gelben, wilden Augen, obwohl er versuchte, sie zu beruhigen und mit seiner herkömmlichen, menschlichen Stimme anflehte, leise zu sein. »Clary, bitte . . .«

»Lass mich los! Lass mich los!«

Aber Luke ließ sie nicht los. »Das kommt von dem Seewasser . . . du halluzinierst, Clary . . . bitte versuch, dich zusammenzureißen.« Er zog sie in Richtung der Brücke, musste sie fast hinter sich herschleifen.

Clary spürte, wie ihr Tränen übers Gesicht rannen und ihre glühenden Wangen kühlten.

»Das ist alles nur eine Halluzination; nichts davon ist real. Bitte, versuch durchzuhalten, bitte«, flehte Luke und half ihr auf die Brücke. Clary konnte das Wasser riechen, das unter ihr grün und muffig dahinfloss. Irgendwelche *Wesen* bewegten sich unterhalb der Wasseroberfläche. Als sie genauer hinsah, schoss plötzlich ein schwarzer Fangarm daraus hervor, dessen schwammige Spitze mit nadelscharfen Zähnen besetzt war. Clary zuckte zusammen und wich zurück; sie wollte schreien, doch aus ihrer Kehle drang nur ein unterdrücktes Stöhnen.

Luke fing sie auf, als ihre Knie nachgaben, und hob sie hoch. Seit ihrem fünften oder sechsten Lebensjahr hatte er sie nicht mehr auf diese Weise gehalten. »Clary«, sagte er, doch der Rest seiner Worte verschwamm und verschmolz zu einem unzusammenhängenden Rauschen. Mit Clary auf den Armen stürmte Luke an einer Reihe hoher, schmaler Gebäude vorbei, die Clary fast an die Reihenhäuser in Brooklyn erinnerte – oder hatte sie jetzt bereits Wahnvorstellung von ihrem eigenen Viertel? Die Luft um sie herum schien zu wabern, die Lichter der Häuser flackerten wie Fackeln und der Kanal schimmerte in einem unheilvollen Phosphorgelb. Clary hatte das

Gefühl, als würde sich jeder einzelne Knochen in ihrem Körper auflösen.

»Hier ist es«, rief Luke und blieb abrupt vor einem hohen Kanalhaus stehen. Laut hämmerte er gegen die Tür, die in einem leuchtenden, fast grellen Rot gestrichen war und in deren Mitte eine einzelne goldene Rune prangte. Plötzlich zerflossen die Konturen des Schriftzeichens und nahmen die Gestalt eines grässlichen, grinsenden Totenschädels an. *Das ist nicht echt... nur eine Halluzination,* ermahnte Clary sich unter Aufbringung all ihrer Kräfte und unterdrückte einen Schrei, indem sie auf ihre Faust biss, bis sie Blut im Mund schmeckte.

Der Schmerz schenkte ihr kurzfristig einen etwas klareren Kopf. Im nächsten Moment flog die Tür auf und eine Frau in einem dunklen Kleid erschien im Türrahmen. Auf ihrem Gesicht stand eine Mischung aus Ärger und Überraschung. Ihre wirren graubraunen Haare waren sorglos zu zwei langen Zöpfen geflochten und ihre blauen Augen kamen Clary irgendwie bekannt vor. Ein Elbenlichtstein leuchtete in ihrer Hand.

»Wer da?«, fragte sie gebieterisch. »Was wollt ihr?«

»Amatis.« Luke trat in den Lichtkegel des Elbenlichts, mit Clary auf dem Arm. »Ich bin's.«

Die Frau erbleichte, taumelte und stützte sich mit einer Hand am Türrahmen ab. *»Lucian?«*

Luke versuchte, einen Schritt auf sie zuzugehen, doch die Frau versperrte ihm den Weg. Sie schüttelte mit solcher Vehemenz den Kopf, dass ihre Zöpfe hin und her wippten. »Wie konntest du nur hierher

kommen, Lucian? Wie kannst du es nur wagen?«

»Ich hatte keine andere Wahl.« Luke verstärkte seinen Griff um Clary, die einen Schrei unterdrücken musste – ihr gesamter Körper fühlte sich an, als stünde er in Flammen, jedes Nervende brannte wie ein loderndes Feuer.

»Du solltest besser wieder gehen«, sagte Amatis. »Wenn du die Stadt sofort verlässt . . .«

»Ich bin nicht meinetwegen gekommen. Ich bin wegen des Mädchens hier. Sie liegt im Sterben.« Als die Frau ihn unverwandt anstarrte, fügte er hinzu: »Amatis, bitte. Sie ist *Jocelyns Tochter*.«

Es entstand eine lange Stille, während der Amatis reglos wie eine Statue in der Tür verharrte. Sie schien wie erstarrt – ob nun vor Überraschung oder vor Entsetzen, vermochte Clary nicht zu sagen. Mühsam ballte Clary die Faust. Ihre Handfläche klebte vor Blut, wo sich die Nägel in die Haut bohrten, doch selbst dieser Schmerz half nun nichts mehr – die Welt um sie herum löste sich in sanften Farben auf, wie ein Puzzle, dessen Teile sich auf einer Wasseroberfläche zerstreuen. Und sie hörte kaum noch Amatis' Stimme, als die ältere Frau einen Schritt beiseitetrat und den Weg freigab: »Also gut, Lucian. Bring sie herein.«

Als Simon und Jace ins Wohnzimmer zurückkehrten, hatte Aline auf dem kleinen Beistelltisch zwischen den beiden Sofas das Abendbrot angerichtet. Neben Brot und Käse entdeckten die beiden auch Kuchen, Äpfel und sogar eine Flasche Wein, den Max aber nicht anrühren durfte. Er hatte sich mit einem Stück Kuchen in eine Ecke zurückgezogen und las. Simon hatte vollstes Verständnis für den kleinen Jungen: Vermutlich fühlte Max sich in der lachenden und scherzenden Gruppe ebenso verloren wie er selbst.

Als Simon sah, wie Aline nach einem Stück Apfel griff und dabei Jace' Handgelenk mit den Fingern berührte, spürte er, wie er sich innerlich verkrampfte. *Aber das ist doch genau das, was du von ihm verlangt hast,* hielt er sich vor Augen. Trotzdem konnte er das Gefühl einfach nicht loswerden, dass Clary dabei irgendwie missachtet wurde.

Über Alines Kopf hinweg traf sich sein Blick mit Jace', der daraufhin lächelte – ein Lächeln, das nur aus spitzen Zähnen zu bestehen schien, obwohl er kein Vampir war. Betreten schaute Simon fort und sah sich im Raum um. Dabei bemerkte er, dass die Musik, die er vorher gehört hatte, nicht aus einer Stereoanlage kam, sondern aus einem kompliziert wirkenden mechanischen Gerät.

Einen Moment lang dachte er daran, ein Gespräch mit Isabelle zu beginnen, aber das Mädchen unterhielt sich angeregt mit Sebastian, der ihr sein elegantes Gesicht aufmerksam zugewandt hatte. Jace hatte sich einmal über Simons Schwärmerei für Isabelle lustig gemacht, aber Sebastian war zweifellos in der Lage, mit ihr fertig zu werden. Schattenjäger wurden doch dazu erzogen, mit allem fertig zu werden, oder? Doch als Simon sich an den Blick in Jace' Augen erinnerte, als dieser erklärt hatte, er wolle von nun an nur noch Clarys Bruder sein, fragte er sich, ob das auch wirklich stimmte.

»Wir haben keinen Wein mehr«, verkündete Isabelle im nächsten Moment und stellte die leere Flasche mit einem dumpfen Dröhnen auf den Tisch. »Ich hol mal Nachschub.« Dabei zwinkerte sie Sebastian zu und verschwand in Richtung Küche.

»Ich hoffe, du nimmst es mir nicht übel, aber du erscheinst mir heute Abend ziemlich schweigsam.« Mit einem entwaffnenden Lächeln beugte Sebastian sich über die Rückenlehne von Simons Sessel. Für jemanden mit solch dunklen Haaren, überlegte Simon, war Sebastians Haut erstaunlich blass, als würde er nicht oft in die Sonne gehen. »Ist alles in Ordnung mit dir?«, fragte Sebastian nun.

Simon zuckte die Achseln. »Bei euren Gesprächen gibt es nicht viele Themen, zu denen ich etwas beitragen könnte. Entweder redet ihr über die Politik hier in Idris oder über Leute, von denen ich noch nie gehört habe, oder über beides.«

Sebastians Lächeln verschwand. »Wir Nephilim können manchmal ein ziemlich exklusiver Zirkel sein. Aber so ist das nun mal bei denjenigen, die vom Rest der Welt ausgeschlossen sind.«

»Ist es nicht eher so, dass ihr euch selbst ausschließt? Ihr verachtet normale Menschen . . .«

»›Verachtet‹ erscheint mir ein wenig zu stark«, erwiderte Sebastian. »Und außerdem: Glaubst du wirklich, die Welt der Menschen würde gern etwas mit uns zu tun haben? Schließlich sind wir eine konstante Mahnung daran, dass es sich bei all ihren tröstlichen, beruhigenden Beteuerungen – es gibt keine *echten* Vampire und, nein, unter dem Bett sind keine Dämonen oder Monster – in Wahrheit nur um Lügen handelt.« Er drehte sich zu Jace um, der sie beide eine ganze Weile schweigend angestarrt hatte, wie Simon nun auffiel. »Bist du nicht auch meiner Meinung?«

Jace lächelte. »*De ce crezi ca va ascultam conversatia?*«

Mit einem Ausdruck erfreuten Interesses in den Augen erwiderte Sebastian seinen Blick. »*M-ai urmărit de când ai ajuns aici*«, sagte er. »*Nu-mi dau seama dacă nu mă placi ori dacă eşti atât de bănuitor cu toata lumeă.*« Dann stand er auf. »Ich weiß es durchaus zu schätzen, meine Rumänischkenntnisse ein wenig auffrischen zu können, aber wenn es dir nichts ausmacht, gehe ich mal nachsehen, was Isabelle so lange in der Küche treibt.« Und damit verschwand er durch die Tür und ließ Jace zurück, der ihm ratlos nachschaute.

»Was ist los? Spricht er doch kein Rumänisch?«, fragte Simon.

»Doch«, sagte Jace. Zwischen seinen Augen war eine kleine Falte aufgetaucht. »Doch, sein Rumänisch ist ganz okay.«

Ehe Simon nachhaken konnte, was er damit meinte, kam Alec in den Raum marschiert. Er runzelte die Stirn, genau wie bei seinem Aufbruch, und sein Blick ruhte einen Moment auf Simon, musterte ihn mit einem fast verwirrten Ausdruck in den blauen Augen.

Jace schaute auf. »Wie? Schon zurück?«

»Ja, aber nur kurz.« Alec beugte sich zum Tisch hinunter und nahm mit seiner behandschuhten Hand einen Apfel vom Obstteller. »Ich bin nur zurückgekommen, um *ihn* zu holen«, erklärte er und deutete mit dem Apfel auf Simon. »Sein Typ wird verlangt . . . in der Garnison.«

Aline zog ein überraschtes Gesicht. »Wirklich?«, sagte sie, doch Jace hatte sich bereits von der Couch erhoben und löste seine Hand aus ihrem Griff.

»Wofür *verlangt?*«, fragte er gefährlich ruhig. »Ich hoffe, das hast du wenigstens in Erfahrung gebracht, ehe du dein Wort gegeben hast, ihn dort abzuliefern.«

»*Natürlich* habe ich das gefragt«, fauchte Alec. »Ich bin doch nicht blöd.«

»Ach, komm schon«, rief Isabelle, die in diesem Moment zusammen mit Sebastian und einer Flasche Wein wieder in der Tür erschien. »Manchmal bist du schon ein kleines bisschen blöd. Nur ein *kleines* bisschen«, fügte sie hinzu, als Alec ihr einen vernichtenden Blick zuwarf.

»Der Rat schickt Simon nach New York zurück«, sagte er. »Durch das Portal.«

»Aber er ist doch gerade erst angekommen!«, protestierte Isabelle schmollend. »Wo bleibt denn da der Spaß?«

»Hier geht's auch nicht um Spaß, Izzy. Dass Simon hierher nach Alicante gekommen ist, war ein Versehen. Daher denkt der Rat, dass es für ihn das Beste wäre, in seine Heimat zurückzukehren.«

»Prima«, sagte Simon. »Vielleicht schaffe ich es ja noch nach Hause, bevor meine Mutter überhaupt mitkriegt, dass ich weg war. Wie groß ist der Zeitunterschied zwischen Alicante und Manhattan?«

»Du hast eine *Mutter?*«, fragte Aline erstaunt.

Doch Simon beschloss, diese Frage zu ignorieren. »Jetzt mal im Ernst«, sagte er, während Alec und Jace einen Blick tauschten. »Das ist wirklich prima. Denn ich will so schnell wie möglich von hier fort.«

»Wirst du ihn begleiten?«, wandte Jace sich an Alec. »Und dafür sorgen, dass alles glattgeht?«

Die beiden Jungen sahen einander auf eine Art und Weise

an, die Simon durchaus vertraut war. Genauso tauschten Clary und er manchmal Blicke, verschlüsselte Blicke, wenn sie nicht wollten, dass ihre Eltern etwas von ihren Plänen erfuhren.

»Was ist denn los?«, fragte er und schaute von Jace zu Alec und wieder zurück. »Irgendetwas stimmt hier doch nicht?«

Die beiden Schattenjäger räusperten sich, dann blickte Alec betreten zur Seite, während Jace sich mit einem ausdruckslosen Lächeln Simon zuwandte. »Nichts«, sagte er. »Es ist alles in bester Ordnung. Herzlichen Glückwunsch, Vampir – du darfst wieder nach Hause.«

4
TAGESLICHTLER

Die Nacht war bereits angebrochen, als Simon und Alec das Haus der Familie Penhallow verließen und den Hügel hinauf zur Garnison liefen. Im kalten Mondlicht wirkten die engen, gewundenen Gassen der Stadt wie helle Steinbänder, die sich zwischen den Häusern hindurchschlängelten, und die Luft war eisig – obwohl Simon dies nur am Rande wahrnahm.

Schweigend stapfte Alec ein paar Schritte vor Simon her, so als wäre er allein. In seinem früheren Leben hätte Simon sich beeilen und schnaufend hinter ihm herlaufen müssen, um mit ihm Schritt zu halten, doch nun stellte er fest, dass er zu Alec aufschließen konnte, indem er einfach ein wenig schneller ging. »Das muss dir ja echt stinken«, sagte er schließlich, während Alec missmutig geradeaus starrte. »Dass man es dir aufgebürdet hat, mich zu begleiten, meine ich.«

Alec zuckte die Achseln. »Ich bin achtzehn und damit erwachsen. Also muss ich mich auch entsprechend verantwortungsvoll verhalten. Ich bin der Einzige von uns, der während der Sitzung des Rats die Garnison betreten darf, und außerdem kennt mich der Konsul.«

»Was ist ein Konsul?«

»Eine Art hoher Ratsbeamter. Er zählt die abgegebenen Stimmen bei der Vollversammlung, interpretiert die Gesetze für die Mitglieder des Rats und fungiert als Berater für den Rat und den Inquisitor. Wenn ein Institutsleiter beispielsweise auf ein Problem stößt, von dem er nicht weiß, wie er damit umgehen soll, dann wendet er sich an den Konsul.«

»Er berät den Inquisitor? Ich dachte . . . ist die Inquisitorin denn nicht tot?«

Alec schnaubte. »Genauso gut könntest du fragen: ›Ist der Präsident denn nicht tot?‹ Doch, klar, die Inquisitorin ist gestorben, aber jetzt gibt es einen neuen Mann auf ihrem Posten – Inquisitor Aldertree.«

Simon schaute den Hügel hinunter, auf das düstere Wasser der Kanäle weit unter ihnen. Sie hatten die Stadt inzwischen hinter sich gelassen und folgten einer schmalen Straße, die sich zwischen hohen dunklen Bäumen hindurchwand. »Ich kann dir eines verraten: In der Vergangenheit haben Inquisitoren meinem Volk nicht viel Gutes gebracht«, sagte er beiläufig, woraufhin Alec ihn verständnislos ansah. »Ach, schon gut. War nur eine Anspielung auf die Geschichte der Irdischen. Es würde dich sowieso nicht interessieren.«

»Du bist kein Irdischer«, stellte Alec klar. »Deshalb waren Aline und Sebastian ja auch so begeistert, einen Blick auf dich werfen zu können. Auch wenn man das Sebastian nicht direkt anmerken konnte – er tut immer so, als hätte er schon alles und jeden gesehen.«

»Sind er und Isabelle . . . läuft zwischen den beiden was?«, platzte Simon, ohne nachzudenken, heraus.

Verblüfft lachte Alec auf: »Isabelle und *Sebastian?* Wohl kaum. Sebastian ist ein netter Junge – und Isabelle verabredet sich nur mit durch und durch unpassenden Typen, die unsere

Eltern auf jeden Fall hassen werden: Irdische, Schattenweltler, Kleinkriminelle . . .«

»Na vielen Dank«, schnaubte Simon. »Freut mich, dass ich in eine Schublade mit Verbrechern geworfen werde.«

»Ich glaube, sie tut das, um Aufmerksamkeit zu erregen«, redete Alec ungerührt weiter. »Außerdem ist sie das einzige Mädchen in der Familie und muss ständig beweisen, wie tough sie ist. Oder zumindest glaubt sie das.«

»Vielleicht versucht sie aber auch, die Aufmerksamkeit von dir abzulenken«, meinte Simon geistesabwesend. »Du weißt schon: Weil deine Eltern ja nicht wissen, dass du schwul bist . . .«

Alec blieb derart ruckartig stehen, dass Simon fast in ihn hineingelaufen wäre. »Nein, sie wissen es nicht, aber offensichtlich alle anderen«, stieß er hervor.

»Mit Ausnahme von Jace«, sagte Simon. »Er weiß es nicht, oder?«

Alec holte tief Luft. Er war blass im Gesicht, dachte Simon, aber vielleicht lag es auch nur am Mondlicht, das der kompletten Umgebung sämtliche Farbe zu entziehen schien. Alecs Augen wirkten fast schwarz. »Ich wüsste wirklich nicht, was dich das angeht. Es sei denn, du versuchst, mir zu drohen«, sagte er düster.

»Dir zu *drohen?*« Simon starrte ihn verblüfft an. »Nein, das hatte ich nicht vor . . .«

»Und was soll das dann?«, fragte Alec und in seiner Stimme schwang eine plötzliche, offene Verletzlichkeit mit, die Simon bestürzte. »Warum hast du dann überhaupt davon angefangen?«

»Weil du mich die meiste Zeit zu hassen scheinst«, erwiderte Simon. »Keine Sorge, ich nehme das nicht persönlich, obwohl ich dir mal das Leben gerettet habe. Aber du scheinst die ganze Welt zu hassen. Im Grunde haben wir beide nichts gemein. Aber ich sehe, wie du Jace anschaust, und dann sehe ich mich, wie ich Clary anschaue, und dann wird mir klar, dass wir vielleicht doch etwas gemein haben. Und vielleicht trägt das ja dazu bei, dass du mich ein bisschen weniger hasst.«

»Dann wirst du es Jace also nicht erzählen?«, fragte Alec. »Ich meine . . . du hast Clary gesagt, was du für sie empfindest, und . . .«

»Und das war keine gute Idee«, erklärte Simon. »Inzwischen frage ich mich, wie man nach so einem Bekenntnis wieder zur Normalität zurückkehren soll. Und ob wir jemals wieder Freunde sein können oder ob unsere Freundschaft zerbrochen ist. Nicht ihretwegen, sondern meinetwegen. Vielleicht wäre es etwas anderes, wenn ich jemand Neues fände . . .«

»Jemand Neues«, wiederholte Alec. Er hatte sich hastig wieder in Bewegung gesetzt und starrte missmutig vor sich hin.

Simon schloss eilig zu ihm auf. »Du weißt schon, was ich meine. Ich glaube nämlich, dass Magnus Bane dich wirklich mag. Und er ist ziemlich cool. Jedenfalls veranstaltet er großartige Partys. Auch wenn ich beim letzten Mal in eine Ratte verwandelt wurde.«

»Danke für den Tipp«, erwiderte Alec trocken. »Aber ich glaube nicht, dass er mich wirklich so sehr mag. Als er zum Institut kam, um das Portal zu öffnen, hat er kaum ein Wort mit mir gewechselt.«

»Vielleicht solltest du ihn mal anrufen«, schlug Simon vor

und versuchte, nicht allzu lange darüber nachzudenken, wie merkwürdig es war, einem Dämonenjäger Ratschläge für eine mögliche Beziehung mit einem Hexenmeister zu erteilen.

»Geht nicht«, sagte Alec. »In Idris gibt's kein Telefon. Ach, ist ja sowieso egal.« Abrupt blieb er stehen. »Wir sind da. Das hier ist die Garnison.«

Vor den beiden Jungen ragte eine hohe Mauer mit einem gewaltigen Doppeltor auf, dessen massives Holz mit verschlungenen, eckigen Runenmustern bedeckt war. Obwohl Simon die Runen nicht wie Clary lesen konnte, spürte er, wie verwirrend sie in ihrer Vielschichtigkeit waren und dass sie ein enormes Gefühl der Macht verströmten. Die beiden Flügel des Tors wurden von steinernen Engelsstatuen flankiert, in deren wunderschönen Gesichtern ein entschlossener, wilder Ausdruck lag. Jeder der Engel hielt ein Schwert in der Hand und zu seinen Füßen wand sich eine sterbende Kreatur – eine Mischung aus Ratte, Fledermaus und Echse, mit bösartig spitzen Zähnen. Simon betrachtete die Szenerie eine ganze Weile. Ihm war klar, dass es sich um Dämonen handelte – aber genauso gut hätten es auch Vampire sein können.

Alec stieß das schwere Holztor auf und bedeutete Simon, als Erster hindurchzugehen. Nachdem Simon das Tor passiert hatte, schaute er sich blinzelnd um. Seit seiner Verwandlung zum Vampir hatte sich seine Nachtsicht derart verbessert, dass er normalerweise jedes winzige Detail mit laserscharfer Genauigkeit erkennen konnte. Doch die Dutzenden von Fackeln, die den Weg zu den Türen des Garnisonsgebäudes säumten, waren aus Elbenlicht gefertigt und ihr grelles weißes Licht ließ sämtliche Konturen und Details der Umgebung verschwimmen. Simon spürte, dass Alec ihn am Arm nahm und einen schmalen Steinpfad entlangführte, der durch die Lichtreflexion hell schimmerte. Dann tauchte plötzlich jemand vor ihnen auf und versperrte ihnen mit hochgestrecktem Arm den Weg.

»Das ist also der Vampir?« Die Stimme, die diese Frage stellte, klang tief, fast wie ein Knurren. Simon schaute auf, doch das Licht brannte ihm in den Pupillen – wenn er noch Tränen gehabt hätte, wären sie ihm nun bestimmt in die Augen geschossen. *Elbenlicht,* dachte er, *Engelslicht verursacht bei mir Verätzungen. Ich hätte es wissen müssen.*

Der Mann vor ihnen war sehr groß. Die blassgelbe Haut seines Gesichts spannte sich über seinen vorspringenden Wangenknochen und über der spitzen römischen Nase und der hohen Stirn glänzten kurz geschnittene schwarze Haare. Er musterte Simon mit einem Ausdruck im Gesicht, der dem eines Berufspendlers ähnelte, wenn dieser eine fette Ratte auf den Gleisen laufen sieht – in der vagen Hoffnung, dass eine Bahn heranbraust und die Ratte zerquetscht.

»Das ist Simon«, erwiderte Alec, ein wenig verunsichert. »Simon, das ist Konsul Malachi Dieudonné. Ist das Portal bereit, Sir?«

»Ja«, sagte Malachi. Seine Stimme klang harsch und besaß einen leichten Akzent. »Alles ist vorbereitet. Komm, Schattenweltler.« Er winkte Simon zu sich heran. »Je eher wir es hinter uns bringen, desto besser.«

Simon setzte sich in Bewegung, um dem ranghohen Beamten zu folgen, doch Alec hielt ihn mit einer Hand am Arm fest. »Einen Moment noch«, sagte er und wandte sich an den Konsul. »Er wird doch direkt nach Manhattan zurückgebracht? Und auf der anderen Seite von jemandem in Empfang genommen, oder?«

»Allerdings«, bestätigte Malachi. »Vom Hexenmeister Magnus Bane. Da er es dem Vampir unklugerweise erlaubt hat, Idris überhaupt zu betreten, hat er auch die Verantwortung für seine Rückkehr übernommen.«

»Wenn Magnus Simon nicht durch das Portal geholfen hätte, wäre er gestorben«, bemerkte Alec mit einer gewissen Schärfe in der Stimme.

»Vielleicht«, entgegnete Malachi. »Das behaupten zumindest deine Eltern und der Rat hat beschlossen, ihnen Glauben zu schenken. Entgegen meinem ausdrücklichen Rat. Aber wie dem auch sei: Man bringt nicht leichtfertig Schattenweltler in die Gläserne Stadt.«

»Daran war überhaupt nichts leichtfertig.« Wut stieg in Simons Brust auf. »Wir sind angegriffen worden und . . .«

Sofort richtete Malachi seinen Blick auf Simon. »Du wirst nur reden, wenn du gefragt wirst, verstanden, Schattenweltler? Und keine Minute eher.«

Alecs Griff um Simons Arm verstärkte sich. Auf seinem Gesicht lag eine Mischung aus Zögern und Misstrauen, als wäre er sich nicht mehr sicher, ob es wirklich eine so gute Idee gewesen war, Simon in die Garnison zu bringen.

»Aber, aber, Konsul, ich muss doch *sehr* bitten!« Eine hohe, leicht atemlose Stimme klang über den Innenhof und mit Erstaunen stellte Simon fest, dass sie einem Mann gehörte – eine kleine, rundliche Gestalt eilte über den Steinpfad auf sie zu. Er trug einen weiten grauen Umhang über seiner Schattenjägermontur und sein kahler Schädel glänzte im Elbenlicht. »Es besteht nun wirklich kein Grund, unseren Gast zu beunruhigen.«

»Gast?« Malachi warf ihm einen empörten Blick zu.

Der kleine Mann blieb vor Alec und Simon stehen und strahlte sie beide an. »Wir sind ja so froh, so überaus erfreut, dass du beschlossen hast, hinsichtlich deiner Rückkehr nach New York mit uns zu kooperieren. Das macht die Angelegenheit ja so viel einfacher.« Er zwinkerte Simon zu, der ihn verwirrt anstarrte. Er konnte sich nicht erinnern, dass er jemals einem Schattenjäger begegnet war, der sich über seine Anwesenheit zu *freuen* schien – nicht während seiner Zeit als Irdischer und ganz bestimmt nicht seit seiner Verwandlung zum Vampir.

»Oh, das hätte ich ja fast vergessen!« Der kleine Mann schlug sich schuldbewusst gegen die Stirn. »Ich hätte mich zuerst vorstellen müssen. Ich bin der Inquisitor – der *neue* Inquisitor. Inquisitor Aldertree.« Er streckte Simon die Hand entgegen, der sie verwirrt schüttelte. »Und du? Bist du Simon?«

»Ja«, sagte Simon und zog seine Hand zurück, sobald es die Höflichkeit gestattete. Aldertrees Handgriff war unangenehm feucht und schwitzig. »Sie brauchen mir nicht zu danken. Ich möchte nichts lieber, als nach Hause zurückzukehren.«

»Das kann ich mir vorstellen. Ja, das kann ich mir gut vorstellen!« Trotz Aldertrees heiterem Ton blitzte irgendetwas in seinen Augen auf – ein Ausdruck, den Simon aber nicht genau deuten konnte. Und Sekundenbruchteile später war er auch wieder verschwunden, während Aldertree lächelnd auf einen schmalen Pfad zeigte, der sich um das Garnisonsgebäude herumwand. »Bitte hier entlang, Simon.«

Simon marschierte los und auch Alec setzte sich in Bewegung, um ihm zu folgen. Doch der Inquisitor hielt eine Hand hoch. »Das wäre dann alles, Alexander. Vielen Dank für deine Hilfe.«

»Aber Simon . . .«, setzte Alec an.

». . . ist in besten Händen«, versicherte ihm der Inquisitor. »Malachi, bitte begleite Alexander zum Tor. Und gib ihm ein Elbenlicht, falls er selbst keines mitgebracht hat, damit er sicher nach Hause kommt. Der Weg kann bei Dunkelheit ziemlich tückisch sein.«

Und damit wandte er sich mit einem weiteren glückstrahlenden Lächeln Simon zu und führte ihn freundlich plaudernd davon, während Alec den beiden ratlos nachstarrte.

Als Amatis mit ihrem Elbenlicht vorauseilte und Luke Clary über die Türschwelle und durch einen langen Flur trug, war ihr, als würde die Welt durch die Nebelschwaden, die um sie herum herrschten, plötzlich aufleuchten. Im Fieberwahn sah Clary, wie sich der Gang vor ihnen scheinbar immer weiter ausdehnte und in die Länge zog, wie in einem schlimmen Albtraum.

Dann drehte sich das Bild – und plötzlich lag sie auf einer kühlen Oberfläche. Liebevoll strichen Hände eine Decke über ihr glatt und blaue Augen betrachteten sie besorgt. »Sie scheint wirklich sehr krank zu sein, Lucian«, sagte Amatis mit einer Stimme, die in Clarys Ohren verzerrt klang wie eine alte Plattenaufnahme. »Was ist mit ihr passiert?«

»Sie hat die Hälfte des Lyn-Sees geschluckt.« Der Klang von Lukes Stimme verhallte und einen Moment lang konnte Clary wieder klar sehen: Sie lag auf den kalten Fliesen eines Küchenbodens und irgendwo über ihr wühlte Luke in einem Schrank. An einer der Wände, von der die gelbe Farbe abblätterte, stand ein altmodischer schwarzer Gusseisenherd; Flammen schlugen aus dem Ofenrost und brannten ihr in den Augen. »Anis, Belladonna, Nieswurz . . .« Mit einem Arm voll dunkler Glasgefäße drehte Luke sich zu Amatis um. »Kannst du einen Sud aus diesen Kräutern herstellen, Amatis? Ich werde Clary näher an den Herd rücken – sie hat Schüttelfrost.«

Clary versuchte, etwas zu sagen . . . dass es nicht nötig wäre, sie noch mehr aufzuwärmen . . . dass sie innerlich bereits glühe . . . doch die Töne, die aus ihrem Mund kamen, hatten nichts mit dem zu tun, was sie eigentlich sagen wollte. Sie hörte sich selbst wimmern, als Luke sie hochhob, und dann spürte sie eine feurige Hitze, die ihre linke Körperhälfte aufzutauen schien. Clary hatte nicht einmal bemerkt, dass ihr Körper förmlich zu Eis gefroren war. Ihre Zähne begannen zu klappern und sie schmeckte Blut im Mund. Dann setzte ein Vibrieren ein und ließ die Welt erbeben wie Wasser in einem gerüttelten Glas.

»Sie hat aus dem See der Träume getrunken?«, fragte Amatis ungläubig. Clary konnte die Frau nicht deutlich erkennen, aber sie schien in der Nähe des Herds zu stehen, mit einem langstieligen Holzlöffel in der Hand. »Was hat sie denn dort gemacht? Weiß Jocelyn, wo sie . . .«

Im nächsten Moment schien die Welt um Clary herum in Dunkelheit zu versinken – oder zumindest die reale Welt der Küche mit den gelben Wänden und dem beruhigenden Feuer hinter dem Ofengitter. Stattdessen sah Clary die Fluten des

Lyn-Sees, in denen sich Flammen spiegelten wie in einer polierten Glasfläche. Engel schritten über das Glas – Engel mit weißen Flügeln, die blutverschmiert und gebrochen von ihren Rücken herabhingen, und jeder der Engel besaß Jace' Gesicht. Und dann tauchten weitere Engel auf, mit Flügeln wie schwarzen Schatten, und sie hielten ihre Hände in die Flammen und lachten . . .

»Sie ruft ständig nach ihrem Bruder.« Amatis' Stimme klang hohl, als dränge sie aus unglaublicher Höhe zu Clary durch. »Er ist doch bei den Lightwoods, oder? Und die wohnen zurzeit bei den Penhallows in der Princewater Street. Ich könnte schnell . . .«

»Nein«, unterbrach Luke sie scharf. »Nein. Es ist besser, wenn Jace nichts davon erfährt.«

Habe ich wirklich nach Jace gerufen? Warum sollte ich das tun?, fragte Clary sich, doch der Gedanke dauerte nur einen Sekundenbruchteil an. Sofort kehrte die Dunkelheit zurück und die Halluzinationen ergriffen wieder von ihr Besitz. Dieses Mal phantasierte sie von Alec und Isabelle: Beide sahen aus, als hätten sie eine erbitterte Schlacht hinter sich; Tränen hatten helle Spuren auf ihren rußverschmierten Gesichtern hinterlassen. Dann waren die beiden fort und Clary sah einen gesichtslosen Mann mit schwarzen Schwingen, die wie Fledermausflügel aus seinem Rücken herausragten. Blut rann aus seinem Mundwinkel, als er lächelte. Clary kniff die Augen fest zusammen und betete, dass die Visionen verschwinden würden . . .

Erst eine ganze Weile später tauchte sie erneut aus dem Fieberwahn auf, als eine Stimme an ihr Ohr drang. »Trink das«, sagte Luke. »Clary, du musst das hier trinken!« Dann spürte sie eine stützende Hand im Rücken und jemand träufelte ihr mithilfe eines getränkten Tuchs eine Flüssigkeit in den Mund. Der Sud schmeckte bitter und eklig und sie begann, zu husten und zu würgen, doch die Hand in ihrem Rücken ließ nicht locker. Tapfer versuchte Clary zu schlucken, trotz der Schmerzen in ihrer geschwollenen Kehle. »So ist es gut«, sagte Luke. »Schon viel besser.«

Langsam öffnete Clary die Augen. Neben ihr knieten Luke und Amatis, in deren fast identischen blauen Augen dieselbe Sorge geschrieben stand. Clary schaute an ihnen vorbei, konnte aber nichts entdecken – weder Engel noch Teufel mit Fledermausflügeln, lediglich gelbe Wände und eine hellrosa Teekanne, die gefährlich nah am Rand einer Fensterbank balancierte.

»Werde ich sterben?«, flüsterte Clary.

Luke lächelte gequält. »Nein. Es wird zwar eine Weile dauern, bis du wieder auf den Beinen bist, aber . . . du wirst es überleben.«

»Okay.« Clary war zu erschöpft, um irgendetwas zu empfinden, nicht einmal Erleichterung. Sie fühlte sich, als hätte man ihr die Knochen entfernt und sie mit einem Gummianzug aus schlaffer Haut zurückgelassen. Schläfrig blinzelte sie durch schwere Lider zu Luke hoch und meinte dann, ohne lange nachzudenken: »Du hast genau die gleichen Augen.«

Luke schaute sie verwundert an. »Die gleichen Augen wie wer?«

»Wie sie«, sagte Clary und richtete ihren müden Blick auf Amatis, die sie verdutzt ansah. »Der gleiche Blauton.«

Ein schwaches Lächeln huschte über Lukes Gesicht. »Na ja, das ist auch nicht weiter verwunderlich. Ich hatte schließlich noch keine Gelegenheit, euch miteinander bekannt zu machen. Clary, das ist Amatis Herondale. Meine Schwester.«

In dem Moment, in dem Alec und der Konsul außer Hörweite waren, verstummte der Inquisitor. Simon folgte ihm den schmalen, beleuchteten Pfad entlang und versuchte, nicht direkt in das Elbenlicht zu schauen. Verschwommen nahm er wahr, wie um ihn herum die Mauern der Garnison anstiegen wie der Rumpf eines riesigen Ozeandampfers aus einem Wellental. Helles Licht ergoss sich aus den Fenstern und durchbohrte den Himmel mit silbernen Strahlen. Zu ebener Erde lagen weitere Fenster, von denen manche vergittert waren, doch aus ihnen drang nicht der geringste Lichtschein – nur unheilvolle Dunkelheit.

Schließlich erreichten Simon und der Inquisitor eine hölzerne Tür, die durch einen Torbogen in einen Seitenteil des Gebäudekomplexes führte. Als Aldertree sich daranmachte, das Schloss zu entriegeln, verkrampfte sich Simons Magen. Seit seiner Wandlung zum Vampir war ihm aufgefallen, dass die meisten Leute einen Geruch verströmten, der sich zusammen mit ihrer Stimmung veränderte. Und der Inquisitor roch nach irgendetwas, das bitter und intensiv wie Kaffee war, nur wesentlichen unangenehmer. Im nächsten Moment spürte Simon den typischen stechenden Schmerz in seinem Kiefer, der bedeutete, dass seine Fangzähne hervorzubrechen drohten, und er rückte ein kleines Stück von dem Inquisitor ab, während sie das Tor passierten.

Dahinter kam ein langer Korridor zum Vorschein, mit kahlen weißen, fast tunnelartigen Wänden, wie aus weißem Gestein gemeißelt. Als der Inquisitor vorauseilte, tanzte der Lichtschein seines Elbenlichts hell über die Mauern. Für einen kurzbeinigen Mann lief er erstaunlich schnell, dachte Simon und musste sich spurten, um mit Aldertree mitzuhalten, dessen Kopf sich ständig von links nach rechts und wieder zurück drehte und der schnüffelnd die Nase rümpfte, als würde er die Luft prüfen. Als sie an einer gewaltigen Doppeltür vorbeikamen, deren Flügel weit aufgerissen waren, konnte Simon einen Blick in den dahinterliegenden Saal werfen. Er erinnerte an ein Amphitheater, mit etlichen Stuhlreihen, in denen schwarz gekleidete Schattenjäger dicht an dicht saßen. Stimmen hallten von den Wänden, erhobene, zornerfüllte Stimmen, und Simon schnappte im Vorbeigehen ein paar Gesprächsfetzen auf. Allerdings verschmolzen die Sätze miteinander, da sich die Redner gegenseitig ins Wort fielen.

»Aber wir haben keinen Beweis dafür, was Valentin wirklich will. Er hat seine Wünsche niemandem mitgeteilt . . .«

»Welche Rolle spielt es schon, was er will? Er ist ein Abtrünniger und ein Lügner. Glaubt ihr wirklich, jeder Versuch, ihn durch Zugeständnisse zu beschwichtigen, würde uns letztendlich nutzen?«

»Ihr wisst doch, dass eine Patrouille ein totes Werwolfkind in der Nähe des Brocelind-Waldes gefunden hat? In dem Leichnam war kein einziger Tropfen Blut mehr. Es sieht ganz danach aus, als hätte Valentin das Ritual hier in Idris endgültig vollzogen.«

»Da er zwei der Engelsinsignien in seinen Besitz gebracht hat, ist er jetzt mächtiger als ein Nephilim jemals sein sollte. Möglicherweise haben wir gar keine andere Wahl . . .«

»Mein Cousin hat auf diesem Schiff in New York sein Leben gelassen! Es kommt überhaupt nicht infrage, dass Valentin mit dem, was er bereits angerichtet hat, ungestraft davonkommt. Das schreit nach Vergeltung!«

Simon verlangsamte seine Schritte, um mehr zu erfahren, doch der Inquisitor umschwirrte ihn wie eine fette, gereizte Biene. »Komm weiter. Hier entlang«, sagte er und leuchtete mit seinem Elbenlicht in den Gang vor ihnen. »Wir dürfen nicht viel Zeit verlieren. Ich muss vor dem Ende der Versammlung wieder im Saal sein.«

Widerstrebend erlaubte Simon dem Inquisitor, ihn durch den Gang zu schieben. Das Wort »Vergeltung« klang ihm noch in den Ohren und die Erinnerung an jene Nacht auf dem Schiff erfüllte ihn mit einem kalten, unangenehmen Gefühl. Als sie endlich eine Tür mit einer grellen schwarzen Rune auf dem Türblatt erreichten, holte Aldertree einen Schlüssel hervor, entriegelte die Tür und forderte Simon mit einer ausladenden Willkommensgeste zum Eintreten auf.

Der Raum war kahl und nur mit einem einzelnen Wandteppich dekoriert, auf dem ein Engel mit einem Kelch und einem Schwert in der Hand aus einem See aufstieg. Die Tatsache, dass er beide Artefakte leibhaftig gesehen hatte, lenkte Simon einen Moment ab, und erst als er hörte, wie sich hinter ihm der Schlüssel im Schloss drehte, wurde ihm bewusst, dass der Inquisitor sie beide eingeschlossen hatte.

Langsam schaute Simon sich um. Der Raum war leer, bis auf eine Bank mit einem niedrigen Beistelltisch. Auf dem Tisch ruhte eine dekorative Silberglocke. »Das Portal . . .«, setzte Simon unsicher an. »Ist es hier drin?«

»Simon, Simon.« Aldertree rieb sich die Hände, als erwarte er eine Geburtstagsparty oder eine andere entzückende Überraschung. »Hast du es wirklich so eilig, von hier fortzukommen? Ich hatte so gehofft, du könntest mir zuerst ein paar Fragen beantworten . . .«

»Okay.« Unbehaglich zuckte Simon die Achseln. »Fragen Sie, was Sie wollen.«

»Wie außerordentlich kooperativ von dir! Wie wunderbar!« Aldertree strahlte. »Also, wie lange bist du jetzt schon ein Vampir?«

»Seit etwa zwei Wochen.«

»Und wie genau ist das passiert? Wurdest du auf der Straße angefallen oder vielleicht nachts in deinem Bett? Weißt du, wer dich verwandelt hat?«

»Also, äh, nicht direkt.«

»Aber, mein lieber Junge!«, quietschte Aldertree auf. »Wie kannst du etwas Derartiges denn nicht wissen?« Der Blick, mit dem er Simon betrachtete, war offen und neugierig. Der Inquisitor wirkte vollkommen harmlos, dachte Simon, wie ein freundlicher Großvater oder fideler alter Onkel. Er musste sich den bitteren Geruch eingebildet haben.

»So einfach war das nicht«, erklärte Simon und erzählte Aldertree von seinen beiden Besuchen im Hotel Dumort – zuerst in Gestalt einer Ratte und dann unter solch einem starken inneren Zwang, dass er das Gefühl gehabt hatte, eine riesige Zange hätte ihn in ihrem Griff und bewegte ihn genau dorthin, wo sie ihn hinhaben wollte. »Und so kam es, dass ich in dem Moment, in dem ich durch die Tür des Hotels marschierte, von allen Seiten angegriffen wurde«, beendete er seine Schilderung der Ereignisse. »Ich weiß wirklich nicht, wer von den Vampiren mich verwandelt hat oder ob es vielleicht alle zusammen waren.«

Der Inquisitor kicherte in sich hinein. »Oje, oje. Das ist aber gar nicht gut. Wie äußerst unangenehm.«

»Das habe ich genauso empfunden«, pflichtete Simon ihm bei.

»Da wird der Rat aber gar nicht erfreut sein.«

»Wieso?«, fragte Simon verblüfft. »Was geht es den Rat an, wie ich in einen Vampir verwandelt wurde?«

»Nun ja, es wäre eine Sache, wenn man dich angefallen hätte«, erläuterte Aldertree entschuldigend. »Aber du bist schließlich einfach dorthinein spaziert und hast dich . . . äh, den Vampiren überlassen, sozusagen. Es hat ein wenig den Anschein, als hättest du einer von ihnen werden *wollen*.«

»Aber ich wollte kein Vampir werden! Deswegen bin ich nicht in das Hotel gegangen!«

»Sicher, sicher.« Aldertrees Stimme klang besänftigend. »Lass uns einfach das Thema wechseln, einverstanden?« Ohne eine Antwort abzuwarten, fuhr er einfach fort: »Wie kommt es, dass die Vampire dich haben leben lassen, sodass du zu einem neuen Nachtkind erwachen konntest, mein junger Freund? Wenn man bedenkt, dass du in ihr Territorium eingedrungen bist, sollte man meinen, sie hätten sich wie sonst üblich an dir satt getrunken und dann deinen Leichnam verbrannt, um deine Erweckung zu verhindern.«

Simon öffnete den Mund zu einer Antwort; er wollte dem Inquisitor erzählen, dass Raphael ihn zum Institut gebracht hatte und dass Clary, Jace und Isabelle ihn zum Friedhof transportiert und über ihn gewacht hatten, als er sich den Weg aus dem eigenen Grab herausgeschaufelt hatte. Doch dann zögerte er. Zwar hatte er nur eine vage Vorstellung von den Gesetzen des Rats, aber irgendwie kamen ihm Zweifel, dass es zur Standardvorgehensweise der Schattenjäger zählte, der Erweckung eines Vampirs beizuwohnen oder ihm gar Blut für seine erste Mahlzeit zur Verfügung zu stellen. »Ich weiß es nicht«, sagte er schließlich. »Ich habe keine Ahnung, warum sie mich verwandelt haben, statt mich zu töten.«

»Aber einer von ihnen muss doch zugelassen haben, dass du von seinem Blut getrunken hast, denn sonst wärst du schließlich nicht ... nun ja, du wärst nicht der, der du heute bist. Willst du mir etwa sagen, dass du nicht weißt, wer dein Vampir-Ahnherr war?«

Mein Vampir-Ahnherr? Auf diese Weise hatte Simon es noch nie betrachtet – er hatte Raphaels Blut eher zufällig in den Mund bekommen. Außerdem fiel es ihm schwer, sich den Vampirjungen als irgendeinen Ahnherren vorzustellen: Raphael sah doch viel jünger aus als er selbst. »Ich fürchte, da haben Sie recht.«

»Oje.« Der Inquisitor seufzte. »Höchst bedauerlich.«

»Was ist bedauerlich?«

»Nun ja, dass du mich anlügst, mein Junge.« Aldertree schüttelte den Kopf. »Und ich hatte so sehr gehofft, du würdest kooperieren. Das ist schrecklich, einfach schrecklich. Du würdest es nicht vielleicht *doch* in Erwähnung ziehen, mir die Wahrheit zu sagen? Nur als kleine Gefälligkeit?«

»Aber ich sage doch die Wahrheit!«

Wie eine vertrocknende Blüte ließ der Inquisitor den Kopf

hängen. »Ein Jammer.« Er seufzte erneut. »Wirklich ein Jammer.« Dann durchquerte er kopfschüttelnd den Raum und klopfte laut an eine Seitentür.

»Was ist los?« In Simons Stimme schwang eine Mischung aus Sorge und Verwirrung mit. »Was ist mit dem Portal?«

»Das Portal?« Aldertree kicherte. »Du hast doch nicht ernsthaft geglaubt, ich würde dich gehen lassen, oder?«

Ehe Simon antworten konnte, flog die Tür auf und mehrere Schattenjäger in schwarzer Kampfmontur stürmten in den Raum und ergriffen ihn. Simon versuchte, sich zu wehren, doch kräftige Hände legten sich um seine Arme und hielten ihn eisern fest. Dann stülpte ihm jemand eine Kapuze über den Kopf, sodass er nichts mehr sehen konnte. Wütend trat er in der Dunkelheit um sich; sein Fuß traf auf einen Widerstand und er hörte, wie jemand fluchte.

Im nächsten Moment wurde er brutal zurückgerissen und eine heiße Stimme zischte ihm ins Ohr: »Mach das noch mal, Vampir, und ich gieß dir Weihwasser in die Kehle, bis du Blut spuckst und daran krepierst.«

»Genug!« Die dünne, kummervolle Stimme des Inquisitors nahm schlagartig an Volumen und Lautstärke zu. »Ich dulde keine weiteren Drohungen! Ich versuche lediglich, unserem jungen Gast eine Lektion zu erteilen.« Offenbar war er einen Schritt näher herangetreten, denn Simon nahm durch die Kapuze hindurch erneut den seltsamen, bitteren Geruch wahr. »Simon, Simon«, flötete Aldertree nun wieder. »Ich habe unser Gespräch wirklich genossen. Und ich hoffe, dass eine Nacht in den Zellen der Garnison den gewünschten Effekt hat und du morgen früh ein wenig kooperativer sein wirst. Denn ich sehe für uns noch immer eine strahlende Zukunft voraus . . . wenn wir erst einmal über dieses kleine Problem hinweggekommen sind.« Seine Hand legte sich schwer auf Simons Schulter. »Bringt ihn nach unten, Nephilim.«

Empört schrie Simon auf, doch seine Proteste wurden von der Kapuze gedämpft. Die Schattenjäger schleiften ihn aus dem Raum und durch eine scheinbar endlose Folge von Gängen, die sich labyrinthartig durch das Gebäude zu erstrecken schienen. Schließlich erreichten sie eine Treppe und Simon spürte, wie er Stufe für Stufe nach unten gezwungen wurde, während seine Füße verzweifelt nach Halt suchten. Er hatte nicht die geringste Ahnung, wo sie sich befanden; er nahm lediglich einen dumpfen, muffigen Geruch um sich herum wahr, wie von feuchtem Gemäuer, und merkte, dass die Luft mit jedem Schritt kälter und klammer wurde.

Endlich blieben sie stehen. Dann ertönte ein knirschendes Geräusch, wie von Eisen auf Stein, und einen Augenblick später erhielt Simon einen heftigen Stoß, sodass er nach vorne stürzte und auf Händen und Knien auf dem harten Boden landete. Gleichzeitig erklang ein lautes, metallisches Klirren, als fiele hinter ihm eine Tür ins Schloss, gefolgt vom hallenden Klacken schwerer Stiefel, die sich eilig entfernten. Wütend rappelte Simon sich auf, riss sich die Kapuze vom Kopf und warf sie zu Boden. Das Gefühl der heißen, erstickenden Enge ließ schlagartig nach und er unterdrückte den Drang, nach Luft zu schnappen – Luft, die er nicht mehr benötigte. Er wusste, dass es sich nur um einen Reflex handelte, aber seine Brust schmerzte, als hätte man ihm tatsächlich den Atem abgeschnürt.

Langsam sah er sich um: Er befand sich in einem quadratischen, kahlen Raum mit nackten Steinmauern und einem einzelnen vergitterten Fenster in der Wand über einer schmalen, unbequem aussehenden Pritsche. Hinter einem niedrigen Türdurchgang entdeckte er ein winziges Bad mit Waschbecken und Toilette. Auch die nach Westen ausgerichtete Wand der Zelle war vergittert – massive, eisenartige Stäbe erstreckten sich vom Boden bis zur Decke und die Gittertür war mit einem Messingknauf ausgestattet, auf dem eine tiefschwarze Rune prangte. Als Simon genauer hinsah, stellte er fest, dass sämtliche Gitterstäbe mit diesen geheimen Zeichen versehen waren; selbst die Fenstereisen trugen ein spinnwebartiges Runendekor.

Obwohl Simon wusste, dass die Zellentür verschlossen sein musste, konnte er nicht anders, als schnurstracks darauf zuzumarschieren und nach dem Türknauf zu greifen. Doch als er ihn berührte, schoss ein brennender Schmerz durch seine Hand. Er schrie auf und riss den Arm zurück. Dünne weiße Rauchfahnen stiegen von seiner versengten Handfläche auf – ein kompliziertes Muster hatte sich in seine Haut gebrannt. Es erinnerte an einen Davidstern in einem Kreis, mit feinen Runen in jeder freien Fläche zwischen den Linien.

Der sengende Schmerz kroch ihm fieberheiß den Arm hinauf und Simon krümmte die Finger und schnappte keuchend nach Luft. »Was zum Teufel ist das?«, flüsterte er, obwohl er wusste, dass ihn niemand hören konnte.

»Das ist das ›Siegel des Salomo‹«, sagte plötzlich eine Stimme. »Es soll einen der wahren Namen Gottes enthalten. Außerdem vertreibt es Dämonen – sowie deinesgleichen, da es sich um einen Artikel deines Glaubens handelt.«

Ruckartig richtete Simon sich auf und vergaß fast den Schmerz in seiner Hand. »Wer ist da? Wer spricht da?«

Es entstand eine lange Stille, doch schließlich fuhr die leicht heisere Stimme fort: »Ich bin in der Zelle neben dir, Tageslichtler.« Simon erkannte, dass es sich um einen Mann handeln musste. »Die Wachen haben den halben Tag hier unten verbracht und darüber diskutiert, wie man dich am besten einsperren könne. Also würde ich an deiner Stelle besser nicht versuchen, die Zellentür zu öffnen. Spar dir lieber deine Kräfte, bis du herausgefunden hast, was der Rat von dir will.«

»Die können mich doch nicht einfach hier festhalten«, protestierte Simon. »Ich gehöre nicht in diese Welt. Meine Familie wird mich vermissen, in der Schule wird mein Fehlen auffallen . . .«

»Darum hat man sich längst gekümmert. Die dafür erforderlichen Zaubersprüche sind denkbar einfach – jeder Hexenmeisterneuling könnte sie anwenden. Deine Eltern werden in der Illusion leben, dass es einen vollkommen plausiblen Grund für deine Abwesenheit gibt. Ein Schulausflug. Ein Besuch bei den Verwandten. Such dir was aus.« In der Stimme schwangen weder Bedrohung noch Bedauern mit – sie klang einfach nur nüchtern und sachlich. »Oder hast du geglaubt, es wäre das erste Mal, dass sie einen Schattenweltler unbemerkt von der Bildfläche verschwinden lassen?«

»Wer sind Sie?«, fragte Simon mit brechender Stimme. »Sind Sie auch ein Schattenweltler? Ist das der Ort, wo sie Wesen wie uns festhalten?«

Doch dieses Mal erhielt er keine Antwort. Er wiederholte seine Frage, aber sein Zellennachbar hatte offensichtlich beschlossen, nicht mehr zu reagieren. Simons Rufe verhallten in der Dunkelheit.

Inzwischen hatte der Schmerz in seiner Hand nachgelassen. Ein Blick auf seine Handinnenfläche verriet ihm, dass die Haut zwar nicht länger verbrannt war, das Mal des Siegels ihm aber entgegenleuchtete, als wäre es mit schwarzer Tinte aufgetragen worden. Erneut betrachtete er die Gitterstäbe und erkannte nun, dass es sich bei den Zeichen und Symbolen nicht ausschließlich um Runen handelte: Dazwischen hatte jemand Davidsterne und hebräische Schriftzeilen aus der Thora in das Metall geritzt, die ziemlich neu wirkten.

Die Wachen haben den halben Tag hier unten verbracht und darüber diskutiert, wie man dich am besten einsperren könne, hatte die Stimme gesagt.

Aber das hatte nicht nur daran gelegen, dass er ein sogenannter Vampir war, sondern auch daran, dass er Jude war. Offenbar hatte es die Wachen den halben Tag gekostet, das Siegel des Salomo in den Türknauf zu treiben, damit es ihn versengte, sobald er es berührte. So lange hatten sie dafür gebraucht, die Artikel seines Glaubens gegen ihn zu kehren.

Diese Erkenntnis raubte Simon aus irgendeinem Grund den letzten Rest an Selbstbeherrschung. Mutlos ließ er sich auf die Pritsche sinken und stützte den Kopf in die Hände.

Die Princewater Street lag dunkel vor Alec, als er von der Garnison zurückkehrte. Sämtliche Fenster der umliegenden Häuser waren mit schweren Holzläden verschlossen und nur hin und wieder warf eine Straßenlaterne einen Lichtkegel weißen Elbenlichts auf das Kopfsteinpflaster. Lediglich das Haus der

Familie Penhallow war hell erleuchtet: Kerzen brannten in den Fenstern und die Haustür stand einen Spalt offen, sodass ein gelber Lichtstrahl hinaus auf den Gehweg fiel.

Jace saß auf der niedrigen Steinmauer, die den Vorgarten der Penhallows umzäumte; seine blonden Haare schimmerten hell im Schein der nahe gelegenen Straßenlaterne. Als Alec näher kam, schaute er auf und zitterte ein wenig. Alec sah, dass sein Freund nur eine dünne Jacke trug, obwohl es seit Sonnenuntergang ziemlich kalt geworden war. In der eisigen Luft hing wie ein hauchzartes Parfüm der Duft der letzten, verblühenden Rosen.

Alec ließ sich auf die Mauer neben Jace sinken. »Hast du die ganze Zeit hier draußen auf mich gewartet?«

»Wer sagt, dass ich auf dich gewartet habe?«

»Es ist alles reibungslos verlaufen, falls du dir deswegen Sorgen gemacht haben solltest. Ich habe Simon beim Inquisitor zurückgelassen.«

»Du hast ihn *zurückgelassen*? Du hast nicht gewartet, um sicherzugehen, dass alles glattgeht?«

»Es ist alles reibungslos verlaufen«, wiederholte Alec. »Der Inquisitor meinte, er würde Simon persönlich in die Garnison bringen und zurückschicken nach . . .«

»Der Inquisitor meinte, der Inquisitor meinte«, unterbrach Jace. »Die letzte Person, die auf diesem Posten saß, hat ihre Kompetenzen bei Weitem überschritten. Wenn sie nicht gestorben wäre, hätte der Rat sie wahrscheinlich ihres Amtes enthoben und möglicherweise sogar mit einem Bann belegt. Wer sagt dir, dass dieser Inquisitor nicht ebenso durchgeknallt ist?«

»Er schien ganz in Ordnung zu sein«, erklärte Alec. »Eigentlich sogar ganz nett. Und Simon gegenüber war er total höflich. Hör zu, Jace – so funktioniert der Rat nun mal. Wir haben nicht die Möglichkeit, jedes Ereignis zu steuern. Du musst ihnen einfach vertrauen, denn sonst verwandelt sich alles in ein Chaos.«

»Und du musst zugeben, dass der Rat in letzter Zeit ziemlich viel verbockt hat.«

»Ja, vielleicht«, räumte Alec ein. »Aber wenn du glaubst, du wüsstest es besser als der Rat und besser als das Gesetz, was unterscheidet dich dann noch von der letzten Inquisitorin? Oder von Valentin?«

Jace zuckte zusammen. Er zog ein Gesicht, als hätte Alec ihn geschlagen.

Alecs Magen verkrampfte sich. »Tut mir leid.« Zögernd streckte er eine Hand nach Jace aus. »Das hab ich nicht so gemeint . . .«

Plötzlich fiel ein leuchtend gelber Lichtstrahl auf den Garten. Als Alec aufschaute, entdeckte er Isabelle, die in der Eingangstür stand. Obwohl sie in dem hellen Schein nur als Silhouette zu erkennen war, konnte er an ihren in die Hüfte gestemmten Händen ablesen, dass sie verärgert war. »Was zum Teufel macht ihr zwei hier draußen?«, rief sie. »Wir haben uns schon gefragt, wo ihr steckt.«

Alec wandte sich wieder seinem Freund zu: »Jace . . .«

Doch Jace ignorierte Alecs ausgestreckte Hand und stand auf. »Ich hoffe für dich, dass du mit dem Rat recht behältst«, sagte er nur.

Schweigend sah Alec Jace hinterher, der verdrossen ins

Haus zurückstolzierte. Plötzlich musste er an Simons Worte denken: *Inzwischen frage ich mich, wie man nach so einem Bekenntnis wieder zur Normalität zurückkehren soll. Und ob wir jemals wieder Freunde sein können oder ob unsere Freundschaft zerbrochen ist. Nicht ihretwegen, sondern meinetwegen.*

Als die Haustür ins Schloss fiel, blieb Alec allein im schwach beleuchteten Vorgarten zurück. Einen Moment lang schloss er die Augen und hinter seinen Lidern begann sich ein Bildnis abzuzeichnen – doch ausnahmsweise war es einmal nicht Jace' Gesicht. Die Augen in dem Antlitz schimmerten grün, mit katzenartigen Pupillen.

Seufzend griff er in seine Tasche und holte einen Stift und ein Blatt Papier hervor, das er zuvor aus dem Spiralblock gerissen hatte, den er als Tagebuch nutzte. Entschlossen schrieb er ein paar Worte auf das Papier und zeichnete mit seiner Stele eine Feuerrune an den unteren Rand der Seite. Das Papier ging schneller in Flammen auf, als Alec erwartet hatte. Hastig ließ er es los, worauf es wie ein Glühwürmchen durch die Nachtluft segelte. Sekunden später blieb nur noch eine feine Aschewolke zurück, die sich wie weißes Pulver auf die Rosensträucher legte.

5
Ein Gedächtnisproblem

Warmes Nachmittagslicht weckte Clary aus ihren Träumen –
ein heller Sonnenstrahl schob sich über ihr Gesicht und ließ
die Innenseiten ihrer Lider lachsrot aufleuchten. Unruhig regte sie sich unter ihrer Decke und öffnete schließlich blinzelnd
die Augen.

Das Fieber war verschwunden und mit ihm das Gefühl, dass
ihre Knochen zerfließen und sich auflösen würden. Vorsichtig
stützte Clary sich auf die Ellbogen und sah sich neugierig um.
Offensichtlich befand sie sich in Amatis' Gästezimmer – ein
kleiner, weiß gestrichener Raum mit einem Bett, auf dem eine
leuchtend bunte Webdecke lag. Spitzengardinen hingen vor
den runden Fenstern und ließen kreisförmige Lichtkegel ein.
Langsam setzte Clary sich vollständig auf und rechnete damit,
dass das Schwindelgefühl sie erneut erfassen würde. Doch
nichts dergleichen geschah – sie fühlte sich vollkommen gesund, regelrecht erholt und ausgeruht. Als sie aus dem Bett
kletterte, schaute sie an sich herab: Jemand hatte sie in einen
weißen, gestärkten, jetzt allerdings leicht zerknitterten
Schlafanzug gesteckt, der ihr viel zu groß war. Die Ärmel hingen fast lachhaft weit über ihre Fingerspitzen.

Neugierig ging sie zu einem der kreisrunden Fenster und
schaute hinaus: In der Ferne zog sich eine Reihe altgoldfarbe-

ner Steinhäuser mit bronzebraunen Dächern einen Hügel hinauf und direkt unter dem Fenster lag ein schmaler Garten in goldenen und braunen Herbstfarben. An der Seite des Hauses reichte ein Spaliergitter, an dem eine letzte Rose mit hängenden, verwelkenden Blütenblättern im Wind tanzte, vom Boden bis zu Clarys Fenster herauf.

Plötzlich hörte Clary jemanden an der Tür. Hastig sprang sie ins Bett zurück, gerade noch rechtzeitig, bevor Amatis mit einem Tablett in den Händen hereinkam. Als sie sah, dass Clary wach war, zog sie eine Augenbraue hoch, sagte aber nichts.

»Wo ist Luke?«, fragte Clary in forderndem Tonfall und zog die Bettdecke Trost suchend bis zu den Ohren.

Bedächtig stellte Amatis das Tablett auf ein Tischchen neben dem Bett und zeigte auf einen Becher, aus dem heißer Dampf aufstieg, und einen Teller mit gebutterten Brotscheiben. »Du solltest etwas essen«, sagte sie. »Dann fühlst du dich gleich besser.«

»Mir geht's prima«, erwiderte Clary. »Wo ist Luke?«

Neben dem Tisch stand ein Stuhl mit hoher Lehne, auf den Amatis sich nun setzte. Sie faltete die Hände im Schoß und betrachtete Clary ruhig. Im hellen Tageslicht konnte Clary die Runzeln in ihrem Gesicht deutlicher erkennen – sie wirkte um etliche Jahre älter als Clarys Mutter, obwohl beide ungefähr gleich alt sein mussten. Graue Strähnen schimmerten in Amatis' braunen Haaren und ihre Augen waren rot gerändert, als hätte sie geweint. »Er ist nicht hier«, sagte sie nach einer Weile.

»Nicht hier im Sinne von ›Kurz zum Kiosk an der Ecke, um eine Palette Cola light und eine Packung Doughnuts zu besorgen‹ oder nicht hier im Sinne von . . .?«

»Luke hat heute Morgen bei Anbruch der Dämmerung das Haus verlassen, nachdem er die ganze Nacht an deinem Bett gewacht hat. Allerdings hat er mir nicht verraten, wohin er genau wollte«, sagte Amatis trocken, und wenn Clary sich nicht so mutterseelenallein gefühlt hätte, hätte sie vielleicht amüsiert festgestellt, wie sehr Amatis dadurch Luke ähnelte. »Als er noch hier gewohnt hat, ich meine, bevor er aus Idris wegging . . . nach seiner . . . Verwandlung . . . war er der Anführer des Rudels, das sich im Brocelind-Wald angesiedelt hatte. Er meinte, er wolle es aufsuchen, aber er hat nicht gesagt, warum oder wie lange er dort bleibt . . . nur dass er in ein paar Tagen zurück sein würde.«

»Er hat mich . . . einfach hier zurückgelassen? Soll ich etwa hier rumsitzen und auf ihn warten?«

»Na ja, er konnte dich ja wohl kaum mitnehmen, oder?«, erwiderte Amatis. »Und es wird nicht leicht für dich werden, nach Hause zurückzukehren. Durch die Art und Weise, wie du nach Idris gekommen bist, hast du das Gesetz gebrochen. Und der Rat wird ganz bestimmt kein Auge zudrücken oder dich einfach kommentarlos wieder abreisen lassen.«

»Ich will ja auch gar nicht nach Hause.« Clary versuchte, sich zu sammeln. »Ich bin hierhergekommen, um . . . um jemanden zu treffen. Ich hab hier etwas zu erledigen.«

»Das hat mir Luke alles erzählt«, sagte Amatis. »Aber ich will dir einen Rat geben: Du wirst Ragnor Fell nur dann finden, wenn er auch gefunden werden will.«

»Aber . . .«

»Clarissa.« Amatis musterte sie forschend. »Wir rechnen jeden Moment mit einem Angriff von Valentin. Nahezu sämtliche Schattenjäger von Idris befinden sich zurzeit hier in der Stadt, innerhalb der Schutzwälle. Im Augenblick ist Alicante der mit Abstand sicherste Ort für dich.«

Clary saß wie erstarrt da. Rein vernunftmäßig betrachtet hatte Amatis vielleicht recht, aber ihre Worte konnten die Stimme tief in Clarys Innerem nicht besänftigen, die ihr zuschrie, dass sie nicht länger warten könne. Sie musste Ragnor Fell *jetzt* finden, sie musste ihre Mutter *jetzt* retten und sie musste sich *jetzt* auf den Weg machen. Mühsam unterdrückte Clary ihre Panik und versuchte, einen beiläufigen Tonfall anzuschlagen: »Luke hat mir nie erzählt, dass er eine Schwester hat.«

»Ja«, sagte Amatis, »das kann ich mir vorstellen. Wir haben uns nie sehr . . . nahegestanden.«

»Luke meinte, dein Nachname sei Herondale«, fuhr Clary fort. »Aber das war doch auch der Familienname der Inquisitorin, oder?«

»Ja, das stimmt«, sagte Amatis und ihre Züge verhärteten sich, als schmerzten sie die Worte. »Sie war meine Schwiegermutter.«

Was hatte Luke ihr noch mal über die Inquisitorin erzählt?, überlegte Clary. Richtig! Dass sie einen Sohn gehabt hatte, der eine Frau mit »unerwünschten Familienbanden« geheiratet hatte. »Du warst mit Stephen Herondale verheiratet?«

Amatis schaute Clary überrascht an. »Du kennst seinen Namen?«

»Ja . . . Luke hat mir davon erzählt. Aber ich dachte, seine Frau wäre gestorben. Und dass das der Grund sei, warum die Inquisitorin so angespannt war und so . . .« *Grässlich* wollte

Clary sagen, doch es erschien ihr dann doch zu grausam, es laut auszusprechen. ». . . so verbittert«, beendete sie schließlich ihren Satz.

Amatis griff nach dem Becher und ihre Hand zitterte, als sie ihn vom Tablett nahm. »Ja, seine Frau ist gestorben. Sie hat sich umgebracht. Aber das war Céline – Stephens zweite Frau. Ich war seine erste Frau.«

»Und ihr habt euch scheiden lassen?«

»So ähnlich.« Amatis drückte Clary den Becher in die Hand. »Hör zu, trink das. Du musst etwas in den Magen bekommen.«

Geistesabwesend nahm Clary den Becher und trank einen Schluck. Die heiße Flüssigkeit schmeckte würzig und kräftig – kein Tee, wie Clary erwartet hatte, sondern Suppe. »Okay«, sagte sie schließlich. »Und was ist nun genau passiert?«

Nachdenklich starrte Amatis in die Ferne. »Wir gehörten damals dem Kreis an, Stephen und ich, zusammen mit allen anderen. Als Luke . . . als das mit Luke geschah, brauchte Valentin einen neuen Ersten Offizier und wählte Stephen. Gleichzeitig beschloss er, dass es nicht wünschenswert sei, dass die Frau seines engsten Freundes und Beraters mit jemandem verwandt war, der . . .«

». . . ein Werwolf war.«

»Er hat damals ein anderes Wort verwendet.« Amatis' Stimme klang bitter. »Valentin überzeugte Stephen, unsere Ehe annullieren zu lassen und eine andere zur Frau zu nehmen, ein Mädchen, das Valentin persönlich ausgesucht hatte. Céline war damals noch so jung . . . so bedingungslos gehorsam.«

»Das ist ja schrecklich.«

Amatis schüttelte den Kopf und lachte matt. »Ach, das liegt

jetzt schon so lange zurück. Stephen war sehr freundlich zu mir, nehme ich mal an – er gab mir dieses Haus und zog mit Céline wieder zu seinen Eltern, in das Herrenhaus der Herondales. Danach habe ich ihn nie wiedergesehen. Natürlich bin ich aus dem Kreis ausgetreten; man hätte mich dort ohnehin nicht mehr gewollt. Die Einzige, die mich danach noch besucht hat, war Jocelyn. Sie hat mir sogar davon erzählt, als sie sich aufgemacht hat, um Luke zu suchen . . .« Amatis schob eine grau schimmernde Haarsträhne hinters Ohr. »Später habe ich dann erfahren, was während des Aufstands mit Stephen passiert ist. Und mit Céline . . . Anfangs habe ich sie furchtbar gehasst, aber in dem Moment tat sie mir leid. Es heißt, sie habe sich die Pulsadern aufgeschnitten . . . überall wäre Blut gewesen . . .« Amatis holte tief Luft. »Ich habe Imogen später bei Stephens Begräbnis gesehen, als sein Leichnam in das Mausoleum der Herondales gebracht wurde. Sie schien mich nicht einmal wiederzuerkennen. Kurz darauf wurde sie zur Inquisitorin ernannt. Offenbar hatte der Rat den Eindruck, dass niemand die ehemaligen Mitglieder des Kreises gnadenloser verfolgen würde als Imogen Herondale – und er sollte recht behalten. Wenn Imogen ihre Erinnerungen an Stephen mit dem Blut der Mitglieder hätte fortwaschen können, dann hätte sie das sicherlich getan.«

Clary dachte an die kalten, zu Schlitzen zusammengekniffenen Augen der Inquisitorin, an ihren harten Blick, und versuchte, Mitleid mit ihr zu empfinden. »Ich nehme an, der Kummer hat sie verrückt werden lassen«, murmelte sie. »Richtiggehend verrückt werden lassen. Sie war grausam zu mir – aber noch grausamer verhielt sie sich Jace gegenüber.

Man konnte fast den Eindruck bekommen, dass sie seinen Tod wollte.«

»Das glaube ich gerne«, sagte Amatis. »Du siehst deiner Mutter sehr ähnlich und du bist bei ihr aufgewachsen, aber dein Bruder . . .« Sie neigte den Kopf leicht zur Seite. »Ähnelt er Valentin so sehr, wie du Jocelyn ähnelst?«

»Nein«, überlegte Clary laut. »Jace ähnelt nur sich selbst.« Beim Gedanken an Jace lief ein Schauer durch ihren Körper. »Er ist hier in Alicante«, sagte sie. »Wenn ich mich mit ihm treffen könnte . . .«

»Nein«, widersprach Amatis schroff. »Du darfst das Haus nicht verlassen. Dich mit niemandem treffen. Und schon gar nicht mit deinem Bruder.«

»Ich darf das Haus nicht verlassen?« Clary war entsetzt. »Du meinst, ich sitze hier fest? Wie eine Gefangene?«

»Es ist doch nur für ein oder zwei Tage«, erklärte Amatis in tadelndem Ton. »Und außerdem bist du noch nicht wieder wohlauf. Du musst dich erholen. Das Wasser des Sees hätte dich fast getötet.«

»Aber Jace . . .«

». . . ist einer der Lightwoods. Du kannst dort nicht hingehen. In dem Moment, in dem sie dich sehen, werden sie dem Rat deine Anwesenheit in Idris melden. Und dann bist du nicht mehr die Einzige, die Schwierigkeiten mit dem Gesetz bekommt. Dann ist Luke auch dran.«

Aber die Lightwoods würden mich niemals gegenüber dem Rat verraten. Das würden sie nicht tun . . .

Doch die Worte erstarben Clary auf den Lippen. Es würde ihr nicht gelingen, Amatis davon zu überzeugen, dass die Lightwoods, die sie vor fünfzehn Jahren gekannt hatte, nicht länger existierten, dass Robert und Maryse keine widerspruchslos loyalen Fanatiker mehr waren. Amatis mochte zwar Lukes Schwester sein, aber für Clary war sie immer noch eine Fremde. Wahrscheinlich war sie sogar für Luke eine Fremde: Immerhin hatte er sie sechzehn Jahre lang nicht gesehen – er hatte nicht einmal erwähnt, dass es sie gab. Clary lehnte sich in die Kissen zurück und tat so, als sei sie erschöpft. »Du hast recht«, murmelte sie. »Ich fühle mich gar nicht gut. Ich glaube, ich sollte noch etwas schlafen.«

»Gute Idee.« Amatis beugte sich vor und nahm ihr den leeren Becher aus der Hand. »Falls du später duschen willst, das Bad ist auf der anderen Seite des Flurs. Und in der Truhe am Fußende des Betts findest du ein paar abgelegte Kleidungsstücke von mir. Du siehst aus, als hättest du ungefähr die Größe, die ich in deinem Alter hatte, daher könnten die Sachen vielleicht passen. Im Gegensatz zu diesem Schlafanzug«, fügte sie hinzu und lächelte – ein mattes Lächeln, das Clary nicht erwiderte. Sie musste sich viel zu sehr zurückhalten, um nicht aus Frust mit den Fäusten auf die Matratze einzutrommeln.

In dem Moment, in dem Amatis die Tür hinter sich schloss und die Treppe hinunterstieg, kletterte Clary aus dem Bett, spähte vorsichtig aus der Tür und huschte über den Gang ins Bad in der Hoffnung, dass eine heiße Dusche ihr helfen würde, den Kopf wieder frei zu bekommen. Zu ihrer großen Erleichterung stellte sie fest, dass die Schattenjäger trotz ihrer sonstigen altmodischen Lebensweise offenbar Wert auf moderne sanitäre Einrichtungen mit fließendem kalten und warmen Wasser legten. Clary fand sogar eine aromatisch duftende Zitrusseife, mit der sie den Geruch des Seewassers beseitigen konnte, der noch immer an ihren Haaren haftete. Als sie schließlich, in zwei Handtücher gehüllt, aus dem Bad kam, fühlte sie sich wesentlich besser.

Wieder im Gästezimmer wühlte sie sich durch die Sachen in Amatis' Truhe. Die Kleidungsstücke waren ordentlich gefaltet und durch knisternde Lagen Seidenpapier getrennt. Clary entdeckte eine Art Schuluniform: ein Wollpullover mit einem Abzeichen, das an vier C erinnerte, die Rücken an Rücken auf die Brusttasche gestickt waren, außerdem Faltenröcke und weiße Blusen mit engen Manschetten. Zwischen mehreren Lagen Seidenpapier stieß Clary auf ein weißes Kleid – vermutlich eine Hochzeitsrobe – und legte es vorsichtig beiseite. Darunter befand sich ein weiteres Kleid, aus silberfarbener Seide und mit feinen, juwelenbesetzten Trägern, die das Gewicht des federleichten Stoffs trugen. Clary konnte sich Amatis überhaupt nicht darin vorstellen, aber . . . *Das ist die Sorte von Kleid, die meine Mutter möglicherweise getragen hat, als sie mit Valentin zum Tanzen ging,* schoss es ihr durch den Kopf, während sie das Kleid langsam in die Truhe zurückgleiten ließ und den glatten, kühlen Stoff zwischen ihren Fingern spürte.

Und dann entdeckte sie ganz am Boden der Truhe eine Schattenjägerkluft.

Clary holte die Sachen heraus und breitete sie neugierig auf ihrem Schoß aus. Als sie Jace und den Lightwoods zum ersten Mal begegnet war, hatten diese ihre Kampfmontur getragen: eng anliegende Oberteile und Hosen aus einem strapazierfähigen dunklen Material. Bei näherer Betrachtung stellte Clary fest, dass der Stoff nicht elastisch, sondern ziemlich robust war – ein dünnes Leder, das man so lange bearbeitet hatte, bis es geschmeidig wurde. Dazu trugen die Schattenjäger eine Art Motorradjacke mit hohem Steg und Reißverschluss und Hosen mit breiten Gürtelschlaufen – Schattenjägergürtel waren wuchtig und schwer, um viele Waffen an ihnen befestigen zu können.

Vermutlich sollte sie einen der Pullover und vielleicht einen Rock anziehen, überlegte Clary, denn wahrscheinlich hatte Amatis genau das gemeint, als sie ihr anbot, sich aus der Truhe zu bedienen. Aber irgendetwas an der Kampfmontur sprach Clary an – sie hatte schon immer wissen wollen, wie sie sich wohl auf der Haut anfühlte . . .

Wenige Minuten später hingen die beiden Handtücher über der Stange am Fußende des Betts und Clary betrachtete sich überrascht und auch ein wenig amüsiert im Spiegel. Die Kluft passte wie angegossen – sie saß straff, aber nicht zu eng und schmiegte sich um die Rundungen ihrer Beine und der Brust. Genau genommen erzeugte sie erst den Eindruck, dass Clary überhaupt Rundungen besaß – eine vollkommen neue Erfahrung! Natürlich schaffte es die Montur nicht, sie umwerfend erscheinen zu lassen; Clary bezweifelte, ob das irgendeinem Kleidungsstück je gelingen würde. Aber wenigstens wirkte sie nun größer und ihre roten Haare leuchteten vor dem schwarzen Material besonders intensiv. *Ich sehe aus wie meine Mutter*, schoss es ihr schlagartig durch den Kopf.

Tatsächlich hatte unter Jocelyns puppenartigem Äußeren immer ein harter, zäher Kern gesteckt und Clary hatte sich oft gefragt, was in der Vergangenheit passiert sein mochte, das ihre Mutter zu dem Menschen gemacht hatte, der sie inzwischen war – stark und unbeugsam, beharrlich und furchtlos. *Ähnelt dein Bruder Valentin so sehr, wie du Jocelyn ähnelst?*, hatte Amatis gefragt, woraufhin Clary zunächst erwidern wollte, dass sie ihrer Mutter überhaupt nicht ähnelte . . . denn schließlich war ihre Mutter wunderschön – und sie kein bisschen. Doch die Jocelyn, die Amatis gekannt hatte, war die junge Frau gewesen, die alles daran gesetzt hatte, Valentin zu Fall zu bringen – jene Frau, die insgeheim eine Allianz zwischen Schattenjägern und Schattenweltlern geschmiedet, den Kreis zerstört und das Abkommen gerettet hatte. *Jene* Jocelyn hätte sich niemals damit einverstanden erklärt, still im Haus zu sitzen und abzuwarten, während um sie herum ihre Welt in tausend Stücke zerbrach.

Ohne auch nur eine Sekunde länger nachzudenken, marschierte Clary zur Zimmertür und schob den Riegel vor. Anschließend ging sie zum Fenster, drückte es auf und schaute hinaus. Das Rosenspalier erstreckte sich über die gesamte Hauswand wie eine . . . *wie eine Leiter,* dachte Clary. *Genau wie eine Leiter – und Leitern kann man gefahrlos besteigen.*

Clary holte tief Luft und kletterte dann hinaus auf das Fenstersims.

Die Wachen kehrten am nächsten Morgen zurück und rüttelten Simon aus einem ohnehin unruhigen Schlaf, der mit seltsamen Träumen gespickt war. Dieses Mal stülpten sie ihm jedoch keine Kapuze über den Kopf, während sie ihn zur Treppe führten, sodass Simon rasch durch die Gittertür der Nachbarzelle schauen konnte. Doch seine Hoffnung, einen Blick auf den Besitzer der heiseren Stimme werfen zu können, der ihn am Abend zuvor angesprochen hatte, wurde enttäuscht: Außer einem Bündel, das aussah wie ein Haufen alter Lumpen, war nichts zu erkennen.

Ungeduldig scheuchten die Wachen ihn durch eine Reihe grauer Flure und stießen ihn unsanft in den Rücken, wenn er zu lange in eine bestimmte Richtung schaute. Schließlich gelangten sie in einen Raum mit prächtigen Tapeten an den Wänden, an denen etliche Porträts von Frauen und Männern in Schattenjägerkleidung hingen. Unter einem der größten Gemälde, dessen Rahmen mit kunstvollen Runen verziert war, stand ein rotes Sofa, auf dem der Inquisitor saß. Er hielt einen Silberpokal in der Hand, den er Simon entgegenstreckte. »Etwas Blut gefällig?«, fragte er. »Du müsstest inzwischen ziemlich hungrig sein.«

Als der Inquisitor den Pokal in Simons Richtung neigte, konnte der Junge einen Blick hineinwerfen und der Anblick und der Geruch des Bluts versetzten ihm einen elektrisierenden Schlag. Er spürte, wie seine Adern sich anspannten wie Drähte einer Marionette in den Händen eines Puppenspielers – ein unangenehmes, beinahe schmerzhaftes Gefühl. »Ist das . . . von einem Menschen?«

Aldertree kicherte. »Aber, aber! Wo denkst du hin? Das ist Hirschblut. Frisch gezapft.«

Simon schwieg. Er fühlte, dass seine Eckzähne aus den Scheiden geglitten waren und seine Unterlippe angeritzt hatten; und dann schmeckte er sein eigenes Blut im Mund. Der Geschmack bereitete ihm Übelkeit.

Aldertree verzog das Gesicht, bis es einer vertrockneten Pflaume ähnelte. »Oje.« Dann wandte er sich an die Wachen:

»Lassen Sie uns nun allein, Gentlemen.« Daraufhin machten die Männer auf dem Ansatz kehrt und gingen. Nur der Konsul blieb noch einen Moment in der Tür stehen und warf Simon einen unmissverständlich angewiderten Blick zu.

»Nein, danke«, sagte Simon; seine Stimme klang durch die hervorbrechenden Eckzähne gedämpft. »Ich will kein Blut.«

»Deine Zähne sagen aber etwas ganz anderes, mein lieber Junge«, erwiderte Aldertree leutselig. »Hier. Nimm einen Schluck.« Erneut hielt er Simon den Pokal entgegen und der Geruch des Bluts wehte durch den Raum wie der Duft von Gartenrosen in der Abenddämmerung.

Ruckartig schossen Simons Schneidezähne nach unten, fuhren sich vollständig aus und bohrten sich nun noch tiefer in seine Unterlippe. Der intensive Schmerz traf ihn wie ein Schlag ins Gesicht. Beinahe willenlos machte er einen Schritt nach vorn und riss dem Inquisitor den Pokal förmlich aus den Händen. Gierig leerte er ihn mit drei Schlucken. Als ihm bewusst wurde, was er getan hatte, stellte er das Gefäß mit zitternder Hand auf der Lehne des Sofas ab. Ein Punkt für den *Inquisitor,* dachte er. *Null für mich.*

»Ich hoffe doch, deine Nacht im Zellentrakt war nicht allzu unangenehm? Die Zellen sind keineswegs als Folterkammern gedacht, mein Junge, eher eine Art Raum auferlegter Besinnung. Ich bin ja immer der Meinung, dass Besinnung den Geist fokussiert, findest du nicht auch? Und das ist unerlässlich, wenn man einen klaren Gedanken fassen will. Ich hoffe doch sehr, dass du zum Nachdenken angeregt wurdest. Du machst auf mich durchaus den Eindruck eines nachdenklichen jungen Mannes.« Der Inquisitor neigte den Kopf leicht zur Seite. »Die

Wolldecke habe ich höchstpersönlich mit meinen eigenen Händen in die Zelle gebracht – extra für dich. Ich wollte doch nicht, dass du frierst.«

»Ich bin ein Vampir«, sagte Simon. »Uns wird nicht kalt.«

»Ach.« Der Inquisitor zog ein enttäuschtes Gesicht.

»Aber die Davidsterne und das Siegel des Salomo weiß ich wirklich zu schätzen«, fügte Simon trocken hinzu. »Es ist doch immer wieder schön mitzuerleben, wenn sich jemand aufrichtig für meine Religion interessiert.«

»Aber ja, natürlich, natürlich!« Aldertrees Miene hellte sich schlagartig auf. »Diese Gravuren . . . einfach wundervoll, nicht wahr? Wirklich hinreißend und natürlich bombensicher. Ich könnte mir vorstellen, jeder Versuch, die Zellentür zu berühren, müsste dir die Haut regelrecht von der Hand sengen!« Er kicherte, sichtlich angetan von dem Gedanken. »Aber lassen wir das . . . Könntest du vielleicht einen Schritt zurücktreten, mein lieber Freund? Aus reiner Gefälligkeit . . . nur für mich . . . du verstehst schon.«

Simon ging einen Schritt zurück.

Nichts geschah, doch der Inquisitor sperrte die Augen auf, sodass sich seine aufgedunsene Gesichtshaut dehnte und glänzte. »Ah, ich verstehe«, murmelte er.

»Was verstehen Sie?«

»Sieh dich einmal um, wo du stehst, mein lieber Simon. Sieh dich nur um.«

Ratlos schaute Simon sich im Raum um. Nichts hatte sich verändert und es dauerte einen Moment, bis er erkannte, was Aldertree meinte. Er stand inmitten eines hellen Sonnenstrahls, der durch ein Fenster hoch über ihm einfiel.

Aldertree wand sich fast vor Aufregung. »Du stehst direkt im Sonnenlicht, aber es hat keinerlei Auswirkung auf dich. Ich hätte es fast nicht geglaubt . . . ich meine, natürlich hat man mir davon erzählt, aber so etwas habe ich noch nie mit eigenen Augen gesehen.«

Simon schwieg – was hätte er darauf auch sagen sollen?

»Jetzt stellt sich natürlich die Frage«, fuhr Aldertree fort, »ob du weißt, warum du diese Eigenschaft besitzt.«

»Vielleicht bin ich einfach nur netter als andere Vampire«, platzte Simon heraus, bereute seine Antwort aber sofort. Aldertree kniff die Augen zusammen und an seiner Schläfe trat eine Ader hervor, die sich wie ein fetter Wurm unter seiner Haut schlängelte. Offensichtlich legte er keinen Wert auf irgendwelche Scherze, sofern sie nicht von ihm stammten.

»Sehr amüsant, wirklich sehr amüsant«, sagte er. »Dann lass es mich so formulieren: Bist du seit dem Moment, in dem du dem Grab entstiegen bist, ein Tageslichtler?«

»Nein«, erklärte Simon bedächtig und wählte seine Worte sorgfältig. »Nein. Anfangs hat die Sonne mich versengt. Schon der kleinste Lichtstrahl hat meine Haut verbrannt.«

»Genau.« Aldertree nickte eifrig, als wollte er damit sagen, dass es sich so schließlich auch gehörte. »Und wann hast du dann zum ersten Mal festgestellt, dass du ohne Schmerzen am helllichten Tage herumspazieren kannst?«

»Das war am Morgen nach der Schlacht auf Valentins Schiff . . .«

»Während der Valentin dich gefangen nahm, ist das richtig? Er hatte dich entführt und auf seinem Schiff eingesperrt, um dein Blut zur Vollendung des Rituals der Infernalischen Umkehrung zu verwenden.«

»Anscheinend wissen Sie schon alles«, sagte Simon. »Dann brauchen Sie mich ja nicht mehr.«

»Aber nein, nicht doch, keineswegs!«, quietschte Aldertree und riss die Arme hoch. Er hatte sehr kleine Hände, stellte Simon fest – so klein, dass sie am Ende seiner molligen Arme etwas deplatziert wirkten. »Du hast so vieles beizusteuern, mein lieber Junge! Beispielsweise frage ich mich schon die ganze Zeit, ob auf diesem Schiff vielleicht etwas vorgefallen ist, etwas, das dich *verändert* hat. Hast du möglicherweise irgendeine Idee, was das sein könnte?«

Ich habe von Jace' Blut getrunken, dachte Simon und hatte größte Lust, das dem Inquisitor gegenüber zu wiederholen – nur um ihn ein wenig zu reizen. Doch dann erkannte er mit einem Schlag: *Ich habe von Jace' Blut getrunken.* Konnte dies der Grund für seine Veränderung sein? War das möglich? Und durfte er dem Inquisitor erzählen, was Jace getan hatte? Es war eine Sache, Clary zu schützen, überlegte Simon, aber Jace war ein ganz anderer Fall. Er schuldete dem Schattenjäger rein gar nichts.

Aber das entsprach nicht ganz der Wahrheit. Jace hatte ihm sein Blut angeboten und ihm damit das Leben gerettet. Wie viele andere Schattenjäger hätten das wohl getan – für einen Vampir? Und selbst wenn Jace es nur um Clarys willen getan hatte, spielte das eine Rolle? Simon dachte an den Moment auf dem Schiff zurück. *Ich hätte dich umbringen können,* hatte er gesagt und Jace hatte erwidert: *Und ich hätte dich nicht daran gehindert.* Es ließ sich unmöglich vorhersehen, welchen Ärger Jace bekommen würde, falls der Rat erfuhr, dass er Simon das Leben gerettet hatte und auf welche Weise er das getan hatte.

»Ich kann mich an nichts mehr erinnern, was auf dem Schiff passiert ist«, sagte Simon schließlich. »Vermutlich hat Valentin mich betäubt oder so etwas.«

Aldertree zog eine betrübte Miene. »Aber das ist ja schrecklich. Einfach schrecklich. Das tut mir wirklich leid.«

»Und mir erst«, sagte Simon, obwohl das nicht stimmte.

»Soll das heißen, du kannst dich an überhaupt nichts erinnern? Nicht das kleinste erhellende Detail?«

»Ich weiß nur noch, dass ich das Bewusstsein verloren habe, als Valentin mich angegriffen hat, und dass ich später auf . . . auf der Ladefläche von Lukes Pick-up aufgewacht bin, auf dem Weg nach Hause. Dazwischen weiß ich nichts mehr.«

»Oje, oje.« Aldertree zog den Umhang fester um sich. »Mir ist klar, dass du den Lightwoods offensichtlich ans Herz gewachsen bist, aber die anderen Mitglieder des Rats sind nicht so . . . verständnisvoll. Du wurdest von Valentin gefangen genommen, bist aus dieser Konfrontation mit einer neuartigen, besonderen Eigenschaft hervorgegangen und jetzt hast du einen Weg mitten in das Zentrum von Idris gefunden. Du siehst doch sicherlich, welchen *Eindruck* das erweckt?«

Wenn Simons Herz noch hätte schlagen können, hätte es nun gerast. »Sie glauben, dass ich als Spion für Valentin arbeite.«

Aldertree zog ein schockiertes Gesicht. »Mein lieber Junge, nicht doch! Selbstverständlich vertraue ich dir. Ich vertraue dir vorbehaltlos! Aber der Rat, oh, der Rat . . . ich fürchte, der Rat kann sehr misstrauisch sein. Wir hatten so gehofft, dass du uns würdest helfen können. Denn du musst wissen – eigentlich dürfte ich dir das gar nicht erzählen, aber ich habe das Gefühl, dass ich dir vertrauen kann, mein Junge – du musst wissen, der Rat befindet sich in einer schrecklichen Misere.«

»Der Rat?« Simon war verwirrt. »Aber was hat das mit mir zu tun . . .?«

»Es ist so«, fuhr Aldertree fort, »ein Riss geht mitten durch die Mitglieder des Rats. Man könnte fast sagen, dass der Rat mit sich selbst im Streit liegt, und das mitten in einem Krieg. Es wurden Fehler begangen, von der vorherigen Inquisitorin und anderen . . . Vielleicht wäre es besser, wenn wir uns nicht zu lange mit der Vergangenheit befassen. Doch nun ist sogar die Autorität des Rats, des Konsuls und des Inquisitors infrage gestellt. Valentin scheint uns immer einen Schritt voraus zu sein, als wüsste er unsere Pläne im Vorhinein. Und nach dem, was in New York passiert ist, wird die Schattenjägerkongregation nicht länger auf Malachis oder meinen Rat hören.«

»Ich dachte, das wäre die Schuld der Inquisitorin gewesen . . .«

»Ja, schon, aber Malachi war derjenige, der sie ernannt hat. Natürlich konnte er nicht ahnen, dass sie vollkommen den Verstand verlieren würde . . .«

»Aber«, ergänzte Simon leicht säuerlich, »es bleibt die Frage, welchen *Eindruck* das erweckt.«

Erneut trat die Ader an Aldertrees Schläfe hervor. »Nicht dumm«, murmelte er. »Und natürlich hast du recht. Der äußere Schein ist von größter Bedeutung, und wo gälte das mehr als in der Politik? Die Massen lassen sich jederzeit umstimmen, sofern man eine gute *Geschichte* parat hat.« Er beugte sich vor und heftete seine Augen auf Simon. »Und nun will ich *dir* mal eine Geschichte erzählen. Sie lautet folgendermaßen:

Die Lightwoods gehörten einst dem Kreis an. Irgendwann haben sie ihre Gefolgschaft widerrufen und wurden daraufhin begnadigt, unter der Bedingung, dass sie sich von Idris fernhielten, nach New York gingen und das dortige Institut leiteten. Ihr anschließendes untadeliges Verhalten sorgte dafür, dass sie das Vertrauen des Rats wiedergewinnen konnten. Doch insgeheim wussten sie genau, dass Valentin noch am Leben war. Insgeheim waren sie die ganze Zeit *seine* treuen Diener. Sie nahmen seinen Sohn auf . . .«

»Aber das haben sie doch nicht gewusst . . .«

»Halt den Mund!«, fauchte der Inquisitor, woraufhin Simon schwieg. »Sie haben ihm dabei geholfen, die Insignien der Engel zu finden und das Ritual der Infernalischen Umkehrung zu vollziehen. Als die Inquisitorin entdeckte, was die Lightwoods insgeheim trieben, sorgten diese dafür, dass sie bei der Schlacht auf Valentins Schiff ums Leben kam. Und nun sind sie hierhergekommen, ins Herz des Rats, um unsere Pläne auszuspionieren und sie Valentin zu offenbaren, noch während wir sie schmieden, damit er uns schlagen und letztendlich alle Nephilim seinem Willen unterwerfen kann. Außerdem haben die Lightwoods dich mitgebracht – einen Vampir, dem Sonnenlicht nichts anhaben kann –, um uns von ihrer wahren Intention abzulenken: den Kreis in seiner früheren Macht wiederauferstehen zu lassen und das Gesetz zu vernichten.« Der Inquisitor beugte sich noch weiter vor und seine Schweinsäuglein funkelten. »Was hältst du von dieser Geschichte, Vampir?«

»Ich halte sie für vollkommen verrückt«, erwiderte Simon. »Diese Geschichte hat mehr Löcher als die Kent Avenue in Brooklyn – deren Belag übrigens schon seit Jahren nicht mehr erneuert wurde. Ich weiß nicht, was Sie sich von dieser Geschichte erhoffen . . .«

»*Erhoffen?*«, wiederholte Aldertree. »Ich hoffe nicht, Schattenweltler, ich *weiß*. Ich weiß, dass es meine heilige Pflicht ist, den Rat zu retten.«

»Mit einer Lüge?«, fragte Simon.

»Mit einer Geschichte«, sagte Aldertree. »Große Politiker ersinnen Geschichten, um ihr Volk zu inspirieren.«

»Daran ist überhaupt nichts inspirierend, wenn Sie den Lightwoods die Schuld an allem in die Schuhe schieben . . .«

»Es müssen Opfer erbracht werden«, entgegnete Aldertree. Schweißperlen glänzten auf seinem Gesicht. »Hat die Schattenjägerkongregation erst einmal einen gemeinsamen Feind und einen Grund, dem Rat wieder zu vertrauen, wird sie sehr schnell wieder zueinanderfinden. Was wiegt schon der Verlust einer einzelnen Familie, wenn so viel auf dem Spiel steht? Ich bezweifle sogar, dass den Kindern der Lightwoods irgendetwas geschehen wird. Ihnen wird man keine Vorwürfe machen. Nun ja, vielleicht dem ältesten Sohn. Aber nicht den anderen . . .«

»Das können Sie nicht tun!«, protestierte Simon. »Diese Geschichte wird Ihnen niemand glauben.«

»Die Menschen glauben, was sie glauben wollen«, sagte Aldertree, »und der Rat will einen Sündenbock. Den kann ich ihm liefern. Dazu brauche ich nichts weiter als dich.«

»Mich? Was hat das Ganze denn mit mir zu tun?«

»Gestehe!« Vor Aufregung und Vergnügen leuchtete das Gesicht des Inquisitors nun scharlachrot. »Gestehe, dass du ein Diener der Lightwoods bist, dass ihr alle Verbündete Valentins seid. Gestehe und ich werde Milde walten lassen. Ich schicke dich zurück zu deinem Volk. Das schwöre ich. Aber ich brauche dein Geständnis, damit der Rat mir glaubt.«

»Sie wollen, dass ich eine Lüge gestehe«, knurrte Simon. Er wusste, dass er lediglich wiederholte, was der Inquisitor bereits gesagt hatte, aber sein Verstand schien wie benebelt – er konnte keinen einzigen klaren Gedanken fassen. Vor seinem inneren Auge tauchten die Gesichter der Lightwoods auf: Alec, der auf dem Weg zur Garnison bestürzt die Luft angehalten hatte; Isabelle, die ihre dunklen Augen auf ihn richtete; Max, der mit einem Buch in der Hand am Fenster saß.

Und Jace. Jace war ebenso einer von ihnen, als wenn in seinen Adern tatsächlich das Blut der Lightwoods fließen würde. Der Inquisitor hatte seinen Namen nicht erwähnt, doch Simon wusste, dass Jace zusammen mit den anderen büßen würde. Und was immer er erdulden musste, würde auch Clary erdulden. Wie hatte es nur geschehen können, dass er an diese Leute gebunden war, überlegte Simon – an diese Leute, die ihn nur als Schattenwesen betrachteten, bestenfalls als Halbmenschen?

Langsam schaute er den Inquisitor an. Aldertrees Augen waren kohlschwarz; Simon hatte das Gefühl, als würde er in tiefe Finsternis blicken. »Nein«, sagte er schließlich. »Nein, ich werde nicht gestehen.«

»Das Blut, das ich dir vorhin gegeben habe, wird das letzte sein, das du zu sehen bekommst, solange du mir keine andere Antwort gibst«, sagte Aldertree ohne jede Freundlichkeit in der Stimme – nicht einmal seine falsche, aufgesetzte Freundlichkeit schwang darin mit. »Und du wirst überrascht sein, wie durstig du werden kannst.«

Simon schwieg.

»Das bedeutet dann also eine weitere Nacht in der Zelle«, fuhr der Inquisitor fort, erhob sich vom Sofa und griff nach der Glocke, um die Wachen herbeizurufen. »Dort unten ist es wunderbar ruhig, nicht wahr? Und ich war schon immer der Ansicht, dass eine ruhige Atmosphäre dabei helfen kann, ein kleines Gedächtnisproblem zu lösen. Meinst du nicht auch?«

Obwohl Clary sich einzureden versuchte, sie würde sich an den Weg erinnern, den Luke und sie am Abend zuvor genommen hatten, entpuppte sich das als ein Irrtum. Nachdem sie beschlossen hatte, zur Stadtmitte zu laufen, um sich von dort aus weiter zu orientieren, konnte sie nach dem kleinen Platz mit dem Brunnen nicht mehr mit Sicherheit sagen, ob sie nun nach links oder rechts abbiegen musste. Ratlos schlug sie den Weg zu ihrer Linken ein, der sie jedoch in ein Labyrinth kleiner, gewundener Gassen brachte, die einander zum Verwechseln ähnlich sahen und sie nur noch weiter in die Irre führten.

Endlich erreichte sie eine breitere Straße mit vielen Geschäften. Passanten hasteten an ihr vorbei, schenkten ihr jedoch keine Beachtung. Manche trugen ebenfalls eine Kampfmontur, aber die meisten hatten sich zum Schutz vor dem kalten Wind in einen langen, altmodischen Umhang gehüllt. Mit einem Anfall von Bedauern dachte Clary an ihr grünes Samtcape, das noch in Amatis' Gästezimmer hing.

Luke hatte ihr keine Märchen erzählt, als er meinte, dass zu der Vollversammlung Schattenjäger aus aller Welt zusammenkommen würden. Clary begegnete einer Inderin in einem hinreißenden goldfarbenen Sari, um deren Hüfte eine Kette mit zwei Krummdolchen geschlungen war. Und vor einem Schaufenster mit allen möglichen Sorten von Waffen stand ein hochgewachsener dunkelhäutiger Mann mit einem kantigen, aztekisch anmutenden Gesicht und betrachtete die Auslagen; Armbänder aus demselben harten, schimmernden Material wie die Dämonentürme baumelten an seinen Handgelenken. Wenige Meter weiter studierte ein Mann in einem weißen Nomadengewand einen Stadtplan. Sein Anblick machte Clary Mut, eine vorbeieilende Frau in einem schweren Brokatmantel anzusprechen und sie nach dem Weg zur Princewater Street zu fragen. Denn wenn es einen Zeitpunkt gab, zu dem die Bewohner der Stadt nicht sofort Verdacht schöpften, wenn sich jemand nicht auskannte, dann jetzt.

Ihr Instinkt trog Clary nicht: Ohne Zögern erklärte die Frau ihr den Weg. »Am Ende des Oldcastle Canal rechts und dann über die Brücke. Von da aus kommst du direkt in die Princewater Street.« Sie schenkte Clary ein freundliches Lächeln. »Suchst du dort jemanden Bestimmtes?«

»Ja, die Familie Penhallow.«

»Ach, das ist das blaue Haus mit den goldenen Türbeschlägen, das direkt an den Kanal angrenzt. Es ist ein ziemlich großes Gebäude – du kannst es gar nicht verfehlen.«

Doch die Frau sollte nicht in allen Punkten recht behalten: Beim Haus der Penhallows handelte es sich zwar tatsächlich um ein großes Gebäude, aber Clary lief zunächst daran vorbei, ehe sie ihren Fehler erkannte, auf dem Absatz kehrtmachte und einen zweiten Blick darauf warf. Genau genommen war das Haus in einem Indigoton gestrichen und nicht mit blauer

Farbe, aber andererseits sahen nicht alle Menschen Farben auf die gleiche Weise wie sie selbst.

Viele Leute konnten noch nicht einmal zwischen Zitronengelb und Safrangelb unterscheiden. Als ob die beiden Farben auch nur annähernd beieinanderlägen! Und die Türbeschläge waren auch nicht aus Gold, sondern aus Bronze – ein attraktiver dunkler Bronzeton, als existierte das Haus schon seit vielen Jahren. Was vermutlich auch stimmte, überlegte Clary, denn alles an diesem Ort war uralt . . .

Jetzt reicht's, ermahnte sie sich. Das tat sie immer, wenn sie nervös war – ihren Gedanken freien Lauf lassen. Aufgeregt rieb sie ihre verschwitzten, feuchten Hände an der Hose ab; das Material fühlte sich rau und trocken an, wie Schlangenhaut.

Dann stieg sie die Stufen hinauf und griff nach dem schweren Türklopfer. Er besaß die Gestalt von zwei Engelsschwingen, und als Clary ihn fallen ließ, hörte sie, wie sein Klang dröhnend wie eine riesige Glocke durch das Hausinnere hallte. Einen Moment später wurde die Tür aufgerissen und Isabelle Lightwood erschien auf der Schwelle und riss vor Schreck die Augen weit auf.

»Clary?«

Clary lächelte matt. »Hi, Isabelle.«

Isabelle lehnte sich gegen den Türrahmen und zog ein klägliches Gesicht. »Oh verdammt!«

Nachdem man ihn in die Zelle zurückgebracht hatte, ließ Simon sich auf die Pritsche sinken und lauschte auf das Geräusch der sich entfernenden Wachen. Eine weitere Nacht. Eine weitere Nacht in diesem Gefängnis, während der Inquisitor darauf wartete, dass Simon sich »erinnerte«. *Du siehst doch sicherlich, welchen Eindruck das erweckt.* In seinen schlimmsten Befürchtungen und übelsten Albträumen war es Simon nie in den Sinn gekommen, dass irgendjemand denken könnte, er wäre ein Verbündeter *Valentins.* Bekanntermaßen hasste Valentin alle Schattenweltler. Valentin hatte ihm die Kehle aufgeschlitzt, ihm fast sämtliches Blut entzogen und ihn zum Sterben in einem eisigen Raum zurückgelassen. Obwohl der Inquisitor von diesen Details natürlich nichts wusste, überlegte Simon.

Plötzlich ertönte auf der anderen Seite der Zellenwand ein Rascheln. »Ich muss gestehen, dass ich meine Zweifel hatte, ob du noch einmal hierher zurückkommen würdest«, sagte die heisere Stimme, die ihn in der Nacht zuvor schon angesprochen hatte. »Dann gehe ich wohl recht in der Annahme, dass du dem Inquisitor das, was er wollte, nicht gegeben hast?«

»Nein, ich glaub nicht«, murmelte Simon, stand auf und ging zur Zellenwand. Tastend fuhr er mit den Fingern über das Mauerwerk, als suchte er nach einem Riss oder Spalt, durch den er hindurchschauen konnte – doch es ließ sich nichts erkennen. »Wer sind Sie?«

»Er ist ziemlich hartnäckig . . . Aldertree«, fuhr die Stimme fort, als hätte Simon überhaupt nichts gesagt. »Er wird es wieder versuchen.«

Simon lehnte sich gegen die feuchte Mauer. »Dann werde ich wohl eine ganze Weile hier unten sein.«

»Ich nehme nicht an, dass du mir verraten möchtest, was er von dir will?«

»Warum wollen Sie das wissen?«

Das unterdrückte Lachen, das auf Simons Frage folgte, klang wie kratzendes Metall auf Stein. »Ich sitze in dieser Zelle schon wesentlich länger als du, Tageslichtler, und wie du ja selbst weißt, gibt es hier unten nicht viel Zerstreuung. Jede kleinste Neuigkeit ist da sehr willkommen.«

Vorsichtig verschränkte Simon die Hände über seinem Magen. Das Hirschblut hatte den schlimmsten Hunger gestillt, aber die Menge war nicht annähernd genug, um seinen noch immer vor Durst schmerzenden Körper zu beruhigen. »Tageslichtler? Warum nennen Sie mich eigentlich dauernd so?«, fragte er.

»Ich habe gehört, wie die Wachen von dir gesprochen haben: ein Vampir, der am helllichten Tage herumspazieren kann. So etwas hat noch niemand zuvor zu sehen bekommen.«

»Und trotzdem haben Sie einen Begriff dafür. Wie praktisch.«

»Das ist ein Schattenwesen-Ausdruck, kein Begriff des Rats. Die Schattenwelt kennt diverse Mythen und Sagen von Kreaturen wie dir. Ich bin überrascht, dass du noch nie davon gehört hast.«

»Ich bin noch nicht sehr lange ein Schattenweltler«, räumte Simon ein. »Aber Sie scheinen verdammt viel über mich zu wissen.«

»Die Wachen tratschen gern«, erklärte die Stimme. »Und die Tatsache, dass die Lightwoods mit einem blutenden, im Sterben liegenden Vampir durch das Portal hierhergekommen sind . . . das ergibt schon ganz ordentlichen Gesprächsstoff.

Allerdings muss ich gestehen, dass ich nicht damit gerechnet habe, dich hier unten zu sehen – jedenfalls nicht bis zu dem Moment, als die Wachen mit den Vorbereitungen für deine Zelle begannen. Es wundert mich, dass die Lightwoods das einfach so hingenommen haben.«

»Warum sollten sie auch nicht?«, erwiderte Simon bitter. »Ich bin ein Niemand. Ein Schattenweltler.«

»Vielleicht in den Augen des Konsuls«, sagte die Stimme. »Aber die Lightwoods . . .«

»Was soll mit ihnen sein?«

Es entstand eine kurze Stille, dann setzte die Stimme erneut an: »Die Schattenjäger, die außerhalb Idris' leben – vor allem diejenigen, die ein Institut leiten –, sind in der Regel toleranter. Dagegen sind die örtlichen Ratsmitglieder wesentlich . . . engstirniger.«

»Und was ist mit Ihnen?«, hakte Simon nach. »Sind Sie auch ein Schattenweltler?«

»Ein *Schattenweltler?*« Simon war sich nicht ganz sicher, glaubte aber, eine verhaltene Wut in der Stimme des Fremden zu hören, als nähme er diese Frage übel. »Ich heiße Samuel. Samuel Blackburn. Ich bin ein Nephilim. Einst gehörte ich dem Kreis an, zusammen mit Valentin. Während des Aufstands habe ich etliche Schattenwesen abgeschlachtet. Ich bin keiner von ihnen.«

»Oh.« Simon musste schlucken. Er hatte einen salzigen Geschmack im Mund. Die Mitglieder von Valentins Kreis waren allesamt gefangen genommen und vom Rat bestraft worden, erinnerte er sich – bis auf diejenigen, die wie die Lightwoods eine Abmachung mit dem Rat aushandeln konnten und ein Leben im Exil akzeptierten. »Dann sitzen Sie seit dieser Zeit hier unten?«

»Nein. Nach dem Aufstand habe ich Idris verlassen, ehe man mich schnappen konnte. Jahrelang bin ich im Ausland gewesen, *jahrelang,* bis ich Narr eines Tages zurückkehrte, in der Annahme, man hätte mich längst vergessen. Und natürlich wurde ich in dem Moment gefasst, in dem ich einen Fuß über die Grenze setzte. Der Rat hat Mittel und Wege, seine Feinde aufzuspüren. Man hat mich vor den Inquisitor geschleift und tagelang verhört. Als sie mit mir fertig waren, haben sie mich in diese Zelle geworfen.« Samuel seufzte. »In der französischen Sprache bezeichnet man diese Art von Gefängnis als *oubliette.* Das bedeutet wörtlich ›ein vergessener Ort‹. Dorthinein wirft man den Abschaum, an den man sich nicht mehr erinnern möchte, sodass dieser vor sich hin rotten kann, ohne die feinen Herren mit seinem Gestank zu belästigen.«

»Na prima. Ich bin ein Schattenweltler, also bin ich Abschaum. Aber das sind Sie nicht. Sie sind ein Nephilim.«

»Ich bin ein Nephilim, der mit Valentin unter einer Decke gesteckt hat. Das macht mich nicht besser als dich. Schlimmer noch: Es macht mich zu einem Abtrünnigen.«

»Aber es gibt doch zahlreiche andere Schattenjäger, die einst dem Kreis angehörten – die Lightwoods und die Penhallows . . .«

»Sie alle haben ihre Gefolgschaft widerrufen. Valentin den Rücken zugekehrt. Das habe ich nicht getan.«

»Ach nein? Aber warum denn nicht?«

»Weil ich mich vor Valentin viel mehr fürchte als vor dem

Rat«, sagte Samuel, »und wenn du auch nur ein bisschen Verstand besitzt, Tageslichtler, dann sollte es dir nicht anders ergehen.«

»Aber du solltest doch in New York sein!«, rief Isabelle. »Jace hat gesagt, du hättest deine Reisepläne geändert. Er meinte, du wolltest bei deiner Mutter bleiben!«

»Jace hat gelogen«, erwiderte Clary nüchtern. »*Er* wollte nicht, dass ich hierherkomme. Deshalb hat er mich belogen, was eure Abreise betraf, und hat euch erzählt, ich hätte meine Meinung geändert. Erinnerst du dich, dass du mir mal gesagt hast, er würde niemals lügen? Da hast du dich verdammt geschnitten.«

»Normalerweise lügt er wirklich nicht«, murmelte Isabelle, die ganz bleich geworden war. »Hör mal, bist du hierhergekommen . . . ich meine, hat das irgendetwas mit Simon zu tun?«

»Mit *Simon?* Nein. Simon sitzt wohlbehalten in New York, Gott sei Dank. Obwohl er ziemlich sauer sein wird, dass ich mich nicht von ihm verabschiedet habe.« Isabelles verdutzter Gesichtsausdruck ging Clary allmählich auf die Nerven. »Jetzt, komm schon, Isabelle. Lass mich rein. Ich muss mit Jace reden.«

»Dann . . . dann bist du also ganz allein hierhergekommen? Hattest du eine Einreiseerlaubnis? Bitte sag mir, dass der Rat dir eine Genehmigung erteilt hat.«

»Nicht direkt . . .«

»Du hast das *Gesetz* gebrochen?« Isabelles Stimme schwoll erst an und brach dann ab. Schließlich fuhr sie fast im Flüsterton fort: »Wenn Jace das herausfindet, flippt er aus. Clary, du musst sofort nach Hause zurückkehren.«

»Nein. Ich habe das Recht und die Pflicht, hier zu sein«, erwiderte Clary, obwohl nicht einmal sie selbst wusste, woher ihre Hartnäckigkeit stammte. »Und ich muss unbedingt mit Jace reden.«

»Das ist jetzt kein günstiger Zeitpunkt.« Sehnsüchtig schaute Isabelle sich um, als hoffte sie, dass ihr jemand zu Hilfe eilen und sie dabei unterstützen würde, Clary abzuwimmeln. »Bitte, kehr einfach nach New York zurück, ja? Bitte!«

»Ich dachte, du würdest mich *mögen*, Izzy.« Clary versuchte, dem Mädchen Schuldgefühle zu machen.

Isabelle biss sich auf die Lippe. Sie trug ein weißes Kleid und hatte die Haare hochgesteckt, wodurch sie jünger als sonst wirkte. Hinter ihr konnte Clary einen großen Eingangsbereich mit hoher Decke und zahlreichen antiken Gemälden an den Wänden erkennen. »Natürlich *mag* ich dich. Es ist nur so, dass Jace . . . oh, mein Gott, was hast du denn da an? Woher hast du diese Schattenjägerkluft?«, fragte Isabelle.

Clary schaute an sich herab. »Ach, das ist eine lange Geschichte.«

»Du kannst in dieser Kleidung *unmöglich* ins Haus kommen. Wenn Jace dich sieht . . .«

»Na und, dann sieht er mich eben! Isabelle, ich bin wegen meiner Mutter nach Idris gekommen – *für* meine Mutter. Jace mag es vielleicht nicht gefallen, dass ich hier bin, aber er kann mich nicht zwingen, zu Hause zu bleiben. Ich musste einfach herkommen. Meine Mutter erwartet von mir, dass ich das für sie tue. Das würdest du doch auch für deine Mutter tun, oder etwa nicht?«

»Natürlich würde ich das«, wand Isabelle sich. »Aber Clary, Jace hat seine Gründe . . .«

»Dann würde ich sie mir zu gern einmal anhören.« Geschickt tauchte Clary unter Isabelles Arm hindurch und schlüpfte in den Eingangsbereich.

»Clary!«, quietschte Isabelle und stürzte hinter ihr her, doch Clary hatte bereits die Mitte des Raums erreicht. Während sie einerseits Isabelle auswich, die ihr nachstellte, registrierte sie andererseits, dass der Aufbau des Hauses dem von Amatis' ähnelte: Es war hoch und schmal, aber bedeutend größer und prächtiger dekoriert. Der Eingangsbereich öffnete sich zu einem Raum mit hohen Fenstern, die auf einen breiten Kanal hinausgingen. Boote mit weißen Segeln trieben auf den Wellen wie Pusteblumen im Wind. Vor einem der Fenster saß ein dunkelhaariger Junge auf einem Sofa, offenbar in ein Buch vertieft.

»Sebastian!«, rief Isabelle. »Lass sie nicht nach oben!«

Verwirrt schaute der Junge auf – und stand einen Sekundenbruchteil später vor Clary und versperrte ihr den Weg zur Treppe. Clary blieb abrupt stehen; nie zuvor hatte sie jemanden gesehen, der sich so schnell bewegen konnte – abgesehen von Jace. Der Junge war noch nicht einmal außer Atem; genau genommen lächelte er sie sogar an.

»Dann ist das also die berühmte Clary.« Das Lächeln ließ sein Gesicht aufleuchten und Clary spürte, wie sie unwillkürlich die Luft anhielt. Jahrelang hatte sie ihren eigenen Comicstrip gezeichnet – die Geschichte eines Königssohns, der mit einem Fluch belegt war: Jeder, den er liebte, musste sterben. Clary hatte sich richtig ins Zeug gelegt und mit viel Herzblut ihren

dunkelhaarigen, romantischen, düsteren Traumprinzen erschaffen – und nun stand er vor ihr: dieselbe blasse Haut, dieselben zerzausten Haare, dieselben hohen Wangenknochen
und tief in den Höhlen liegende Augen, die so dunkel waren,
dass die Pupillen mit der Iris zu verschmelzen schienen. Clary
wusste, dass sie diesen Jungen noch nie zuvor gesehen hatte,
und dennoch . . .

Der Junge schaute verwirrt. »Ich glaube nicht, dass wir . . .
Sind wir uns schon mal begegnet?«

Sprachlos schüttelte Clary den Kopf.

»Sebastian!« Isabelles Haar hatte sich gelöst und war ihr
über die Schultern gefallen. Wütend funkelte sie den Jungen
an. »Du sollst nicht nett zu ihr sein! Sie hat hier nichts zu suchen. Clary, fahr nach Hause!«

Mühsam riss Clary sich von Sebastians Antlitz los und warf
Isabelle einen verärgerten Blick zu. »Was? Zurück nach New
York? Und wie soll ich das deiner Meinung nach anstellen?«

»Wie bist du denn *hierher*gekommen?«, fragte Sebastian
neugierig. »Es ist eine echte Leistung, sich unbemerkt in die
Stadt einzuschleichen.«

»Ich bin durch ein Portal gekommen«, sagte Clary.

»Ein Portal?« Isabelle starrte sie erstaunt an. »Aber in New
York gibt es doch überhaupt kein Portal mehr. Valentin hat
beide zerstört . . .«

»Ich bin dir keinerlei Rechenschaft schuldig«, entgegnete
Clary. »Nicht, solange du mir nicht deinerseits ein paar Dinge
erklärst. Da wäre zum Beispiel die Frage: Wo ist Jace?«

»Er ist nicht hier«, verkündete Isabelle – zeitgleich mit Sebastian, der »Er ist oben« erwiderte.

Sofort fuhr Isabelle ihn an. »Sebastian! Halt die *Klappe!*«

Sebastian zog ein verdutztes Gesicht. »Aber sie ist doch seine Schwester. Würde er sie denn nicht sehen wollen?«

Isabelle öffnete den Mund und schloss ihn dann wieder. Clary erkannte an ihrem Gesichtsausdruck, dass sie überlegte, ob es klug wäre, einem vollkommen ahnungslosen Sebastian Clarys komplizierte Beziehung zu Jace zu erläutern, oder ob es ratsamer schien, Jace eine unliebsame Überraschung zu bereiten. Schließlich riss Isabelle entnervt die Arme hoch. »Na schön, Clary«, sagte sie mit einem für sie ungewohnt verärgerten Ton in der Stimme. »Geh und tu, was du nicht lassen kannst. Ganz gleich, wen du damit verletzt. Das ist dir ja sowieso egal, oder?«

Autsch. Clary warf Isabelle einen vorwurfsvollen Blick zu und wandte sich dann wieder Sebastian zu, der schweigend einen Schritt beiseitetrat. Clary stürmte an ihm vorbei und die Treppe hinauf, während sie von unten vage Isabelles aufgebrachte Stimme wahrnahm, die den unglückseligen Sebastian anfauchte. Aber so war Isabelle nun mal: Wenn zufällig ein Junge herumstand und sie jemanden brauchte, dem sie die Schuld in die Schuhe schieben konnte, dann kannte sie keine Gnade.

Die Treppe führte zu einem breiten Flur mit einem Erkerfenster, das auf die Stadt hinausging. Im Erker saß ein kleiner Junge und las. Als Clary die Stufen hinaufkam, schaute er auf und blinzelte verwirrt. »Dich kenn ich doch.«

»Hi Max. Ich bin's, Clary. Erinnerst du dich noch an mich?«

Max' Augen leuchteten auf. »Ja klar, du hast mir gezeigt, wie man Mangas liest«, sagte er und streckte ihr das Heft entgegen. »Hier, sieh mal. Ich hab mir noch eins besorgt. Dieses Heft heißt . . .«

»Max, ich hab jetzt keine Zeit zum Reden. Aber ich verspreche dir, ich schaue es mir später an. Weißt du zufällig, wo Jace ist?«

Max verzog das Gesicht. »In dem Raum da«, sagte er und zeigte auf die letzte Tür am Ende des Ganges. »Eigentlich wollte ich auch dort rein, aber er meinte, er hätte Erwachsenendinge zu erledigen. Dauernd versuchen alle, mich loszuwerden.«

»Tut mir leid«, murmelte Clary, doch in Gedanken war sie schon nicht mehr bei Max. Stattdessen fragte sie sich, was sie Jace wohl sagen sollte, wenn sie ihm begegnete. Und was würde er ihr sagen? Während sie den Flur entlang zur letzten Tür hastete, überlegte sie fieberhaft: *Wahrscheinlich wäre es besser, erst mal freundlich zu bleiben, statt wütend zu werden. Anschreien würde ihn nur in die Defensive drängen. Er muss kapieren, dass ich hierhergehöre, genau wie er selbst auch. Ich brauche nicht beschützt zu werden wie ein Porzellanpüppchen. Ich bin nämlich auch stark . . .*

Mit Schwung riss Clary die Tür auf. Bei dem Raum dahinter schien es sich um eine Art Bibliothek zu handeln; die Wände waren bis zur Decke mit Regalen und Büchern gefüllt. Helles Tageslicht strömte durch ein großes Buntglasfenster. In der Mitte des Raums stand Jace. Allerdings war er nicht allein – ganz im Gegenteil: Bei ihm befand sich ein dunkelhaariges Mädchen, ein Mädchen, das Clary noch nie zuvor gesehen hatte. Und dieses Mädchen und Jace hielten einander in leidenschaftlicher Umarmung umschlungen.

6
BÖSES BLUT

Ein Schwindelgefühl erfasste Clary, als wäre dem Raum auf einen Schlag sämtliche Luft entzogen worden. Sie versuchte, einen Schritt zurückzuweichen, stolperte jedoch und stieß mit der Schulter gegen die Tür, die daraufhin mit einem lauten Knall ins Schloss fiel. Ruckartig fuhren Jace und das Mädchen auseinander.

Clary blieb wie angewurzelt stehen. Die beiden starrten sie mit großen Augen an. Mit einem kurzen Blick registrierte Clary, dass das Mädchen schulterlange dunkle Haare hatte und ausgesprochen hübsch war. Die oberen Knöpfe ihrer Bluse standen offen und darunter kam ein Spitzen-BH zum Vorschein. Clary hatte das Gefühl, als müsste sie sich jeden Moment übergeben.

Hastig tastete das Mädchen nach der Bluse, um die Knöpfe zu schließen. Sie wirkte alles andere als erfreut. »Entschuldige mal«, sagte sie stirnrunzelnd. »Wer bist du?«

Clary reagierte nicht auf ihre Frage; stattdessen schaute sie Jace unverwandt an, der sie seinerseits ungläubig anstarrte. Sein Gesicht hatte sämtliche Farbe verloren, wodurch die dunklen Ringe unter seinen Augen besonders deutlich zum Vorschein kamen. Er sah Clary mit einem Blick an, als schaute er in die Mündung eines Gewehrlaufs.

»Aline.« Jace' Stimme klang tonlos, ohne jede Farbe oder Wärme. »Das ist meine Schwester, Clary.«

»Oh. Oh.« Alines Gesicht entspannte sich zu einem leicht verlegenen Lächeln. »Entschuldige! Wie peinlich, dass wir uns auf diese Weise kennenlernen . . . Hi, ich bin Aline.«

Noch immer lächelnd ging sie mit ausgestreckter Hand auf Clary zu. *Ich glaube nicht, dass ich sie berühren kann,* dachte Clary mit wachsendem Entsetzen. Sie sah zu Jace hinüber, der den Ausdruck in ihren Augen zu lesen schien. Mit finsterer Miene nahm er Aline bei den Schultern und flüsterte ihr etwas ins Ohr, woraufhin das Mädchen ein überraschtes Gesicht zog, die Achseln zuckte und ohne ein weiteres Wort die Bibliothek verließ.

Clary blieb mit Jace allein im Raum zurück – allein mit jemandem, der sie noch immer auf eine Weise anstarrte, als wäre sie sein schlimmster Albtraum.

»Jace«, setzte Clary an und ging einen Schritt auf ihn zu.

Doch er wich vor ihr zurück, als wäre sie von einer Giftwolke umgeben. »Was im Namen des Erzengels machst du hier, Clary?«, fragte er.

Trotz ihrer Verärgerung traf sie der schroffe Ton in seiner Stimme sehr. »Du könntest wenigstens so tun, als würdest du dich freuen, mich zu sehen. Wenigstens ein kleines bisschen.«

»Ich freue mich nicht, dich zu sehen«, erwiderte Jace. Sein Gesicht hatte wieder etwas Farbe bekommen, aber die Ringe unter seinen Augen zeichneten sich noch immer als graue Schatten gegen seine Haut ab. Clary wartete darauf, dass er weiterredete, irgendetwas sagte, doch er schien sich damit zu begnügen, sie mit unverhohlenem Entsetzen anzustarren. Mit abwesendem Blick registrierte Clary, dass Jace einen schwarzen Pullover trug, der um seine Handgelenke schlackerte, als hätte er stark abgenommen, und dass seine Fingernägel bis zum Fleisch abgekaut waren. »Ich freue mich nicht im Geringsten«, fügte er hinzu.

»Das bist doch nicht du«, protestierte Clary. »Ich hasse es, wenn du dich so verhältst . . .«

»Ach, du hasst es also? Na, dann sollte ich wohl besser damit aufhören, was? Schließlich tust *du* ja alles, worum ich dich bitte.«

»Du hattest kein Recht, das zu verlangen!«, fauchte Clary ihn plötzlich wütend an. »Mich einfach so anzulügen. Du hattest kein Recht . . .«

»Ich hatte jedes Recht dazu!«, brüllte er zurück. Clary konnte sich nicht erinnern, dass er sie jemals so angebrüllt hatte. »Ich hatte jedes Recht, du dummes, kleines Mädchen. Ich bin dein Bruder und ich . . .«

»Und was? Du meinst, deshalb hättest du über mich zu bestimmen? Nein, du hast nicht über mich zu bestimmen, ob du nun mein Bruder bist oder nicht!«

Im selben Moment flog die Tür hinter Clary auf und Alec stürmte in die Bibliothek. Seine schwarzen Haare waren vollkommen zerzaust. Er trug einen langen dunkelblauen Mantel über schlammbespritzen Stiefeln und starrte die beiden mit einem ungläubigen Ausdruck an. »Was in drei Teufels Namen ist hier los?«, fragte er und schaute verwirrt von Jace zu Clary. »Wollt ihr zwei euch vielleicht umbringen?«

»Keineswegs«, erwiderte Jace. Wie von Zauberhand waren die Wut und die Panik aus seinem Gesicht verschwunden und er wirkte wieder eisig ruhig. »Clary wollte sowieso gerade gehen.«

»Prima«, sagte Alec, »denn ich muss unbedingt mit dir reden, Jace.«

»Wird man in diesem Haus denn überhaupt nicht mehr begrüßt?«, fauchte Clary, ohne irgendjemanden direkt anzusehen.

Alec ließ sich deutlich leichter ein schlechtes Gewissen einreden als Isabelle. »Wie schön, dich zu sehen, Clary«, sagte er, »natürlich abgesehen von der Tatsache, dass du wirklich nicht hier sein dürftest. Isabelle hat mir erzählt, dass es dir irgendwie gelungen ist, ganz allein hierherzukommen, und ich bin beeindruckt . . .«

»Könntest du vielleicht aufhören, sie auch noch zu ermutigen?«, fiel Jace ihm ins Wort.

»Aber ich muss jetzt wirklich dringend etwas mit Jace besprechen. Würdest du uns kurz allein lassen?«

»Ich muss auch dringend mit ihm reden«, sagte Clary. »Es geht um unsere Mutter . . .«

»Ich habe aber keine Lust zu reden«, entgegnete Jace, »mit keinem von euch beiden, um ehrlich zu sein.«

»Doch, du willst mit mir reden«, widersprach Alec. »Über das, was ich zu sagen habe, willst du unbedingt mit mir reden.«

»Das bezweifle ich«, konterte Jace und konzentrierte sich wieder auf Clary. »Du bist nicht allein hierhergekommen, richtig?«, fragte er langsam, als dämmerte ihm, dass die Situation noch viel schlimmer war, als er befürchtet hatte. »Wer hat dich begleitet?«

Clary erschien es sinnlos, in diesem Punkt zu lügen. »Luke«, sagte sie. »Luke hat mich begleitet.«

Jace erbleichte. »Aber Luke ist ein Schattenweltler. Weißt du überhaupt, was der Rat mit nicht angemeldeten Schattenwesen macht, die einfach in die Gläserne Stadt eindringen – die die Schutzschilde ohne Genehmigung überwinden? Es ist eine Sache, nach Idris einzureisen, aber etwas völlig anderes, unerlaubt Alicante zu betreten . . . ohne auch nur irgendjemanden zu informieren . . .«

»Nein, das weiß ich nicht«, erwiderte Clary fast im Flüsterton, »aber ich weiß, was du jetzt sagen willst . . .«

»Dass du es bald herausfinden wirst, wie der Rat reagiert, falls Luke und du . . . falls ihr beide nicht sofort nach New York zurückkehrt?« Jace schwieg einen Moment und ihre Blicke trafen sich. Die Verzweiflung in seinen Augen erschreckte Clary – immerhin war er derjenige, der ihr drohte, und nicht umgekehrt.

»Jace«, sagte Alec in die Stille hinein; ein Anflug von Panik hatte sich in seine Stimme geschlichen. »Hast du dich nicht gefragt, was ich den ganzen Tag gemacht habe?«

»Der Mantel, den du da trägst, ist neu«, erwiderte Jace, ohne seinen Freund anzusehen. »Ich schätze, du warst einkaufen. Warum du allerdings so erpicht darauf bist, mich damit zu belästigen, ist mir vollkommen schleierhaft.«

»Ich war nicht einkaufen«, schnaubte Alec wütend. »Ich war . . .«

In dem Moment flog die Tür erneut auf und Isabelle wehte in einer Woge aus weißer Spitze herein und knallte die Tür hinter sich zu. Sie warf Clary einen Blick zu und schüttelte den

Kopf. »Ich hab dir doch gesagt, dass er ausflippen wird«, rief sie. »Hab ich's nicht gleich gesagt?«

»Ah, das gute, alte ›Hab ich's nicht gleich gesagt?‹«, murmelte Jace. »Immer wieder ein gern gehörter Satz.«

Entsetzt schaute Clary ihn an. »Wie kannst du jetzt Witze reißen?«, flüsterte sie. »Du hast gerade Luke bedroht. Luke, der dich mag und der dir vertraut. Du hast ihn bedroht, weil er ein *Schattenweltler* ist. Was ist los mit dir?«

Isabelle zog ein bestürztes Gesicht. »Luke ist hier? Oh, Clary . . .«

»Er ist nicht hier«, erklärte Clary. »Er hat die Stadt heute Morgen verlassen . . . und ich weiß nicht, wohin er gegangen ist. Aber ich kapiere nun, warum er gehen musste.« Nur mit Mühe konnte sie Jace ansehen. »Okay. Du hast gewonnen. Wir hätten niemals hierherkommen dürfen. Ich hätte niemals das Portal erschaffen dürfen . . .«

»Ein Portal *erschaffen*?« Isabelle schaute verblüfft. »Clary, nur ein Hexenmeister kann ein Portal erschaffen. Und davon gibt es nicht gerade viele. Das einzige Portal hier in Idris befindet sich in der Garnison.«

»Womit wir beim Thema wären! Darüber muss ich unbedingt mit dir reden«, zischte Alec Jace zu, der zu Clarys Überraschung jetzt noch bleicher wirkte. Er sah aus, als würde er jeden Moment das Bewusstsein verlieren. »Du weißt schon«, fuhr Alec fort, »die Sache, die ich gestern Abend erledigen sollte – das, was ich in der Garnison abliefern musste . . .«

»Alec, hör auf. *Hör auf!*«, stieß Jace hervor und die schiere Verzweiflung in seiner Stimme ließ seinen Freund verstummen. Alec schloss den Mund, biss sich auf die Lippe und starrte Jace schweigend an. Doch Jace schien ihn überhaupt nicht wahrzunehmen – stattdessen musterte er Clary mit finsterer Miene. »Du hast recht«, sagte er schließlich mit gepresster Stimme, als müsste er die Worte einzeln über seine Lippen bringen. »Du hättest tatsächlich niemals hierherkommen dürfen. Ich weiß, ich habe dir gesagt, du wärst in Idris nicht sicher, aber das war nur ein Vorwand. Die Wahrheit ist: Ich wollte dich nicht hier haben, weil du unbesonnen und leichtfertig bist und weil du alles vermasselst. So bist du nun mal. Du bist einfach nicht umsichtig genug, Clary.«

»Ich . . . *vermassele* alles?« Clary bekam nicht genügend Luft, um mehr als ein Flüstern hervorzubringen.

»Oh, *Jace*«, sagte Isabelle traurig, als wäre er derjenige, den man gekränkt hatte. Doch Jace schaute nicht zu ihr hinüber; sein Blick war fest auf Clary geheftet.

»Du rennst immer einfach drauflos, ohne nachzudenken«, fuhr er fort. »Und das weißt du ganz genau, Clary. Wenn du nicht gewesen wärst, wären wir niemals im Hotel Dumort gelandet.«

»Und dann wäre Simon jetzt tot! Zählt das denn gar nicht? Möglicherweise war das ja unbesonnen, aber . . .«

»*Möglicherweise?*«, fuhr er sie mit erhobener Stimme an.

»Aber es ist ja nicht so, als ob jede meiner Entscheidungen schlecht wäre! Du hast selbst gesagt . . . nach dem, was ich auf dem Schiff getan habe . . . du hast gesagt, ich hätte allen das Leben gerettet . . .«

Nun wich auch das letzte Quäntchen Farbe aus Jace' Gesicht. Mit einer plötzlichen und erstaunlichen Brutalität stieß er hervor: »Halt den Mund, Clary, HALT DEN MUND . . .«

»Auf dem Schiff?« Alecs Blick wanderte zwischen Jace und Clary hin und her. »Was ist denn auf dem Schiff passiert?«, fragte er verwirrt. »Jace . . .?«

»Das habe ich nur gesagt, damit du aufhörst zu heulen!«, brüllte Jace und ignorierte Alec, ignorierte alles um sich herum bis auf Clary. Sie spürte, wie die Kraft seiner plötzlichen Wut sie wie eine Woge von den Füßen zu reißen drohte. »Du bist für uns eine Katastrophe, Clary! Du bist eine Irdische, wirst immer eine bleiben. Aus dir wird niemals eine Schattenjägerin werden. Du denkst nicht wie wir, denkst nicht daran, was das Beste für alle ist. Das Einzige, wofür du dich interessierst, bist du selbst! Aber da draußen herrscht Krieg – oder droht zumindest jeden Moment auszubrechen – und ich habe weder die Zeit noch die Lust, ständig hinter dir herzurennen und zu verhindern, dass durch deine Schuld irgendeiner von uns getötet wird!«

Clary starrte ihn nur stumm an; es fiel ihr nichts ein, was sie darauf hätte erwidern können. Noch nie zuvor hatte er so mit ihr geredet. Sie hätte sich nicht einmal vorstellen können, dass er ihr gegenüber jemals einen solchen Ton anschlagen würde. Ganz gleich, wie sehr sie ihn in der Vergangenheit auch aufgebracht hatte – noch nie hatte er mit ihr so geredet, als würde er sie hassen.

»Fahr nach Hause, Clary«, sagte er nun mit müder Stimme, als hätte es ihn seine ganze Kraft gekostet, ihr endlich zu sagen, was er wirklich empfand. »Fahr nach Hause.«

Von einem Moment auf den nächsten hatten sich Clarys Pläne allesamt in Luft aufgelöst: ihre Hoffnung, Ragnor Fell aufzustöbern, ihre Mutter zu retten und sogar Luke zu finden –

nichts davon spielte noch eine Rolle. Schweigend ging sie zur Tür. Alec und Isabelle traten einen Schritt zur Seite, um sie vorbeizulassen. Keiner der beiden konnte ihr in die Augen sehen; stattdessen schauten sie bestürzt und betreten beiseite. Clary wusste, dass sie sich eigentlich gedemütigt und wütend fühlen musste, aber das war nicht der Fall. Sie empfand nur noch eine völlige Leere, so als wäre sie innerlich tot.

An der Tür drehte sie sich noch einmal um und schaute zurück. Jace blickte ihr schweigend nach. Das Licht, das durch das Fenster hinter ihm fiel, tauchte sein Gesicht in Schatten; Clary konnte lediglich die hellen Sonnenstrahlen sehen, die seine blonden Haare aufleuchten ließen wie glitzernde Glasscherben.

»Als du mir zum ersten Mal gesagt hast, dass Valentin dein Vater sei, habe ich dir nicht geglaubt«, sagte sie tonlos. »Nicht weil ich das nicht wahrhaben wollte, sondern weil du ihm nicht im Geringsten geähnelt hast. Ich war nie der Ansicht, dass du ihm ähnelst . . . bis jetzt.«

Damit verließ sie den Raum und zog die Tür fest hinter sich zu.

»Die haben vor, mich verhungern zu lassen«, sagte Simon.

Er lag auf dem Zellenboden, dessen kalte Steine sich in seinen Rücken drückten. Andererseits konnte er aus diesem Winkel den Himmel durch das Gitterfenster sehen. In den Tagen nach seiner Verwandlung zum Vampir – als er annehmen musste, das Licht der Sonne nie wieder sehen zu können – hatte er unablässig an die Sonne und den Himmel gedacht. Und daran, wie sich dessen Farbe im Laufe des Tages veränderte: vom hellblauen Morgenhimmel über das kräftige Blau der Mittagszeit bis zum kobaltblauen Zwielicht der Abenddämmerung. Er hatte stundenlang in der Dunkelheit gelegen und vor seinem inneren Auge eine Parade von Blautönen vorbeimarschieren lassen. Doch nun fragte er sich, ob ihm das Schicksal das Tageslicht mit all seinen Schattierungen von Blau nur deshalb wiedergeschenkt hatte, damit er den kurzen, unerfreulichen Rest seines Lebens in dieser winzigen Zelle verbringen konnte, die ihm durch das vergitterte Fenster nur einen begrenzten Ausschnitt des Himmels zeigte.

»Haben Sie gehört, was ich gesagt habe?«, fragte Simon mit erhobener Stimme. »Der Inquisitor will mich aushungern. Keine weiteren Blutrationen.«

Auf der anderen Seite der Mauer ertönte ein raschelndes Geräusch, dann ein vernehmliches Seufzen und schließlich meldete Samuel sich zu Wort: »Ja, ich habe dich gehört. Ich weiß nur nicht, was ich deiner Meinung nach dagegen unternehmen soll.« Er schwieg einen Moment. »Tut mir leid für dich, Tageslichtler, falls dich das irgendwie tröstet.«

»Nein, eigentlich nicht«, erwiderte Simon. »Der Inquisitor will, dass ich lüge. Er will, dass ich ihm sage, die Lightwoods würden mit Valentin gemeinsame Sache machen. Wenn ich das ›gestehe‹, lässt er mich frei und schickt mich umgehend nach Hause.« Er drehte sich auf den Bauch und spürte, wie sich kleine Steinchen und Dreck in seine Haut drückten. »Ach, schon gut. Ich weiß gar nicht, warum ich Ihnen all das erzähle. Wahrscheinlich haben Sie überhaupt keine Ahnung, wovon ich rede.«

Samuel stieß ein Geräusch aus, das wie eine Mischung aus

Hüsteln und unterdrücktem Lachen klang. »Doch, das weiß ich. Ziemlich gut sogar. Ich kenne die Lightwoods. Wir waren zusammen im Kreis. Die Lightwoods, die Waylands, die Pangborns, die Herondales, die Penhallows. Sämtliche führenden Familien von Alicante.«

»Und Hodge Starkweather«, fügte Simon hinzu, als er an den Privatlehrer der Lightwoods' dachte. »Er gehörte ebenfalls dem Kreis an, oder?«

»Ja, das stimmt«, sagte Samuel. »Aber seine Familie konnte man wohl kaum zu den angesehenen Geschlechtern der Stadt zählen. Es gab eine Zeit, da war Hodge ein vielversprechender junger Mann, aber ich fürchte, er hat die in ihn gesetzten Erwartungen nie erfüllen können.« Samuel schwieg einen Moment und fuhr dann fort: »Aldertree hat die Lightwoods schon immer gehasst, seit unserer Kindheit. Er war weder reich noch intelligent noch attraktiv und die anderen waren . . . nun ja, nicht sehr nett zu ihm. Ich glaube nicht, dass er jemals darüber hinweggekommen ist.«

»Reich?«, fragte Simon. »Ich dachte, alle Schattenjäger werden vom Rat bezahlt. Wie im . . . ich weiß auch nicht . . . wie im Kommunismus oder so.«

»Theoretisch erhalten alle Schattenjäger denselben Sold«, erklärte Samuel. »Aber manche, wie diejenigen, die hohe Ämter im Rat bekleiden oder große Verantwortung tragen, also beispielsweise ein Institut leiten, beziehen höhere Gehälter. Und dann sind da noch diejenigen, die außerhalb Idris' leben und sich entschlossen haben, ihren Lebensunterhalt in der Welt der Irdischen zu verdienen. Das ist keineswegs untersagt, solange sie einen Teil ihres Einkommens an den Rat abführen. Aber . . .« Samuel zögerte einen Augenblick, »aber du hast doch das Haus der Familie Penhallow gesehen, stimmt's? Was hältst du davon?«

Simon versuchte, sich das Gebäude wieder in Erinnerung zu rufen. »Ziemlich beeindruckend.«

»Es zählt zu den schönsten Bauwerken von ganz Alicante«, sagte Samuel. »Und die Penhallows besitzen noch ein weiteres Haus, einen Gutshof auf dem Land. Fast alle wohlhabenden Familien haben so einen Herrensitz. Es gibt für Nephilim nämlich noch einen anderen Weg, zu Geld zu kommen. Man bezeichnet das als ›Prise‹, Siegesbeute. Sämtliche Besitztümer eines Dämons oder Schattenweltlers, der von einem Schattenjäger getötet wurde, gehen in das Eigentum des betreffenden Nephilim über. Wenn also ein wohlhabender Hexenmeister das Gesetz bricht und von einem Schattenjäger getötet wird . . .«

Simon erschauderte. »Dann ist das Töten von Schattenwesen also ein einträgliches Geschäft?«

»Es kann sich als ziemlich lukrativ erweisen«, erklärte Samuel bitter, »sofern man nicht allzu wählerisch dabei ist, wen man gerade tötet. Du verstehst jetzt sicher, warum sich so viel Widerstand gegen das Abkommen regt. Es bedeutet einen tiefen Einschnitt in die eigene Geldbörse, wenn man plötzlich vorsichtig sein muss und nicht einfach einen Schattenweltler umbringen kann. Vielleicht ist das ja auch der Grund, warum ich mich dem Kreis angeschlossen habe. Meine Familie war nie besonders wohlhabend und man hat auf uns herabgeblickt, weil wir kein Blutgeld annehmen wollten . . .« Samuel verstummte.

»Aber der Kreis hat doch auch Schattenwesen ermordet«, warf Simon ein.

»Weil wir dachten, es wäre unsere heilige Pflicht. Nicht aus Gier«, sagte Samuel. »Allerdings weiß ich heute nicht mehr, wie ich jemals auf die Idee kommen konnte, dass es da einen Unterschied gibt.«

Er klang erschöpft. »Das war Valentins besondere Begabung . . . Er hatte so etwas an sich . . . Er konnte sein Gegenüber von allem überzeugen. Ich erinnere mich, dass ich eines Tages neben ihm stand, mit blutverschmierten Händen, auf den Körper einer toten Frau hinabblickte und felsenfest davon überzeugt war, dass meine Bluttat gerecht wäre – nur weil Valentin es gesagt hatte.«

»Eine tote Schattenweltlerin?«

Samuel holte auf der anderen Seite der Mauer gequält Luft. »Du musst verstehen«, erklärte er schließlich, »dass ich alles getan hätte, was Valentin von mir verlangte. Jeder von uns hätte das, auch die Lightwoods. Und da der Inquisitor das weiß, versucht er, daraus Kapital zu schlagen. Aber dir sollte eines klar sein: Wenn du Aldertree erst einmal nachgegeben und die Lightwoods ans Messer geliefert hast, besteht das Risiko, dass er dich dann immer noch töten lässt, um einen unliebsamen Mitwisser loszuwerden. Es hängt ganz davon ab, ob ihm die Vorstellung, Gnade walten zu lassen, in dem Moment ein Gefühl der Macht schenkt.«

»Das spielt keine Rolle«, erwiderte Simon. »Denn ich habe nicht vor, ihm den Gefallen zu tun. Ich werde die Lightwoods nicht verraten.«

»Wirklich?« Samuel klang nicht sehr überzeugt. »Und gibt es

dafür einen bestimmten Grund? Liegen dir die Lightwoods so sehr am Herzen?«

»Alles, was ich Aldertree über sie erzählen soll, wäre eine Lüge.«

»Aber möglicherweise ist das genau die Lüge, die er hören will. Du möchtest doch nach Hause zurückkehren, oder nicht?«

Simon starrte angestrengt auf die Mauer, als könnte er auf diese Weise durch sie hindurch und dem Mann auf der anderen Seite ins Gesicht sehen. »Würden Sie das denn tun? Lügen?«

Samuel hustete – ein pfeifender Husten, als wäre er nicht gerade bester Gesundheit. Andererseits war es hier unten im Zellentrakt auch ziemlich feucht und kalt . . . was Simon natürlich nicht interessierte, aber einem normalen Menschen auf Dauer bestimmt stark zu schaffen machen konnte. »Zunächst einmal würde ich von mir keine moralischen Ratschläge annehmen«, sagte Samuel nach einer Weile keuchend. »Aber wahrscheinlich würde ich nachgeben und lügen. Es war mir schon immer das Wichtigste, meine eigene Haut zu retten.«

»Ich bin mir sicher, dass das nicht stimmt.«

»Leider doch«, sagte Samuel. »Wenn du erst einmal älter bist, Simon, wirst du feststellen, dass es meistens der Wahrheit entspricht, wenn die Leute dir etwas Unangenehmes über sich selbst erzählen.«

Aber ich werde nicht älter werden, dachte Simon. Dann sagte er laut: »Das war das erste Mal, dass Sie mich ›Simon‹ genannt haben und nicht Tageslichtler.«

»Da hast du wohl recht.«

»Und was die Lightwoods betrifft«, fuhr Simon fort, »es ist keineswegs so, dass ich sie besonders ins Herz geschlossen hätte. Ich meine, ich mag Isabelle . . . und irgendwie auch Alec und Jace. Aber da gibt es noch ein Mädchen. Und Jace ist ihr Bruder.«

Als Samuel darauf reagierte, klang er zum ersten Mal aufrichtig amüsiert: »Gibt es da nicht immer ein Mädchen?«

In dem Moment, in dem sich die Tür hinter Clary schloss, ließ Jace sich gegen die Wand sinken, als hätte man ihm die Beine unter dem Körper weggezogen. Er war aschfahl und auf seinem Gesicht spiegelte sich eine Mischung aus Entsetzen, Schreck und . . . einer gewissen Erleichterung, als wäre die Katastrophe gerade noch einmal abgewendet worden.

»Jace«, setzte Alec an und ging einen Schritt auf seinen Freund zu. »Glaubst du wirklich . . .«

Sofort fiel Jace ihm ins Wort: »Raus«, sagte er mit leiser Stimme. »Raus, alle beide.«

»Damit du dann *was* machen kannst? Dein Leben noch mehr verpfuschen?«, konterte Isabelle. »Was zum Teufel sollte das eben?«

Jace schüttelte den Kopf. »Ich habe Clary nach Hause geschickt. Das ist für sie das Beste.«

»Du hast verdammt viel mehr getan, als sie nur nach Hause zu schicken. Du hast sie *am Boden zerstört*. Hast du ihr Gesicht gesehen?«

»Das war es wert. Aber du verstehst das nicht«, erwiderte Jace.

»Möglicherweise war es das Beste für Clary«, sagte Isabelle. »Aber ich hoffe, für dich erweist es sich auch als das Beste.«

Jace wandte das Gesicht ab. »Lass mich . . . lass mich einfach in Ruhe, Isabelle. Bitte.«

Isabelle warf ihrem Bruder einen bestürzten Blick zu: Jace sagte sonst nie Bitte. Beruhigend legte Alec seiner Schwester eine Hand auf die Schulter. »Ist schon gut, Jace«, sagte er so freundlich wie möglich. »Ich bin mir sicher, Clary wird darüber hinwegkommen.«

Jace hob den Kopf und schaute in Alecs Richtung, ohne seinen Freund jedoch richtig anzusehen – er schien in die Luft zu starren. »Nein, das wird sie nicht«, erwiderte er. »Aber das habe ich schließlich gewusst. Wo wir gerade davon reden: Was wolltest du mir eigentlich sagen? Du machtest den Eindruck, als wäre es ziemlich wichtig.«

Alec nahm die Hand von Isabelles Schulter. »Ich wollte dir nicht vor Clary davon erzählen . . .«

Sofort heftete Jace seinen Blick auf Alec. »Du wolltest mir *was* nicht vor Clary erzählen?«

Alec zögerte. Selten hatte er Jace so erschüttert gesehen und er konnte nur ahnen, welche Auswirkungen weitere unerfreuliche Überraschungen auf ihn haben würden. Aber er konnte ihm die Geschichte unmöglich verschweigen. Jace musste einfach davon erfahren. »Als ich Simon gestern zur Garnison gebracht habe«, setzte er mit leiser Stimme an, »hat Malachi mir gesagt, dass Magnus Bane auf der anderen Seite des Portals, in New York, auf Simon warten würde. Also habe ich Magnus eine Flammenbotschaft geschickt. Heute Morgen hat er sich bei mir gemeldet: Simon ist nicht bei ihm angekommen. Tatsächlich wurde seit Clarys Transfer in ganz New York nicht die geringste Portal-Aktivität verzeichnet.«

»Vielleicht hat Malachi sich ja geirrt«, mutmaßte Isabelle nach einem raschen Blick auf Jace' aschfahles Gesicht. »Vielleicht hat irgendjemand anderes Simon drüben in Empfang genommen. Und Magnus könnte sich irren, was die Portal-Aktivität betrifft . . .«

Alec schüttelte den Kopf. »Ich habe Mom heute Morgen zur Garnison begleitet, weil ich Malachi persönlich danach fragen wollte. Aber als ich ihn im Innenhof sah, habe ich mich hinter eine Gebäudeecke geduckt – keine Ahnung, warum. Irgendwie hatte ich keine Lust auf eine Begegnung mit ihm. Und dann habe ich gehört, wie er mit den Wärtern sprach: Er erteilte ihnen den Befehl, den Vampir aus dem Zellentrakt zu holen, weil der Inquisitor ihn erneut befragen wollte.«

»Bist du sicher, dass *Simon* damit gemeint war?«, fragte Isabelle, doch aus ihrer Stimme klang wenig Hoffnung. »Vielleicht . . .«

»Malachi und die Wärter haben sich darüber amüsiert, wie dumm der Schattenweltler gewesen sei, ernsthaft anzunehmen, dass man ihn ohne Verhör nach New York zurückschicken würde. Einer der Männer meinte, dass er gar nicht nachvollziehen könne, wie jemand die Frechheit besäße, den Tageslichtler überhaupt nach Alicante einschmuggeln zu wollen. Und daraufhin erwiderte Malachi: ›Na ja, was kann man von Valentins Sohn auch anderes erwarten?‹«

»Oh«, flüsterte Isabelle, »oh mein Gott.« Rasch schaute sie zu Jace hinüber. »Jace . . .«

Jace hatte die Hände zu Fäusten geballt; seine Augen lagen

tief in den Höhlen, als drängte es sie tiefer in den Schädel. Unter anderen Umständen hätte Alec ihm eine Hand auf die Schulter gelegt, doch dieses Mal hielt er sich zurück; Jace hatte irgendetwas an sich, das ihn zögern ließ.

»Wenn nicht *ich* derjenige gewesen wäre, der Simon durch das Portal gebracht hat, dann hätten sie ihn vielleicht einfach nach Hause geschickt«, sagte Jace in leisem, gesetztem Ton, als würde er etwas rezitieren. »Dann hätten sie vielleicht nicht geglaubt, dass . . .«

»Nein«, unterbrach Alec ihn. »Nein, Jace, das ist nicht deine Schuld. Du hast Simon das Leben gerettet.«

»Ich habe ihn gerettet, damit der Rat ihn foltern kann«, erwiderte Jace. »Damit hab ich ihm echt einen Gefallen getan. Wenn Clary das herausfindet . . .« Er schüttelte den Kopf. »Sie wird denken, ich hätte ihn absichtlich hierhergebracht und dem Rat übergeben – wohl wissend, was der mit ihm anstellen würde.«

»Nein, das wird sie nicht denken. Du hättest doch gar keinen Grund, so etwas zu tun.«

»Mag sein«, sagte Jace gedehnt, »aber nach dem, wie ich sie eben behandelt habe . . .«

»Niemand könnte jemals glauben, dass du so etwas tun würdest, Jace«, pflichtete Isabelle ihrem Bruder bei. »Niemand, der dich kennt. Niemand, der . . .«

Doch Jace hörte gar nicht mehr zu. Stattdessen machte er auf dem Absatz kehrt und marschierte zu dem Buntglasfenster, das auf den Kanal hinausging. Dort hielt er einen Moment inne, während das einfallende Licht seine Haarspitzen golden aufleuchten ließ. Und dann setzte er sich in Bewegung, derart schnell, dass Alec keine Zeit zum Reagieren blieb: Als er begriff, was Jace vorhatte, war es bereits zu spät.

Ein lautes Krachen ertönte – das Klirren von splitterndem Glas – und ein plötzlicher Sprühnebel aus scharfen Glasscherben ergoss sich wie ein Regen gezackter Sterne in den Raum. Mit nüchternem Interesse schaute Jace auf seine linke Hand herab, aus deren Fingerknöcheln dickes scharlachrotes Blut quoll und auf den Boden tropfte.

Isabelle starrte von Jace zu dem Loch in der Glasscheibe: Von der leeren Fenstermitte breiteten sich dünne Strahlen in alle Richtungen aus – ein Spinnenetz feiner silberfarbener Risse. »Oh, Jace«, sagte sie leise – so leise, wie Alec seine Schwester noch nie hatte reden hören. »Wie um alles in der Welt sollen wir das den Penhallows erklären?«

Irgendwie schaffte Clary es, aus dem Haus herauszukommen. Sie hatte keine Ahnung, wie ihr das gelungen war – alles schien zu einer raschen Folge von Fluren und Treppen zu verschwimmen, bis sie schließlich atemlos auf den Stufen vor dem Haus der Penhallows stand und sich zu entscheiden versuchte, ob sie sich sofort in die Rosensträucher neben der Eingangstreppe übergeben musste.

Die Büsche waren dafür ideal platziert und Clarys Magen krümmte sich schmerzhaft zusammen, aber dann fiel ihr wieder ein, dass sie außer etwas Suppe nichts gegessen hatte und daher wohl nicht viel hochwürgen konnte. Langsam stieg sie die Stufen hinunter, ging durch das Gartentor und marschierte blind drauflos. Sie konnte sich nicht mehr erinnern, aus welcher Richtung sie gekommen war oder wie sie zu Amatis'

Haus zurückfinden sollte, doch das schien alles überhaupt keine Rolle mehr zu spielen. Schließlich hatte sie nicht die geringste Lust, dorthin zurückzukehren und Luke zu erklären, dass sie Alicante sofort verlassen mussten, weil Jace sie sonst dem Rat melden würde.

Vielleicht hatte Jace ja recht. Vielleicht war sie tatsächlich unbesonnen und leichtfertig. Vielleicht dachte sie ja wirklich nicht darüber nach, welche Auswirkungen ihre Handlungen auf die Menschen hatten, die sie liebte. Vor ihrem inneren Auge tauchte Simons Gesicht auf, gestochen scharf wie ein Foto, und dann Luke . . .

Clary hielt inne und stützte sich gegen einen Laternenpfahl. Der rechteckige Beleuchtungskörper erinnerte sie an die Gaslaternen, die in Park Slope noch vor vielen der Sandsteinbauten standen. Irgendwie beruhigte sie der Anblick.

»Clary!« Die besorgte Stimme eines Jungen schallte durch die Straße. *Jace,* dachte Clary sofort und wirbelte herum.

Doch es war nicht Jace. Vor ihr stand Sebastian, der dunkelhaarige Junge aus dem Wohnzimmer der Penhallows; er wirkte leicht außer Atem, als wäre er ihr nachgelaufen.

Erneut wurde Clary von demselben Gefühl ergriffen, das sie bereits bei ihrer ersten Begegnung mit Sebastian gespürt hatte – eine Art Erkennen, vermischt mit einer Empfindung, die sie jedoch nicht genau benennen konnte. Dabei ging es nicht um Sympathie oder Antipathie: Es war vielmehr wie ein Sog, als zöge sie irgendetwas zu diesem Jungen, den sie doch gar nicht kannte. Vielleicht lag es ja an seinem Aussehen. Er wirkte umwerfend, so attraktiv wie Jace, doch im Gegensatz zu diesem schien er nur aus Blässe und Schatten zu bestehen. Allerdings konnte Clary nun erkennen, dass seine Ähnlichkeit mit ihrem imaginären Traumprinzen nicht ganz so groß war, wie sie zunächst gedacht hatte. Selbst die Haarfarbe schien anders. Aber da war etwas . . . irgendetwas an der Form seines Gesichts, an seiner Körperhaltung, an der dunklen Verschlossenheit seiner Augen . . .

»Alles in Ordnung?«, fragte er sanft. »Du bist aus dem Haus gerannt wie eine . . .« Er verstummte, als er sie genauer betrachtete. Clary klammerte sich noch immer an den Laternenpfahl, als könnte sie sich ohne ihn nicht auf den Beinen halten. »Was ist passiert?«

»Ich habe mich mit Jace gestritten«, sagte sie und versuchte, ihre Stimme ruhig klingen zu lassen. »Du weißt ja, wie das ist.«

»Ehrlich gesagt, weiß ich es nicht«, erklärte er fast entschuldigend. »Ich habe keine Geschwister.«

»Sei froh!«, schnaubte Clary und wunderte sich über die Bitterkeit in ihrer Stimme.

»Das meinst du doch nicht ernst.« Sebastian trat einen Schritt auf sie zu und in dem Moment erwachte die Straßenlaterne flackernd zum Leben und tauchte sie beide in einen Kegel aus weißem Elbenlicht. Sebastian schaute zur Lampe hinauf und lächelte. »Das ist ein Zeichen.«

»Ein Zeichen wofür?«

»Ein Zeichen, dass du dich von mir nach Hause bringen lassen solltest.«

»Aber ich habe keine Ahnung, wo das ist«, gab Clary zu bedenken. »Ich hab mich aus dem Haus geschlichen, um hierherzukommen, und ich weiß nicht mehr, welchen Weg ich genommen habe.«

»Okay. Bei wem wohnst du denn?«

Clary zögerte damit, seine Frage zu beantworten.

»Ich werde es niemandem verraten«, versprach Sebastian. »Das schwöre ich beim Erzengel.«

Erstaunt starrte Clary ihn an: Für einen Schattenjäger war das ein schwerwiegender Eid. »Also gut«, sagte sie schließlich, ehe sie es sich anders überlegte. »Ich wohne bei Amatis Herondale.«

»Prima. Ich weiß genau, wo ihr Haus liegt.« Sebastian bot Clary seinen Arm. »Wollen wir?«

»Du bist ziemlich zielstrebig«, entgegnete Clary, brachte aber ein Lächeln zustande.

Sebastian zuckte die Achseln. »Ich habe nun mal eine Schwäche für junge Damen in Not.«

»Sei nicht so sexistisch.«

»Keineswegs. Meine Dienste stehen auch jungen Gentlemen in Not zur Verfügung. Bei dieser Schwäche gilt Chancengleichheit für beide Geschlechter«, sagte er, machte eine elegante Verbeugung und bot ihr erneut seinen Arm an.

Dieses Mal hakte Clary sich bei ihm unter.

Alec schloss die Tür der kleinen Dachkammer hinter sich und wandte sich Jace zu. Die Augen des Achtzehnjährigen besaßen normalerweise die Farbe des Lyn-Sees, ein helles, klares Blau, das sich je nach Stimmungslage jedoch verändern konnte. In diesem Moment erinnerte Alecs Augenfarbe eher an den East River während eines Gewitters und auch der Ausdruck in seinem Gesicht ließ nichts Gutes ahnen. »Setz dich«, befahl er Jace und zeigte auf den niedrigen Hocker vor dem Dacherker. »Ich hol Verbandszeug.«

Jace ließ sich auf den Hocker sinken. Das Zimmer, das er sich mit Alec unter dem Dach der Penhallows teilte, war ziemlich klein und bot gerade mal Platz für zwei schmale Betten, die jeweils an die Wand geschoben waren. Die Kleidungsstücke der Jungen hingen an Wandhaken und durch das kleine Fenster im Giebel fiel trübes Licht. Die Dämmerung hatte bereits eingesetzt und der Himmel auf der anderen Seite der Glasscheibe schimmerte indigoblau.

Jace sah zu, wie Alec sich auf den Boden kniete, die Reisetasche unter dem Bett hervorzog und ungehalten den Reißverschluss aufriss. Geräuschvoll wühlte er im Inhalt der Tasche umher, bis er sich schließlich mit einem kleinen Kästchen in der Hand aufrichtete. Ein Blick darauf verriet Jace, dass es sich um den Verbandskasten handelte, der immer dann zum Einsatz kam, wenn Runen nicht weiterhalfen – er enthielt Verbandmaterial, ein Mittel gegen Wundinfektion, eine Schere und Gaze.

»Willst du keine Heilrune verwenden?«, fragte Jace, eher aus Neugierde.

»Nein. Zur Abwechslung kannst du mal . . .« Alec verstummte und warf den Verbandskasten mit einem unterdrückten Fluch aufs Bett. Dann ging er zu dem kleinen Waschbecken an der Stirnseite des Zimmers und wusch sich so vehement die Hände, dass das Wasser wie feiner Nebel aufspritzte. Jace beobachtete ihn mit distanzierter Neugier. Seine Hand hatte inzwischen schmerzhaft zu pochen begonnen.

Alec schnappte sich den Kasten, zog einen weiteren Hocker heran und ließ sich Jace gegenüber nieder. »Gib mir mal deine Hand«, kommandierte er.

Jace streckte ihm die Hand entgegen; er musste zugeben,

dass sie ziemlich übel aussah: Alle vier Knöchel waren aufgeplatzt wie rote Feuerwerkskörper. Getrocknetes Blut klebte an seinen Fingern und bildete einen schuppigen rotbraunen Handschuh.

Alec verzog das Gesicht. »Du bist ein Idiot.«

»Vielen Dank«, sagte Jace und sah geduldig zu, wie Alec sich mit einer Pinzette über seine Hand beugte und vorsichtig eine Glasscherbe herauszog, die sich in seine Haut gebohrt hatte. »Also, warum nicht?«

»Warum *was* nicht?«

»Warum verwendest du keine Heilrune? Das ist doch keine Dämonenverletzung.«

»Weil . . .«, setzte Alec an und nahm die blaue Flasche mit dem Antiseptikum aus dem Kasten, »weil ich glaube, dass es dir guttun würde, wenn du den Schmerz empfinden würdest. Zur Abwechslung kannst du mal wie ein Irdischer heilen – langsam und schmerzhaft. Vielleicht lernst du ja was daraus.« Schwungvoll kippte er die beißende Flüssigkeit über Jace' Schnittwunden. »Obwohl ich das bezweifle«, fügte er hinzu.

»Ich kann mir jederzeit selbst eine Heilrune auftragen, das ist dir doch wohl klar, oder?«

Alec legte das Ende einer Mullbinde um Jace' Gelenk und begann damit, die Hand zu umwickeln. »Nur wenn du willst, dass ich den Penhallows erzähle, was wirklich mit ihrem Fenster passiert ist – statt sie im Glauben zu lassen, es wäre ein Unfall gewesen.« Er verknotete das Ende der Binde und zog den Knoten mit einem Ruck fest, sodass Jace vor Schmerz zusammenzuckte. »Wenn ich geahnt hätte, dass du dir so was antun würdest, hätte ich dir niemals von Simon erzählt.«

»Doch, das hättest du.« Jace neigte den Kopf leicht zur Seite. »Mir war nicht bewusst, dass meine Attacke auf das Buntglasfenster dich derart mitnehmen würde.«

»Es ist nur so . . .« Alec schaute auf Jace' Hand, die nun ordentlich verbunden war und die er noch immer festhielt. Sie sah aus wie eine weiße Pfote mit kleinen Blutflecken an den Stellen, an denen Alecs Finger sie berührt hatten. »Warum tust du dir so etwas an? Nicht nur die Geschichte mit dem Fenster, sondern auch, wie du mit Clary geredet hast. Wofür bestrafst du dich selbst? Du kannst doch nichts für deine Gefühle.«

Jace' Stimme klang gleichmütig. »Was hab ich denn für Gefühle?«

»Ich habe gesehen, wie du sie ansiehst.« Alecs Blick war in die Ferne gerichtet, vorbei an Jace' Kopf. »Aber du kannst sie nicht haben. Vielleicht hast du ja nie zuvor erfahren, wie es ist, etwas zu wollen, was man nicht haben kann.«

Jace schaute Alec ruhig an. »Was läuft eigentlich zwischen dir und Magnus Bane?«

Ruckartig hob Alec den Kopf. »Ich . . . da ist nichts . . .«

»Ich bin doch nicht blöd. Nach dem Gespräch mit Malachi hast du direkt Magnus kontaktiert, noch bevor du mit mir oder Isabelle oder sonst jemandem gesprochen hast . . .«

»Weil er der Einzige ist, der mir meine Frage beantworten konnte – deshalb! Zwischen uns ist nichts«, erwiderte Alec und fügte dann, als er den Ausdruck auf Jace' Gesicht sah, widerstrebend hinzu: »Nicht mehr. Zwischen uns ist nichts mehr. Okay?«

»Ich hoffe, das ist nicht meinetwegen«, sagte Jace.

Alec wurde kreidebleich und wich zurück, als müsste er sich gegen einen Schlag wappnen. »Was meinst du damit?«

»Ich weiß, was du für mich zu empfinden glaubst«, erklärte Jace. »Aber das fühlst du nicht wirklich. Du magst mich einfach deshalb, weil ich ›sicher‹ bin, unerreichbar. Bei mir besteht kein Risiko. Und dann brauchst du gar nicht erst zu versuchen, eine richtige Beziehung einzugehen, weil du mich ja vorschieben kannst.« Jace wusste, dass er grausam war, aber es interessierte ihn kaum. Es tat fast so gut, die Menschen zu verletzen, die er liebte, wie sich selbst zu verletzen – zumindest wenn er in dieser Stimmung war.

»Ah, ich verstehe«, sagte Alec scharf. »Zuerst Clary, dann deine Hand und jetzt ich. Scher dich zum Teufel, Jace.«

»Du glaubst mir nicht?«, fragte Jace. »Prima. Dann mal los – komm her und küss mich. Hier und jetzt.«

Entsetzt starrte Alec ihn an.

»Siehst du? Denn trotz meines umwerfenden Aussehens magst du mich auf diese Weise dann doch nicht. Und wenn du Magnus in den Wind schießt, dann tust du das nicht meinetwegen. Sondern deswegen, weil du Angst hast, demjenigen, den du wirklich liebst, deine Gefühle einzugestehen. Die Liebe macht die Liebenden zu Lügnern«, erklärte Jace. »Das hat mir die Feenkönigin gesagt. Also verurteile *du* mich nicht dafür, dass ich meine wahren Gefühle verberge. Das machst du nämlich auch.« Entschlossen erhob er sich von seinem Hocker. »Und jetzt möchte ich, dass du das noch mal machst.«

Alecs Gesicht sah man an, wie verletzt er war. »Was meinst du damit?«

»Ich möchte, dass du für mich lügst«, sagte Jace, nahm seine

Jacke vom Wandhaken und streifte sie über. »Die Sonne ist inzwischen untergegangen und die anderen müssten jeden Moment aus der Garnison zurückkehren. Ich möchte, dass du ihnen sagst, ich würde mich nicht wohlfühlen und deshalb nicht zum Essen nach unten kommen. Sag ihnen, mir war schwindlig und ich sei ausgerutscht und das Fenster sei deshalb zerbrochen.«

Alec hob den Kopf und sah Jace fest an. »Also gut«, erwiderte er. »Aber nur, wenn du mir sagst, wohin du wirklich willst.«

»Hinauf zur Garnison«, verkündete Jace. »Ich werde Simon aus dem Gefängnis holen.«

Clarys Mutter hatte die Zeit zwischen der Abenddämmerung und der nächtlichen Dunkelheit immer als »die blaue Stunde« bezeichnet. Das Licht wäre dann besonders intensiv und ungewöhnlich und es sei die beste Zeit zum Malen, hatte sie erklärt. Clary hatte nie richtig verstanden, was sie damit meinte, doch jetzt, auf dem späten Heimweg durch Alicante, erkannte sie es plötzlich.

In New York war die blaue Stunde nicht wirklich blau – Straßenbeleuchtung und Neonreklame ließen sie verblassen. Jocelyn musste an Idris gedacht haben, überlegte Clary. Denn hier legte sich das Licht in blauvioletten Wogen über das goldene Mauerwerk der Stadthäuser und die Elbenlichtlaternen warfen weiße, kreisförmige Lichtkegel auf das Pflaster, die so hell waren, dass Clary fast erwartete, die Wärme der Leuchtquellen auf der Haut zu spüren. Sie wünschte inständig, ihre Mutter wäre hier bei ihr: Jocelyn hätte ihr verschiedene Sehenswürdigkeiten zeigen können, Orte, die sie noch von früher kannte und die einen festen Platz in ihrer Erinnerung besaßen.

Aber sie hat mir nie davon erzählt. Sie hat all diese Dinge bewusst vor mir geheim gehalten. Und jetzt werde ich sie womöglich niemals erfahren. Ein jäher Schmerz, eine Mischung aus Verärgerung und Bedauern, versetzte Clary einen Stich ins Herz.

»Du bist ziemlich still«, sagte Sebastian, während sie eine Brücke überquerten, deren Steinbrüstung mit gemeißelten Runen versehen war.

»Ich frage mich nur, welcher Ärger mich gleich erwartet. Ich musste aus dem Fenster klettern, um aus dem Haus zu kommen, aber wahrscheinlich hat Amatis meine Abwesenheit inzwischen längst bemerkt.«

Sebastian runzelte die Stirn. »Warum hast du dich aus dem Haus schleichen müssen? Durftest du deinen Bruder denn nicht besuchen?«

»Eigentlich dürfte ich überhaupt nicht hier sein«, erläuterte Clary. »Ich sollte in New York hocken und das Geschehen aus sicherer Entfernung beobachten.«

»Ah. Das erklärt eine Menge.«

»Tatsächlich?« Clary warf ihm einen neugierigen Seitenblick zu: Blaue Schatten schimmerten zwischen seinen dunklen Haaren.

»Als am Nachmittag dein Name fiel, schienen sämtliche Lightwoods bleich zu werden. Daraus habe ich geschlossen, dass es zwischen deinem Bruder und dir irgendwie böses Blut gibt.«

»Böses Blut? Na ja, so könnte man es auch formulieren.«

»Du magst ihn nicht besonders?«

»Ob ich Jace *mag?*« In den vergangenen Wochen hatte Clary so viel darüber nachgedacht, ob und wie sehr sie Jace Wayland liebte, dass ihr der Gedanke, ob sie ihn mochte, überhaupt nicht in den Sinn gekommen war.

»Tut mir leid. Er gehört ja zu deiner Familie – da stellt sich nicht die Frage, ob man jemanden mag oder nicht.«

»Aber ich mag ihn«, erklärte Clary zu ihrer eigenen Überraschung. »Ich mag ihn wirklich. Es ist nur so, dass er mich rasend macht. Er sagt mir ständig, was ich zu tun und zu lassen habe . . .«

»Aber das scheint nicht besonders gut zu funktionieren«, bemerkte Sebastian.

»Wie meinst du das?«

»Auf mich machst du den Eindruck, als ob du immer nur das tust, was du selbst willst.«

»Hm, schon möglich.« Diese Einschätzung eines nahezu fremden Menschen verblüffte Clary. »Aber offenbar hat es ihn erheblich wütender gemacht, als ich erwartet hatte.«

»Er wird schon darüber hinwegkommen«, erwiderte Sebastian abschätzig.

Erneut musterte Clary ihn neugierig. »Magst *du* ihn denn?«

»Ja, schon, aber ich glaube, er mag mich nicht besonders.« Sebastian klang wehmütig. »Alles, was ich sage, scheint ihn total zu nerven.«

Sie bogen nun von der Straße auf einen großen kopfsteingepflasterten Platz ab, der von schmalen, hohen Häusern gesäumt war. In der Mitte stand die Bronzestatue eines Engels – des Erzengels Raziel, der sein Blut zur Erschaffung der Schattenjäger gegeben hatte. Am nördlichen Ende des Platzes ragte ein massives weißes Steingebäude auf. Breite Marmorstufen führten zu einem Arkadengang mit dicken Säulen, hinter dem eine riesige Doppelflügeltür zu erkennen war. Im Licht der Abenddämmerung bot das Bauwerk einen faszinierenden – und seltsam vertrauten – Anblick. Clary fragte sich, ob sie wohl schon einmal ein Gemälde dieses Platzes gesehen hatte. Hatte ihre Mutter ihn vielleicht gemalt?

»Das ist der Platz des Erzengels«, erläuterte Sebastian, »und dieses Gebäude war früher die Halle des Erzengels. Dort wurde das erste Abkommen unterzeichnet, da Schattenwesen die Garnison nicht betreten dürfen – und jetzt heißt sie ›Halle des Abkommens‹. Sie dient als wichtigster Versammlungs- und Tagungsort, außerdem finden hier große Feiern statt, Hochzeiten, Bälle und so weiter. Dieser Platz ist das Herz der Stadt. Es heißt, alle Straßen führen zu dieser Halle.«

»Das Gebäude erinnert ein wenig an eine Kirche, aber ihr habt hier gar keine Gotteshäuser, oder?«

»Dafür besteht kein Bedarf«, sagte Sebastian. »Die Dämonentürme schützen uns. Mehr brauchen wir nicht. Deswegen komme ich auch so gern nach Alicante. Hier ist es so . . . friedlich.«

Clary schaute ihn überrascht an. »Dann wohnst du gar nicht hier?«

»Nein. Ich lebe in Paris. Ich bin bei den Penhallows nur zu Besuch; Aline ist meine Cousine. Meine Mutter und ihr Vater – mein Onkel Patrick – waren Geschwister. Alines Eltern haben jahrelang das Institut in Peking geleitet. Vor etwa zehn Jahren sind sie nach Alicante zurückgekehrt.«

»Waren sie . . . die Penhallows haben dem Kreis nicht angehört, oder?«

Ein bestürzter Ausdruck huschte über Sebastians Gesicht. Er schwieg einen Moment, während sie den Platz verließen und in ein Labyrinth von dunklen Gassen bogen. »Warum willst du das wissen?«, fragte er schließlich.

»Na ja . . . die Lightwoods waren immerhin Mitglieder des Kreises.«

Als sie unter einer Straßenlaterne hindurchgingen, musterte Clary den Jungen aus den Augenwinkeln. Mit seinem weißen Hemd unter dem langen dunklen Mantel wirkte er im weißen Elbenlicht wie die Schwarz-Weiß-Illustration eines Gentleman aus einem viktorianischen Roman. Seine dunklen Haare kringelten sich auf eine Art und Weise an den Schläfen, dass es Clary in den Fingern juckte, ihn mit Feder und Tusche zu zeichnen.

»Du musst wissen, dass über die Hälfte der jungen Schattenjäger aus Idris dem Kreis angehört haben, ebenso wie zahlreiche außerhalb des Landes«, erklärte er. »Ganz zu Anfang hat auch mein Onkel Patrick dazu gezählt. Aber als ihm bewusst wurde, wie ernst Valentin die Angelegenheit nahm, ist er aus dem Kreis ausgetreten und hat den Posten am Institut in Peking angenommen, um sich Valentins Einfluss zu entziehen. Dort hat er dann Alines Mutter kennengelernt. Als die Lightwoods und die anderen Mitglieder des Kreises wegen Hochverrats vor Gericht standen, haben die Penhallows dafür gestimmt, Gnade walten zu lassen. Dadurch wurden Robert und Maryse nach New York ins Exil geschickt, statt mit einem Fluch belegt zu werden, wofür sie den Penhallows ewig dankbar sind.«

»Und was ist mit deinen Eltern?«, fragte Clary. »Haben sie dem Kreis angehört?«

»Nein. Meine Mutter war jünger als Patrick; als er nach Peking ging, hat er sie nach Paris geschickt, wo sie dann meinen Vater kennengelernt hat.«

»Deine Mutter *war* jünger als Patrick?«

»Sie ist tot«, sagte Sebastian. »Mein Vater ebenfalls. Ich bin bei meiner Tante Élodie aufgewachsen.«

»Oh«, murmelte Clary und kam sich ziemlich dumm vor. »Das tut mir leid.«

»Ach, ich kann mich kaum noch an sie erinnern«, winkte Sebastian ab. »Als ich kleiner war, hab ich mir immer gewünscht, ich hätte eine ältere Schwester oder einen älteren Bruder . . . jemanden, der mir erzählen könnte, wie sie als Eltern waren.« Nachdenklich musterte er Clary. »Kann ich dich mal was fragen? Warum bist du überhaupt nach Idris gekommen, wenn du gewusst hast, dass dein Bruder so sauer reagieren würde?«

Ehe Clary darauf antworten konnte, traten sie aus einer schmalen Gasse auf den unbeleuchteten kleinen Platz hinaus, in dessen Mitte ein Brunnen im Mondlicht schimmerte, den Clary wiedererkannte. »Der Zisternenplatz«, sagte Sebastian mit unüberhörbarer Enttäuschung in der Stimme. »Wir sind schneller angekommen, als ich dachte.«

Clary warf einen Blick über die steinerne Kanalbrücke. In der Ferne konnte sie Amatis' Haus erkennen; sämtliche Fenster waren hell erleuchtet. Clary seufzte. »Von hier aus find ich den Weg allein, danke.«

»Du willst nicht, dass ich dich bis vor die Haustür begleite . . .?«

»Nein. Es sei denn, du möchtest auch Ärger bekommen.«

»Du glaubst, *ich* würde Ärger bekommen? Weil ich dich wie ein Gentleman nach Hause gebracht habe?«

»Niemand darf wissen, dass ich in Alicante bin«, erklärte Clary. »Eigentlich sollte es ein Geheimnis bleiben. Und nimm es mir bitte nicht übel, aber du bist ein Fremder.«

»Das würde ich gern ändern«, sagte Sebastian. »Ich möchte dich gern näher kennenlernen.« Er musterte sie mit einer Mischung aus spöttischer Belustigung und einer gewissen Schüchternheit, als wäre er sich nicht sicher, wie Clary seine Worte aufnehmen würde.

»Sebastian«, setzte Clary an, die sich plötzlich unendlich müde fühlte. »Es freut mich, dass du mich näher kennenlernen möchtest. Aber im Augenblick habe ich einfach nicht die Energie dazu. Tut mir leid.«

»So habe ich das nicht gemeint . . .«

Aber Clary hatte sich bereits in Bewegung gesetzt und ging auf die Brücke zu. Nach ein paar Metern drehte sie sich noch einmal zu Sebastian um. Im hellen Mondlicht wirkte er seltsam verloren: Sein dunkles Haar war ihm tief ins Gesicht gefallen.

»Ragnor Fell«, sagte Clary.

Sebastian starrte sie verblüfft an. »Wie bitte?«

»Du hast mich doch gefragt, warum ich hierhergekommen bin, obwohl ich eigentlich zu Hause bleiben sollte«, erklärte Clary. »Meine Mutter ist krank. Ernsthaft krank. Möglicherweise wird sie sterben. Das Einzige, was ihr helfen könnte, der einzige Mensch, der ihr helfen könnte, ist ein Hexenmeister namens Ragnor Fell. Das Problem ist nur, ich habe nicht die geringste Ahnung, wo ich ihn finden kann.«

»Clary . . .«

Doch Clary drehte sich wieder um und ging weiter auf das Haus zu. »Gute Nacht, Sebastian«, rief sie über ihre Schulter hinweg.

Das Erklimmen des Spaliergitters erwies sich als deutlich schwieriger als das Hinabklettern. Clarys Stiefel rutschten an der feuchten Steinmauer mehrmals ab und sie war sehr erleichtert, als sie sich endlich über das Fenstersims hieven konnte und mit einer Mischung aus Sprung und Sturz im Zimmer landete.

Ihre Hochstimmung hielt jedoch nicht lange an: Kaum hatte ihr Fuß den Boden berührt, flackerte eine grelle Lampe auf und der Raum wurde in taghelles Licht getaucht.

Amatis saß auf der Bettkante, mit kerzengeradem Rücken und einem Elbenlichtstein in der Hand, dessen harsches Licht die harten Flächen ihres Gesichts und die tiefen Furchen in ihren Mundwinkeln noch deutlicher hervortreten ließen. Ein paar lange Augenblicke starrte sie Clary schweigend an, ehe sie sich schließlich räusperte und meinte: »In diesen Sachen siehst du aus wie Jocelyn.«

Hastig rappelte Clary sich auf. »Ich . . . tut mir leid . . . dass ich mich auf diese Weise verdrückt habe . . .«, murmelte sie.

Amatis schloss die Hand um den Elbenstein, dessen Licht daraufhin erlosch.

Clary blinzelte im plötzlichen Halbdunkel. »Zieh dir ein paar andere Sachen an und komm dann runter in die Küche«, sagte Amatis. »Und komm ja nicht auf die Idee, dich noch einmal aus dem Fenster zu stehlen. Denn sonst könnte es sein, dass du das Haus bei deiner nächsten Rückkehr verschlossen vorfindest.«

Clary schluckte und nickte dann.

Langsam stand Amatis auf und verließ den Raum ohne ein weiteres Wort. Sofort sprang Clary aus der Schattenjägermontur und zog ihre eigenen Sachen an, die nun trocken über der Stange am Fußende des Betts hingen: Ihre Jeans fühlte sich zwar noch ein wenig steif an, aber es war schön, wieder eigene Kleidung tragen zu können. Nachdem sie ihr T-Shirt übergestreift hatte, schüttelte sie kurz die Haare aus und stieg danach die Treppe hinunter.

Das Erdgeschoss von Amatis' Haus kannte sie nur im Fieberwahn: Sie erinnerte sich an scheinbar endlos lange Flure und eine riesige Standuhr, deren Ticken wie die Schläge eines im Sterben liegenden Herzens geklungen hatten. Doch jetzt fand sie sich in einem kleinen, behaglichen Wohnraum wieder, mit schlichtem Holzmobiliar und einem Flickenteppich auf dem Boden. Die überschaubare Größe und die hellen Farben erinnerten sie ein wenig an ihr eigenes Wohnzimmer in ihrem Haus in Brooklyn. Schweigend durchquerte Clary den Raum und betrat die Küche, in der ein knisterndes Holzfeuer im Kamin brannte und warmes gelbes Licht im Raum verteilte. Amatis saß am Küchentisch. Sie hatte ein blaues Umhängetuch um die Schultern gewickelt, das ihre Haare noch grauer erscheinen ließ.

»Hallo.« Clary blieb zögernd im Türrahmen stehen; sie konnte nicht abschätzen, ob Amatis immer noch verärgert war.

»Ich brauche dich wohl kaum zu fragen, wohin du gegangen bist«, sagte Amatis, ohne vom Tisch aufzuschauen. »Du hast

Jonathan aufgesucht, stimmt's? Vermutlich hätte ich nichts anderes erwarten dürfen. Wenn ich eigene Kinder hätte, wäre ich vielleicht in der Lage gewesen zu erkennen, wenn man mich belügt. Aber ich hatte so sehr gehofft, dass ich zumindest dieses Mal meinen Bruder nicht enttäuschen würde.«

»Luke enttäuschen?«

»Weißt du, was geschehen ist, als er gebissen wurde?« Amatis starrte noch immer unverwandt geradeaus. »Als Lucian von einem Werwolf gebissen wurde . . . und das musste natürlich passieren, es war nur eine Frage der Zeit, weil Valentin immer die dümmsten Risiken eingegangen ist und sich und seine Anhänger in unnötige Gefahr gebracht hat . . . als *mein* Bruder gebissen worden war, ist er zu mir gekommen und hat mir erzählt, was passiert war und wie sehr er sich davor fürchtete, sich mit Lykanthropie infiziert zu haben. Und ich habe ihm geantwortet . . . ich habe gesagt . . .«

»Amatis, du brauchst mir das nicht zu erzählen . . .«

»Ich habe ihm gesagt, er solle mein Haus verlassen und nicht eher zurückkehren, ehe er nicht genau wisse, dass er sich nicht angesteckt habe. Ich bin vor ihm zurückgewichen . . . ich konnte einfach nichts dagegen machen.« Ihre Stimme zitterte. »Er konnte sehen, wie angewidert ich war – es stand in meinem Gesicht. Lucian sagte, falls er sich die Krankheit zugezogen hätte, falls er sich in einen Werwolf verwandeln würde, müsste er damit rechnen, dass Valentin ihn auffordern würde, sich selbst das Leben zu nehmen. Und daraufhin habe ich gesagt . . . daraufhin habe ich gesagt, dass das vielleicht auch das Beste wäre.«

Unwillkürlich sog Clary scharf die Luft ein.

Amatis schaute rasch zu ihr auf. In ihren Augen war eine tiefe Abscheu gegen sich selbst zu erkennen. »Luke war immer ein *grundguter* Mensch gewesen, ganz gleich, wozu Valentin ihn auch überreden wollte. Manchmal habe ich gedacht, dass er und Jocelyn die einzig wirklich guten Menschen waren, die ich überhaupt kannte – und ich konnte den Gedanken nicht ertragen, dass ausgerechnet er sich in irgendein Monster verwandeln würde . . .«

»Aber so ist er doch gar nicht. Er ist kein Monster.«

»Das habe ich damals nicht gewusst. Nach seiner Verwandlung, nachdem er aus Alicante geflohen war, hat Jocelyn unermüdlich auf mich eingeredet, um mich davon zu überzeugen, dass er immer noch derselbe Mensch war, dass er immer noch mein Bruder war. Wenn sie nicht gewesen wäre, hätte ich niemals zugestimmt, ihn noch einmal zu treffen. Ich habe ihn hier übernachten lassen, als er vor dem Aufstand in die Stadt kam, hab ihn im Keller versteckt. Aber ich konnte sehen, dass er mir nicht hundertprozentig vertraute – nicht, nachdem ich mich derart von ihm abgekehrt hatte. Und ich glaube, er traut mir noch immer nicht.«

»Er vertraut dir immerhin so weit, dass er sich an dich gewandt hat, als ich krank war«, widersprach Clary. »Und er vertraut dir so sehr, dass er mich hier bei dir gelassen hat . . .«

»Er hatte ja auch niemand anderen, an den er sich wenden konnte«, sagte Amatis. »Und nun sieh dir mal an, wie gut ich auf dich aufgepasst habe. Nicht mal einen einzigen Tag habe ich dich im Haus halten können.«

Clary zuckte zusammen. Diese Selbstvorwürfe waren viel schlimmer als jede Strafpredigt. »Aber das ist doch nicht deine

Schuld! Ich habe dich belogen und mich aus dem Haus geschlichen. Es gab nichts, was du dagegen hättest tun können.«

»Ach, Clary«, sagte Amatis. »Begreifst du es denn nicht? Es besteht immer die Möglichkeit, etwas zu tun. Aber Menschen wie ich reden sich gern ein, dass es anders wäre. Ich habe mir selbst weisgemacht, dass es nichts gäbe, was ich wegen Luke unternehmen könnte. Ich habe mir eingeredet, dass ich nichts daran ändern könnte, als Stephen mich verlassen hat. Und ich lehne es sogar ab, an den Versammlungen des Rats teilzunehmen, weil ich mir einrede, dass ich keinerlei Einfluss auf seine Entscheidungen hätte, auch wenn ich diese aus tiefstem Herzen ablehne. Aber wenn ich dann doch einmal beschließe, etwas zu unternehmen . . . na ja, du siehst es ja selbst: Nicht einmal das bekomme ich richtig hin.« Im Schein des Kaminfeuers funkelten ihre Augen hart und strahlend. »Geh ins Bett, Clary«, beendete sie ihren Monolog. »Und von nun an kannst du kommen und gehen, wann du willst. Ich werde dich nicht daran hindern. Schließlich ist es so, wie du gesagt hast: Es gibt nichts, was ich dagegen tun könnte.«

»Amatis . . .«

»Nein, lass mich.« Amatis schüttelte den Kopf. »Geh einfach ins Bett. Bitte.« In ihrer Stimme lag etwas Endgültiges. Sie wandte sich ab, als hätte Clary die Küche bereits verlassen, und starrte gegen die Wand.

Clary machte auf dem Absatz kehrt und rannte die Treppe hinauf. Frustriert warf sie die Tür des Gästezimmers hinter sich ins Schloss und ließ sich auf das Bett fallen. Eigentlich hatte sie damit gerechnet, vor Selbstmitleid sofort zu weinen, doch die Tränen wollten nicht fließen. *Jace hasst mich*, dachte sie. *Amatis hasst mich. Ich hab mich nicht von Simon verabschieden können. Meine Mutter liegt im Sterben. Und Luke hat mich im Stich gelassen. Ich bin allein. In meinem ganzen Leben war ich noch nie so einsam, und das ist alles meine eigene Schuld.* Vielleicht war das der Grund, warum sie nicht weinen konnte, erkannte sie allmählich, während sie mit geröteten, aber trockenen Augen an die Decke starrte. Denn welchen Sinn hatte es zu weinen, wenn es niemanden gab, der einen trösten konnte? Schlimmer noch: Wenn man sich nicht einmal selbst trösten konnte?

7
Wo Engel nicht
aufzutreten wagen

Der Klang einer Stimme ließ Simon aus einem wirren Traum mit spritzendem Blut und gleißendem Sonnenlicht hochschrecken – eine Stimme, die seinen Namen rief.

»*Simon*«, zischte die Stimme. »Simon, *wach auf!*«

Im Bruchteil einer Sekunde war Simon auf den Beinen – manchmal überraschte es ihn selbst, wie schnell er sich inzwischen bewegen konnte. Suchend sah er sich in der Dunkelheit der Zelle um. »Samuel?«, flüsterte er und starrte in das Dunkel. »Samuel, bist du das?«

»Dreh dich um, Simon.« In der entfernt vertrauten Stimme schwang nun eine leicht gereizte Note mit. »Und komm zum Fenster.«

In dem Moment wusste Simon, wer ihn da rief. Er spähte durch das Gitter. Auf dem Rasen vor dem Fenster kniete Jace, ein Elbenlicht in der Hand, und musterte ihn mit angespanntem Blick.

»Was ist? Hast du gedacht, du hättest einen Albtraum gehabt?«, fragte er mürrisch.

»Vielleicht ist er ja noch nicht vorbei und ich befinde mich noch mittendrin«, konterte Simon. Er hörte ein Rauschen in den Ohren – wenn er noch einen Herzschlag gehabt hätte,

hätte er angenommen, es wäre Blut, das durch seine Adern strömte. Doch es musste sich um etwas anderes handeln, etwas, das weniger körperlich, aber dafür elementarer als Blut war.

Der Elbenstein warf ein bizarres Muster aus Licht und Schatten auf Jace' blasses Gesicht. »Also hier haben sie dich hineingesteckt. Ich hätte nicht gedacht, dass diese Zellen überhaupt noch genutzt werden.« Er warf einen Blick auf die Nachbarzelle. »Ich hab mich zuerst im Fenster geirrt . . . und deinem Freund nebenan wohl einen ziemlichen Schrecken eingejagt. Übrigens ein echt attraktiver Zeitgenosse, mit dem Bart und den Lumpen . . . erinnert mich irgendwie an die Obdachlosen in New York.«

Plötzlich erkannte Simon, worum es sich bei dem Rauschen in seinen Ohren handelte: Wut, rasende Wut. Tief in seinem Inneren registrierte er, dass er die Zähne bleckte und wie die Spitzen seiner Fangzähne über seine Unterlippe streiften. »Freut mich, dass du das alles hier so amüsant findest«, stieß er hervor.

»Dann bist du etwa *nicht* froh, mich zu sehen?«, fragte Jace. »Ich muss sagen, das überrascht mich jetzt aber doch. Man hat mir immer versichert, meine Anwesenheit würde jeden Raum erhellen. Und man sollte doch annehmen, dass dies für feuchte, unterirdische Verliese erst recht gilt.«

»Du hast gewusst, was passieren würde, oder etwa nicht? ›Sie werden dich direkt nach New York zurückschicken‹, hast du gesagt. Überhaupt kein Problem. Aber der Rat hatte nie die Absicht, mich gehen zu lassen.«

»Das habe ich nicht gewusst.« Jace' Blick traf den von Simon – er schaute ihn ruhig und fest an. »Ich weiß, dass du mir das nicht glaubst, aber ich dachte wirklich, man wolle dich zurückschicken.«

»Entweder lügst du oder du bist unglaublich naiv . . .«

»Dann bin ich eben naiv.«

». . . oder beides«, beendete Simon seinen Satz. »Ich tippe ja auf Letzteres.«

»Ich habe keinen Grund, dich anzulügen. Jedenfalls nicht im Moment.« Jace musterte ihn weiterhin ruhig. »Und hör endlich auf, die Zähne zu fletschen. Das macht mich ganz nervös.«

»Gut so«, sagte Simon. »Falls du wissen willst, warum meine Fangzähne zum Vorschein gekommen sind, kann ich dir das gern verraten: Du riechst nach Blut.«

»Das ist mein Eau de Cologne. *Eau de Frische Wunden.*« Jace hob seine linke, vollständig in Bandagen gewickelte Hand – ein weißer Handschuh mit roten Flecken an den Knöcheln, wo Blut hindurchgesickert war.

Simon runzelte die Stirn. »Ich dachte, Typen wie du würden keine Verletzungen davontragen. Jedenfalls keine von langer Dauer.«

»Ich habe mit der Hand ein Fenster zerschlagen«, erklärte Jace, »und Alec zwingt mich, wie ein Irdischer zu heilen, um mir eine Lektion zu erteilen. Da hast du's: Ich habe dir die Wahrheit gesagt. Und, bist du jetzt beeindruckt?«

»Nein«, erwiderte Simon. »Ich habe größere Probleme als du. Der Inquisitor stellt mir dauernd Fragen, die ich nicht beantworten kann. Er wirft mir vor, ich hätte meine Fähigkeiten als Tageslichtler von Valentin erhalten. Und dass ich für ihn *spionieren* würde.«

Ein beunruhigter Ausdruck huschte über Jace' Gesicht. »Das hat Aldertree gesagt?«

»Aldertree hat durchblicken lassen, der gesamte Rat würde das denken.«

»Das ist schlecht. Wenn der Rat nämlich zu dem Schluss kommt, dass du ein Spion bist, dann gelten die im Abkommen vereinbarten Regeln für dich nicht. Jedenfalls nicht, solange sie davon ausgehen, dass du das Gesetz gebrochen hast.« Jace sah sich rasch um, ehe er sich Simon wieder zuwandte. »Wir sollten besser zusehen, dass wir dich hier rausholen.«

»Und was passiert dann?« Simon konnte kaum glauben, dass er diese Frage stellte. Er wünschte sich so sehr, aus dieser Zelle herauszukommen, dass er es fast körperlich spürte, und dennoch konnte er sich nicht zurückhalten. »Wo willst du mich dann verstecken?«

»Hier in der Garnison gibt es ein Portal. Wenn wir es finden, könnte ich dich zurückschicken . . .«

»Und dann weiß jeder, dass du mir geholfen hast. Jace, ich bin nicht der Einzige, hinter dem der Rat her ist. Im Grunde bezweifle ich sogar, dass er sich für einen Schattenweltler mehr oder weniger überhaupt interessiert. Die Ratsmitglieder versuchen vielmehr, Beweise gegen deine Familie zu sammeln. Sie wollen beweisen, dass die Lightwoods irgendwie mit Valentin unter einer Decke stecken. Dass sie den Kreis nie wirklich verlassen haben.«

Selbst in der Dunkelheit konnte Simon erkennen, wie sich Jace' Wangen vor Wut röteten. »Aber das ist doch lächerlich. Sie haben gegen Valentin gekämpft . . . auf dem Schiff . . . Robert wäre fast gestorben . . .«

»Der Inquisitor zieht es vor zu glauben, dass die Lightwoods das Leben der anderen Nephilim auf dem Schiff geopfert haben, um die Illusion zu wahren, sie wären gegen Valentin. Aber sie haben nun mal das Engelsschwert verloren und das ist das Einzige, wofür Aldertree sich interessiert. Du hast doch noch versucht, den Rat zu warnen, aber das hat die Mitglieder nicht interessiert. Und jetzt sucht der Inquisitor nach einem Sündenbock, jemandem, dem er die Schuld in die Schuhe schieben kann. Wenn es ihm gelingt, deine Familie als Verräter abzustempeln, dann wird niemand dem Rat einen Vorwurf machen für das, was geschehen ist. Und der Inquisitor kann schalten und walten, wie er will – und zwar ohne jeden Widerspruch.«

Jace fuhr sich über das Gesicht und spielte nachdenklich an seinen Haaren. »Aber ich kann dich doch nicht einfach hierlassen. Wenn Clary das herausfindet . . .«

»Ich hätte wissen müssen, dass es dir nur darum geht.« Simon lachte freudlos. »Na, dann erzähl ihr doch einfach nicht davon. Sie ist ja sowieso in New York, dank dem Her. . .« Simon verstummte – er konnte das Wort einfach nicht über die Lippen bringen. »Du hast recht gehabt«, sagte er stattdessen. »Ich bin froh, dass Clary nicht hier ist.«

Jace hob den Kopf. »Wie bitte?«

»Der Rat ist vollkommen durchgeknallt. Wer weiß, was er mit ihr anstellen würde, wenn herauskäme, wozu sie fähig ist. Du hast recht gehabt«, wiederholte Simon. Als Jace nicht reagierte, fügte er hinzu: »Und von mir aus kannst du deinen Triumph ruhig genießen. Denn wahrscheinlich wirst du so was nie wieder von mir zu hören bekommen.«

Jace starrte ihn mit ausdrucksloser Miene an und Simon fühlte sich auf unangenehme Weise an den Moment erinnert, als Jace auf dem Metallboden von Valentins Schiff gelegen hatte, blutverschmiert und dem Tod nahe. Schließlich fing Jace sich wieder. »Dann willst du mir also wirklich sagen, dass du hierbleiben möchtest? In diesem Gefängnis? Und wie lange?«

»Bis wir eine bessere Idee haben«, erklärte Simon. »Aber da ist noch etwas anderes.«

Jace zog die Augenbrauen hoch. »Und das wäre?«

»Blut«, sagte Simon. »Der Inquisitor versucht, mich auszuhungern, damit ich rede. Und ich fühle mich schon jetzt ziemlich geschwächt. Morgen wird es mir noch . . . na ja, ich weiß nicht, wie es mir morgen gehen wird. Aber ich will mich nicht geschlagen geben. Und ich will auch nicht noch mal dein Blut trinken oder das von irgendjemand anderem«, fügte er hastig hinzu, ehe Jace ihm dieses Angebot machen konnte. »Tierblut wäre prima.«

»Das kann ich dir besorgen«, sagte Jace. Doch dann fragte er zögernd: »Hast du . . . hast du dem Inquisitor erzählt, dass ich dich von meinem Blut habe trinken lassen? Dass ich dir das Leben gerettet habe?«

Simon schüttelte den Kopf.

In Jace' Augen spiegelte sich das Licht des Elbensteins. »Und warum nicht?«

»Ich schätze, ich wollte dich nicht in noch größere Schwierigkeiten bringen.«

»Hör zu, Vampir«, sagte Jace. »Beschütze von mir aus die Lightwoods. Aber versuch nicht, mich zu schützen.«

Simon hob den Kopf. »Warum nicht?«

»Weil . . .«, setzte Jace an – und einen Moment lang hatte Simon fast das Gefühl, er selbst befände sich in Freiheit und Jace säße hinter Gittern – »weil ich es nicht verdiene.«

Ein dumpfes Geräusch wie von Hagelkörnern auf einem Wellblechdach riss Clary aus dem Schlaf. Sie setzte sich auf und sah sich benommen um. Das Geräusch ertönte erneut – ein lautes Prasseln, das vom Fenster kam. Widerstrebend schlug sie die Decke zurück und stand auf, um nachzusehen.

Als sie das Fenster aufstieß, wehte ein kalter Windstoß ins Zimmer und fuhr schneidend wie ein Messer durch ihren dünnen Schlafanzug. Fröstelnd beugte Clary sich über das Fensterbrett.

Irgendjemand stand unten im Garten und ihr Herz machte einen Sprung, weil sie glaubte, den schlanken, hochgewachsenen Schatten mit den jungenhaften, zerzausten Haaren zu erkennen. Doch dann hob er den Kopf und sie sah, dass er dunkle, nicht blonde Haare hatte. Und zum zweiten Mal innerhalb weniger Stunden wurde ihr bewusst, dass sie auf Jace gehofft hatte, stattdessen nun aber Sebastian bekam.

Sebastian hielt eine Handvoll Kieselsteinchen in der Hand. Als er sah, wie Clary den Kopf aus dem Fenster streckte, lächelte er, deutete dann auf sich und anschließend auf das Rosenspalier. *Klettere nach unten.*

Clary schüttelte den Kopf und zeigte zur Vorderseite des Hauses. *Komm zur Haustür.* Dann schloss sie das Fenster und lief die Treppe hinunter. Der Morgen war bereits angebrochen und die Morgensonne schimmerte schon golden durch die Fenster, während im Haus sämtliche Lichter ausgeschaltet waren und alles vollkommen ruhig war. *Amatis schläft wohl noch,* überlegte Clary.

Rasch ging sie zur Haustür, zog den Riegel zur Seite und öffnete sie. Sebastian stand bereits auf der obersten Stufe der Treppe und ein weiteres Mal überkam Clary dieses merkwürdige Gefühl, dass sie ihn von irgendwoher kannte – allerdings schien das Gefühl dieses Mal weniger stark ausgeprägt als bei ihrer ersten Begegnung. Sie schenkte Sebastian ein mattes Lächeln. »Du hast Steinchen gegen mein Fenster geworfen«, sagte sie. »Ich dachte, das würde man nur in Filmen so machen.«

Sebastian grinste. »Hübscher Schlafanzug. Habe ich dich geweckt?«

»Könnte sein.«

»Tut mir leid«, sagte er, obwohl er nicht den Anschein erweckte, als täte es ihm wirklich leid. »Aber diese Geschichte duldet keinen Aufschub. Ich schlage vor, du läufst eben nach oben und ziehst dir was an. Wir werden den ganzen Tag zusammen verbringen.«

»Wow. Du bist ja ganz schön selbstsicher!«, erwiderte Clary, überlegte dann aber, dass Jungen mit solch einem umwerfenden Aussehen wie Sebastian vermutlich keinen Grund hatten, etwas anderes als selbstsicher zu sein. Bedauernd schüttelte sie den Kopf. »Tut mir leid, aber ich kann nicht. Ich sollte besser im Haus bleiben. Jedenfalls heute.«

Zwischen Sebastians Augen erschien eine dünne Sorgenfalte. »Aber du bist doch gestern auch nicht im Haus geblieben.«

»Ich weiß, aber das war, bevor . . .« *Bevor Amatis mich zur Schnecke gemacht hat.* »Ich kann einfach nicht. Und bitte versuch nicht, mich davon abzubringen, okay?«

»Okay«, sagte Sebastian, »das werde ich nicht versuchen. Aber lass mich dir wenigstens erzählen, warum ich hergekommen bin. Wenn du danach immer noch willst, dass ich gehe, werde ich sofort verschwinden. Versprochen.«

»Also gut, worum geht's?«

Sebastian hob das Gesicht und Clary fragte sich, wie es möglich war, dass dunkle Augen genau so funkeln konnten wie goldbraune. »Ich weiß, wo du Ragnor Fell finden kannst«, verkündete er.

Clary benötigte weniger als zehn Minuten, um nach oben zu stürmen, in ihre Sachen zu schlüpfen, eine hastig niedergeschriebene Nachricht für Amatis zu hinterlassen und zu Sebastian zurückzukehren, der am Ufer des Kanals auf sie wartete. Als sie atemlos auf ihn zugerannt kam, das grüne Cape eilig über den Arm geworfen, musste er grinsen.

»So, da bin ich«, rief Clary. »Können wir jetzt aufbrechen?«

Doch Sebastian bestand darauf, ihr erst einmal das Cape umzulegen. »Ich glaube nicht, dass mir schon jemals irgendjemand in den Mantel geholfen hat«, bemerkte Clary und zog ihre Haare hervor, die unter dem Kragen eingeklemmt waren. »Abgesehen von einem Kellner vielleicht. Warst du früher mal Kellner?«

»Nein, aber ich wurde von einer französischen Tante erzogen«, half Sebastian Clarys Gedächtnis auf die Sprünge. »Und dazu gehörte ein äußerst strenges Trainingsprogramm.«

Trotz ihrer Nervosität musste Clary lächeln. Sebastian gelang es ziemlich gut, sie zum Lächeln zu bringen, stellte sie leicht überrascht fest. Fast schon *zu* gut. »Wo wollen wir hin?«, fragte sie unvermittelt. »Liegt Fells Haus hier in der Nähe?«

»Nein, er wohnt außerhalb der Stadt«, erklärte Sebastian und setzte sich so abrupt in Bewegung, dass Clary sich beeilen musste, um mit ihm Schritt zu halten.

»Ist es weit bis dorthin?«, fragte sie, während sie die Brücke überquerten.

»Zu weit zum Laufen. Wir werden uns bringen lassen.«

»Bringen lassen? Von wem?« Abrupt hielt Clary inne. »Sebastian, wir müssen vorsichtig sein. Wir dürfen niemandem anvertrauen, was wir vorhaben . . . was *ich* vorhabe. Es ist ein Geheimnis.«

Sebastian betrachtete sie aus nachdenklichen dunklen Augen. »Ich schwöre beim Erzengel Raziel, dass der Freund, der uns zu Fell bringen wird, niemandem auch nur ein Sterbenswörtchen verraten wird.«

»Bist du sicher?«

»Ich bin mir *absolut* sicher.«

Ragnor Fell, dachte Clary, während sie sich einen Weg durch die belebten Straßen bahnten. *Ich werde Ragnor Fell sehen.* Fieberhafte Aufregung paarte sich mit beklommener Nervosität – Madeleine hatte den Hexenmeister als äußerst schwierig beschrieben. Was wäre, wenn er kein Interesse hatte, sie zu empfangen, keine Zeit? Oder wenn es ihr nicht gelang, ihn davon zu überzeugen, dass sie wirklich die Person war, die man ihm angekündigt hatte? Oder wenn er sich nicht einmal mehr an ihre Mutter *erinnerte?*

Und die Tatsache, dass sie bei jedem blonden Mann und jedem Mädchen mit langen dunklen Haaren, die ihnen auf der

Straße begegneten, innerlich zusammenzuckte, trug auch nicht gerade zur Beruhigung von Clarys Nerven bei – denn jedes Mal glaubte sie, Jace oder Isabelle zu sehen. Aber Isabelle würde sie wahrscheinlich einfach ignorieren, überlegte sie niedergeschlagen, und Jace war zweifellos noch bei den Penhallows und knutschte mit seiner neuen Freundin herum.

»Machst du dir Sorgen, dass uns jemand folgen könnte?«, fragte Sebastian, als sie in eine Seitenstraße einbogen, die vom Stadtzentrum fortführte. »Du drehst dich dauernd um.«

»Ich bilde mir ständig ein, ich würde jemanden sehen, den ich kenne«, räumte Clary ein. »Jace oder die Lightwoods.«

»Ich glaube nicht, dass Jace das Haus der Penhallows seit seiner Ankunft auch nur einmal verlassen hat. Meistens drückt er sich in seinem Zimmer herum. Außerdem hat er sich gestern übel an der Hand verletzt . . .«

»An der Hand verletzt? Wie ist das denn passiert?«, fragte Clary und stolperte über einen Stein, da sie überhaupt nicht mehr auf den Weg geachtet hatte. Irgendwie hatte sich die Straße unbemerkt von Kopfsteinpflaster in einen Kiesweg verwandelt. »Autsch«, stieß sie hervor.

»Wir sind da«, verkündete Sebastian und blieb vor einem hohen Lattenzaun stehen. Weit und breit war kein Haus zu sehen – Clary und Sebastian hatten das Wohngebiet relativ abrupt hinter sich gelassen. Auf der einen Straßenseite ragte lediglich ein Lattenzaun auf und auf der anderen Seite stieg das Gelände langsam zu einem Waldstück an.

In der Mitte des Zauns befand sich ein Tor, das jedoch mit einem Vorhängeschloss gesichert war. Sebastian holte einen schweren Stahlschlüssel aus seiner Tasche und öffnete das

Schloss. »Ich bin gleich wieder zurück, mit unserem Freund«, sagte er und warf das Tor hinter sich zu. Clary presste ein Auge gegen den Zaun und spähte zwischen den Latten hindurch: Auf der anderen Seite stand eine Art niedriges Fachwerkhaus, das aber weder eine Tür noch ein Fenster hatte . . .

Im nächsten Moment öffnete sich das Tor und Sebastian erschien, mit einem breiten Grinsen im Gesicht. In der Hand hielt er einen Zügel und hinter ihm kam ein riesiges grau-weiß geschecktes Pferd mit einer sternförmigen Blesse auf der Stirn zum Vorschein, das ihm sanftmütig folgte.

»Ein *Pferd*? Du hast ein Pferd?« Verwundert starrte Clary ihn an. »Wieso hast du ein Pferd?«

Sebastian streichelte dem Tier liebevoll über das Schulterblatt. »Eine ganze Reihe von Schattenjägerfamilien besitzen Pferde, die hier in den Stallungen am Rand von Alicante untergebracht sind. Wie dir ja sicher schon aufgefallen ist, gibt es in Idris keine Autos. Die starken Schutzwälle beeinträchtigen irgendwie die Motoren«, erklärte er und tätschelte den hellen Ledersattel, auf dem ein Wappen prangte – eine Wasserschlange, die in einer gewundenen Spirale aus einem See aufstieg. Darunter stand der Name *Verlac* in feinen Lettern geschrieben. »Okay. Steig auf!«

Clary wich zurück. »Ich bin noch nie geritten.«

»*Ich* werde Wayfarer reiten«, versicherte Sebastian ihr. »Du brauchst nichts anderes zu tun, als einfach nur vor mir zu sitzen.«

Das Pferd schnaubte leise. *Es hat riesige Zähne . . . fast so groß wie PEZ-Bonbonspender,* stellte Clary beunruhigt fest und malte sich aus, wie diese Hauer sich in ihr Bein gruben. Beim Gedanken an ihre früheren Klassenkameradinnen, die sich nichts sehnlicher gewünscht hatten als ein eigenes Pony, fragte Clary sich, ob sie allesamt verrückt gewesen waren.

Sei tapfer, ermahnte sie sich. *Das ist genau das, was deine Mutter jetzt tun würde.*

Entschlossen holte sie tief Luft. »Also gut, dann mal los.«

Clarys Entschluss, tapfer zu sein, hielt exakt bis zu dem Augenblick, als Sebastian ihr in den Sattel half, sich hinter ihr auf das Pferd schwang und ihm die Sporen gab. Wayfarer preschte los wie eine Kanonenkugel und galoppierte mit solch einer Kraft über den Kiesweg, dass Clary die Wucht der Hufschläge bis ins Rückenmark spürte. Verbissen klammerte sie sich an den Sattelknauf, der vor ihr aufragte, und grub die Nägel tief in das Leder.

Als sie die Stadt hinter sich ließen, verengte sich die Straße zu einem schmalen Pfad mit dichten Bäumen auf beiden Seiten, die wie eine grüne Mauer aufragten und jede Sicht in die Ferne versperrten. Sebastian zügelte Wayfarer, der daraufhin seinen wilden Galopp beendete und ein gemäßigteres Tempo anschlug, wodurch sich auch Clarys Herzschlag allmählich beruhigte. Als die Panik langsam abebbte, wurde sie sich Sebastians Gegenwart hinter ihr immer stärker bewusst: Er hielt die Zügel links und rechts von ihr und schuf damit eine Art Käfig um sie herum, der dafür sorgte, dass sie nicht das Gefühl bekam, jeden Moment vom Pferd hinunterzurutschen. Plötzlich spürte sie seine Anwesenheit sehr deutlich – nicht nur die starken, muskulösen Arme, die sie hielten, sondern auch seine Brust, gegen die sie lehnte, und seinen Geruch, der aus irgendeinem Grund an schwarzen Pfeffer erinnerte. Allerdings nicht auf unangenehme Weise, vielmehr würzig und aromatisch – ganz anders als Jace' Duft nach Seife und Sonne. Wobei Sonnenstrahlen natürlich keinen Geruch hatten, aber wenn sie einen besäßen . . .

Clary biss die Zähne zusammen: Sie befand sich hier mit Sebastian auf dem Weg zu einem mächtigen Hexenmeister, aber ihre Gedanken schweiften immer wieder zu Jace und zu seinem Geruch ab. Resolut zwang sie sich, stattdessen die Gegend in Augenschein zu nehmen: Die grünen Baumreihen dünnten allmählich aus und dahinter entdeckte sie auf beiden Seiten des Wegs eine marmorierte, atemberaubend schöne Landschaft – ein grüner Flickenteppich, durchbrochen von grauen Feldstraßen und schwarzen Felsspitzen, die aus den Wiesenflächen aufragten. Dazwischen wuchsen runde Büschel feiner weißer Blüten, die Clary bereits auf dem Weg nach Alicante in der Nekropolis gesehen hatte und die wie kleine Schneekuppen die Hügel bedeckten.

»Wie hast du herausgefunden, wo Ragnor Fell wohnt?«, fragte Clary, während Sebastian das Pferd geschickt um ein Schlagloch in der Straße herumführte.

»Über meine Tante Élodie. Sie verfügt über ein erstaunliches Netzwerk an Informanten und ist über alles, was in Idris geschieht, bestens informiert – auch wenn sie selbst nie hierherkommt. Sie verlässt das Institut nur äußerst ungern.«

»Und was ist mit dir? Kommst du häufig nach Idris?«

»Nein, eigentlich nicht. Bei meinem letzten Besuch war ich fünf Jahre alt. Und da ich meine Tante und meinen Onkel in der Zwischenzeit nicht gesehen habe, bin ich froh, jetzt wieder hier zu sein. Das gibt mir die Gelegenheit, mir die ganzen Familiengeschichten erzählen zu lassen, die sich inzwischen ereignet haben. Außerdem vermisse ich Idris, wenn ich nicht hier bin. Kein Land der Welt kann sich damit vergleichen. Die Erde hier hat irgendetwas Besonderes an sich. Nach einer Weile beginnt man es zu spüren, und wenn man dann fort ist, vermisst man dieses Gefühl.«

»Ich weiß, dass Jace Idris vermisst hat«, sagte Clary. »Aber ich dachte, das läge daran, dass er lange in diesem Land gelebt hat. Er ist hier aufgewachsen.«

»Auf dem Herrensitz der Waylands«, bestätigte Sebastian. »Übrigens gar nicht weit von dem Ort entfernt, wohin wir reiten.«

»Du scheinst einfach alles zu wissen.«

»Nein, nicht *alles*«, erwiderte Sebastian mit einem leisen Lachen, das Clary durch ihren Rücken spürte. »Jaja, Idris übt seinen Zauber auf jeden aus – sogar auf diejenigen, die wie Jace allen Grund haben, das Land zu hassen.«

»Warum sagst du so was?«

»Na ja, er wurde doch von Valentin erzogen, oder etwa nicht? Und das muss ziemlich übel gewesen sein.«

»Ich weiß nicht recht«, entgegnete Clary zögernd. »Tatsache ist, dass er mit gemischten Gefühlen an die Zeit in Idris zurückdenkt. Ich glaube schon, dass Valentin ein schrecklicher Vater gewesen ist, aber andererseits sind die wenigen Anzeichen von Zuneigung, die er Jace gegenüber gezeigt hat, auch die einzige Form der Liebe, die Jace je kennengelernt hat.« Beim Gedanken daran wurde Clary von einer Woge der Trauer erfasst. »Ich glaube, dass er sich mit großer Zuneigung an Valentin erinnert hat . . . für einen ziemlich langen Zeitraum zumindest.«

»Ich kann mir nicht vorstellen, dass Valentin Jace gegenüber jemals Zuneigung oder Liebe gezeigt hat. Valentin ist ein Monster.«

»Das mag sein, aber Jace ist sein Sohn. Und damals war er noch ein kleiner Junge. Ich glaube schon, dass Valentin ihn geliebt hat, auf seine eigene Art und Weise . . .«

»Nein.« Sebastians Stimme klang scharf und angespannt. »Ich fürchte, das ist vollkommen unmöglich.«

Clary blinzelte verwirrt und hätte sich fast zu Sebastian umgedreht, um sein Gesicht zu sehen, besann sich dann aber eines Besseren. Wenn es um Valentin ging, reagierten alle Schattenjäger irgendwie verrückt – mit Schaudern erinnerte sie sich an die Inquisitorin. Und sie konnte ihnen deswegen wohl kaum einen Vorwurf machen. »Wahrscheinlich hast du recht«, räumte sie ein.

»Wir sind da«, sagte Sebastian abrupt – so abrupt, dass Clary sich fragte, ob sie ihn vielleicht irgendwie gekränkt hatte – und sprang vom Pferd. Als er jedoch zu ihr aufschaute, lächelte er wieder. »Wir sind erstaunlich schnell vorwärtsgekommen«, fügte er hinzu und band die Zügel um den unteren Ast eines nahe stehenden Baums. »Viel schneller, als ich gedacht hätte.«

Mit einer ausladenden Handbewegung forderte er Clary auf abzusteigen, woraufhin sie sich nach kurzem Zögern aus dem Sattel und in seine Arme gleiten ließ. Als er sie auffing, hielt sie sich an ihm fest, da ihre Knie nach dem langen Ritt noch etwas wacklig waren. »'tschuldigung«, murmelte sie verlegen. »Ich wollte mich nicht an dir festklammern.«

»Dafür brauchst du dich doch nicht zu entschuldigen.« Warm streifte sein Atem über ihren Hals und ein Schaudern ging durch ihren Körper. Seine Hände verweilten einen Moment länger als nötig auf ihrem Rücken, ehe er sie widerstrebend freigab.

Diese Gesten trugen nicht unbedingt dazu bei, dass Clary sich wieder sicherer auf den Beinen fühlte. »Danke«, sagte sie, wobei ihr bewusst wurde, dass sie rot anlief, und sie sich inständig wünschte, ihre helle Haut würde ihr Erröten nicht so schnell verraten. »So, das ist also Fells Wohnort?« Erstaunt sah sie sich um. Sie befanden sich in einem kleinen Tal zwischen niedrigen Hügeln. Um eine Lichtung herum standen mehrere knorrige Bäume – vor dem stahlblauen Himmel strahlten ihre krummen Äste eine skulpturale Schönheit aus. Doch ansonsten war nichts zu sehen. »Hier ist doch gar nichts«, stellte Clary stirnrunzelnd fest.

»Clary. *Konzentrier dich.*«

»Du meinst, es liegt ein Zauberglanz über dem Gelände? Aber normalerweise brauche ich mich doch nicht anzustrengen . . .«

»Zauberglanz in Idris ist häufig stärker als an anderen Orten. Möglicherweise musst du dir mehr Mühe geben als sonst.« Sanft legte er ihr die Hände auf die Schultern und drehte sie behutsam. »Sieh dir mal die Lichtung genauer an.«

Schweigend vollzog Clary die geistige Übung, die es ihr erlaubte, den falschen Glanz von dem verborgenen Objekt zu entfernen: Sie entspannte sich und stellte sich vor, wie sie einen Terpentinlappen nahm und eine Leinwand abtupfte, um damit den Zauberglanz wegzuwischen wie alte Farbe von einem Gemälde. Und da war er, der wirkliche Anblick: ein kleines Steinhaus mit einem steilen Giebeldach, aus dessen Schornstein elegante Rauchkringel aufstiegen. Ein gewundener Pfad mit Steinplatten führte zur Eingangstür. Als Clary genauer hinschaute, sandte der Kamin plötzlich keine bauschigen Rauchwolken mehr gen Himmel – stattdessen nahm der Rauch die Gestalt eines wabernden schwarzen Fragezeichens an.

Sebastian lachte. »Ich denke, das bedeutet ›Wer da?‹«

Fröstelnd zog Clary ihren Umhang fester um sich. Obwohl der Wind, der über das kurze Gras strich, gar nicht so frisch war, spürte sie, wie eine Eiseskälte sie bis ins Mark durchdrang. »Das sieht aus wie in einem Märchen«, murmelte sie.

»Ist dir kalt?«, fragte Sebastian und legte einen Arm um sie. Sofort verwandelte sich der fragezeichenförmige Rauch aus dem Kamin in unsymmetrische Herzchen, die stoßweise in den Himmel gesandt wurden. Clary tauchte unter Sebastians Arm hindurch und drehte sich von ihm fort – irgendwie war ihr die Situation peinlich. Außerdem hatte sie ein schlechtes Gewissen, als hätte sie etwas falsch gemacht. Hastig marschierte sie den Steinpfad hinauf, der zum Haus führte, dicht gefolgt von Sebastian. Sie hatten gerade die Hälfte des Wegs zurückgelegt, als die Eingangstür mit Schwung aufflog.

Obwohl Clary seit dem Moment, in dem Madeleine ihr den Namen des Hexenmeisters verraten hatte, von der Idee besessen gewesen war, Ragnor Fell zu finden, hatte sie sich nicht ein einziges Mal ausgemalt, wie er wohl aussehen mochte – und wenn, dann hätte sie auf einen großen, alten Mann mit Bart getippt. Jemand, der wie ein Wikinger aussah, mit massigen, breiten Schultern.

Doch die Gestalt, die nun aus der Haustür trat, war hochgewachsen und hager, mit kurzen, stachligen dunklen Haaren. Der Mann trug ein goldenes Netzhemd und eine Pyjamahose aus Seide. Nachdenklich sog er an einer unglaublich großen Pfeife und betrachtete Clary mit freundlichem Interesse. Er war alles andere als ein Wikinger; dafür war er Clary aber bestens vertraut.

Magnus Bane.

»Aber . . .«, setzte Clary an und schaute verwirrt zu Sebastian, der mindestens so überrascht schien wie sie selbst.

Mit leicht geöffnetem Mund starrte er Magnus an und stammelte schließlich: »Bist du . . . Ragnor Fell? Der Hexenmeister?«

Magnus nahm die Pfeife aus dem Mund: »Na, ich bin ganz sicher nicht Ragnor Fell, der Stripteasetänzer.«

»Ich . . .« Sebastian schienen die Worte zu fehlen. Clary wusste nicht, was er erwartet hatte, aber Magnus war ein Anblick, den man erst einmal verdauen musste. »Wir hatten gehofft, du könntest uns helfen. Ich heiße Sebastian Verlac und das hier ist Clarissa Morgenstern – Jocelyn Fairchild ist ihre Mutter . . .«

»Mir egal, wer ihre Mutter ist«, erwiderte Magnus. »Ihr könnt hier nicht einfach so hereinschneien, ohne jeden Termin. Versucht es später noch mal. Anfang März würde mir passen.«

»März?« Sebastian starrte ihn entsetzt an.

»Du hast recht«, räumte Magnus ein. »Viel zu regnerisch. Wie wär's mit Juni?«

Sebastian richtete sich kerzengerade auf. »Ich habe den Eindruck, du verstehst nicht ganz, wie wichtig diese Angelegenheit ist . . .«

»Lass nur, Sebastian«, warf Clary empört ein. »Er macht sich nur über dich lustig. Außerdem kann er uns sowieso nicht helfen.«

Sebastian wirkte nun noch verwirrter. »Ich verstehe nicht ganz . . . Warum kann er uns nicht . . .«

»Also gut, das reicht jetzt«, sagte Magnus und schnippte einmal mit den Fingern.

Sofort erstarrte Sebastian zur Salzsäule, den Mund noch immer halb geöffnet und die Hand leicht ausgestreckt.

»*Sebastian!*« Entsetzt berührte Clary ihn am Arm, doch er war so reglos wie eine Statue. Nur seine Brust, die sich langsam hob und senkte, deutete darauf hin, dass er noch *lebte*. »Sebastian?«, fragte Clary erneut, aber es war zwecklos: Sie wusste instinktiv, dass er sie weder sehen noch hören konnte. Entrüstet wandte sie sich an Magnus: »Wie konntest du das tun? Was *zum Teufel* ist mit dir los? Hat das Zeug, das du da in deiner Pfeife rauchst, deinen Verstand vollends vernebelt? Sebastian steht auf unserer Seite.«

»Ich vertrete keine Seite, Clary-Herzchen«, erwiderte Magnus und wedelte abschätzig mit der Pfeife. »Und außerdem ist es deine eigene Schuld, dass ich ihn für einen Moment einfrieren musste. Du warst verdammt nah dran, ihm mitzuteilen, dass ich nicht Ragnor Fell bin.«

»Was wahrscheinlich daran liegt, dass du ja auch nicht Ragnor Fell *bist*.«

Magnus blies eine Rauchwolke gegen das Vordach und betrachtete sie nachdenklich durch den blauen Dunst. »Komm mal mit«, sagte er. »Ich will dir was zeigen.« Er hielt die Tür des kleinen Hauses auf und bedeutete ihr, ihm ins Innere zu folgen. Mit einem letzten zweifelnden Blick auf Sebastian setzte Clary sich in Bewegung.

Im Haus brannte keine einzige Lampe und das durch die winzigen Fenster einfallende, schwache Tageslicht reichte gerade aus, dass Clary einen großen Raum mit vielen dunklen Schatten erkennen konnte. In der Luft lag ein seltsamer Geruch, wie von brennendem Müll, der Clary würgen ließ. Magnus schnippte ein weiteres Mal mit den Fingern und sofort erschien ein grelles blaues Licht an seinen Fingerspitzen.

Clary hielt unwillkürlich die Luft an: Der Raum glich einem Schlachtfeld – das Mobiliar war zertrümmert, sämtliche Schubladen standen offen und ihr Inhalt lag über den gesamten Boden verstreut. Aus Büchern herausgerissene Seiten schwebten wie Asche in der Luft. Selbst die Fenster waren eingeschlagen.

»Ich habe letzte Nacht eine Nachricht von Fell erhalten«, erklärte Magnus. »Er bat mich, ihn hier zu treffen. Doch als ich heute hier auftauchte, habe ich dieses Chaos vorgefunden . . . sämtliche Sachen zerstört und über allem der Gestank von Dämonen.«

»Dämonen? Aber Dämonen können doch gar nicht nach Idris hinein . . .«

»Ich habe ja auch nicht gesagt, dass sie das getan hätten. Ich erzähle dir nur, was passiert ist«, sagte Magnus ohne Veränderung der Stimmlage. »Das ganze Haus stank nach irgendetwas, das dämonischen Ursprungs ist. Ragnors Leiche lag auf dem Boden. Er hat noch gelebt, als man ihn zurückgelassen hat, doch als ich hier eintraf, war er bereits tot.« Magnus schaute Clary scharf an. »Wer wusste davon, dass du ihn finden wolltest?«

»Madeleine«, wisperte Clary. »Aber sie ist tot. Sebastian, Jace und Simon. Die Lightwoods . . .«

»Aha«, sagte Magnus, »wenn die Lightwoods davon wussten, kann es gut sein, dass die Ratsmitglieder inzwischen auch informiert sind. Und Valentin hat seine Spitzel im Rat.«

»Ich hätte niemandem davon erzählen dürfen, statt jedermann nach Fell zu fragen«, flüsterte Clary bestürzt. »Das ist alles meine Schuld. Ich hätte Fell warnen müssen . . .«

»Darf ich vielleicht kurz darauf hinweisen, dass du Fell nicht finden konntest und dass dies überhaupt erst der Grund dafür war, warum du die Leute nach ihm gefragt hast?«, gab Magnus zu bedenken. »Madeleine und du, ihr beide habt geglaubt, dass Fell jemand ist, der deiner Mutter hätte helfen können. Und nicht jemand, an dem Valentin aus einem anderen Grund interessiert sein könnte. Aber da steckt noch mehr dahinter. Valentin wusste vielleicht nicht, wie man deine Mutter aufwecken kann, aber offenbar hat er gewusst, dass es eine Verbindung zwischen ihrem selbst erwählten Koma und einem Gegenstand gibt, den er unbedingt in seinen Besitz bringen wollte. Ein ganz besonderes Zauberbuch.«

»Woher weißt du das alles?«, fragte Clary.

»Ragnor hat es mir erzählt.«

»Aber . . .«

Magnus schnitt ihr mit einer Handbewegung das Wort ab. »Hexenmeister besitzen spezielle Kommunikationskanäle. Wir haben unsere eigenen Mittel und Wege, unsere eigenen Sprachen.« Langsam hob er die Hand mit der blauen Flamme. »*Logos.*«

Buchstaben aus tanzenden Flammen, jeweils fünfzehn Zentimeter groß, erschienen an den Wänden, als wären sie mit flüssigem Gold in die Steine geätzt. Die Buchstaben rasten über die Flächen und fügten sich zu Worten, die Clary jedoch nicht lesen konnte. Ratlos wandte sie sich an Magnus. »Was steht da?«

»Ragnor hat diese Nachricht hinterlassen, als er im Sterben lag. Somit konnte er jedem Hexenmeister mitteilen, was geschehen ist.« Als Magnus sich umdrehte, ließ der Schein der brennenden Buchstaben seine Katzenaugen golden aufleuchten. »Er wurde hier von mehreren Schergen Valentins angegriffen. Sie forderten von ihm die Herausgabe des Weißen Buchs. Neben dem Grauen Buch ist es das berühmteste Werk über die Welt des Übernatürlichen, das jemals verfasst wurde. Und es enthält sowohl die Rezeptur für den Schlaftrunk, den Jocelyn genommen hat, als auch die Anleitung für das Gegenmittel.«

Sprachlos riss Clary den Mund auf. »Dann hat das Buch sich also hier in Fells Haus befunden?«, stammelte sie schließlich.

»Nein. Es gehörte deiner Mutter. Ragnor hatte ihr lediglich einen Rat gegeben, wo sie es vor Valentin verstecken sollte.«

»Das bedeutet also . . .«

»Das bedeutet, dass es sich im Landhaus der Familie Wayland befindet. Die Waylands wohnten nicht weit von Jocelyn und Valentin entfernt; sie waren die nächsten Nachbarn. Ragnor empfahl ihr, das Buch in deren Haus zu verstecken, an einem Ort, wo Valentin niemals danach suchen würde. In der Bibliothek, um genau zu sein.«

»Aber Valentin hat danach doch viele Jahre im Haus der Waylands gelebt«, protestierte Clary. »Wie kann es sein, dass er es innerhalb dieser Zeit nicht gefunden hat?«

»Das Weiße Buch ist in einem anderen Wälzer versteckt . . . in einem, bei dem das Risiko, dass Valentin es aufschlagen würde, ziemlich gering war.« Magnus grinste breit. »*Einfache Rezepte für die junge Hausfrau*. Man kann deiner Mutter nun wirklich nicht nachsagen, sie hätte keinen Humor gehabt.«

»Dann . . . dann warst du also im Haus der Waylands? Hast du das Buch gefunden?«

Magnus schüttelte den Kopf. »Clary, um den Landsitz herum sind Irrleitungs-Schutzschilde errichtet. Und sie halten nicht nur den Rat auf Abstand, sondern auch alle anderen. *Und ganz besonders* Schattenweltler. Wenn ich Zeit hätte, mich genauer damit zu beschäftigen, dann könnte ich sie vielleicht knacken, aber . . .«

»Dann kann also niemand in das Haus hinein?« Verzweiflung erfasste Clary. »Es ist vollkommen unmöglich?«

»Das habe ich nicht gesagt«, erwiderte Magnus. »Mir fällt da auf Anhieb wenigstens ein Mensch ein, der mit ziemlicher Sicherheit in das Landhaus hineingelangen könnte.«

»Du meinst Valentin?«

»Ich meine Valentins Sohn.«

Clary schüttelte den Kopf. »Jace wird mir nicht helfen, Magnus. Er wollte mich gar nicht hierhaben. Und ehrlich gesagt, bezweifle ich, dass er überhaupt noch mal mit mir redet.«

Magnus betrachtete sie nachdenklich. »Ich glaube nicht, dass es viel gibt, das Jace nicht für dich tun würde, wenn du ihn darum bittest.«

Clary öffnete den Mund und schloss ihn dann wieder. Sie dachte daran, wie gut Magnus bisher Alecs Gefühle für Jace hatte einschätzen können oder Simons Gefühle für sie. Auch das, was sie für Jace empfand, musste in diesem Moment auf ihrem Gesicht zu sehen sein, und Magnus war ein exzellenter Menschenkenner. Verlegen schaute Clary zur Seite. »Mal angenommen, ich kann Jace tatsächlich überreden, mich zum Landsitz zu begleiten und das Buch zu holen – was passiert dann als Nächstes?«, fragte sie. »Ich weiß nicht, wie man zaubert oder ein Gegenmittel braut . . .«

Magnus schnaubte. »Hast du etwa geglaubt, ich würde dir diese ganzen Informationen vollkommen umsonst überlassen? Wenn du das Weiße Buch erst einmal in deinen Besitz gebracht hast, erwarte ich, dass du es mir sofort bringst.«

»Das Buch? *Du* willst das Buch haben?«

»Das Weiße Buch ist eines der mächtigsten Zauberbücher der Welt. Natürlich möchte ich es haben. Außerdem steht es rechtmäßig Liliths Kindern zu und nicht den Kindern des Erzengels Raziel. Es ist ein Hexenmeisterbuch und gehört wieder in die Hände eines Hexenmeisters.«

»Aber *ich* brauche es . . . um meine Mutter zu heilen . . .«

»Du brauchst nur eine einzige Seite daraus, die du von mir aus behalten kannst. Der Rest gehört mir. Im Gegenzug dafür werde ich für dich das Gegenmittel brauen und es Jocelyn verabreichen – sobald du mir das Buch gebracht hast. Du kannst nicht behaupten, dass das kein fairer Deal wäre.« Magnus streckte ihr die Hand entgegen. »Schlag ein!«

Nach kurzem Zögern nahm Clary seine Hand. »Wehe, wenn ich das jemals bereuen muss.«

»Das würde ich keinem von uns wünschen«, erwiderte Magnus und drehte sich dann vergnügt zur Haustür um; die Flammenbuchstaben an den Wänden begannen bereits zu erlöschen. »Reue ist solch eine sinnlose Gefühlsregung, findest du nicht auch?«

Nach der Dunkelheit, die in dem kleinen Haus herrschte, erschien Clary das Sonnenlicht vor der Tür besonders strahlend. Einen Moment lang blieb sie stehen und blinzelte, bis sie wieder klar sehen konnte: die Berge in der Ferne, Wayfarer, der friedlich etwas Gras rupfte, und Sebastian, der reglos wie eine Gartenstatue vor sich hin starrte, eine Hand noch immer halb ausgestreckt. Flehentlich wandte Clary sich an Magnus: »Könntest du ihn jetzt bitte wieder freigeben?«

Magnus betrachtete sie amüsiert. »Ich war ziemlich überrascht, als ich Sebastians Nachricht heute Morgen erhielt, worin stand, er wolle *dir* einen Gefallen tun. Wie hast du ihn überhaupt kennengelernt?«, fragte er interessiert.

»Er ist der Cousin von Bekannten der Lightwoods oder so ähnlich. Sebastian ist wirklich nett, ehrlich.«

»Nett? Pah! Er ist anbetungswürdig.« Magnus warf einen verträumten Blick zu dem noch immer versteinerten Jungen. »Du solltest ihn hierlassen. Dann könnte ich ihn als Garderobenständer für Hüte und andere Dinge verwenden.«

»Nein. Du kannst ihn nicht haben.«

»Warum nicht? *Magst* du ihn denn?« Magnus' Augen glitzerten. »Er scheint dich jedenfalls zu mögen. Ich habe gesehen, wie er eben nach deiner Hand greifen wollte, wie ein Eichhörnchen, das hinter einer Nuss her ist.«

»Warum reden wir zur Abwechslung nicht mal über *dein* Liebesleben?«, konterte Clary. »Was ist denn jetzt mit Alec und dir?«

»Alec weigert sich, davon Notiz zu nehmen, dass wir eine Beziehung haben, also weigere ich mich, von ihm Notiz zu nehmen. Vor ein paar Tagen hat er mir eine Flammenbotschaft geschickt und mich um einen Gefallen gebeten. Die Nachricht war an ›Hexenmeister Bane‹ adressiert, als wäre ich für ihn ein vollkommen Fremder. Ich denke, er steht immer noch auf Jace, obwohl *diese* Beziehung ja wohl überhaupt keine Zukunft haben dürfte – ein Problem, das *dir* gänzlich unbekannt ist, oder?«

»Ach, halt den Mund.« Genervt musterte Clary den Hexenmeister. »Hör zu, wenn du Sebastian nicht wieder freigibst, komme ich hier nicht weg und dann wirst du das Weiße Buch niemals bekommen.«

»Okay, okay. Aber darf ich vielleicht einen Vorschlag machen? Erzähl ihm nichts von dem, was ich dir gerade anvertraut habe – ob er nun ein Freund der Lightwoods ist oder nicht.« Bockig schnippte Magnus mit den Fingern.

Sebastians Gesicht erwachte umgehend zum Leben, wie ein Video, das nach dem Drücken der Pausentaste weiter abgespielt wird. ». . . helfen?«, fragte er. »Das ist doch nicht irgendeine Lappalie. Hier geht es um Leben und Tod.«

»Ihr Nephilim denkt, dass all eure Probleme eine Frage von Leben und Tod sind«, erwiderte Magnus. »So, und jetzt verschwindet. Ihr fangt wirklich an, mich zu langweilen.«

»Aber . . .«

»Verschwindet«, knurrte Magnus, mit einem gefährlichen Ton in der Stimme. Blaue Funken tanzten an den Spitzen seiner langen Finger und plötzlich lag ein unangenehmer Brandgeruch in der Luft. Magnus' Katzenaugen glühten. Obwohl Clary wusste, dass er nur eine Show aufführte, wich sie unwillkürlich zurück.

»Ich denke, wir sollten besser gehen, Sebastian«, sagte sie.

Sebastian kniff die Augen zu Schlitzen zusammen. »Aber, Clary . . .«

»Wir gehen. Sofort«, beharrte sie, packte ihn am Arm und zog ihn beinahe hinter sich her. Widerstrebend folgte er ihr, wobei er die ganze Zeit leise vor sich hin fluchte. Erleichtert schaute Clary sich noch einmal zu Magnus um, der weiterhin mit verschränkten Armen in der Tür von Fells Haus stand. Als er ihren Blick auffing, grinste er und zwinkerte ihr mit einem seiner golden funkelnden Augen zu.

»Es tut mir leid, Clary.« Sebastian legte Clary eine Hand auf die Schulter und die andere an ihre Taille, während er ihr auf Wayfarers breiten Rücken hinaufhalf. Tapfer unterdrückte sie die leise Stimme in ihrem Kopf, die ihr davon abriet, dieses Pferd – oder irgendein anderes Reittier – jemals wieder zu besteigen, und ließ sich von Sebastian hochhieven. Vorsichtig schwang sie ein Bein über Wayfarer und versuchte, sich einzureden, sie säße auf einem großen, schwankenden Sofa und nicht auf einem Lebewesen, das sich jeden Moment umdrehen und sie beißen konnte.

»Was tut dir leid?«, fragte sie Sebastian, als er sich mit fast aufreizender Leichtigkeit hinter ihr in den Sattel schwang. Es schien beinahe, als würde er tanzen – enervierend, aber irgendwie auch beruhigend. *Er scheint genau zu wissen, was er tut,* überlegte Clary, während Sebastian um sie herum nach den Zügeln griff. *Und vermutlich ist das gar nicht mal so schlecht . . . dann hat wenigstens einer von uns einen Plan.*

»Die Geschichte mit Ragnor Fell tut mir leid. Ich hatte nicht erwartet, dass er uns nicht würde helfen wollen. Andererseits sind Hexenmeister ja immer ein wenig launisch. Du bist doch schon mal einem begegnet, oder?«

»Ich kenne Magnus Bane.« Clary drehte sich kurz um und schaute an Sebastian vorbei in Richtung des Hauses, das hinter ihnen immer kleiner wurde. Der Rauch stieg nun in Form kleiner tanzender Gestalten aus dem Kamin auf. Tanzende Magnusse? Aus dieser Entfernung ließ sich das unmöglich sagen. »Er ist der Oberste Hexenmeister von Brooklyn.«

»Und, besitzt er irgendwelche Ähnlichkeit mit Fell?«

»Erschreckend große. Aber mach dir keine Sorgen wegen Fell. Ich wusste, dass das Risiko bestand, dass er uns vielleicht nicht helfen würde.«

»Aber ich habe versprochen, dir zu helfen.« Sebastian klang aufrichtig bedrückt. »Na, wenigstens gibt es noch etwas anderes, das ich dir zeigen kann, sodass der Tag nicht völlig vergeudet ist.«

»Was denn?« Erneut drehte Clary sich um und schaute Sebastian an. Die Sonne stand hoch hinter ihm am Himmel und ließ die Spitzen seiner dunklen Haare golden aufleuchten.

Sebastian grinste. »Das wirst du gleich sehen.«

Als sie sich weiter von Alicante entfernten, gaben die dichten Laubwälder auf beiden Seiten des Wegs in regelmäßigen Abständen den Blick auf die dahinterliegende, unfassbar schöne Landschaft frei: eisblaue Seen, grüne Täler, graue Berge, silbern schimmernde Flüsse und Bäche mit blumenbewachsenen Ufern. Clary fragte sich, wie es wohl wäre, in solch einem Land zu leben. Ohne den beruhigenden Wall hoher Gebäude und

Wolkenkratzer verspürte sie eine gewisse Nervosität, fühlte sich fast schon ausgesetzt und ungeschützt.

Natürlich gab es auch hier Gebäude: Hin und wieder tauchte über den Baumwipfeln das Dach eines großen Gutshofs auf – Landsitze wohlhabender Schattenjägerfamilien, wie Sebastian ihr erklärte. Sie erinnerten Clary an die großen, alten Herrenhäuser am Hudson River im Norden Manhattans, wo reiche New Yorker früher ihre Sommerfrische verbracht hatten.

Inzwischen hatte sich der Boden unter Wayfarers Hufen von einem Kiesweg in einen Pfad verwandelt. Als sie einen Hügel erklommen und Sebastian das Pferd zum Stehen brachte, wurde Clary abrupt aus ihren Tagträumen gerissen. »Wir sind da«, verkündete er laut.

Clary starrte sprachlos auf die Szenerie: In einer Talsenke vor ihr lag ein riesiger Haufen schwarzer verkohlter Steine – Überreste niedergebrannter Mauern, die nur noch ahnen ließen, dass hier einst ein Haus gestanden hatte. Sie entdeckte die Ruinen eines Kaminzugs, der noch immer in den Himmel aufragte, und ein Stück Außenwand mit einer glaslosen Fensteröffnung in der Mitte. Zwischen den Grundmauern wucherte Unkraut – Grün zwischen Schwarz. »Ich versteh nicht ganz«, sagte sie. »Warum sind wir hierhergekommen?«

»Das weißt du nicht?«, fragte Sebastian. »Hier haben deine Eltern gelebt. Hier wurde dein Bruder geboren. Dies war das Herrenhaus der Familie Fairchild.«

Nicht zum ersten Mal hörte Clary Hodges Stimme in ihrem Kopf. *Valentine hat sein Haus angezündet und sich und seine Familie verbrannt, seine Frau und sein Kind. Sein Land ist verkohlt. Noch immer will niemand dort wohnen. Es heißt, es sei verflucht.*

Wortlos glitt Clary von Wayfarers Rücken. Sie hörte, wie Sebastian ihren Namen rief, doch sie rannte bereits den flachen Hügel hinunter. Dort, wo einst das Haus gestanden hatte, war das Gelände wieder eben; geschwärzte Steinplatten eines ehemaligen Pfads knirschten unter ihren Füßen. Und zwischen den wuchernden Pflanzen erkannte sie ein paar Stufen, die wenige Meter über dem Boden abrupt endeten.

»Clary . . .« Sebastian folgte ihr durch das hohe Unkraut, doch sie nahm seine Anwesenheit kaum noch wahr. Langsam drehte sie sich im Kreis, um sich jedes Detail zu merken: Verkohlte, halb abgestorbene Bäume. Die Überreste einer einst schattigen Wiese, die sich über einen flachen Abhang erstreckte. In der Ferne – knapp oberhalb der Baumwipfel – das Dach eines vermutlich benachbarten Gutshofs. Sonnenstrahlen, die sich in den Glasscherben der zerbrochenen Fensterscheibe der letzten verbliebenen Mauer spiegelten. Vorsichtig stieg Clary über einen Sockel schwarzer Steine und trat in die Mitte der Ruinen. Sie erkannte die Umrisse von Räumen, die Konturen von Türschwellen und entdeckte sogar einen versengten, noch fast intakten Schrank, der auf der Seite lag. Helle Porzellanscherben mischten sich mit der schwarzen Erde um ihn herum.

Dies war einst ein richtiges Haus gewesen, bewohnt von lebenden, atmenden Menschen. Ihre Mutter hatte hier gelebt, hatte hier geheiratet, hatte ein Kind zur Welt gebracht. Und dann war Valentin gekommen und hatte all das in Schutt und Asche gelegt, hatte Jocelyn im Glauben gelassen, ihr Sohn sei tot, und sie veranlasst, die Wahrheit über ihre Vergangenheit vor ihrer Tochter zu verbergen . . . Ein Gefühl durchdringender Trauer überkam Clary. Mehr als nur ein Menschenleben war an diesem Ort vergeudet worden. Als sie die Hand an ihr Gesicht führte, stellte sie beinahe überrascht fest, dass es feucht war: Sie hatte geweint, ohne es zu merken.

»Clary, es tut mir so leid. Ich dachte, du würdest das hier gern sehen wollen.« Sebastian kam auf sie zu; seine Schuhe knirschten auf den Scherben und ließen kleine Aschewolken aufsteigen. Besorgt musterte er sie.

»Ja, das ist richtig. Das wollte ich auch. Danke.« Clary drehte sich zu ihm um.

Inzwischen hatte der Wind aufgefrischt und wehte dem Jungen Strähnen dunkler Haare übers Gesicht. Sebastian schenkte ihr ein wehmütiges Lächeln. »Es muss schwer sein, darüber nachzudenken, was hier alles passiert ist . . . an Valentin zu denken . . . an deine Mutter. Sie ist unglaublich mutig gewesen.«

»Ich weiß«, sagte Clary. »Das war sie. Das ist sie noch immer.«

Behutsam berührte Sebastian Clarys Gesicht. »Genau wie du.«

»Sebastian, du weißt doch überhaupt nichts über mich.«

»Das stimmt nicht.« Er hob seine andere Hand und hielt ihr Gesicht nun mit beiden Händen. Seine Berührung war sanft, fast zaghaft. »Ich weiß alles über dich, Clary. Wie du gegen deinen Vater gekämpft hast, um den Kelch der Engel vor ihm zu bewahren; wie du in das vampirverseuchte Hotel eingedrungen bist, um deinen Freund zu retten. Isabelle hat mir viele Dinge erzählt, außerdem habe ich eine Menge Gerüchte gehört. Und seit der ersten Geschichte . . . seit dem Moment, in dem erstmals dein Name fiel, habe ich dich kennenlernen wollen. Ich wusste gleich, dass du etwas ganz Besonderes sein musstest.«

Clary lachte unsicher. »Ich hoffe, du bist nicht zu enttäuscht.«

»Nein«, stieß er leise hervor und ließ seine Fingerspitzen unter ihr Kinn gleiten. »Nein, kein bisschen.« Dann hob er ihr Gesicht an. Clary war zu überrascht, um zu reagieren, als er sich vorbeugte und sie erkannte – zu spät erkannte –, was er vorhatte: Reflexartig schloss sie die Augen, als seine Lippen sanft über ihre streiften und einen Schauer durch ihren Körper jagten. Ein plötzliches Verlangen erfasste sie – das Verlangen, festgehalten und auf eine Weise geküsst zu werden, die sie alles andere vergessen ließe. Sie schlang die Arme um Sebastians Hals, um Halt zu finden und um ihn näher zu sich heranzuziehen.

Seine Strähnen kitzelten sie an den Fingerspitzen. *Fein und weich, nicht seidig wie Jace' Haare,* schoss es ihr durch den Kopf. *Aber ich sollte endlich aufhören, ständig an Jace zu denken!,* ermahnte sie sich. Energisch schob sie jeden Gedanken an ihn beiseite, als Sebastian über ihre Wangen strich und die Konturen ihres Kiefers nachzeichnete. Seine Berührung war sanft, trotz der Hornhaut an seinen Fingerspitzen. Jace hatte natürlich die gleichen Schwielen . . . ein Zeichen der vielen Kämpfe . . . vermutlich besaßen alle Schattenjäger diese Hautverdickungen . . .

Erneut versuchte Clary, jeden Gedanken an Jace zu unterdrücken, doch es war zwecklos. Sie konnte ihn sogar mit geschlossenen Augen sehen: die kantigen Konturen und Flächen seines Gesichts, das sie vermutlich niemals vernünftig würde zeichnen können, ganz gleich, wie stark sich das Bild in ihr Gedächtnis eingebrannt hatte; seine feinen Handknöchel, die vernarbte Haut seiner Schultern . . .

Das heftige Verlangen, das sie erfasst hatte, ließ so plötzlich wieder nach, wie es gekommen war. Im nächsten Moment spürte Clary, wie in ihr alles taub wurde, selbst als Sebastians Lippen sich auf ihre pressten und seine Hände in ihren Nacken wanderten. Eine eisige Gefühllosigkeit breitete sich in ihr aus, hervorgerufen von dem deutlichen Eindruck, dass hier etwas schrecklich schieflief, etwas, das weit über ihre hoffnungslose Sehnsucht nach jemandem hinausging, der für sie unerreichbar war: Eine Woge des Entsetzens raste durch ihren Körper, als hätte sie vertrauensvoll einen Schritt nach vorne gemacht und würde nun haltlos in einen finsteren, gähnenden Abgrund stürzen.

Keuchend schnappte Clary nach Luft und wich mit solcher Vehemenz zurück, dass sie beinahe taumelte. Hätte Sebastian sie nicht festgehalten, sie wäre mit Sicherheit gefallen.

»Clary.« Sein Blick wirkte verschwommen und seine Wangen waren stark gerötet. »Clary, was ist?«

»Nichts.« Selbst in ihren eigenen Ohren klang ihre Stimme unnatürlich dünn. »Nichts . . . es ist nur . . . ich hätte nicht . . . ich bin noch nicht bereit dafür . . .«

»Sind wir zu weit gegangen? Wir können es ruhiger angehen lassen . . .« Er versuchte, sie wieder an sich zu ziehen, doch Clary zuckte unwillkürlich zurück. Wie vom Donner gerührt musterte er sie. »Ich werde dir nicht wehtun, Clary.«

»Ich weiß.«

»Ist irgendetwas passiert?« Er hob die Hände und strich ihr die Haare aus dem Gesicht. Clary musste den Drang unterdrücken, sich loszureißen. »Hat Jace . . .«

»*Jace?*« Hatte Sebastian gespürt, dass sie an Jace gedacht hatte? War es ihr anzusehen? Andererseits . . . »Jace ist mein *Bruder*. Warum bringst du ihn jetzt zur Sprache? Was meinst du damit?«

»Ich dachte ja nur . . .« Er schüttelte den Kopf. Schmerz und Verwirrung wechselten sich auf seinem Gesicht ab. »Ich dachte, dass vielleicht jemand anderes dir wehgetan hat.«

Seine Hand lag noch immer an ihrer Wange. Clary griff danach, löste sie sanft, aber entschlossen und führte sie wieder an seine Seite. »Nein. Nein, nichts dergleichen. Es ist nur . . .« Sie zögerte. »Es hat sich einfach falsch angefühlt.«

»*Falsch?*« Der Schmerz in seiner Stimme schwand schlagartig und wich einem ungläubigen Ausdruck. »Clary, uns beide verbindet etwas Besonderes. Das weißt du ganz genau. Seit dem Moment unserer ersten Begegnung . . .«

»Sebastian, *nicht* . . .«

». . . hatte ich das Gefühl, dass du jemand bist, auf den ich mein ganzes Leben gewartet habe. Und ich habe gesehen, dass du genau dasselbe empfunden hast. Erzähl mir nicht, dass das nicht stimmt.«

Aber das war *nicht* das, was Clary gespürt hatte. Ihre Empfindung ließ sich eher mit einem Spaziergang durch eine fremde Stadt vergleichen, bei dem sie unerwartet auf ihr eigenes Haus gestoßen war, das plötzlich vor ihr aufragte. Ein überraschendes und nicht gänzlich angenehmes Wiedererkennen, das die Frage aufwarf: *Wie war das möglich?*

»Nein, das habe ich nicht empfunden«, sagte sie schließlich.

Die Wut, die abrupt, düster und unbeherrscht in seinen Augen aufflammte, überrumpelte sie. Im nächsten Moment packte er ihre Handgelenke und hielt sie eisern fest. »Das ist nicht wahr!«

Clary versuchte, sich ihm zu entziehen. »Sebastian . . .«

»Das ist *nicht* wahr.« Das Schwarz in seinen Augen schien seine Pupillen zu verschlingen und sein Gesicht wirkte wie eine weiße Maske, starr und steif.

»Sebastian«, sagte Clary so ruhig wie nur möglich. »Du tust mir weh.«

Widerstrebend ließ er sie los. Seine Brust hob und senkte sich in raschem Wechsel. »Tut mir leid«, stieß er hervor. »Es tut mir leid. Ich dachte . . .«

Ja, aber da hast du dich geirrt, dachte Clary, sprach die Worte aber nicht laut aus. Sie hatte keine Lust, noch einmal *diesen* Ausdruck auf seinem Gesicht zu sehen. »Wir sollten zurückreiten«, sagte sie stattdessen. »Es wird bald dunkel werden.«

Benommen nickte er, scheinbar genauso bestürzt über seinen Wutausbruch wie sie. Er machte auf dem Absatz kehrt und marschierte zu Wayfarer zurück, der im langen Schatten eines Baumes etwas Gras rupfte.

Clary zögerte einen Moment und folgte ihm dann – sie hatte nicht den Eindruck, dass ihr irgendeine andere Wahl blieb. Verstohlen blickte sie auf ihre Hände hinab: Die Gelenke waren stark gerötet von seinem eisernen Griff – aber viel merkwürdiger erschien ihr die Tatsache, dass ihre Fingerspitzen schwarz verschmiert waren, als hätte sie mit Tinte herumgekleckst.

Sebastian schwieg, während er ihr auf Wayfarers Rücken half. »Tut mir leid, dass ich Jace irgendetwas unterstellt habe«, sagte er schließlich, nachdem er sich hinter ihr in den Sattel geschwungen hatte. »Er würde nichts unternehmen, was dir wehtun könnte. Ich weiß, dass er den Vampir im Gefängnis der Garnison nur deinetwegen besucht . . .«

In diesem Moment hatte Clary das Gefühl, als würde die Welt ruckartig stehen bleiben. Sie hörte ihren eigenen pfeifenden Atem und sah ihre Hände, die erstarrt wie die steinernen Hände einer Statue auf dem Sattelknauf ruhten. »Ein Vampir? Im Gefängnis?«, flüsterte sie.

Sebastian warf ihr einen überraschten Blick zu. »Ja«, bestätigte er, »Simon, dieser Vampir, den die Lightwoods aus New York mitgebracht haben. Ich dachte . . . das heißt, ich war mir sicher, dass du davon wüsstest. Hat Jace dir das denn nicht erzählt?«

8

EINER DER LEBENDEN

Simon erwachte, als ein Sonnenstrahl auf sein Gesicht fiel. Als er die Augen öffnete, konnte er erkennen, dass das Licht von einem glitzernden Objekt, das zwischen den Gitterstäben des Zellenfensters hindurchgeschoben worden war, reflektiert wurde. Müde und mit einem quälenden Hungergefühl rappelte er sich auf und stellte fest, dass es sich bei dem Gegenstand um eine Metallflasche handelte, etwa von der Größe einer Thermoskanne. Ein zusammengerolltes Stück Papier war am Hals der Flasche befestigt. Simon riss die Nachricht ab, faltete sie auseinander und las:

Simon, das ist Rinderblut, frisch vom Metzger. Ich hoffe, das ist okay. Jace hat mir erzählt, was du gesagt hast, und ich möchte, dass du weißt, dass ich das wirklich tapfer finde. Halt durch – wir werden uns einen Weg ausdenken, wie wir dich da rausholen.
*   XOXOXOXOXOXOX Isabelle*

Simon lächelte, als er die von Hand geschriebenen X und O am unteren Rand des Papiers sah. Es war schön zu wissen, dass Isabelles überschwängliche Zuneigung unter den derzeitigen Umständen nicht gelitten hatte. Hungrig schraubte er den Deckel von der Flasche und trank begierig, als er plötzlich einen stechenden Schmerz zwischen den Schulterblättern spürte und herumwirbelte.

In der Mitte der Zelle stand Raphael, mit angespannten Schultern, die Hände hinter dem Rücken verschränkt. Er trug ein gestärktes, frisch gebügeltes weißes Hemd unter einer dunklen Jacke und an seiner Kehle glitzerte eine Goldkette.

Simon hätte den Schluck Blut, den er gerade genommen hatte, fast wieder ausgespuckt. Er schluckte ein paarmal und starrte Raphael bestürzt an. »Du . . . du kannst unmöglich hier sein«, stieß er hervor.

Raphael schenkte ihm ein Lächeln, das den irreführenden Eindruck erweckte, als wären seine Eckzähne zum Vorschein gekommen. »Nur keine Panik, Tageslichtler!«

»Ich bin absolut nicht panisch«, erwiderte Simon, obwohl das nicht stimmte. Er hatte ein Gefühl, als hätte er etwas Scharfes, Spitzes geschluckt. Seit jener Nacht, in der er sich mit blutigen, eingerissenen Nägeln aus einem hastig ausgehobenen Grab in Queens befreit hatte, war er Raphael nicht mehr begegnet. Aber er wusste noch ganz genau, wie Raphael ihm Beutel mit Tierblut gereicht und wie er die Zähne hineingeschlagen hatte, als wäre er selbst ein Tier – keine besonders schöne Erinnerung. Es hätte Simon überhaupt nichts ausgemacht, wenn er den Vampirjungen nie wieder zu Gesicht bekommen hätte. »Die Sonne ist noch zu sehen. Wie kann es sein, dass du hier bist?«

»Bin ich nicht.« Raphaels Stimme klang geschmeidig wie Butter. »Ich bin eine Projektion. Sieh her.« Er wedelte mit der Hand und führte sie durch die Mauer neben ihm. »Ich bin wie Rauch. Weder kann ich dir Schaden zufügen noch kannst du mich verletzen.«

»Ich hab auch gar nicht vor, dich zu verletzen.« Simon stellte die Metallflasche auf die Pritsche. »Allerdings würde ich gern wissen, was du hier zu suchen hast.«

»Du bist ziemlich schnell aus New York verschwunden, Tageslichtler. Dir ist doch klar, dass du den Anführer deines örtlichen Vampirclans zu informieren hast, wenn du die Stadt verlassen willst, oder?«

»Den Anführer? Du meinst dich? Ich dachte, jemand anderes würde euren Clan anführen . . .«

»Camille ist noch nicht zu uns zurückgekehrt«, erwiderte Raphael, scheinbar vollkommen emotionslos. »In der Zwischenzeit bin ich ihr Stellvertreter. Aber das wüsstest du alles, wenn du dir mal die Mühe gemacht hättest, dich mit dem Verhaltenskodex deiner Art zu beschäftigen.«

»Meine überstürzte Abreise aus New York war nicht geplant. Und nimm es nicht persönlich, aber ich betrachte dich keineswegs als jemanden ›meiner Art‹.«

»*Dios.*« Raphael senkte die Lider, als wolle er seine Belustigung verbergen. »Du bist wirklich stur.«

»Wie kannst du das sagen?«

»Na, das liegt doch auf der Hand, oder?«

»Ich meinte . . .« Simon spürte, wie es ihm die Kehle zuschnürte. ». . . dieses Wort. *Du* kannst es aussprechen, aber ich nicht . . .« *Ich kann nicht* Gott *sagen*, dachte er.

Raphael schaute amüsiert an die Decke. »Eine Frage des Alters«, erklärte er. »Der Übung. Und des Glaubens. Beziehungsweise des Verlusts des Glaubens – was in mancher Hinsicht auf das Gleiche hinausläuft. Du wirst es schon noch lernen . . . im Laufe der Zeit, kleiner Frischling.«

»*Nenn* mich nicht so.«

»Aber genau das bist du doch. Du bist ein Kind der Nacht. War das nicht der Grund, weswegen Valentin dich entführt und dir dein Blut entzogen hat? Weil du bist, was du bist . . .«

»Du scheinst ja ziemlich gut informiert zu sein«, entgegnete Simon. »Dann kannst *du* mir diese Frage ja vielleicht beantworten.«

Raphael kniff die Augen zu Schlitzen zusammen. »Ich hab auch noch ein anderes Gerücht gehört: Du sollst das Blut eines Schattenjägers getrunken haben, was angeblich die Ursache für deine Gabe ist . . . deine Fähigkeit, am Tage auf Erden zu wandeln. Ist da was dran?«

Simon stellten sich die Nackenhaare auf. »Das ist doch lächerlich. Wenn Schattenjägerblut Vampiren diese Fähigkeit verleihen würde, dann wäre das längst bekannt. Das Blut der Nephilim wäre äußerst begehrt. Und zwischen Vampiren und Schattenjägern würde *niemals* Friede herrschen. Daher bin ich echt froh, dass an diesem Gerücht nichts dran ist.«

Ein mattes Lächeln umspielte Raphaels Mundwinkel. »Auch wieder wahr. Apropos äußerst begehrt: Dir ist doch wohl klar, Tageslichtler, dass du selbst ebenfalls sehr gefragt bist, oder? Auf diesem Planeten gibt es keinen einzigen Schattenweltler, der dich nicht gern in die Finger bekommen würde.«

»Zählst du auch dazu?«

»Natürlich!«

»Und was würdest du dann machen, wenn du mich in die Finger bekämst?«

Raphael zuckte die Achseln. »Vielleicht bin ich ja der Einzige, der die Fähigkeit, am Tage auf Erden zu wandeln, für weniger erstrebenswert hält als andere Vampire. Nicht umsonst sind wir die Kinder der Nacht. Es wäre möglich, dass du mir ein ebenso großes Gräuel bist wie meinesgleichen der Menschheit.«

»Und, ist das so?«

»Möglicherweise.« Raphael musterte Simon mit einem neutralen Gesichtsausdruck. »Ich glaube, dass du für uns alle eine Gefahr darstellst. Eine Gefahr für die Vampirheit, wenn du so willst. Und du kannst nicht ewig in dieser Zelle bleiben, Tageslichtler. Irgendwann wirst du sie verlassen und dich der Welt stellen müssen . . . *mir* stellen müssen. Aber ich kann dir eines versprechen: Ich schwöre, ich werde dir kein Haar krümmen und nicht versuchen, dich aufzuspüren, wenn du mir deinerseits versprichst, dass du dich verstecken wirst, sobald Aldertree dich wieder freigelassen hat. Wenn du versprichst, dass du fortgehen wirst . . . so weit fort, dass niemand dich jemals finden wird. Und dass du zu niemandem mehr Kontakt aufnimmst, den du während deines irdischen Lebens kennengelernt hast. Ich finde, das ist ein faires Angebot.«

Doch Simon schüttelte bereits den Kopf. »Ich kann meine Familie nicht im Stich lassen. Oder Clary.«

Raphael stieß ein gereiztes Schnauben hervor. »Sie sind nicht länger Teil dessen, was du jetzt bist. Du bist ein Vampir.«

»Aber ich will kein Vampir sein«, protestierte Simon.

»Sieh dich doch mal an – du Jammerlappen«, erwiderte Raphael. »Dabei wirst du niemals krank werden, niemals sterben, immer stark sein und auf ewig jung bleiben. Du wirst niemals altern. Worüber beschwerst du dich also?«

Auf ewig jung, dachte Simon. Das klang zwar gut, aber wollte er wirklich für immer sechzehn bleiben? Es wäre etwas anderes, mit fünfundzwanzig nicht mehr zu altern, aber mit sechzehn? War es wirklich erstrebenswert, für immer so schlaksig zu sein und sich niemals zu seinem wahren Ich zu entwickeln, in seinen wahren Körper hineinzuwachsen? Ganz abgesehen von der Tatsache, dass er mit diesem Äußeren niemals eine Bar betreten und einen Drink bestellen konnte. Niemals. In aller Ewigkeit nicht.

»Und du brauchst nicht einmal das Licht der Sonne aufzugeben«, fügte Raphael hinzu.

Aber Simon hatte keine Lust, dieses Thema noch mal anzuschneiden. »Als ich im Hotel Dumort war, hab ich gehört, was die anderen sich über dich erzählt haben. Ich weiß, dass du jeden Sonntag deine Goldkette mit dem Kreuz anlegst und deine Familie besuchst. Und ich wette, die weiß nicht mal, dass du ein Vampir bist. Also sag *du* mir nicht, ich solle einfach alle Menschen aus meinem bisherigen Leben zurücklassen. Das werde ich nicht tun und ich werde dir das auch nicht vorgaukeln«, konterte er.

Raphaels Augen glitzerten. »Was meine Familie glaubt, spielt keine Rolle. Es zählt nur das, was ich selbst glaube. Was ich weiß. Ein wahrer Vampir weiß, dass er tot ist. Und er akzeptiert seinen Tod. Doch du . . . du glaubst, du wärest noch immer einer der Lebenden. Und genau das macht dich so gefährlich. Du willst nicht akzeptieren, dass du nicht länger am Leben bist.«

Die Abenddämmerung hatte bereits eingesetzt, als Clary die Eingangstür von Amatis' Haus hinter sich verriegelte. Müde schloss sie die Augen, lehnte sich gegen die Tür und verweilte einen langen Moment im halbdunklen Flur. Sie spürte die Erschöpfung in allen Gliedern und ihre Beine schmerzten höllisch.

»Clary?« Amatis' drängende Stimme schnitt durch die Stille. »Clary, bist du da?«

Clary rührte sich nicht von der Stelle, hielt die Augen geschlossen und gab sich einen Moment der Ruhe und Dunkelheit hin. Mit jeder Faser ihres Körpers sehnte sie sich nach ihrem Zuhause – sie verlangte so sehr danach, dass sie glaubte, die metallische Luft von Brooklyns Straßen fast auf der Zunge schmecken zu können. Vor ihrem inneren Auge sah sie ihre Mutter . . . wie sie auf ihrem Malschemel saß, während gedämpftes hellgelbes Licht durch die geöffneten Fenster in die Wohnung fiel und die Leinwand erhellte. Eine Woge des Heimwehs erfasste Clary und versetzte ihr einen Stich ins Herz.

»Clary.« Die Stimme klang nun viel näher. Ruckartig riss Clary die Augen auf. Amatis stand unmittelbar vor ihr, die grauen Haare streng nach hinten gekämmt und die Hände in die Hüften gestemmt. »Dein Bruder ist zu Besuch gekommen. Er wartet in der Küche auf dich.«

»*Jace* ist hier?« Clary versuchte mit Macht, sich ihre Wut und Überraschung nicht anmerken zu lassen. Es hatte keinen Zweck, vor Lukes Schwester die Beherrschung zu verlieren.

Amatis musterte sie neugierig. »Hätte ich ihn denn nicht hereinlassen sollen? Ich dachte, du wolltest ihn unbedingt sehen.«

»Doch, doch, ist schon okay«, sagte Clary, weiterhin um einen ruhigen Ton bemüht. »Ich bin einfach nur müde.«

»Ach.« Amatis warf ihr einen Blick zu, als würde sie ihr nicht glauben. »Also gut, ich bin oben, falls du mich brauchst. Ich werde mich etwas hinlegen.«

Clary konnte sich zwar nicht vorstellen, weshalb sie Amatis brauchen sollte, doch sie nickte und trottete dann den Flur entlang in die hell erleuchtete Küche. Auf dem Holztisch stand eine Schale mit Obst – Orangen, Äpfel und Birnen. Daneben lag ein dicker Brotlaib mit Butter und Käse sowie ein Teller mit . . . Plätzchen? Hatte Amatis tatsächlich *Plätzchen* gebacken?

Am Tisch saß Jace, vornüber auf die Ellbogen gestützt. Seine goldblonden Haare waren zerzaust und sein Hemd stand am Kragen leicht offen. Clary konnte die breiten schwarzen Linien seiner Runenmale auf dem Schlüsselbein erkennen. In der bandagierten Hand hielt er ein Plätzchen. Dann hatte Sebastian also recht gehabt: Jace hatte sich tatsächlich verletzt. Nicht, dass sie das interessierte . . .

»Ah, da bist du ja endlich«, sagte er. »Ich hatte mir schon allmählich Sorgen gemacht, du könntest in einen Kanal gefallen sein.«

Clary starrte ihn wortlos an; sie fragte sich, ob er die Wut in ihren Augen sehen konnte. Doch Jace lehnte sich auf seinem Stuhl zurück und legte einen Arm lässig über die Rückenlehne. Wenn der schnelle Pulsschlag in seiner Kehlgrube nicht gewesen wäre, hätte Clary ihm seine gespielte Gleichgültigkeit vielleicht abgenommen.

»Du siehst erschöpft aus«, fügte er hinzu. »Wo hast du den ganzen Tag gesteckt?«

»Ich war mit Sebastian unterwegs.«

»Sebastian?«

Der Ausdruck vollkommener Verblüffung auf seinem Gesicht schenkte Clary ein Gefühl kurzfristiger Genugtuung.

»Er hat mich gestern Abend nach Hause gebracht«, sagte Clary. Gleichzeitig schossen ihr die Worte *Von jetzt an werde ich nur noch dein Bruder sein, nur noch dein Bruder* wie der Rhythmus eines gebrochenen Herzens durch den Kopf. »Außerdem war er bisher der einzige Mensch in dieser Stadt, der auch nur ein bisschen nett zu mir gewesen ist. Ja, du hast richtig gehört: Ich war mit Sebastian unterwegs.«

»Verstehe.« Mit ausdrucksloser Miene legte Jace das Plätzchen wieder auf den Teller. »Clary, ich bin hierhergekommen, um mich zu entschuldigen. Ich hätte nicht so mit dir reden dürfen.«

»Nein, das hättest du wirklich nicht«, erwiderte Clary.

»Außerdem wollte ich dich fragen, ob du nicht vielleicht doch noch mal darüber nachdenken und nach New York zurückkehren willst.«

»Ach herrje«, murmelte Clary. »Nicht schon wieder . . .«

»Hier ist es einfach nicht sicher für dich.«

»Worüber machst du dir eigentlich Sorgen?«, fragte Clary tonlos. »Dass man mich ins Gefängnis werfen könnte – so wie Simon?«

Jace' Gesichtsausdruck blieb unverändert, aber er wippte mit seinem Stuhl zurück und balancierte auf dessen beiden hinteren Beinen, als hätte Clary ihm einen Stoß verpasst. »Simon . . .?«

»Sebastian hat mir erzählt, was mit ihm passiert ist«, fuhr Clary mit weiterhin tonloser Stimme fort. »Was du getan hast.

Dass du ihn hierhergebracht und dann zugelassen hast, dass man ihn ins Gefängnis geworfen hat. Legst du es darauf an, dass ich dich hasse?«

»Und du vertraust Sebastian?«, fragte Jace. »Du kennst ihn doch kaum, Clary.«

Wütend funkelte sie ihn an. »Entspricht es denn nicht der Wahrheit?«

Jace hielt ihrem Blick stand, doch sein Gesicht war so bleich geworden wie das von Sebastian, als sie ihn von sich gestoßen hatte. »Doch, es stimmt.«

Im Bruchteil einer Sekunde packte Clary einen Teller vom Tisch und warf ihn nach ihm. Jace duckte sich, sodass der Stuhl heftig schwankte und der Teller oberhalb der Spüle gegen die Wand krachte und in tausend Scherben zerbrach. Einen Moment später war Jace auf den Beinen, als Clary den nächsten Teller nahm und blind nach ihm warf: Dieser prallte jedoch vom Kühlschrank ab und landete vor Jace' Füßen, wo er in zwei gleich große Teile zersprang.

»Wie konntest du das nur tun? Simon hat dir vertraut. Wo ist er jetzt? Was haben sie mit ihm vor?«, schrie sie.

»Nichts«, erklärte Jace. »Es geht ihm gut. Ich habe ihn gestern Abend noch gesehen . . .«

»Bevor oder nachdem ich bei dir war? Bevor oder nachdem du so getan hast, als wäre alles in Ordnung und dir ginge es prima?«

»Du hast geglaubt, mir ginge es prima?« Jace stieß eine Art unterdrücktes Lachen aus. »Dann muss ich ein besserer Schauspieler sein, als ich dachte.« Ein schiefes Lächeln umspielte seine Lippen. Ein Lächeln, das Clarys Wut schlagartig wieder entfachte: Wie konnte er es *wagen,* sie auszulachen? Sie griff nach der Obstschale, doch plötzlich schien ihr das nicht mehr zu reichen. Wutentbrannt stieß sie den Stuhl beiseite und stürzte sich auf Jace, wohl wissend, dass er das niemals von ihr erwarten würde.

Die Wucht ihres plötzlichen Angriffs überrumpelte ihn: Er taumelte zurück und stieß hart gegen die Kante der Küchenanrichte. Überrascht hielt er die Luft an, als Clary blind ausholte ...

Doch sie hatte vergessen, wie schnell er war. Ihre Faust traf nicht auf sein Gesicht, sondern in seine erhobene Handfläche. Resolut schloss er seine Finger um ihre und zwang ihren Arm nach unten.

Plötzlich wurde Clary sich bewusst, wie dicht sie beieinanderstanden: Sie lehnte gegen Jace und drückte ihn mit der ganzen Kraft ihres kleinen Körpers gegen die Anrichte. »Lass meine Hand los«, murmelte sie.

»Wenn ich das tue, wirst du dann nicht mehr versuchen, mich zu schlagen?« Seine Stimme klang rau und sanft zugleich und seine Augen funkelten.

»Meinst du nicht, dass du es verdient hättest?«

Clary spürte, wie sich seine Brust hob und senkte, als Jace freudlos lachte. »Glaubst du ernsthaft, ich hätte das alles geplant? Denkst du wirklich, dass ich so etwas tun würde?«

»Na ja, du magst Simon doch nicht besonders, oder? Vielleicht hast du ihn ja noch nie leiden können.«

Jace stieß ein raues, ungläubiges Geräusch aus und gab ihre Hand frei. Als Clary einen Schritt zurücktrat, hielt er ihr den rechten Arm entgegen, mit der Handfläche nach oben. Clary benötigte einen Moment, bis sie erkannte, was er ihr zeigte: eine zerklüftete Narbe an seinem Handgelenk. »Das hier«, sagte er mit fast zum Reißen angespannter Stimme, »ist die Stelle, an der ich meine Pulsader aufgeschlitzt habe, um deinen Vampirfreund von meinem Blut trinken zu lassen. Fast wäre ich dabei draufgegangen. Und jetzt glaubst du, dass ich ihn einfach im Stich gelassen habe?«

Sprachlos starrte Clary auf die Narbe an Jace' Handgelenk – eine von vielen, die seinen ganzen Körper bedeckten. Narben jeder Größe und Gestalt. »Sebastian hat mir erzählt, dass du Simon hierhergebracht hast und dass Alec ihn zur Garnison geschleppt hat. Ihn dem Rat überlassen hat. Das musst du doch gewusst haben . . .«

»Ich habe Simon nicht absichtlich nach Alicante gebracht. Ich hatte ihn gebeten, sich mit mir am Institut zu treffen, um zu reden. Über *dich*, wenn du es genau wissen willst. Ich hatte gehofft, er könnte dich vielleicht davon überzeugen, nicht nach Idris zu reisen. Aber falls dir das irgendein Trost ist: Er wollte nicht einmal darüber nachdenken. Während er dort war, wurden wir von Forsaken angegriffen. Ich *musste* ihn mit mir durch das Portal schleppen. Entweder das oder er wäre gestorben.«

»Aber warum hast du ihn dem Rat übergeben? Dir muss doch klar gewesen sein, was der mit ihm macht . . .«

»Wir haben Simon nur aus einem Grund in die Garnison gebracht: Dort befindet sich das einzige Portal in ganz Idris. Uns wurde versichert, man würde ihn direkt nach New York zurückschicken.«

»Und das hast du *geglaubt*? Nach allem, was die Inquisitorin getan hat?«

»Clary, die Inquisitorin war eine Ausnahme. Möglicherweise war das deine erste Begegnung mit dem Rat, aber nicht meine – der Rat sind *wir*. Die Nephilim. Sie befolgen das Gesetz.«

»Was sie aber nicht getan haben!«

»Nein«, bestätigte Jace. »Das haben sie nicht.« Plötzlich klang er sehr müde. »Und das Schlimmste daran ist die Tatsache, dass ich noch genau weiß, wie Valentin gegen den Rat gewettert hat . . . wie korrupt er sei . . . dass er unbedingt geläutert werden müsse. Und beim Erzengel Raziel – ich kann nicht anders, als ihm beizupflichten.«

Clary war still geworden – zum einen, weil sie nicht wusste, was sie darauf antworten sollte, und zum anderen, weil Jace, zu ihrer großen Verblüffung, die Arme nach ihr ausstreckte und sie fast geistesabwesend an sich zog. Und zu ihrer eigenen Überraschung ließ sie ihn gewähren. Durch den weißen Stoff seines Hemdes konnte sie die Konturen seiner Runenmale erkennen, die sich schwarz und züngelnd wie Flammen über seine Haut ausbreiteten. Sie sehnte sich danach, den Kopf an seine Brust zu lehnen, seine Arme um sich zu spüren . . . Sie sehnte sich so sehr danach, wie ihr Körper nach Sauerstoff verlangt hatte, als sie im Lyn-See zu ertrinken drohte.

»Vielleicht hat Valentin recht, dass sich einige Dinge ändern müssen«, sagte sie nach einer Weile. »Aber mit der Art und Weise, wie er diese Dinge ändern will, liegt er falsch. Das siehst du doch genauso, oder?«

Jace senkte die Lider. Unter seinen halb geschlossenen Augen entdeckte Clary graue Schatten – Zeugnis vieler schlafloser Nächte. »Ich bin mir nicht sicher, ob ich überhaupt noch etwas sehen kann. Du bist zu Recht wütend, Clary. Ich hätte dem Rat nicht trauen dürfen. Aber ich wollte so gern glauben, dass die Inquisitorin eine Ausnahme war . . . dass sie ohne Einwilligung des Rats gehandelt hat . . . dass es immer noch ein paar Dinge gibt, auf die jeder Schattenjäger vertrauen kann.«

»Jace«, wisperte Clary.

Jace öffnete die Augen und schaute zu ihr hinab. Sie beide waren einander nun so nahe, dass ihre Körper sich überall berührten, bemerkte Clary. Sogar ihre Knie drückten gegeneinander und Clary konnte Jace' Herzschlag spüren. *Rück von ihm ab,* ermahnte sie sich, doch ihre Beine wollten ihr nicht gehorchen.

»Ja? Was ist denn?«, fragte er mit sanfter Stimme.

»Ich möchte zu Simon«, sagte Clary. »Kannst du mich zu ihm bringen?«

So unvermittelt, wie er sie an sich gezogen hatte, so abrupt ließ er sie auch wieder los. »Nein. Du dürftest eigentlich gar nicht in Idris sein. Du kannst nicht einfach in die Garnison hineinspazieren.«

»Aber Simon wird glauben, dass alle ihn im Stich gelassen haben. Er wird denken . . .«

»Ich habe ihn besucht«, erklärte Jace. »Ich wollte ihn da rausholen . . . ich war bereit, die Gitterstäbe vor seinem Fenster mit meinen eigenen Händen niederzureißen.« Seine Stimme klang nüchtern. »Aber er wollte nichts davon wissen.«

»Er wollte nicht, dass du ihm hilfst? Simon wollte im Gefängnis bleiben?«

»Er meinte, der Inquisitor würde meiner Familie nachspionieren, mir nachspionieren. Aldertree will uns die Schuld an den

Ereignissen in New York in die Schuhe schieben. Natürlich kann er sich nicht einfach einen von uns schnappen und ein Geständnis herauspressen – *das* würde der Rat niemals gutheißen. Aber Aldertree versucht, Simon dazu zu bringen, irgendeine erfundene Geschichte zu bestätigen, nach der wir alle mit Valentin im Bunde stehen. Simon meint, wenn ich ihm helfe auszubrechen, wird der Inquisitor wissen, dass ich es war, und das würde die Situation für die Lightwoods nur noch verschlimmern.«

»Das ist ja wirklich sehr nobel von ihm, aber wie lautet denn sein langfristiger Plan? Für immer im Gefängnis bleiben?«

Jace zuckte die Achseln. »Das haben wir noch nicht genau besprochen.«

Clary stieß einen entnervten Seufzer aus. »*Männer!*«, murmelte sie. »Also gut. Was du brauchst, ist ein Alibi. Wir werden dafür sorgen, dass du an einem Ort bist, wo jeder dich sehen kann . . . dich und die Lightwoods . . . und dann lassen wir Magnus Simon aus dem Gefängnis holen und nach New York zurückbringen.«

»Es tut mir wirklich leid, dir das sagen zu müssen, Clary, aber es besteht nicht die geringste Chance, dass Magnus das machen würde. Ganz gleich, wie süß er Alec finden mag, aber er wird sich nicht offen gegen den Rat stellen, nur um uns einen Gefallen zu tun.«

»Möglicherweise doch«, überlegte Clary laut. »Für das Weiße Buch würde er es möglicherweise riskieren.«

Jace blinzelte verwirrt. »Was für ein Buch?«

Rasch erzählte Clary ihm von Ragnor Fells Tod, von Magnus' Auftauchen in Fells Haus und von dem Zauberbuch. Aufmerksam hörte Jace zu, bis sie ihren Bericht beendet hatte.

»Dämonen?«, fragte er. »Magnus hat gesagt, Fell sei von Dämonen getötet worden?«

Angestrengt versuchte Clary, sich zu erinnern. »Nein . . . er hat nur gesagt, dass das ganze Haus nach irgendetwas stank, das dämonischen Ursprungs war. Und dass Fell von ›Valentins Schergen‹ getötet worden sei.«

»Schwarze Magie hinterlässt manchmal eine Aura, die wie Dämonen stinkt«, überlegte Jace laut. »Wenn Magnus sich nicht genauer dazu äußern wollte, dann liegt das wahrscheinlich daran, dass er nicht sehr erfreut darüber ist, dass irgendein Hexenmeister schwarze Magie betrieben und damit gegen das Gesetz verstoßen hat. Aber es wäre ja nicht das erste Mal, dass Valentin eines von Liliths Kinder dazu gebracht hat, ihm zu Diensten zu sein. So wie bei dem jungen Hexenmeister, den er in New York getötet hat . . .«

»Und dessen Blut er für das Ritual benötigte!«, erinnerte Clary sich mit Schaudern. »Meinst du, Valentin will dieses Buch aus demselben Grund wie ich? Um meine Mutter damit aufzuwecken?«

»Schon möglich. Es könnte aber auch sein, dass er das Buch wegen der Macht, die es ihm verleihen könnte, in seinen Besitz bringen will. So oder so – wir sollten es uns auf jeden Fall vor ihm schnappen.«

»Glaubst du, es könnte sich im Landhaus der Waylands befinden?«

»Ich weiß es sogar mit Sicherheit«, bestätigte Jace zu Clarys Überraschung. »Dieses Kochbuch . . . *Rezepte für Hausfrauen* oder so ähnlich . . . das habe ich schon mal gesehen. In der Bibliothek. Es war das einzige Kochbuch weit und breit.«

Clary wurde schwindlig. Sie hatte nicht zu hoffen gewagt, dass das Buch tatsächlich dort stehen könnte. »Jace . . . wenn du mich zu diesem Landsitz bringst und wir das Buch finden, dann werde ich mit Simon nach Hause zurückkehren. Wenn du das für mich tust, werde ich in New York bleiben und nie mehr auch nur einen Fuß nach Idris setzen. Das schwöre ich.«

»Magnus hat recht: Um das Haus herum sind tatsächlich Irrleitungs-Schutzschilde errichtet«, sagte Jace gedehnt. »Ich werde dich dorthin bringen, aber es ist ziemlich weit. Zu Fuß brauchen wir bestimmt fünf Stunden dafür.«

Clary streckte die Hand aus und zog Jace' Stele aus der Schlaufe an seinem Gürtel. Dann hielt sie sie zwischen ihnen beiden hoch, sodass sie ein schwaches weißes Licht aussandte, das dem der Dämonentürme ähnelte. »Wer hat denn gesagt, dass wir zu Fuß gehen müssen?«

»Du empfängst ja wirklich außergewöhnliche Besucher, Tageslichtler«, bemerkte Samuel. »Zuerst Jonathan Morgenstern und jetzt den Anführer des New Yorker Vampirclans. Ich bin beeindruckt.«

Jonathan Morgenstern? Simon brauchte einen Moment, ehe er begriff, dass Samuel damit Jace gemeint hatte. »Offenbar bin ich wichtiger, als ich gedacht hätte«, erwiderte er und drehte die leere Metallflasche gedankenverloren in den Händen.

»Und Isabelle Lightwood bringt dir Blut«, fuhr Samuel fort. »Das nenn ich mal einen exquisiten Lieferservice.«

Ruckartig hob Simon den Kopf. »Woher wissen Sie, dass Isabelle die Flasche gebracht hat? Ich habe es nicht erwähnt . . .«

»Ich habe sie durch das Fenster gesehen. Sie sieht genauso aus wie ihre Mutter . . . oder zumindest so, wie ihre Mutter früher ausgesehen hat«, erklärte Samuel und schwieg dann einen Moment. »Dir ist doch klar, dass das Blut nur eine provisorische Lösung darstellt, oder?«, fragte er schließlich. »Früher oder später wird Aldertree sich wundern, dass du noch nicht verhungert bist. Und wenn er dich dann bei bester Gesundheit vorfindet, wird ihm aufgehen, dass hier was nicht stimmt, und dich so oder so töten.«

Simon schaute zur Decke. Die in den Stein gemeißelten Runen überlappten einander wie Steine an einem Kieselstrand. »Vermutlich werde ich Jace einfach glauben müssen, wenn er sagt, dass er und die Lightwoods sich etwas überlegen wollen, um mich hier rauszuholen«, murmelte er. Als Samuel nicht reagierte, fügte er hinzu: »Ich werde ihn bitten, Sie ebenfalls zu retten. Versprochen! Ich lasse Sie nicht einfach hier unten zurück.«

Samuel brachte einen unterdrückten Laut hervor – wie ein Lachen, das nicht aus seiner Kehle herauswollte. »Oh, ich glaube nicht, dass Jace Morgenstern irgendein Interesse hat, *mich* zu retten«, sagte er. »Außerdem ist der drohende Hungertod dein geringstes Problem, Tageslichtler. Schon bald wird Valentin diese Stadt angreifen und dann werden sehr wahrscheinlich alle hier getötet werden.«

Simon blinzelte. »Woher wollen Sie das so genau wissen?«

»Ich habe Valentin einmal sehr nahegestanden. Ich kannte seine Pläne. Seine Ziele. Er beabsichtigt, Alicantes Schutzschilde zu zerstören und den Rat mitten aus dessen Machtzentrum heraus anzugreifen.«

»Aber ich dachte, an den Schutzschilden käme kein Dämon vorbei. Ich dachte, sie wären undurchdringlich.«

»So heißt es zumindest. Du musst wissen, es erfordert Dämonenblut, um die Schutzschilde niederzureißen, aber dieser Vorgang kann nur von Alicante aus durchgeführt werden. Da jedoch kein Dämon die Schilde passieren kann . . . Im Grunde ist es ein perfektes Paradoxon – oder sollte es wenigstens sein. Doch Valentin behauptet, er habe einen Weg gefunden, es zu umgehen . . . einen Weg, die Schutzschilde zu durchbrechen. Und ich glaube ihm. Er wird einen Weg finden, die Schutzschilde zu deaktivieren, und er wird mit seinem Dämonenheer in die Stadt eindringen und uns alle töten.«

Die emotionslose Sicherheit in Samuels Stimme jagte Simon einen Schauer über den Rücken. »Sie klingen schrecklich resigniert. Sollten Sie nicht lieber etwas unternehmen? Den Rat warnen?«

»Ich habe die Ratsmitglieder längst gewarnt – als man mich verhört hat. Ich habe ihnen wieder und wieder erklärt, dass Valentin plant, die Schutzschilde zu zerstören, aber man hat mich ausgelacht. Der Rat glaubt, die Schutzschilde würden ewig halten, weil sie bereits die letzten tausend Jahre standgehalten haben. Aber das Gleiche dachte man auch von Rom . . . bis die Barbaren kamen. Alles ist eines Tages dem Untergang geweiht.« Samuel lachte in sich hinein, ein verbittertes, ärgerliches Lachen. »Am besten betrachtest du das Ganze als eine Art Rennen darum, wer als Erster hier ist, um dich zu töten, Tageslichtler: Valentin, die anderen Schattenweltler oder doch der Rat.«

Irgendwo zwischen *hier* und *dort* wurde Clarys Hand aus Jace' festem Griff gerissen. Als der Wirbelsturm sie ausspuckte, traf sie allein und hart auf dem Boden auf, rollte noch ein paar Meter und blieb dann keuchend liegen.

Langsam setzte sie sich auf und schaute sich um: Sie lag mitten auf einem Perserteppich, der den Holzboden eines großen Zimmers mit wuchtigen Steinmauern bedeckte. Ein paar Möbelstücke, die durch die weißen, übergeworfenen Tücher wie bucklige, plumpe Gespenster aussahen, waren über den Raum verteilt. Vor den hohen Buntglasfenstern hingen schwere Samtvorhänge, die mit einer grauweißen Staubschicht überzogen waren. Staubpartikel tanzten im fahlen Mondlicht, das zwischen den Vorhängen hereinfiel.

»Clary?« Jace tauchte hinter einem riesigen Gegenstand auf, der in weiße Tücher gehüllt war – möglicherweise ein Flügel. »Alles in Ordnung?«

»Mir geht's prima«, verkündete Clary und versuchte, sich aufzurichten, zuckte aber zusammen. Ihr Ellbogen schmerzte. »Wenn man mal davon absieht, dass Amatis mich wahrscheinlich umbringen wird, wenn wir wieder zurück sind. Nicht nur, dass ich ihre Teller zerdeppert habe – ich habe in ihrer Küche auch noch ein *Portal* geöffnet.«

Jace beugte sich zu Clary hinab und streckte ihr seine Hand entgegen. »Wenn du mich fragst, war es das wert«, erwiderte er und half ihr auf die Beine. »Ich bin jedenfalls sehr beeindruckt.«

»Danke.« Neugierig sah Clary sich um. »Dann ist das also der Landsitz, auf dem du aufgewachsen bist? Er erinnert mich irgendwie an ein Haus aus einem Märchen.«

»Ich würde eher an einen Horrorfilm denken«, sagte Jace. »Mann, ist das lange her, dass ich hier gewesen bin. Früher war es hier nicht so . . .«

»So kalt?« Zitternd knöpfte Clary ihren Umhang zu, doch die Kälte, die in dem Gebäude herrschte, hing nicht nur mit der Außentemperatur zusammen: Das Haus *verströmte* eine Eiseskälte, als hätte es innerhalb seiner Mauern nie Wärme und Licht und fröhliches Lachen gegeben.

»Nein, das meinte ich nicht«, erklärte Jace. »Kalt war es hier eigentlich immer. Ich wollte *staubig* sagen.« Er holte seinen Elbenlichtstein aus der Tasche, der sofort aufleuchtete. Das weiße Licht beschien sein Gesicht von unten, ließ die Schatten unter seinen Wangenknochen und die Vertiefungen an seinen Schläfen deutlich hervortreten. »Dieser Raum hier war mal das Arbeitszimmer, aber wir müssen in die Bibliothek. Dann mal los«, forderte er Clary auf und führte sie aus dem Raum in einen langen Korridor mit Dutzenden von Spiegeln an den Wänden.

Als Clary auf dem Weg durch den Korridor einen Blick auf ihr Spiegelbild erhaschte, zuckte sie leicht zusammen. Ihr war gar nicht bewusst gewesen, wie zerknittert und zerzaust sie aussah: Ihr Cape wirkte ziemlich staubig und ihre Haare waren vom Wirbelwind ganz strubbelig. Unauffällig versuchte sie, sie glatt zu streichen, fing aber im nächsten Spiegel Jace' breites Grinsen auf. Aus irgendeinem unerklärlichen Grund – zweifellos lag es an einer geheimnisvollen Schattenjägermagie, die sie nicht einmal ansatzweise verstand – saßen *seine* Haare einfach perfekt.

Zahlreiche Türen gingen von dem dunklen Korridor ab;

manche standen offen und gaben den Blick auf die dahinterliegenden Räume frei, die jedoch genauso staubig und ungenutzt wirkten wie das Arbeitszimmer. Valentin hatte erzählt, dass Michael Wayland keine Verwandten gehabt hatte, daher vermutete Clary, dass dieser Landsitz nach seinem »Tod« an niemanden weitervererbt worden war. Sie hatte angenommen, dass Valentin weiterhin hier gewohnt hatte, aber das schien eindeutig nicht der Fall zu sein. Jeder Raum und jeder Winkel zeugten von Trauer und Vernachlässigung. In Renwicks Ruine hatte Valentin diesen Ort als »Zuhause« bezeichnet und ihn Jace im Spiegelglas des Portals gezeigt: eine goldumrahmte Erinnerung an grüne Felder und hellen Stein. Doch auch das war eine Lüge gewesen, erkannte Clary. Es war offensichtlich, dass Valentin hier schon seit Jahren nicht mehr lebte – vielleicht hatte er das Haus einfach dem Verfall überlassen oder war nur gelegentlich hierher zurückgekehrt, um wie ein Geist durch dessen düstere Gänge zu irren.

Endlich erreichten sie eine Tür am Ende des Korridors. Nachdem Jace sie mit der Schulter aufgestemmt hatte, trat er einen Schritt beiseite und ließ Clary als Erste eintreten. In Gedanken hatte sie sich die Bibliothek des Instituts ausgemalt und tatsächlich besaß der Raum eine gewisse Ähnlichkeit mit ihrer Vorstellung: Auch hier waren die Wände von hohen Bücherregalen gesäumt und lange Leitern auf Laufrollen boten Zugang zu den obersten Regalböden. Allerdings besaß dieser Raum weder eine nach oben hin verjüngte Decke – sondern kantige dunkle Holzbalken – noch einen Schreibtisch. Die grünen Samtvorhänge neben den blaugrünen Buntglasfenstern wirkten wie mit einer schneeweißen Staubschicht überzogen, während das Mondlicht die Glasflächen wie farbigen Frost funkeln ließ. Jenseits der Fenster herrschte tiefe Dunkelheit.

»Das ist die Bibliothek, stimmt's?«, fragte Clary Jace im Flüsterton, obwohl sie nicht wusste, warum sie eigentlich so leise sprach. Aber das große, leere Haus hatte etwas zutiefst Stilles, Regloses an sich.

Jace schaute gedankenverloren an Clary vorbei. Die Erinnerung an die Vergangenheit ließ seine Augen ganz dunkel wirken: »Dort drüben . . . auf dieser Fensterbank . . . hab ich immer gesessen und gelesen . . . die Lektüre, die mein Vater mir für den jeweiligen Tag herausgesucht hatte. Jeden Tag in einer anderen Sprache: samstags Französisch, sonntags Englisch . . . aber ich kann mich nicht mehr erinnern, wann Latein dran war – montags oder doch dienstags . . .«

Plötzlich sah Clary vor ihrem inneren Auge Jace als kleinen Jungen. Mit einem Buch auf den Knien hockte er auf der breiten Fensterbank und schaute hinaus. Wohin? Hatte dort unten einst ein Garten gelegen? Hatte er einen Blick auf die Berge in der Ferne gehabt? Oder hatte er auf eine hohe Dornenhecke gestarrt, wie die undurchdringliche Hecke um Dornröschens Schloss? Clary sah ihn förmlich vor sich: Tageslicht fiel durch das Buntglasfenster und zeichnete blaue und grüne Flächen auf sein hellblondes Haar und sein kleines Gesicht schaute viel ernster, als ein Zehnjähriger eigentlich schauen sollte.

»Ich kann mich einfach nicht mehr daran erinnern«, murmelte Jace nun erneut und starrte hinaus in die Dunkelheit.

Behutsam berührte Clary ihn an der Schulter. »Das macht doch nichts, Jace.«

»Nein, vermutlich nicht«, pflichtete er ihr bei und schüttelte sich, als würde er aus einem Traum erwachen. Dann hielt er das Elbenlicht hoch und durchquerte die Bibliothek. Auf der anderen Seite des Raums angekommen, ging er vor einem Regal in die Hocke, inspizierte eine Bücherreihe und richtete sich mit einem Wälzer in der Hand wieder auf. »Da ist es ja: *Einfache Rezepte für die junge Hausfrau*«, sagte er.

Clary lief zu ihm und nahm ihm das Exemplar aus der Hand. Es handelte sich um ein schlichtes Buch mit blauem Einband und einer dicken Staubschicht – wie offensichtlich alles in diesem Haus. Als sie es aufschlug, stiegen weiße Staubpartikel wie ein Mottenschwarm aus seinen Seiten auf.

In die Mitte des Buchs hatte jemand eine große, rechteckige Vertiefung geschnitten – und darin lag, passgenau wie ein Edelstein in einer Fassung, ein schmaleres Buch, etwa von der Größe eines kleinen Gedichtbands. Auf seinem weißen Ledereinband prangten vergoldete romanische Lettern. Clary konnte die Worte »weiß« und »Buch« entziffern, doch als sie es herausnahm und aufschlug, stellte sie zu ihrer Überraschung fest, dass die Seiten mit einer dünnen, krakeligen Handschrift in einer Sprache beschrieben waren, die sie nicht verstand.

»Das ist Griechisch«, sagte Jace mit einem Blick über Clarys Schulter. »Altgriechisch.«

»Kannst du das lesen?«

»Nicht ohne Weiteres«, räumte er ein. »Meine letzten Versuche liegen Jahre zurück. Aber Magnus kann es bestimmt lesen.« Er schloss das Buch und ließ es in die Tasche von Clarys Umhang gleiten, ehe er sich erneut den Bücherregalen zuwandte und mit den Fingern über die Rücken der Bücher strich.

»Möchtest du von denen vielleicht eines mitnehmen?«,

fragte Clary sanft. »Irgendeins, das dich besonders interessiert . . .«

Jace lachte und ließ die Hand sinken. »Es war mir nicht gestattet, irgendein Buch zu lesen, das mein Vater mir nicht herausgesucht hatte«, erklärte er. »Einige Regale enthielten Exemplare, die ich nicht einmal anfassen durfte.« Er zeigte auf eine Bücherreihe auf einem der oberen Regalböden, die alle einen einheitlichen braunen Ledereinband besaßen. »Als ich ungefähr sechs war, hab ich einmal eines von ihnen herausgenommen und es aufgeschlagen, um herauszufinden, weshalb darum so ein Wirbel gemacht wurde. Es entpuppte sich als ein Tagebuch, das mein Vater führte. Über mich. Anmerkungen über ›*meinen Sohn, Jonathan Christopher*‹. Als er entdeckte, dass ich darin gelesen hatte, hat er mich mit seinem Gürtel ausgepeitscht. Damals habe ich auch zum ersten Mal erfahren, dass ich noch einen zweiten Vornamen besitze.«

Ein plötzlicher Anfall von Hass auf ihren Vater erfasste Clary. »Na ja, jetzt ist Valentin jedenfalls nicht hier.«

»Clary . . .«, setzte Jace mit einem warnenden Ton in der Stimme an, doch sie hatte sich bereits gestreckt, eines der Bücher vom verbotenen Regal gepackt und es auf den Boden geworfen, wo es mit einem zufriedenstellenden Dröhnen auftraf und liegen blieb. »Clary!«, stieß Jace hervor.

»Ach, komm schon.« Clary schnappte sich das nächste Buch und warf es ebenfalls vom Regal. Staub stieg aus den Seiten auf, als es auf dem Boden auftraf. »Jetzt du!«, wandte sie sich an Jace.

Jace musterte sie einen Moment und dann stahl sich ein leises Lächeln in seine Mundwinkel. Entschlossen griff er ins Regal und fegte mit einer einzigen Armbewegung sämtliche verbliebenen Bücher vom Brett, sodass sie krachend zu Boden stürzten. Bei diesem Anblick brach er in befreiendes Gelächter aus, verstummte aber abrupt. Dann hob er angespannt den Kopf und spitzte die Ohren wie eine Raubkatze, die ein weit entferntes Geräusch wahrnimmt. »Hörst du das auch?«

Was soll ich hören?, wollte Clary gerade fragen, hielt sich aber zurück. Denn im nächsten Moment bemerkte sie es ebenfalls: ein hohes Sirren und Knirschen, wie von einem Mechanismus, der sich in Bewegung setzt. Das Geräusch wurde immer lauter und schien aus dem Inneren der Mauer zu kommen. Unwillkürlich wich Clary einen Schritt zurück – gerade noch rechtzeitig, ehe die Steine vor ihnen mit einem ächzenden, kreischenden Knarzen nach hinten schwangen. Dahinter kam eine Öffnung zum Vorschein – eine Art Tür, die grob in das Mauerwerk gehauen war.

Das Licht von Jace' Elbenstein fiel durch die Öffnung und gab den Blick auf eine Treppe frei, die in die Dunkelheit hinabführte.

9
Sündiges Blut

»Ich kann mich gar nicht erinnern, dass es hier überhaupt einen Keller gegeben hat«, sagte Jace und starrte an Clary vorbei in die klaffende Öffnung in der Mauer. Er hob seinen Elbenlichtstein ein Stück, sodass der Lichtschein von den schwarzen Seitenflächen des Tunnels reflektiert wurde. Die Wände bestanden aus einem glatten dunklen Gestein, das Clary nicht kannte, und die Treppenstufen schimmerten, als wären sie feucht. Ein seltsamer Geruch schlug ihnen entgegen: muffig, modrig, mit einer merkwürdig metallischen Note, bei der sich Clary sofort die Nackenhaare aufrichteten.

»Was könnte sich da unten befinden?«, fragte sie nervös.

»Keine Ahnung.« Jace marschierte zur Treppe und stellte prüfend einen Fuß auf die oberste Stufe. Als sie standhielt, zuckte er die Achseln und machte sich an den Abstieg: Vorsichtig tastete er sich Stufe für Stufe hinab. Etwa auf der Hälfte der Treppe drehte er sich um und sah zu Clary hinauf. »Kommst du mit? Oder möchtest du lieber da oben auf mich warten?«

Clary schaute sich noch einmal schaudernd in der leeren Bibliothek um und folgte Jace dann eilig.

Die Stufen drehten sich in einer immer enger werdenden Spirale in die Tiefe, als befänden sie sich auf dem Weg durch das Gehäuse einer riesigen Meeresschnecke. Als sie den Fuß der Treppe erreichten, verstärkte sich der seltsame Geruch deutlich. Vor ihnen lag ein großer quadratischer Raum, an dessen Steinwänden sich breite Streifen von Feuchtigkeit niedergeschlagen hatten – neben anderen dunkleren Flecken. Der Boden war bedeckt mit Zeichen und Markierungen: ein wildes Durcheinander aus Pentagrammen und Runen und unregelmäßig verteilten weißen Steinen.

Als Jace einen Fuß von der letzten Treppenstufe auf den Boden setzte, knirschte irgendetwas unter seinen Stiefeln und er und Clary schauten gleichzeitig nach unten.

»Knochen«, wisperte Clary. Der Boden war nicht mit weißen Steinen übersät, sondern mit Knochen in allen Größen und Formen. »Was, zum Teufel, hat Valentin hier unten *gemacht?*«

Der Elbenlichtstein in Jace' Hand sandte ein unheimliches Licht durch den Raum. »Experimente«, sagte Jace in nüchternem, aber zugleich angespanntem Ton. »Das hat die Feenkönigin doch erzählt . . .«

»Was für Knochen sind das?«, fragte Clary mit hoher Stimme. »Tierknochen?«

»Nein.« Jace trat mit dem Fuß gegen einen Knochenhaufen, der daraufhin auseinanderfiel. »Nein, nicht nur Tierknochen.«

Clary spürte, wie es ihr die Kehle zuschnürte. »Lass uns umkehren.«

Statt einer Antwort hob Jace die Hand mit dem Elbenlichtstein, der nun hell aufleuchtete und ein grelles Licht ausstrahlte, das selbst die dunkelsten Ecken des Kellers ausleuchtete. Große Teile des Raums schienen leer, aber der hinterste Bereich war mit einem Tuch abgehängt. Irgendetwas befand sich hinter diesem Tuch, eine gekrümmte Gestalt . . .

»Jace«, flüsterte Clary. »Was *ist* das?«

Jace schwieg, doch plötzlich hielt er eine Seraphklinge in der Hand. Clary hatte gar nicht mitbekommen, dass er die Waffe gezückt hatte, die im Elbenlicht wie ein Schwert aus Eis schimmerte.

»Jace, *nicht*«, stieß Clary hervor, doch es war bereits zu spät: Entschlossen marschierte er auf das Tuch zu, hob es mit der Spitze seiner Klinge an und riss es dann mit einem Ruck beiseite. Der Stoff zerfiel zu einer Wolke von Staub.

Jace taumelte zurück, wobei ihm der Elbenlichtstein aus der Hand glitt. Als der grelle Lichtschein zu Boden fiel, konnte Clary einen kurzen Blick auf sein Gesicht werfen: Es war kreidebleich und starr vor Entsetzen. Clary schnappte sich das Elbenlicht, ehe es ausgehen konnte, und hielt es hoch in die Luft, um herauszufinden, was Jace so erschüttert hatte – ausgerechnet ihn, der sonst so unerschütterlich war.

Zunächst erkannte sie die Gestalt eines Mannes – ein Mann, der in schmutzige weiße Lumpen gehüllt auf dem Boden kauerte. An seinen Fuß- und Handgelenken saßen schwere Eisenfesseln, die mit massiven Metallkrampen im Steinboden verankert waren. *Wie kann es sein, dass er noch lebt?*, dachte Clary entsetzt, während bittere Gallenflüssigkeit in ihrer Kehle aufstieg. Der Elbenlichtstein zitterte in ihrer Hand und das Licht warf tanzende Flecken auf den Gefangenen. Clary sah ausgemergelte Arme und Beine, über und über mit den Narben zahlloser Folterungen bedeckt. Dann drehte der Mann ihr sein totenschädelartiges Gesicht zu, mit schwarzen leeren Höhlen anstelle der Augäpfel. Einen Moment später ertönte ein trockenes Rascheln und Clary erkannte, dass das, was sie für Lumpen gehalten hatte, in Wahrheit *Schwingen* waren, weiße Schwingen, die sich hinter seinem Rücken zu zwei reinweißen Halbkreisen ausbreiteten – die einzigen reinen Objekte in diesem dreckigen Kellerverlies.

Clary stieß ein trockenes Krächzen aus. »*Jace.* Siehst du das . . .?«

»Ja, ich sehe es auch.« Jace stand direkt hinter ihr und seine Stimme klang spröde wie zersprungenes Glas.

»Du hast doch gesagt, es gäbe keine Engel . . . dass niemand jemals einen gesehen hätte . . .«

Jace flüsterte leise vor sich hin – anscheinend eine Reihe panikerfüllter Flüche. Zögernd ging er einen Schritt auf die gekrümmte Gestalt am Boden zu und zuckte abrupt zurück, als wäre er von einer unsichtbaren Wand abgeprallt. Ein Blick nach unten verriet Clary, dass der Engel innerhalb eines Pentagramms kauerte, welches aus ineinander verschlungenen, tief in den Boden geritzten Runen bestand; sie glühten in einem schwachen, phosphoreszierenden Licht. »Die Runen«, flüsterte sie, »wir kommen nicht an den Runen vorbei . . .«

»Aber es muss doch einen Weg geben . . .«, erwiderte Jace mit brechender Stimme, »irgendetwas, das wir tun können.«

In dem Moment hob der Engel den Kopf. Er hatte goldene Locken, genau wie Jace, die jedoch im Licht des Elbensteins matt und stumpf wirkten, wie Clary mit schmerzlichem Bedauern feststellte. Feuchte Strähnen klebten neben den leeren Augenhöhlen und sein Gesicht war mit schrecklichen Narben übersät, wie ein wunderschönes Gemälde, das Vandalen zerstört hatten. Während Clary ihn entsetzt anstarrte, öffnete der Engel den Mund und ein Klang entstieg seiner Kehle – eine einzelne gesungene Note, ein ergreifender goldener Ton, der andauerte und andauerte und so hoch und süß war, dass sein Klang fast schmerzte . . .

Plötzlich tauchte vor Clarys Augen eine Flut von Bildern auf. Krampfhaft umklammerte sie den Elbenstein, doch sein Licht war verschwunden . . . sie war verschwunden . . . nicht länger in diesem Kellerverlies, sondern woanders . . . an einem Ort, an dem die Bilder der Vergangenheit wie in einem Wachtraum an ihr vorbeizogen – Fragmente, Farben, Geräusche.

Sie befand sich in einem Weinkeller, der kahl und sauber war. Nur eine einzige riesige Rune bedeckte den Steinboden. Daneben stand ein Mann; in einer Hand hielt er ein aufgeschlagenes Buch und in der anderen eine weiß glühende Fackel. Als er den Kopf hob, erkannte Clary, dass es sich um Valentin handelte: Er war allerdings wesentlich jünger, mit glattem, attraktivem Gesicht und klaren dunklen Augen. Dann begann er zu psalmodieren und sofort schlugen aus den Umrissen der Rune Feuerzungen empor. Und als die Flammen erloschen, lag eine gekrümmte Gestalt zwischen der weißen Asche: ein Engel, mit halb gespreizten, blutigen Schwingen, wie ein Vogel, den eine Kugel vom Himmel geholt hatte . . .

Dann wechselte die Szenerie. Valentin stand vor einem Fenster, an seiner Seite eine junge Frau mit glänzenden roten Haaren. Als er die Arme ausstreckte, um sie an sich zu ziehen, glitzerte ein silberner Ring an seiner Hand auf, ein Ring, der Clary sehr bekannt vorkam. Mit einem Schlag erkannte Clary ihre Mutter. Doch sie schien sehr jung zu sein, mit weichen und verwundbaren Zügen. Sie trug ein weißes Nachthemd und war eindeutig schwanger.

»Das Abkommen ist nicht nur die dümmste Idee, die der Rat jemals hatte, sondern auch das Schlimmste, was den Nephilim passieren konnte«, stieß Valentin wütend hervor. »Allein die Vorstellung, dass wir an alle Schattenwesen *gebunden,* an diese Kreaturen gefesselt sein sollen . . .«

»Valentin«, sagte Jocelyn lächelnd, »genug Politik für heute, *bitte.*« Sie streckte sich und schlang ihm liebevoll die Arme um den Hals. Auch er betrachtete sie mit einem liebevollen Ausdruck im Gesicht. Doch in seinen Augen funkelte noch etwas anderes, etwas, das Clary einen Schauer über den Rücken jagte . . .

Dann kniete Valentin inmitten einer Waldlichtung. Ein strahlend heller Vollmond schien auf die Szenerie herab und beleuchtete das schwarze Pentagramm, das in die aufgewühlte Erde des Waldbodens geritzt worden war. Die Zweige der Bäume reichten bis an das Pentagramm heran, doch an den Stellen, an denen sie über seine Konturen ragten, hatten sich die Blätter aufgerollt und schwarz verfärbt. In der Mitte des fünfeckigen Sterns saß eine schlanke, anmutige Frau mit langen, schimmernden Haaren. Ihr Gesicht lag tief im Schatten, doch Clary sah ihre nackten weißen Arme. Die Frau streckte den linken Arm vor sich aus und öffnete die Finger. Clary konnte eine tiefe, klaffende Wunde in ihrer Handfläche erkennen, aus der ein zäh fließender Strom Blut in einen silbernen Kelch tropfte, der auf dem Rand des Pentagramms stand. Im Mondlicht wirkte das Blut pechschwarz, aber vielleicht war es ja auch *tatsächlich* schwarz.

»Das Kind, das mit diesem Blut in seinen Adern geboren wird«, setzte die Frau mit sanfter, lieblicher Stimme an, »wird Kräfte besitzen, welche die der Dämonenfürsten des Abgrunds zwischen den Welten bei Weitem übersteigen. Der Knabe wird mächtiger sein als Asmodeus, der Dämon des Zorns, und er wird stärker sein als die Shedu, die Sturmdämonen. Mit der richtigen Ausbildung wird es nichts geben, wozu er nicht fähig wäre. Aber ich warne dich«, fügte die Frau hinzu, »das Blut wird ihm auch seine Menschlichkeit rauben, da Gift jeder Zelle das Leben raubt.«

»Ich danke Euch, Herrscherin von Edom«, sagte Valentin. Als er den Kelch mit Blut entgegennehmen wollte, hob die Frau den Kopf und Clary sah, dass sie zwar wunderschöne Züge besaß, aber ihre Augen nur schwarze Höhlen waren, aus denen zuckende schwarze Tentakel herausragten, die wie Fühler die Luft sondierten. Clary stieß einen unterdrückten Schrei aus . . .

Die Nachtszenerie und der Wald verschwanden. Nun stand Jocelyn jemandem gegenüber, den Clary nicht sehen konnte. Sie war nicht mehr schwanger und ihre leuchtend roten Haare hingen in wirren Strähnen um ihr von Panik verzerrtes, verzweifeltes Gesicht. »Ich kann nicht länger bei ihm bleiben, Ragnor«, sagte sie. »Nicht einen einzigen weiteren Tag. Ich habe in seinen Tagebüchern gelesen. Weißt du, was er Jonathan angetan hat? Ich hätte nicht geglaubt, dass irgendjemand dazu fähig wäre – nicht einmal Valentin.« Ihre Schultern zuckten. »Er hat Dämonenblut verwendet: Jonathan ist kein normaler Säugling mehr. Er ist nicht einmal ein Mensch – er ist ein Monster . . .«

Dann verschwand Jocelyn und Valentin erschien: Rastlos

umrundete er den Runenkreis, eine schimmernde Seraphklinge in der Hand. »Warum willst du nicht *reden?*«, murmelte er. »*Warum gibst du mir nicht endlich, was ich will?*« Ruckartig stieß er die Waffe nach unten und der Engel krümmte und wand sich, während eine goldene Flüssigkeit aus seiner Wunde floss und wie verschüttetes Sonnenlicht auf den Boden tropfte. »Wenn du mir schon keine Antwort gibst«, zischte Valentin, »dann kannst du mir wenigstens dein Blut geben. Es wird mir und den Meinen von größerem Nutzen sein als dir.«

Auch diese Szenerie löste sich auf und wich einem Bild, das die Bibliothek auf dem Landsitz der Waylands zeigte. Helle Sonnenstrahlen fielen durch die rautenförmigen Scheiben der Buntglasfenster und tauchten den Raum in blaues und grünes Licht. Durch die geöffnete Bibliothekstür drangen Stimmengewirr und heiteres Lachen – in einem der anderen Räume fand eine fröhliche Feier statt. Jocelyn kniete vor einem Bücherregal und sah sich verstohlen um. Dann zog sie einen dicken Wälzer aus ihrer Tasche und schob ihn zwischen die anderen Bücher . . .

Sekunden später war das Bild fort. Die Szenerie zeigte nun einen Keller, denselben Keller, in dem Clary sich in diesem Moment befand. Auf dem Boden war dasselbe in den Stein geritzte Pentagramm zu sehen und in dessen Mitte lag der Engel. Daneben stand Valentin, erneut mit einer flammenden Seraphklinge in der Hand. Er war kein junger Mann mehr, wirkte um Jahre gealtert. »Ithuriel«, sagte er. »Wir sind inzwischen doch alte Freunde, oder? Ich hätte dich unter den Ruinen zurücklassen können, bei lebendigem Leibe begraben, aber nein, ich nahm dich mit hierher. All die Jahre habe ich dich in meiner Nähe gehalten und darauf gehofft, dass du mir eines Tages verraten würdest, was ich wissen will, wissen *muss*.« Er trat nun einen Schritt näher, die Klinge gezückt. Ihr heller Lichtschein ließ die Runenbarriere schwach aufleuchten. »Als ich dich heraufbeschworen habe, träumte ich davon, du würdest mir den Grund nennen, das *Warum*. Warum Raziel uns geschaffen hat, das Geschlecht der Schattenjäger, uns aber nicht die Kräfte verliehen hat, die Schattenweltler besitzen: die Schnelligkeit der Werwölfe, die Unsterblichkeit der Feenwesen, die Zauberkräfte der Hexenmeister oder die Ausdauer der Vampire. Er ließ uns nackt im Angesicht der Höllengeburten zurück, nackt bis auf diese schwarzen Linien auf unserer Haut. Aber warum sollen ihre Kräfte unsere übersteigen? Warum können wir nicht auch das haben, was sie besitzen? Wieso sollte das *gerecht* sein?«

Doch der Engel hockte weiterhin mit geschlossenen Schwingen im Zentrum des fünfeckigen Sterns, reglos und schweigend wie eine Marmorstatue. Aus seinen Augen sprach nichts als schreckliches, stilles Leid.

Verärgert verzog Valentin den Mund.

»Also schön, wie du willst. Dann schweig eben weiter. Aber meine Zeit wird kommen.« Valentin hob die Klinge. »Den Engelskelch habe ich bereits, Ithuriel, und schon bald werde ich auch das Schwert besitzen. Aber ohne den Spiegel kann ich die Beschwörungszeremonie nicht beginnen. Der Spiegel ist das Einzige, was ich noch brauche. Also verrate mir endlich, wo er ist. Sag mir, wo ich ihn finde, und ich werde dich sterben lassen.«

Die Szene zerfiel in tausend Fragmente, und als Clarys Sicht schwand, erhaschte sie Bruchstücke von Bildern, die sie aus ihren eigenen Albträumen kannte – Engel mit weißen und schwarzen Schwingen, spiegelglatte Wasserflächen, Gold und Blut – und Jace, der sich von ihr abwandte, immer wieder von ihr abwandte. Clary streckte die Arme nach ihm aus und zum ersten Mal sprach der Engel in Worten zu ihr, die sie verstehen konnte.

Dies sind nicht die ersten Träume, die ich dir geschickt habe.

Das Bild einer Rune zeichnete sich hinter Clarys geschlossenen Lidern ab, brannte wie ein Feuerwerkskörper – eine Rune, die sie noch nie zuvor gesehen hatte: so kräftig, schlicht und eindeutig wie ein geknüpfter Knoten. Einen Moment später war das Bild verschwunden, zusammen mit dem süßen Engelsgesang. Clary befand sich wieder in ihrem Körper, schwankend auf ihren eigenen Beinen, den Blick in das dreckige, stinkende Kellerverlies gerichtet. Vor ihr hockte der Engel – schweigend, erstarrt, mit geschlossenen Schwingen, ein Bild des Kummers und der Qual.

Bestürzt schluchzte Clary auf. »*Ithuriel.*« Mit wehem Herzen streckte sie die Arme nach dem Engel aus, obwohl sie wusste, dass sie die Runen nicht überschreiten konnte. So viele Jahre hatte der Engel in diesem Keller verbracht, hatte stumm und allein in der Dunkelheit gesessen, in Ketten geschlagen und dem Tode nahe, aber unfähig zu sterben . . .

Plötzlich war Jace an ihrer Seite. An seinem schmerzerfüllten Gesicht konnte Clary ablesen, dass auch er alles gesehen hatte, was sie gesehen hatte. Er warf einen Blick auf die Seraphklinge in seiner Hand und schaute dann wieder zu dem

Engel, der ihnen seine leeren Augenhöhlen zugewandt hatte, einen flehentlichen Ausdruck im Gesicht.

Jace ging zögernd einen Schritt vor und dann einen weiteren. Sein Blick war fest auf den Engel gerichtet und es erschien Clary, als würde eine Art stumme Kommunikation zwischen ihnen stattfinden, ein Gespräch, das sie nicht hören konnte. Jace' Augen leuchteten wie goldene Scheiben, die strahlendes Sonnenlicht reflektieren.

»*Ithuriel*«, flüsterte er.

Die Klinge in seiner Hand flammte auf wie eine helle Fackel. Der Engel drehte den Kopf in die Richtung des Schwerts, als könne er den gleißenden Lichtschein sehen. Dann streckte er die Hände aus, wobei die Eisenfesseln um seine Gelenke rasselten wie kreischende Musikfetzen.

»Clary«, wandte Jace sich an Clary. »Die Runen.«

Die Runen. Einen Moment lang starrte Clary ihn verwirrt an, doch seine Augen drängten sie zum Handeln. Einen Sekundenbruchteil später begriff sie, was er meinte: Sie reichte ihm den Elbenlichtstein, nahm die Stele aus seiner Tasche und kniete sich vor die Runen auf dem Boden, die aussahen, als hätte jemand sie mit einem scharfen Gegenstand in den Stein gemeißelt.

Clary schaute zu Jace auf. Der Ausdruck in seinem Gesicht, das Funkeln in seinen Augen verblüffte sie – er betrachtete sie voller Zuversicht, voller Vertrauen in ihre Fähigkeiten. Mit der Spitze der Stele ritzte sie Linie um Linie in den Boden, veränderte die Fesselungsrunen zu Befreiungsrunen, verwandelte Gefangenschaft in Freiheit. Flammen schlugen aus den Umrissen der Runen empor, als würde Clary den Schwefelkopf eines

Zündholzes über die Seitenfläche einer Streichholzschachtel reiben.

Als sie ihr Werk schließlich vollendet hatte, richtete sie sich auf. Die Runen schimmerten und glühten zu ihren Füßen. Sofort war Jace an ihrer Seite; das Licht des Elbensteins war erloschen, lediglich die Seraphklinge, die er nach dem Engel benannt hatte, leuchtete in seiner Hand. Vorsichtig streckte er den Arm aus und dieses Mal konnte seine Hand die Runenbarriere ungehindert passieren.

Der Engel hob beide Hände und nahm die Klinge entgegen. Dann schloss er die Lider über den leeren Augenhöhlen und einen Moment glaubte Clary, ihn lächeln zu sehen. Langsam drehte er die Waffe in seinen Händen, bis die Spitze der Klinge direkt unterhalb seines Brustbeins ruhte. Clary schnappte erschrocken nach Luft und bewegte sich auf ihn zu, doch Jace packte sie am Arm, hielt sie eisern fest und riss sie ein Stück zurück – genau in dem Moment, in dem der Engel sich die Klinge tief in den Körper rammte.

Sein Kopf sank nach hinten und seine Hände glitten vom Heft der Klinge, die auf Höhe des Herzens aus dem Brustkorb ragte – falls Engel Herzen besaßen; Clary war sich nicht ganz sicher. Feuerzungen schlugen aus der Wunde empor und breiteten sich von der Klinge in alle Richtungen aus. Der Körper des Engels ging in weißen Flammen auf und die Fesseln an seinen Gelenken begannen, scharlachrot zu glühen wie Eisen, das zu lange im Feuer gelegen hatte. Unwillkürlich musste Clary an mittelalterliche Gemälde von Heiligen denken, verzehrt vom überirdischen Glanz himmlischer Entrückung. Im nächsten Moment öffneten sich die Schwingen des Engels und loderten hell auf – ein Gitterwerk schimmernder Flammen.

Clary konnte den Anblick nicht länger ertragen. Erschüttert wandte sie sich ab und vergrub das Gesicht an Jace' Schulter. Jace schlang die Arme um sie und zog sie an sich, fest und hart. »Ist schon gut«, murmelte er, »alles wird gut.« Aber die Luft war erfüllt von dichtem Qualm und der Boden schien unaufhörlich zu schwanken. Doch erst als Jace strauchelte, wurde Clary mit einem Schlag bewusst, dass dieses Gefühl nicht nur vom Schock herrühren konnte: Der Boden schwankte *tatsächlich*. Notgedrungen ließ Clary Jace los und taumelte ein paar Schritte zur Seite. Die Steinfliesen unter ihren Füßen begannen, sich übereinanderzuschieben, und von der Decke rieselte ein feiner Hagel aus Steinen und Dreck. Der Engel war zu einer Rauchsäule erstarrt; die Runen um ihn herum strahlten gleißend hell. Wie gebannt starrte Clary auf die Schriftzeichen, entschlüsselte ihre Bedeutung . . . und warf Jace einen gehetzten Blick zu: »Das Herrenhaus! Es war an Ithuriel gebunden. Wenn der Engel stirbt, wird das ganze Gebäude . . .«

Aber es gelang ihr nicht, ihren Satz zu beenden. Jace hatte sie bereits an der Hand gepackt und stürmte mit ihr zur Wendeltreppe, deren Stufen sich inzwischen so stark wölbten und verwarfen, dass Clary stürzte und sich das Knie aufschlug. Doch Jace hielt sie mit eiserner Entschlossenheit fest. Clary ignorierte den stechenden Schmerz im Bein und den beißenden Staub, der ihr die Luft zum Atmen raubte, rappelte sich auf und rannte weiter.

Endlich erreichten sie das Ende der Treppe und stürmten in die Bibliothek. Hinter ihnen hörte Clary ein dumpfes Dröhnen, als die noch verbliebenen Stufen zusammenkrachten. Doch auch hier war die Lage nicht viel besser: Der Boden schwankte, Bücher fielen aus den Regalen und eine der Marmorstatuen war umgestürzt und in tausend Stücke zersprungen. Jace ließ Clarys Hand los, schnappte sich einen Stuhl und schleuderte ihn – bevor sie ihn fragen konnte, was er damit bezweckte – gegen eines der hohen Buntglasfenster.

Der Stuhl durchbrach die Scheibe in einer Fontäne von Glasscherben. Sofort wandte Jace sich Clary wieder zu und hielt ihr seine Hand entgegen. Durch die scharfkantigen Reste des Fensters konnte sie hinter ihm eine mondbeschienene Wiese erkennen und in der Ferne eine Reihe von Baumwipfeln. *Das geht ziemlich tief runter! Ich kann unmöglich so weit springen!*, überlegte Clary fieberhaft und wollte gerade den Kopf schütteln, als sie sah, wie er erschrocken die Augen aufriss und ihr eine Warnung zurief: Eine der schweren Marmorbüsten auf den oberen Regalböden war an den Rand des Bretts gerutscht und stürzte in diesem Moment auf sie herab. Blitzschnell duckte Clary sich und wich zur Seite aus, sodass die Büste nur wenige Zentimeter von ihrem ursprünglichen Standort krachend zu Boden ging und ein tiefes Loch in die Steinfliesen schlug.

Im nächsten Moment spürte Clary Jace' Arme um ihre Taille, die sie scheinbar mühelos hochhoben. Sie war zu überrascht für eine Gegenwehr, als er sie zu der zerbrochenen Scheibe trug und ohne Umschweife aus dem Fenster warf.

Sekundenbruchteile später traf sie auf einer grasbedeckten Anhöhe direkt unter dem Fenster auf und kullerte den steilen Hang hinab, wobei sie sich immer schneller überschlug – bis sie schließlich mit solcher Wucht gegen einen kleinen Grashügel prallte, dass es ihr den Atem raubte. Unmittelbar darauf war Jace neben ihr, doch im Gegensatz zu ihr rollte er sich ab, kam auf die Knie und starrte die Anhöhe hinauf zum Herrenhaus.

Clary drehte sich um, um in die gleiche Richtung zu schauen, doch Jace hatte sie bereits gepackt und drückte sie in die Bodenvertiefung zwischen den beiden Hügeln. Später sollte sie dunkle Blutergüsse an den Stellen ihrer Oberarme vorfinden, an denen er sie festgehalten hatte – doch in diesem Moment schnappte sie nur überrascht nach Luft, als er sie auf den Boden presste, sich auf sie warf und sie mit seinem Körper schützte, während auf der Anhöhe eine gewaltige Explosion die Luft erbeben ließ. Es schien, als würde die Erde förmlich zerrissen, wie bei einem Vulkanausbruch, und eine weiß glühende Staubsäule schoss in den Himmel.

Clary hörte ein Prasseln um sie herum. Einen verwirrenden Moment lang dachte sie, es hätte zu regnen begonnen, doch dann erkannte sie, dass es sich um Erdbrocken, Steine und Glassplitter handelte: Trümmer des in die Luft gesprengten Herrenhauses, die wie ein todbringender Hagel um sie herum niedergingen.

Jace presste sie noch fester auf den Boden, seinen Körper flach auf ihren gedrückt. Sein rasender Herzschlag klang in Clarys Ohren fast so laut wie das Prasseln des herabstürzenden Schutts und Gerölls.

Dann ließ das Dröhnen der Explosion allmählich nach, wie Rauch, der sich in Luft auflöst, und wurde vom lauten Tschilpen aufgeschreckter Vögel abgelöst. Clary konnte sie über

Jace' Schulter vor dem dunklen Nachthimmel aufgeregt kreisen sehen.

»Jace«, flüsterte sie leise. »Ich glaube, ich habe deine Stele irgendwo verloren.«

Jace drückte sich leicht hoch, stützte sich auf die Ellbogen und blickte auf sie hinab. Trotz der Dunkelheit konnte sie sich selbst in seinen Augen sehen. Sein Gesicht war mit Ruß und Dreck beschmiert, der Kragen seines Hemdes zerrissen. »Kein Problem. Hauptsache, du bist nicht verletzt.«

»Mir geht's gut.« Ohne darüber nachzudenken, hob sie die Hände und fuhr ihm mit den Fingern sanft durch die Locken. Sofort bemerkte sie, wie sich sein Körper anspannte und seine Augen dunkler wurden. »Du hast Gras in den Haaren«, erklärte sie betont sachlich, doch ihr Mund fühlte sich wie ausgetrocknet an und Adrenalin jagte durch ihre Adern. Sämtliche Geschehnisse – der Tod des Engels, die Zerstörung des Herrenhauses – erschienen ihr weniger real als das, was sie in Jace' Augen sah.

»Du solltest mich nicht so berühren«, murmelte er.

Clarys Arm erstarrte in der Bewegung; ihre Handfläche ruhte an seiner Wange.

»Du weißt, weshalb«, sagte er, drückte sich hoch und rollte sich auf den Rücken. »Du hast es doch auch gesehen, oder? Die Vergangenheit, der Engel. Unsere Eltern.«

Es war das erste Mal, dass er Jocelyn und Valentin so genannt hatte, schoss es Clary durch den Kopf. *Unsere Eltern.* Langsam drehte sie sich auf die Seite. Sie sehnte sich danach, ihn zu berühren, war sich aber nicht sicher, ob sie es wagen durfte. Jace starrte blind hinauf zum Himmel. »Ja, ich habe es auch gesehen«, bestätigte sie.

»Dann weißt du ja, was ich bin.« Die Worte kamen leise und gequält über seine Lippen. »Ich bin ein Halbdämon, Clary. Ein *Halbdämon*. Das hast du doch begriffen, oder?« Er rollte sich auf die Seite und seine Augen bohrten sich in ihre. »Du hast selbst gesehen, was Valentin versucht hat. Er hat Dämonenblut verwendet – hat es bei mir benutzt, und zwar noch vor meiner Geburt. Ich bin zur Hälfte ein Monster. Ein Teil derer, die ich jahrelang hart bekämpft und zu vernichten versucht habe.«

Entschlossen unterdrückte Clary die Erinnerung an Valentins Stimme – *Jocelyn hat mich verlassen, weil ich aus ihrem ersten Kind ein Monster gemacht habe* – und versuchte, Jace zu beruhigen: »Hexenmeister sind doch auch Halbdämonen. So wie Magnus. Das macht sie noch lange nicht böse . . .«

»Aber sie tragen nicht das Blut von Dämonenfürsten in sich. Du hast doch gehört, was die Herrscherin von Edom gesagt hat.«

Das Blut wird ihm auch seine Menschlichkeit rauben, da Gift jeder Zelle das Leben raubt. »Aber das ist nicht wahr!«, protestierte Clary mit zitternder Stimme. »Das kann nicht sein. Es ergibt doch überhaupt keinen Sinn . . .«

»Doch, für mich schon.« Wut und Verzweiflung spiegelten sich in Jace' Gesicht. Clary sah, wie die silberne Kette an seiner nackten Kehle aufleuchtete und im Schein der Sterne unheimlich funkelte. »Doch, das erklärt *alles*.«

»Du meinst, das erklärt, warum du so ein fantastischer Schattenjäger bist? Warum du loyal und furchtlos und ehrlich und all das bist, was Dämonen *nicht* sind?«

»Es erklärt, warum ich empfinde, was ich für dich empfinde«, erwiderte er tonlos.

»Was meinst du damit?«

Jace schwieg einen langen Moment und sah sie eindringlich an. Clary konnte die Wärme seines Körpers spüren, über den winzigen Abstand hinweg, der sie voneinander trennte. Obwohl er sie nicht berührte, konnte sie ihn fühlen, als läge er noch immer auf ihr. »Du bist meine Schwester«, sagte er schließlich. »Meine Schwester, mein Blut, meine Familie. Ich sollte dich beschützen wollen . . .« – er stieß ein fast lautloses, freudloses Lachen aus – ». . . dich beschützen vor der Sorte von Jungs, die mit dir genau das machen wollen, was *ich* mit dir machen möchte.«

Clary hielt den Atem an. »Du hast doch gesagt, du wolltest nur noch mein Bruder sein.«

»Da habe ich gelogen. Dämonen lügen nun mal, Clary«, erwiderte er. »Es gibt eine bestimmte Sorte von Verwundungen, die man sich als Schattenjäger zuziehen kann – innere Verletzungen, die durch Dämonengift verursacht werden. Dabei verblutet man langsam von innen, ohne genau zu wissen, was los ist. Und genauso fühlt es sich an, nur noch dein Bruder zu sein.«

»Aber Aline . . .«

»Ich musste es wenigstens versuchen.« Seine Stimme klang völlig teilnahmslos. »Aber ich will, weiß Gott, niemand anderen außer dir. Ich will noch nicht mal jemand anderen als dich *wollen.*« Er hob eine Hand, fuhr ihr mit den Fingern leicht durchs Haar und streifte ihre Wangen mit den Fingerspitzen. »Und jetzt weiß ich wenigstens den Grund dafür.«

»Ich will auch niemand anderen als dich«, flüsterte Clary kaum hörbar.

Sie spürte, wie er die Luft anhielt. Langsam stützte er sich auf den Ellbogen und schaute auf sie hinab. Sein Mienenspiel hatte sich vollkommen verändert – auf seinem Gesicht lag ein Ausdruck, den Clary noch nie zuvor gesehen hatte, ein träges, fast raubtierhaftes Licht in seinen Augen . . . Behutsam ließ er seine Finger von ihrer Wange zu ihren Lippen gleiten, zeichnete mit der Fingerspitze die Konturen ihres Mundes nach. »Vermutlich solltest du mir sagen, dass ich damit aufhören muss«, murmelte er.

Doch Clary schwieg. Sie wollte ihm nicht sagen, er solle aufhören. Sie hatte es satt, immer wieder Nein zu sagen – Nein zu Jace, Nein zu ihren Gefühlen. Sie wollte sich endlich gestatten, das zu fühlen, wonach sie sich von ganzem Herzen sehnte. Ganz gleich, zu welchem Preis.

Jace beugte sich zu ihr hinab. Seine Lippen streiften ihre Wange, berührten sie nur ganz leicht, und doch verursachte diese leise Berührung kleine elektrische Schauer, die sie am ganzen Körper erbeben ließen. »Wenn du willst, dass ich aufhöre, solltest du es jetzt sagen«, flüsterte er. Als Clary noch immer schwieg, streifte er mit seinen Lippen über ihre Schläfen. »Oder jetzt.« Er folgte der Kontur ihrer Wangenknochen. »Oder jetzt.« Seine Lippen schwebten über ihren. »Oder . . .«

Doch Clary hatte bereits die Arme ausgestreckt und zog ihn zu sich heran, sodass der Rest seiner Worte in ihrem Mund unterging. Behutsam küsste er sie, sanft . . . Aber Zärtlichkeit war nicht das, was sie wollte, nicht jetzt, nicht nach all der Zeit! Stürmisch packte sie ihn am Hemd und zog ihn fester an sich. Jace stöhnte leise auf, der Laut kam tief aus seiner Kehle und dann schlang er die Arme um sie, presste sie an sich, küsste sie leidenschaftlich und rollte sich über sie. Steine gruben sich in Clarys Rücken und ihre Schulter schmerzte vom Aufprall auf der Wiese unter dem Fenster, doch das alles kümmerte sie nicht. In diesem Moment existierte nur Jace. Er war das Einzige, was sie spürte, erhoffte, begehrte. Nichts anderes zählte mehr.

Sie konnte die Wärme seines Körpers durch ihren Mantel spüren, die Hitze, die er durch ihre und seine Kleidung abstrahlte. Ungeduldig zog sie ihm die Jacke aus und Momente später lag auch sein Hemd auf dem Boden. Ihre Finger erkundeten seinen Körper, während sein Mund ihren erkundete. Weiche Haut über schlanken Muskeln, Narben wie dünne Drahtschnüre. Vorsichtig berührte sie das sternförmige Mal an seiner Schulter – es fühlte sich glatt und flach an, als wäre es ein Teil seiner Haut, nicht erhaben wie seine übrigen Narben. Möglicherweise galten diese Spuren verheilter Wunden anderen Menschen als Unvollkommenheiten, doch Clary sah das mit anderen Augen. Für sie waren sie ein historisches Zeugnis, tief in seinen Körper geritzt – die Karte eines Lebens in endlosem Kampf.

Mit bebenden Fingern fummelte Jace an den Knöpfen ihres Umhangs herum. Clary konnte sich nicht erinnern, dass seine Hände jemals gezittert hätten. »Lass mich mal«, sagte sie und griff nach dem letzten Knopf. Als sie sich aufrichtete, streifte etwas Kaltes, Metallisches ihr Schlüsselbein und sie hielt vor Überraschung die Luft an.

»Was ist?« Jace erstarrte. »Hab ich dir wehgetan?«

»Nein, du nicht. Aber das hier.« Vorsichtig berührte sie die Silberkette an seinem Hals. An ihrem Ende baumelte ein schmaler silberner Ring, der gegen sie geprallt war, als sie sich vorgebeugt hatte. Nachdenklich starrte Clary auf den Anhänger.

Dieser Ring . . . dieses verwitterte Metallband mit seinem Muster aus Sternen . . . irgendwoher kannte sie diesen Ring.

Mit einem Schlag wurde Clary bewusst, dass es sich um den Ring der Familie Morgenstern handelte. Es war derselbe Ring, der an Valentins Hand geglitzert hatte . . . in dem vom Engel gesandten Wachtraum. Der Ring hatte Valentin gehört und er hatte ihn Jace gegeben, so wie er von jeher von Generation zu Generation weitergereicht worden war, von Vater zu Sohn.

»Tut mir leid«, sagte Jace. Mit den Fingerspitzen zeichnete er die Konturen ihrer Wange nach, einen verträumten Blick in den Augen. »Ich hab ganz vergessen, dass ich das verdammte Ding um den Hals trage.«

Plötzlich strömte eine Eiseskälte durch Clarys Adern. »Jace«, sagte sie leise. »Jace, hör auf.«

»Womit soll ich aufhören? Den Ring zu tragen?«

»Nein, hör auf . . . hör auf, mich zu berühren. Hör für einen Moment auf.«

Sein Gesicht wurde vollkommen reglos. Ein fragender Ausdruck hatte das träumerische Licht aus seinen Augen vertrieben, doch er schwieg und zog lediglich seine Hand weg.

»Jace«, wiederholte Clary. »Warum? Warum jetzt?«

Erstaunt schaute er sie an; die Überraschung sorgte dafür, dass sich seine Lippen einen Spalt öffneten. Clary erkannte eine dunkle Linie an der Stelle, an der er sich auf die Unterlippe gebissen hatte. Oder vielleicht hatte sie ihn ja gebissen. »Warum *was* jetzt?«, fragte er ratlos.

»Du hast doch gesagt, zwischen uns wäre nichts. Und wenn . . . wenn wir uns die Gefühle gestatten, die wir gerne für einander empfinden würden, dann würden wir alle Menschen, die wir lieben, verletzen.«

»Ich hab's dir doch schon gesagt: Das war eine Lüge.« Sein Blick wurde wieder sanfter. »Glaubst du ernsthaft, ich würde dich nicht wollen . . .?«

»Nein«, erwiderte Clary. »Nein, ich bin ja nicht blöd, ich weiß, dass du es auch willst. Aber als du gesagt hast, dass du endlich verstehst, warum du auf diese Weise für mich empfindest, was hast du damit gemeint?«

Natürlich kannte sie seine Antwort, aber sie musste diese Frage stellen, musste es aus seinem Mund hören.

Jace umfasste ihre Handgelenke, führte ihre Hände zu seinem Gesicht und presste sie auf seine Wangen. »Erinnerst du dich, was ich vor ein paar Tagen zu dir gesagt habe . . . im Haus der Penhallows?«, fragte er. »Dass du nie nachdenkst, bevor du handelst, und dass du deswegen alles vermasselst, was du anfängst?«

»Nein, das hatte ich vergessen. Aber vielen Dank für die Erinnerung.«

Jace schien den Sarkasmus in Clarys Stimme kaum wahrzunehmen. »Damals habe ich gar nicht von dir geredet, Clary. Ich meinte *mich* damit. Denn so bin ich nun mal.« Er wandte das Gesicht ab, sodass ihre Finger über seine Wangen glitten. »Wenigstens weiß ich jetzt den Grund dafür. Ich weiß nun, was mit mir nicht stimmt. Und vielleicht . . . vielleicht ist das ja auch der Grund, warum ich dich so sehr brauche. Denn wenn Valentin mich zu einem Monster gemacht hat, dann hat er dich vermutlich zu einer Art Engel gemacht. Und Luzifer hat Gott geliebt, oder etwa nicht? Das behauptet zumindest Milton.«

Clary sog hörbar die Luft ein. »Ich bin kein Engel! Und du weißt doch gar nicht, ob Valentin Ithuriels Blut tatsächlich dafür verwendet hat. Vielleicht wollte Valentin es ja nur für sich selbst . . .«

»Er sagte wörtlich: ›Das Blut wird mir und den Meinen von größerem Nutzen sein‹ . . . ›mir und den Meinen‹«, erwiderte Jace leise. »Das erklärt auch, warum du diese besonderen Fähigkeiten besitzt, Clary. Die Feenkönigin meinte, wir *beide* wären Experimente. Nicht nur ich.«

»Aber ich bin kein Engel, Jace«, beharrte Clary. »Ich bringe meine aus der Bücherei geliehenen Bücher nicht zurück. Ich lade mir illegal Musik aus dem Internet herunter. Ich belüge meine Mutter. Ich bin ein *ganz gewöhnliches Mädchen.*«

»Nicht für mich.« Jace blickte auf sie hinab. Sein Gesicht schwebte vor einem Hintergrund aus funkelnden Sternen. Von seiner üblichen Arroganz war nichts mehr zu erkennen – noch nie hatte Clary ihn so ungeschützt gesehen. Doch selbst in diesen ungeschützten Blick mischte sich ein Selbsthass, der so tief ging wie eine Wunde. »Clary, ich . . .«

»Geh runter von mir«, sagte Clary.

»*Was?*« Das Begehren in seinen Augen zersplitterte in tausend Stücke, wie die Scherben des Portals in Renwicks Ruine, und einen kurzen Moment starrte er sie nur vollkommen verblüfft an. Clary brachte es kaum über sich, ihn anzusehen und trotzdem bei ihrem Nein zu bleiben. Der Anblick seines Gesichts . . . Selbst wenn sie Jace nicht liebte, würde ein Teil von ihr ihn noch immer wollen, der Teil, der sie zur Tochter ihrer Mutter machte, die alle wunderschönen Dinge um ihrer Schönheit willen liebte.

Andererseits war genau das – die Tatsache, dass sie die Tochter ihrer Mutter war – der Grund dafür, dass sie unmöglich nachgeben konnte.

»Du hast gehört, was ich gesagt habe«, erwiderte sie. »Und lass meine Finger in Ruhe.« Sie riss die Hände zurück und ballte sie zu Fäusten, damit sie nicht länger unkontrolliert zitterten.

Jace rührte sich nicht. Dann verzog er den Mund und einen Moment lang sah Clary wieder jenes raubtierhafte Licht in seinen Augen – dieses Mal jedoch vermischt mit Wut. »Ich nehme nicht an, dass du mir den Grund sagen willst, oder?«

»Du glaubst, du würdest mich nur wollen, weil du böse wärst, nicht menschlich. Du suchst nur nach einem weiteren Grund, dich selbst zu hassen. Aber ich werde nicht zulassen, dass du mich dazu benutzt, dir deine ›Unwürdigkeit‹ zu beweisen.«

»Das habe ich nie gesagt. Ich hab nie gesagt, dass ich dich benutzen würde.«

»Prima«, erwiderte Clary. »Dann sag mir hier und jetzt, dass du kein Monster bist. Sag mir, dass mit dir alles in Ordnung ist. Und sag mir, dass du mich auch dann wollen würdest, wenn du kein Dämonenblut hättest.« *Denn ich habe kein Dämonenblut. Aber ich will dich trotzdem.*

Ihre Blicke trafen sich; Jace' Augen funkelten vor blinder Wut. Einen Moment lang schienen beide die Luft anzuhalten – doch dann stieß Jace sich von Clary ab, fluchte und sprang auf die Beine. Zornig schnappte er sich sein Hemd vom Rasen, streifte es über den Kopf, zerrte es bis über die Jeans und sah sich dann suchend nach seiner Jacke um.

Auch Clary rappelte sich auf und kam schwankend auf die Füße. Der beißende Wind erzeugte eine Gänsehaut auf ihren Armen und ihre Beine fühlten sich an, als bestünden sie aus halb geschmolzenem Wachs. Mit tauben Fingern knöpfte sie ihren Umhang zu, während sie gegen den Drang ankämpfte, in heiße Tränen auszubrechen. Doch die würden ihr jetzt auch nicht weiterhelfen.

Die Luft war noch immer erfüllt von tanzenden Staub- und Aschepartikeln, die Wiese von Trümmern übersät: Splitter von Möbelstücken, im Wind flatternde Buchseiten, Fragmente von vergoldetem Holz, ein Treppenabsatz aus mehreren Stufen, der auf mysteriöse Weise intakt geblieben war. Clary drehte sich zu Jace um.

Mit einem Ausdruck wilder Genugtuung auf dem Gesicht trat er gegen diverse Trümmerteile. »Na klasse«, stieß er hervor, »jetzt sind wir endgültig aufgeschmissen.«

Mit diesem Kommentar hatte Clary nicht gerechnet. Blinzelnd starrte sie ihn an: »Was ist denn?«

»Weißt du nicht mehr? Du hast doch meine Stele verloren. Und ohne die besteht nicht die geringste Chance, dass du ein Portal erschaffen kannst.« Aus seinen Worten klang eine Art bitteres Vergnügen, als würde ihm die Situation auf seltsame Weise eine gewisse Befriedigung verschaffen. »Damit ist eine schnelle Rückkehr unmöglich. Uns bleibt nichts anderes übrig, als zu laufen.«

Selbst unter normalen Umständen wäre der Rückweg kein Spaziergang geworden. Da Clary an die Lichter der Großstadt gewöhnt war, konnte sie kaum fassen, wie dunkel es nachts in Idris wurde. In den dichten schwarzen Schatten, die die Straße auf beiden Seiten säumten, schien es vor irgendwelchen kaum sichtbaren *Kreaturen* zu wimmeln, und trotz des Scheins von Jace' Elbenlichtstein konnte sie nur wenige Meter weit schauen. Clary vermisste die Straßenlaternen, die sanfte Hintergrundbeleuchtung der Autoscheinwerfer, die Geräusche der Stadt. Hier in Idris hörte sie nichts außer dem gleichmäßigen Knirschen ihrer Stiefel auf dem Schotterweg, nur gelegentlich unterbrochen von einem überraschten Schnaufen, wenn sie über einen größeren Stein strauchelte.

Nach ein paar Stunden begannen ihre Füße zu schmerzen und ihr Mund fühlte sich wie ausgetrocknet an, so trocken wie Pergament. Die Luft war nun schneidend kalt und Clary stapfte zitternd und mit hochgezogenen Schultern neben Jace her, die Hände tief in den Taschen vergraben. Doch all dies wäre noch erträglich gewesen, wenn Jace wenigstens mit ihr geredet hätte. Seit ihrem Aufbruch hatte er kein Wort mehr mit ihr gewechselt, abgesehen von ein paar kurz angebundenen Anweisungen – welchen Weg sie an einer Kreuzung nehmen oder dass sie um ein Schlagloch herumgehen solle. Allerdings bezweifelte Clary, dass es Jace viel ausgemacht hätte, wenn sie in eines der Schlaglöcher gefallen wäre – ein Sturz hätte lediglich ihr Vorankommen verzögert.

Endlich schien sich der Himmel im Osten zu lichten. Überrascht hob Clary den Kopf und riss sich damit aus ihrem schlaftrunkenen Trott. »Für die Morgendämmerung ist es noch reichlich früh«, stellte sie erstaunt fest.

Jace musterte sie mit kühler Verachtung. »Das ist Alicante. Bis zum Sonnenaufgang dauert es noch mindestens drei Stunden. Das da drüben sind die Lichter der Stadt.«

Clary war viel zu erleichtert darüber, dass sie nicht mehr weit zu laufen hatten, um sich seine arrogante Haltung zu Herzen zu nehmen, und erhöhte ihrerseits das Schritttempo. Als sie um eine Ecke bogen, fanden sie sich auf einem breiten Feldweg wieder, der sich in Serpentinen einen Hügel hinabschlängelte und in der Ferne hinter einer Kurve verschwand. Obwohl die Stadt noch nicht in Sichtweite gekommen war, strahlte der Himmel in einem merkwürdigen rötlichen Glanz.

»Wir müssten bald da sein«, sagte Clary. »Gibt es vielleicht eine Abkürzung, direkt den Hügel hinunter?«

Jace runzelte die Stirn. »Irgendetwas stimmt hier nicht«, erwiderte er knapp, setzte sich in Bewegung und lief die Straße entlang, wobei seine Stiefel kleine Staubwolken aufwirbelten, die in dem seltsamen Licht ockergelb leuchteten. Clary ignorierte die Proteste ihrer blasenübersäten Füße und musste förmlich sprinten, um mit ihm Schritt halten zu können. Als Jace hinter einer Kurve abrupt stehen blieb, prallte Clary ungebremst gegen ihn und hätte ihn fast umgerannt – unter anderen Umständen hätte sie vielleicht darüber gelacht, doch in dieser Situation war ihr nicht danach zumute.

Das rötliche Licht hatte nun an Leuchtkraft gewonnen und überzog den Nachthimmel mit einem scharlachroten Glühen, das den Hügel, auf dem sie standen, fast taghell erleuchtete. Aus dem Tal unter ihnen stiegen Rauchfahnen hoch wie die sich entfaltenden Federn eines schwarzen Pfaus. Und aus dem schwarzen Dunst ragten die Dämonentürme von Alicante auf, deren gläserne Verkleidungen den rauchverhangenen Himmel Feuerpfeilen gleich durchbohrten. Doch zwischen den dicken Qualmwolken entdeckte Clary das Scharlachrot zuckender Flammen, die wie eine Handvoll glitzernder Rubine auf einem schwarzen Tuch über die gesamte Stadt verbreitet waren.

Es schien undenkbar und doch ließ sich nicht daran rütteln: Sie standen auf einer Hügelkuppe hoch über Alicante – und die Stadt unter ihnen brannte lichterloh.

TEIL ZWEI

DUNKEL SCHIMMERNDE GESTIRNE

—◆—

ANTONIO: Wollt Ihr nicht länger bleiben? Und wollt
auch nicht, dass ich mit Euch gehe?
SEBASTIAN: Mit Eurer Erlaubnis, nein. Meine
Gestirne schimmern dunkel auf mich herab; die
Missgunst meines Schicksals könnte vielleicht das
Eurige anstecken. Ich muss mir daher Eure
Einwilligung ausbitten, meine Leiden allein zu
tragen. Es wär ein schlechter Lohn für Eure Liebe,
Euch irgendetwas davon aufzubürden.

WILLIAM SHAKESPEARE, Was ihr wollt

10
FEUER UND SCHWERT

»Es ist verdammt spät«, sagte Isabelle gereizt und zog die Spitzengardine wieder vor das hohe Wohnzimmerfenster. »Er sollte längst zurück sein.«

»Nun sei mal vernünftig, Isabelle«, bemerkte Alec in seinem typischen Großer-Bruder-Ton, der immer so klang, als wäre sie ständig einem hysterischen Anfall nahe, er dagegen jederzeit die Ruhe in Person. Selbst seine Haltung – er lümmelte in einem der schweren Polstersessel neben dem Kamin, als hätte er keinerlei Sorgen – schien nur demonstrieren zu wollen, wie unbekümmert er war. »Jace macht das doch jedes Mal, wenn er sich über irgendetwas ärgert . . . dann marschiert er los und läuft durch die Gegend. Er hat doch gesagt, er würde spazieren gehen. Er wird schon wiederkommen.«

Isabelle seufzte. Fast wünschte sie, ihre Eltern wären da, doch sie befanden sich noch immer in der Garnison. Worüber die Schattenjägerkongregation auch immer diskutieren mochte, die Tagung zog sich verdammt in die Länge. »Aber Jace kennt sich in Alicante doch gar nicht aus . . .«, überlegte Isabelle weiter.

»Wahrscheinlich kennt er die Stadt besser als du«, warf Aline ein, die auf der Couch saß und ein Buch auf dem Schoß balancierte, das in dunkelrotes Leder gebunden war. Ihre schwarzen Haare hatte sie nach hinten gekämmt und zu einem französischen Zopf geflochten, den Blick fest auf den Wälzer geheftet.

Isabelle, die nie eine begeisterte Leseratte gewesen war, hatte andere Leute immer um deren Fähigkeit beneidet, vollkommen in ein Buch eintauchen zu können. Es gab viele Dinge, um die sie Aline früher beneidet hätte – zum Beispiel darum, dass sie ein zartes, hübsches Mädchen war und nicht so amazonenhaft und groß wie sie selbst, die in hochhackigen Schuhen fast jeden Jungen überragte. Allerdings hatte Isabelle auch erst kürzlich begriffen, dass andere Mädchen gar nicht dazu da waren, dass man sie beneidete, ihnen aus dem Weg ging oder sie nicht mochte.

»Jace hat doch bis zu seinem zehnten Lebensjahr hier gelebt, während ihr nur ein paarmal zu Besuch in der Stadt wart«, nahm Aline den Faden wieder auf.

Stirnrunzelnd griff Isabelle sich an die Kehle: Der Anhänger an ihrer Halskette hatte einen plötzlichen, heftigen Elektroimpuls ausgesandt. Normalerweise schlug er nur in Gegenwart von Dämonen aus, aber sie befanden sich doch in Alicante – hier konnten unmöglich irgendwelche Dämonen auftauchen. Vielleicht hatte der Anhänger ja eine Funktionsstörung. »Ich glaube sowieso nicht, dass Jace ziellos umherwandert. Meines Erachtens ist es ziemlich offensichtlich, wohin er gegangen ist«, erwiderte Isabelle.

Alec zog die Augenbrauen hoch. »Du meinst, er besucht Clary?«

»Ach, Jace' Schwester ist noch immer hier? Ich dachte, sie sollte nach New York zurückkehren.« Aline schlug das Buch zu. »Bei wem wohnt sie überhaupt?«

Isabelle zuckte die Achseln. »Frag *ihn* doch«, sagte sie und schaute demonstrativ zu Sebastian.

Sebastian lag ausgestreckt auf dem Sofa gegenüber von Aline. Auch er hielt ein Buch in der Hand, in das er völlig vertieft schien. Fragend hob er die Augen, als könnte er Isabelles Blick förmlich spüren.

»Habt ihr von mir geredet?«, fragte er mild. Alles an Sebastian war mild, dachte Isabelle mit einem Anflug von Verärgerung. Anfangs war sie von seinem Äußeren ja sehr beeindruckt gewesen – seinen scharf gezeichneten Wangenknochen und den schwarzen, unergründlichen Augen –, doch sein sanfter, sympathischer Charakter ging ihr inzwischen auf die Nerven. Sie mochte keine Jungen, die so aussahen, als würden sie sich niemals über irgendetwas aufregen. In Isabelles Welt bedeutete Wut Leidenschaft und Leidenschaft eine Menge Spaß.

»Was liest du da?«, fragte sie, schärfer als sie beabsichtigt hatte. »Ist das eines von Max' Comicbüchern?«

»Ja.« Sebastian schaute auf den Band aus der Mangaserie *Angel Sanctuary,* den er auf der Sofalehne abgelegt hatte. »Mir gefallen die Bilder.«

Als Isabelle aufgebracht schnaubte, warf Alec ihr einen warnenden Blick zu und wandte sich dann an Sebastian: »Hör mal, es geht um heute Mittag . . . Weiß Jace, wo du gewesen bist?«

»Du meinst, dass ich mit Clary unterwegs war?« Sebastian wirkte amüsiert. »Das ist doch kein Geheimnis. Ich hätte es Jace erzählt, wenn ich ihn danach gesehen hätte.«

»Ich wüsste nicht, warum er sich überhaupt dafür interessieren sollte«, bemerkte Aline spitz und legte ihr Buch ebenfalls beiseite. »Es ist ja nicht so, als ob Sebastian irgendetwas falsch gemacht hätte. Was ist denn schon dabei, dass er Clarissa etwas von Idris zeigen will, ehe sie zurück nach Hause muss? Jace sollte sich darüber freuen, dass seine Schwester nicht gelangweilt herumsitzt.«

»Sein Beschützerinstinkt kann manchmal sehr . . . ausgeprägt sein«, murmelte Alec nach kurzem Zögern.

Aline runzelte die Stirn. »Dann sollte er sich mal ein wenig zurücknehmen. Es ist nicht gut für sie, so überbehütet aufzuwachsen. Wenn ich nur an den Ausdruck auf ihrem Gesicht denke, als sie uns in der Bibliothek überrascht hat . . . sie hat uns angestarrt, als hätte sie noch nie zwei Menschen gesehen, die sich küssen. Na ja, wer weiß – vielleicht hat sie das ja auch nicht.«

»Doch, das hat sie«, erwiderte Isabelle und musste daran denken, wie Jace Clary am Hof des Lichten Volkes geküsst hatte. Aber sie hatte keine Lust, sich länger damit zu beschäftigen – sie badete nicht gern in ihrem eigenen Kummer und noch weniger in dem anderer Leute. »Nein, darum geht es nicht.«

»Worum geht es denn dann?« Sebastian setzte sich auf und schob sich eine schwarze Locke aus den Augen. Dabei blitzte etwas an seiner Hand auf – eine rote Linie, die sich wie eine Narbe über seine Handfläche erstreckte. »Oder liegt es vielleicht daran, dass er mich nicht ausstehen kann? Allerdings wüsste ich nicht, was ich ihm je getan hätte . . .«

»Das ist mein Buch.« Ein dünnes Stimmchen unterbrach Sebastians Redefluss. Max stand in der Wohnzimmertür; er trug einen grauen Schlafanzug und seine braunen Haare waren zerzaust, als wäre er gerade aufgewacht. Verärgert starrte er auf das Mangaheft, das neben Sebastian lag.

»Was, das hier?« Sebastian hielt den Band hoch. »Hier, da hast du es wieder, Kleiner.«

Eingeschnappt stolzierte Max durch den Raum, riss das Buch an sich und musterte Sebastian mit finsterer Miene. »Nenn mich nicht ›Kleiner‹.«

Sebastian lachte und erhob sich. »Ich werd mal Kaffee aufsetzen«, sagte er und ging in Richtung Küche. Ehe er durch die Tür verschwand, drehte er sich noch einmal um. »Kann ich irgendjemandem etwas mitbringen?«

Als die anderen dankend ablehnten, marschierte Sebastian achselzuckend in die Küche und ließ die Tür hinter sich zufallen.

»Sei nicht so unhöflich, Max«, tadelte Isabelle den kleinen Jungen in scharfem Ton.

»Aber ich mag es nun mal nicht, wenn andere Leute einfach meine Sachen nehmen.« Max drückte das Comicbuch fest an sich.

»Jetzt benimm dich nicht so kindisch. Er hat es sich doch nur geborgt.« Isabelles Stimme klang ärgerlicher als beabsichtigt. Sie machte sich noch immer Sorgen wegen Jace und wusste, dass sie das an ihrem kleinen Bruder ausließ. »Außerdem solltest du längst im Bett sein. Es ist schon spät.«

»Oben auf dem Hügel waren irgendwelche laute Stimmen. Die haben mich aufgeweckt.« Max blinzelte; ohne seine Brille konnte er nicht besonders gut sehen. »Isabelle . . .«

Der fragende Unterton in seiner Stimme weckte ihre Aufmerksamkeit. Isabelle drehte sich vom Fenster fort und schaute ihn an. »Was ist denn?«

»Klettern eigentlich viele Leute auf die Dämonentürme?«

Aline schaute von ihrem Buch auf, das sie wieder aufgeschlagen hatte. »Auf die Dämonentürme klettern?« Sie lachte. »Nein, niemand klettert dahinauf. Zum einen ist es strikt verboten und zum anderen: Warum sollte jemand so was wollen?«

Aline besitzt nicht gerade viel Fantasie, überlegte Isabelle. Ihr selbst fielen auf Anhieb etliche Gründe ein, warum jemand auf einen der Dämonentürme klettern wollte – und sei es nur, um ahnungslose Passanten von dort oben mit Kaugummi zu bespucken.

Max runzelte die Stirn. »Aber da ist jemand hinaufgeklettert. Ich hab es ganz deutlich gesehen . . .«

»Das musst du geträumt haben«, schnaubte Isabelle.

Als Max verärgert das Gesicht verzog, spürte Alec einen möglichen Streit aufkommen und stand rasch auf. »Komm, Max«, sagte er nicht unfreundlich und streckte seinem Bruder eine Hand entgegen. »Wir bringen dich wieder ins Bett.«

»Wir sollten alle ins Bett gehen«, meinte Aline, erhob sich vom Sofa und ging hinüber zu Isabelle, um die Vorhänge zuzuziehen. »Es ist schon fast Mitternacht. Wer weiß, wie lange die Sitzung in der Garnison noch dauert. Es hat keinen Zweck, länger aufzubleiben und zu wart. . .«

In dem Moment schlug der Anhänger an Isabelles Kehle erneut heftig aus und einen Sekundenbruchteil später zersplitterte das Fenster, vor dem Aline stand, mit ohrenbetäubendem Klirren. Entsetzt schrie Aline auf, als irgendetwas durch die Öffnung in der Scheibe griff – keine Hände, sondern riesige, schuppige Klauen, wie Isabelle mit schockierender Klarheit erkannte. Blut klebte daran und eine schwarze Flüssigkeit. Die Klauen packten Aline und zerrten sie durch die zerschlagene Fensterscheibe, ehe sie auch nur einen zweiten Schrei ausstoßen konnte.

Sofort stürzte Isabelle zum Beistelltisch neben dem offenen Kamin, wo ihre Peitsche lag. Dabei konnte sie Sebastian gerade noch ausweichen, der aus der Küche angestürmt kam. »Hol die Waffen!«, schrie sie ihm zu, als er sich verblüfft im Raum umsah. »*Nun mach schon!*«, brüllte sie und rannte zum Fenster.

Alec, der neben dem Kamin gestanden hatte, schnappte sich Max, der sich laut protestierend aus der Umklammerung seines Bruders zu befreien versuchte, und zog ihn zur Tür.

Gut, dachte Isabelle. *Bring Max hier weg.*

Kalte Luft wehte durch die zerbrochene Scheibe herein. Isabelle schürzte den Rock ihres Kleides und trat die restlichen Glasscherben aus dem Fensterrahmen, dankbar für die dicken Sohlen ihrer Stiefel. Dann duckte sie den Kopf, sprang durch die gähnende Öffnung und landete hart auf dem Gehweg hinter dem Haus.

Die Straße schien auf den ersten Blick leer zu sein. Entlang des Kanals gab es keine Laternen und das einzige Licht, das auf den Weg fiel, stammte aus den Fenstern eines nahe gelegenen Hauses. Vorsichtig bewegte Isabelle sich vorwärts, ihre Elektrumpeitsche aufgerollt in der Hand. Diese Waffe befand sich schon so lange in ihrem Besitz – sie hatte sie zu ihrem zwölften Geburtstag geschenkt bekommen –, dass sie sich wie ein Teil von ihr anfühlte, wie eine geschmeidige Verlängerung ihres rechten Arms.

Die Dunkelheit schien sich zu verdichten, als Isabelle sich vom Haus fortbewegte und in Richtung der Oldcastle-Brücke lief, die in einem seltsamen Winkel über den Princewater-Kanal zum Fußpfad führte. An ihren Pfeilern hatten sich tiefe schwarze Schatten gebildet, die reglos dalagen. Doch plötzlich bemerkte Isabelle eine Bewegung: Irgendetwas Weißes rührte sich blitzschnell.

Isabelle zögerte keine Sekunde und sprintete los: durch eine Reihe niedriger Hecken am Ende eines Gartens und hinunter auf den schmalen Ziegelsteinweg, der unter der Brücke verlief. Ihre Peitsche hatte zu glühen begonnen und sandte ein hartes silbernes Licht aus, in dessen schwachem Schein Isabelle Alines schlaffen Körper am Rand des Kanals erkannte. Ein wuchtiger Schuppendämon hockte auf ihr und drückte sie mit dem Gewicht seines massigen echsenartigen Rumpfes auf den Boden. Sein Gesicht war tief in Alines Hals vergraben ...

Aber das konnte doch unmöglich ein Dämon sein!, schoss es Isabelle durch den Kopf. In Alicante hatte es noch nie Dämonen gegeben. Zu keinem Zeitpunkt. Während Isabelle schockiert auf die Szenerie vor ihr starrte, hob das Wesen den Kopf und prüfte schnüffelnd die Luft, als könne es ihre Anwesenheit wahrnehmen. Isabelle sah, dass die Kreatur blind war: Eine breite Reihe gezackter Zähne erstreckte sich wie ein Reißverschluss über die Stirn, dort, wo eigentlich die Augen hätten sitzen müssen. In der unteren Gesichtshälfte befand sich ein weiteres Maul mit spitzen Hauern, von denen eine dunkle Flüssigkeit tropfte. Im Schein der Elektrumpeitsche glitzerten die Flanken des langen, vor und zurück wippenden Echsenschwanzes, dessen Spitze mit rasierklingenscharfen Knochen besetzt war.

Plötzlich zuckte Aline zusammen und stieß ein pfeifendes

Wimmern aus. Aufatmend nahm Isabelle zur Kenntnis, dass das Mädchen entgegen ihrer Befürchtung nicht tot war, doch die Erleichterung dauerte nur kurz an: Als Aline sich bewegte, sah Isabelle, dass ihre Bluse vorne aufgerissen war. Tiefe Kratzer erstreckten sich über ihre Brust und die Kreatur hatte eine weitere Klaue in den Bund ihrer Jeans geschoben.

Eine Woge der Übelkeit erfasste Isabelle. Der Dämon versuchte gar nicht, Aline zu töten – noch nicht. Wie das flammende Schwert eines Racheengels erwachte die Peitsche in ihrer Hand zum Leben. Ohne zu zögern, stürmte Isabelle vorwärts und zog dem Dämon die gleißende Peitsche über den Rücken.

Der Dämon kreischte auf und wälzte sich von Aline. Mit weit aufgerissenen Mäulern drehte er sich ruckartig zu Isabelle um und schlug mit den Klauen in Richtung ihres Gesichts. Doch Isabelle wich geschickt zurück und ließ gleichzeitig ihre Peitsche erneut nach vorne schnellen: Der scharfe Elektrumdraht schlitzte dem Dämon Gesicht, Brust und Beine auf. Sofort quollen Blut und eitrige Flüssigkeit aus unzähligen Wunden in der schuppigen Dämonenhaut und dann schoss eine lange gespaltene Zunge aus dem oberen Maul hervor und zielte auf Isabelles Gesicht. Am Ende der Zunge saß eine Art Stachel, wie von einem Skorpion. Doch eine rasche, kurze Bewegung ihrer Peitschenhand genügte und der dünne, geschmeidige Elektrumdraht wickelte sich um die Dämonenzunge. Die Kreatur schrie und schrie, während Isabelle die Peitsche immer fester zuzog und ihr dann einen letzten Ruck gab: Mit einem feuchten, ekelerregenden Geräusch klatschte die Zunge des Dämons auf den Ziegelsteinen des unteren Brückenwegs auf.

Isabelle riss die Peitsche zurück. Der Dämon wirbelte herum und versuchte zu fliehen – mit schnellen, schlängelnden Bewegungen wie eine Natter. Sofort setzte Isabelle ihm nach. Doch der Dämon hatte gerade die Hälfte der Strecke zum Kanalweg zurückgelegt, als plötzlich eine dunkle Gestalt vor ihm auftauchte. Etwas Metallisches blitzte in der Dunkelheit auf, dann wand sich der Dämon kreischend auf dem Boden.

Abrupt hielt Isabelle inne. Aline stand breitbeinig über dem Dämon, einen schlanken Dolch in der Hand – er musste an ihrem Gürtel gesteckt haben. Die Runen auf der Klinge leuchteten wie Zackenblitze, während sie dem Dämon den Dolch wieder und wieder in den zuckenden Rumpf rammte, bis er sich nicht mehr regte und dann in Luft auflöste.

Langsam schaute Aline auf und starrte Isabelle mit ausdruckslosem Blick an. Die Knöpfe ihrer Bluse waren abgerissen, sodass der dünne Stoff weit auseinanderklaffte, doch sie machte keine Anstalten, ihre Brust zu bedecken, aus deren tiefen Kratzwunden helles Blut quoll.

Isabelle stieß einen leisen Pfiff aus. »Aline . . . alles in Ordnung mit dir?«

Im nächsten Moment ließ Aline den Dolch klirrend zu Boden fallen, dann wirbelte sie ohne ein weiteres Wort herum und rannte los, verschwand in der Dunkelheit unter der Brücke.

Überrumpelt stieß Isabelle einen unterdrückten Fluch aus und setzte Aline nach, wobei sie inständig wünschte, sie hätte an diesem Abend etwas Praktischeres als ausgerechnet ein Samtkleid angezogen. Wenigstens trug sie ihre Stiefel – mit hochhackigen Schuhen hätte sie Aline ganz bestimmt nicht einholen können.

Auf der anderen Seite des Ziegelsteinwegs führte eine Eisentreppe zur Princewater Street, auf deren oberster Stufe Isabelle das andere Mädchen gerade noch verschwommen erkennen konnte. Entschlossen raffte sie den Saum ihres schweren Kleides und sprintete mit großen Schritten die Treppe hinauf, wobei ihre Stiefel einen metallischen Hall erzeugten. Als sie den oberen Treppenabsatz erreicht hatte, sah sie sich suchend nach Aline um . . .

Und erstarrte. Sie stand am Fuß der breiten Straße, an der das Haus der Penhallows lag. Aline war nirgends zu sehen – sie schien in der wogenden Menschenmenge vor ihr untergetaucht zu sein. Doch nicht nur Menschen drängten sich zwischen den Häusern: Auf den Straßen wimmelte es auch vor irgendwelchen *Kreaturen* – Dämonen . . . Dutzende, wenn nicht noch mehr . . . echsenähnliche Monster, wie der Schuppendämon, den Aline unter der Brücke erledigt hatte. Auf dem Pflaster lagen bereits zwei oder drei Tote, ein Leichnam nur wenige Schritte von Isabelle entfernt: ein Mann mit halb aufgerissenem Brustkorb. An seinen grauen Haaren erkannte Isabelle, dass es sich um einen der älteren Bewohner der Stadt gehandelt haben musste. *Aber natürlich!*, dämmerte es ihr allmählich, als ihr von Panik erfüllter Verstand langsam in Gang kam. *Alle Erwachsenen sind in der Garnison. Hier unten in der Stadt sind nur die Kinder, die Alten und Kranken . . .*

Die rötlich gefärbte Luft war von Brandgeruch erfüllt; Schreie und Rufe zerrissen die Nacht. Überall standen Haustüren sperrangelweit offen. Leute stürmten in Panik nach draußen, blieben aber abrupt stehen, als sie die vor Monstern wimmelnden Straßen sahen.

Es war unglaublich, einfach unvorstellbar. In der ganzen Geschichte der Stadt hatte noch kein einziger Dämon je die Schutzschilde von Alicantes Türmen überwunden. Doch jetzt brandeten Dutzende, Hunderte, vielleicht noch mehr Dämonen wie eine giftige Flutwelle durch die Gassen. Isabelle hatte das Gefühl, hinter einer Glaswand zu stehen: Sie konnte zwar alles erkennen, war aber unfähig, sich zu rühren. Mit starrem Entsetzen sah sie, wie ein Dämon einen fliehenden Jungen packte, ihn in die Luft hob und ihm die gezackten Zähne tief in die Schulter schlug.

Der Junge kreischte vor Schmerzen, doch seine Schreie gingen im Lärm unter, der immer weiter anschwoll: das Heulen der Dämonen, die Schreie der Menschen, das Geräusch eiliger Schritte und das Splittern von Glas. Am Ende der Straße rief jemand etwas, das Isabelle kaum verstehen konnte – irgendetwas über die Dämonentürme. Sofort schaute sie zu den Bauwerken hinauf. Die hohen Türme wachten wie eh und je über die Stadt, aber sie hatten ihre reflektierende Eigenschaft eingebüßt. Weder das silberne Licht der Sterne noch der rötliche Feuerschein der brennenden Stadt spiegelte sich in den Oberflächen – sie wirkten so leichenblass wie die Haut eines Toten. Ihre Leuchtkraft war verschwunden. Ein eisiger Schauer jagte Isabelle über den Rücken. Kein Wunder, dass es in den Straßen vor Monstern wimmelte – aus irgendeinem unvorstellbaren Grund hatten die Dämonentürme ihre magischen Eigenschaften verloren. Die Schutzschilde, die Alicante Tausende von Jahren beschützt hatten, waren verschwunden.

Samuel hatte schon seit Stunden nichts mehr gesagt, doch Simon war noch immer wach. Ruhelos starrte er in die Dunkelheit, als er plötzlich Schreie hörte.

Ruckartig hob er den Kopf. Stille. Unbehaglich schaute er sich um – hatte er den Lärm vielleicht geträumt? Angestrengt spitzte er die Ohren, aber selbst mit seinem deutlich empfindlicheren Vampirgehör konnte er nichts ausmachen. Er wollte sich gerade wieder auf die Pritsche legen, als die Schreie erneut ertönten und ihn wie Nadeln in den Ohren stachen. Es klang, als stammten sie von jenseits der Garnisonsmauern.

Simon sprang auf, kletterte auf die Pritsche und schaute aus dem Fenster. Vor ihm erstreckte sich eine grüne Rasenfläche, doch in der Ferne konnte er den schwachen Lichtschein der Stadt erkennen. Beunruhigt verengte er die Augen zu Schlitzen – irgendetwas stimmte nicht mit den Lichtern . . . Sie erschienen ihm dunkler, als er sie in Erinnerung hatte, und irgendwelche kleinen Punkte schossen durch die Straßen, wie feurige Nadelspitzen. Über den Türmen erhob sich eine bleiche Wolke und die Luft war erfüllt von beißendem Qualm.

»Samuel.« Simon konnte die große Unruhe in seiner eigenen Stimme hören. »Samuel, irgendetwas stimmt hier nicht!«

Im nächsten Moment drang das Schlagen von Türen und das Hallen hastig eilender Schritte an seine Ohren. Heisere Rufe zerrissen die Nachtstille. Simon presste das Gesicht gegen die Gitterstäbe, während auf der anderen Seite seines Fensters schwere Stiefel vorbeidröhnten und im Laufen Steine aufwarfen: Heerscharen von Schattenjägern stürmten unter lautem Rufen aus der Garnison, hinunter in die Stadt.

»Die Schutzschilde sind zusammengebrochen! Sie arbeiten nicht mehr!«

»Aber wir können die Garnison nicht im Stich lassen!«

»Die Garnison spielt keine Rolle! Unsere Kinder sind da unten!«

Ihre Rufe entfernten sich bereits, wurden immer leiser. Bestürzt stieß Simon sich vom Fenster ab. »Samuel! Die Schutzschilde . . .«

»Ich weiß. Ich hab's gehört.« Samuels Stimme drang laut und kräftig durch die Mauer. Er klang nicht im Geringsten verängstigt, sondern resigniert und sogar ein wenig triumphierend, da er recht behalten hatte. »Valentin hat seinen Angriff gestartet, während der Rat tagte. Clever.«

»Aber die Garnison . . . sie ist doch stark befestigt. Warum bleiben sie nicht einfach hier oben?«

»Du hast sie doch selbst gehört. Weil all ihre Kinder unten in der Stadt sind. Kinder, betagte Eltern . . . sie können sie nicht einfach im Stich lassen.«

Die Lightwoods. Simon dachte an Jace und dann mit Schrecken an Isabelles kleines blasses Gesicht unter ihrer dunklen Haarmähne, an ihre Entschlossenheit im Kampf, an die vielen X und O, die sie unter den Brief an ihn gesetzt hatte. »Aber du hast es ihnen doch gesagt . . . du hast den Ratsmitgliedern gesagt, was passieren würde. Warum haben sie dir nicht geglaubt?«

»Weil die Schutzschilde ihre Religion sind. Nicht an die Macht der Schilde zu glauben, würde bedeuten, dass die Schattenjäger auch nicht daran glaubten, dass sie etwas Besonderes sind . . . die Auserwählten, die unter dem Schutz des

Erzengels stehen. Dann könnten sie auch gleich glauben, dass sie nur ganz gewöhnliche Irdische sind.«

Simon drehte sich wieder zum Gitter, um erneut hinauszuschauen, doch der Qualm war inzwischen dichter geworden und erfüllte die Luft mit einer gräulichen Fahlheit. Die Rufe vor dem Fenster waren verstummt; nur aus der Ferne drangen gedämpfte Schreie an seine gespitzten Ohren. »Ich glaube, die Stadt steht in Flammen.«

»Nein.« Samuels Stimme klang sehr leise. »Ich denke, die Garnison steht in Flammen. Vermutlich Dämonenfeuer. Valentin hat es auf die Garnison abgesehen.«

»Aber . . .« Simon geriet ins Stottern. »Aber es wird doch irgendjemand kommen und uns hier rausholen, oder? Der Konsul oder . . . oder Aldertree. Die können uns doch nicht einfach hier unten krepieren lassen.«

»Du bist ein Schattenweltler«, erwiderte Samuel. »Und ich bin ein Verräter. Glaubst du ernsthaft, dass sie irgendetwas anderes tun würden?«

»Isabelle! *Isabelle!*« Alec hatte ihr die Hände auf die Schultern gelegt und schüttelte sie.

Langsam hob Isabelle den Kopf; das blasse Gesicht ihres Bruders schwebte vor einem dunklen Hintergrund. Hinter seiner rechten Schulter ragte ein geschwungenes Stück Holz hervor: Alec hatte seinen Bogen umgeschnallt, denselben Bogen, mit dem Simon den Dämonenfürsten Abbadon getötet hatte. Isabelle konnte sich nicht daran erinnern, dass ihr älterer Bruder auf sie zugekommen war; sie konnte sich nicht einmal daran erinnern, dass sie ihn auf der Straße gesehen hatte. Es schien ihr, als wäre er plötzlich wie ein Geist aus dem Nichts vor ihr aufgetaucht.

»Alec.« Ihre Stimme zitterte und gehorchte ihr nur langsam. »Alec, hör auf. Mir geht's gut.« Sie befreite sich aus seinem Griff.

»Du hast aber nicht so ausgesehen.« Alec schaute sich rasch um und fluchte leise. »Wir müssen unbedingt von der Straße runter. Wo ist Aline?«

Isabelle blinzelte. In ihrer unmittelbaren Umgebung waren keine Dämonen zu sehen. Auf der anderen Straßenseite kauerte jemand auf den Stufen eines Hauses und kreischte und heulte und stieß schrille Schreie aus. Der Leichnam des alten Mannes lag noch immer auf dem Kopfsteinpflaster und über allem waberte der Gestank von Dämonen. »Aline . . . einer der Dämonen hat versucht . . . hat versucht, sie zu . . .« Isabelle hielt inne und holte tief Luft. Sie war eine Lightwood. Sie würde nicht hysterisch werden, unter keinen Umständen. »Wir haben ihn getötet, aber dann ist Aline fortgerannt. Ich hab noch versucht, ihr zu folgen, aber sie war zu schnell.« Bestürzt schaute sie zu ihrem großen Bruder auf. »Dämonen in der Stadt«, sagte sie. »Wie ist das möglich?«

»Ich weiß es nicht.« Alec schüttelte den Kopf. »Die Schutzschilde müssen zusammengebrochen sein. Als ich aus dem Haus kam, liefen hier vier oder fünf Oni-Dämonen herum. Einen, der in den Büschen lauerte, hab ich erwischt. Die anderen sind abgehauen, aber sie können jeden Moment zurückkommen. Los, wir müssen zurück ins Haus.«

Die Frau auf den Stufen schluchzte noch immer herzzerreißend. Ihr Wehklagen folgte ihnen, während sie zum Haus der Penhallows rannten. Auf dem Weg dorthin begegneten ihnen keine weiteren Dämonen, doch aus anderen dunklen Gassen drangen der Lärm von Explosionen, Schreie und hallende, hastende Schritte. Als die beiden Geschwister die Stufen zur Haustür der Penhallows hinaufliefen, warf Isabelle einen kurzen Blick über die Schulter und konnte gerade noch erkennen, wie ein langer, zuckender Fangarm aus der Dunkelheit zwischen zwei Häusern hervorpeitschte und die schluchzende Frau von den Stufen ihres Hauses riss. Ihr Schluchzen verwandelte sich in schrilles Schreien. Sofort versuchte Isabelle umzukehren, doch Alec hatte sie bereits an den Schultern gepackt, drängte sie rasch ins Haus, warf krachend die Haustür hinter sich ins Schloss und verriegelte sie. Das Haus lag vollkommen dunkel vor ihnen.

»Ich habe alle Lichter gelöscht. Ich wollte nicht noch mehr Dämonen anlocken«, erklärte Alec und schob Isabelle vor sich her bis ins Wohnzimmer.

Max saß auf dem Boden vor den Treppenstufen, die Arme um die Knie geschlungen. Sebastian stand am Fenster und nagelte lange Holzscheite, die neben dem offenen Kamin gelagert hatten, kreuz und quer über die klaffende Öffnung im Fensterrahmen.

»So, fertig«, sagte er, trat einen Schritt zurück und legte den Hammer auf ein Bücherregal. »Das sollte eine Weile halten.«

Isabelle hockte sich neben Max auf die unterste Treppenstufe und strich ihm über die Haare. »Alles in Ordnung?«, fragte sie besorgt.

»Nein.« Die Augen des kleinen Jungen wirkten riesig und verängstigt. »Ich hab versucht, aus dem Fenster zu schauen, aber Sebastian meinte, ich solle mich ducken.«

»Da hatte Sebastian recht«, sagte Alec. »Draußen auf der Straße wimmelte es vor Dämonen.«

»Sind sie noch da?«

»Nein, aber sie ziehen weiterhin durch die Stadt. Wir müssen uns überlegen, was wir jetzt machen sollen.«

Sebastian runzelte die Stirn. »Wo ist Aline?«

»Sie ist weggerannt«, erklärte Isabelle. »Es war mein Fehler. Ich hätte . . .«

»Das war *nicht* dein Fehler. Ohne dich wäre sie jetzt tot«, widersprach Alec kurz angebunden. »Wir haben im Moment keine Zeit für Selbstbeschuldigungen. Ich werde versuchen, Aline zu finden, und ich will, dass ihr drei hierbleibt. Isabelle, kümmere dich um Max. Sebastian, sorg dafür, dass das Haus vollständig verriegelt ist.«

»Ich will nicht, dass du allein losziehst!«, protestierte Isabelle empört. »Nimm mich mit.«

»Ich bin hier der Erwachsene. Was ich sage, wird gemacht.« Alecs Ton klang ruhig. »Es kann gut sein, dass unsere Eltern jeden Moment aus der Garnison zurückkehren. Und je mehr von uns dann hier sind, desto besser. Die Gefahr ist einfach zu groß, dass wir da draußen voneinander getrennt werden. Dieses Risiko will ich nicht eingehen, Isabelle.«

Dann warf er Sebastian einen kurzen Blick zu. »Hast du das verstanden?«

Sebastian hatte bereits seine Stele gezückt. »Ich werde das Haus mit Runen verriegeln.«

»Danke.« Alec war fast an der Tür, drehte sich jedoch noch einmal zu Isabelle um. Ihre Blicke trafen sich einen kurzen Moment und dann war er auch schon verschwunden.

»Isabelle.« Max' Stimme klang dünn und leise. »Du blutest am Handgelenk.«

Erstaunt sah Isabelle an sich herab. Sie konnte sich nicht daran erinnern, dass sie sich an der Hand verletzt hatte, doch Max hatte recht: Das Blut hatte bereits den Ärmel ihrer weißen Jacke rot verfärbt. Langsam stand sie auf. »Ich hol nur eben meine Stele und bin gleich wieder zurück, damit ich dir bei den Runen helfen kann, Sebastian.«

Sebastian nickte. »Ich könnte durchaus Hilfe gebrauchen. Runen sind nicht gerade meine Stärke.«

Isabelle verkniff sich die Frage, wo denn seine Stärken lägen, und stieg müde die Stufen hinauf. Sie fühlte sich wie zerschlagen und brauchte dringend eine Kraft-Rune, die sie sich notfalls auch selbst auftragen konnte, obwohl Alec und Jace diese Sorte von Runen immer leichter von der Hand gegangen war.

In ihrem Zimmer angekommen, wühlte sie in ihren Sachen, auf der Suche nach ihrer Stele und zusätzlichen Waffen. Während sie sich zwei Seraphklingen in den Schaft ihrer Stiefel schob, verweilten ihre Gedanken bei Alec und dem Blick, den sie getauscht hatten, ehe er durch die Tür verschwunden war. Es war nicht das erste Mal, dass sie zusah, wie ihr Bruder das Haus verließ – wohl wissend, dass sie ihn möglicherweise nie wieder zu Gesicht bekommen würde. Diese Tatsache hatte sie schon vor vielen Jahren akzeptiert; sie war Teil ihres Lebens. Aber erst als sie Clary und Simon kennengelernt hatte, war ihr bewusst geworden, dass es den meisten Menschen vollkommen anders erging. Sie mussten nicht mit dem Tod als ständigem Begleiter leben, seinen kalten Atem im Nacken spüren, selbst an ganz normalen Tagen. Ihr ganzes Leben lang hatte Isabelle – wie alle Schattenjäger – nur Verachtung für die Irdischen übrig gehabt; sie war davon überzeugt gewesen, dass sie schwach, dumm und von schafsartiger Selbstzufriedenheit waren. Doch jetzt fragte sie sich, ob dieser Hass nicht vielmehr auf Eifersucht beruhte. Es musste wundervoll sein, sich nicht jedes Mal Sorgen machen zu müssen, dass ein aufbrechendes Familienmitglied vielleicht nicht mehr zurückkehrte.

Isabelle hatte bereits die Hälfte der Treppe zurückgelegt, die Stele in der Hand, als sie spürte, dass irgendetwas nicht in Ordnung war. Das Wohnzimmer lag wie ausgestorben vor ihr.

Max und Sebastian waren nirgends zu sehen. Auf einem der Holzscheite, die Sebastian über das zerbrochene Fenster genagelt hatte, glühte eine nur halb fertig gestellte Schutz-Rune. Und der Hammer, den er verwendet hatte, war verschwunden.

Isabelle zog sich der Magen zusammen. »Max!«, rief sie, von plötzlicher Panik erfasst, und drehte sich im Kreis. »Sebastian! Wo seid ihr?«

Sebastians Stimme antwortete ihr aus der Küche. »Isabelle – wir sind hier.«

Isabelle fiel ein Stein vom Herzen. Erleichtert marschierte sie in Richtung Küche. »Sebastian, das ist nicht lustig. Ich hab schon gedacht, ihr wärt . . .«

Sie stieß die Tür auf und zögerte. In der Küche war es finster, dunkler als im Wohnzimmer. Angestrengt spähte sie in die Dunkelheit, doch statt Sebastian und Max sah sie nur Schatten.

»Sebastian?« Zweifel schlichen sich in ihre Stimme. »Sebastian, was macht ihr hier? Wo ist Max?«

»Isabelle.«

Isabelle glaubte, eine Bewegung zu erkennen, einen dunklen Schatten vor einem etwas helleren Hintergrund. Seine Stimme klang sanft, freundlich, fast liebenswert. Ihr war gar nicht bewusst gewesen, was für eine wunderschöne Stimme er hatte. »Isabelle, es tut mir leid.«

»Sebastian, wieso benimmst du dich so merkwürdig? Hör auf damit!«

»Es tut mir leid, dass es dich trifft«, sagte er. »Denn du musst wissen, dass ich dich von allen Schattenjägern am meisten mochte.«

»Sebastian . . .«

»Von allen Schattenjägern«, wiederholte er mit derselben sanften Stimme, »dachte ich, würdest du mir am meisten ähneln.«

Und dann ließ er seine Faust auf sie niedergehen, die Faust mit dem Hammer darin.

Alec rannte durch die dunklen, ausgebrannten Gassen und rief wieder und wieder Alines Namen. Als er das Viertel um die Princewater Street verließ und sich dem Zentrum der Stadt näherte, beschleunigte sich sein Pulsschlag. Die Straßen wirkten wie ein Gemälde von Hieronymus Bosch, das zum Leben erwacht war: Es wimmelte vor grotesken und makabren Kreaturen und Szenen plötzlicher, grauenhafter Gewalt. Von Panik erfüllte Menschen schoben Alec blind aus dem Weg und rannten schreiend und offenbar ziellos durcheinander. Die Luft war erfüllt von Brandgeruch und dem Gestank von Dämonen. Einige Häuser standen in Flammen, bei anderen waren sämtliche Fenster eingeschlagen. Glasscherben glitzerten auf dem Kopfsteinpflaster. Als Alec sich einem der Gebäude näherte, erkannte er, dass es sich bei dem, was er für einen dunklen Farbfleck gehalten hatte, tatsächlich um eine riesige Blutlache handelte, die bis weit in die Straße hineingespritzt war. Entsetzt wirbelte er herum und schaute suchend in jede Richtung, konnte aber nirgends eine Erklärung für das frische Blut entdecken. Obwohl keine unmittelbare Gefahr zu erkennen war, machte er sich schleunigst wieder auf den Weg.

Als einziges der Lightwood-Kinder konnte er sich noch an Alicante erinnern. Beim Wegzug der Familie nach New York war er zwar ein Kleinkind gewesen, doch er hatte noch immer vage Bilder im Kopf: von den schimmernden Türmen, den verschneiten Straßen im Winter, den bunten Lichterketten, die sich um Häuser und Geschäfte gewunden hatten, den sprudelnden Wasserfontänen des Meerjungfrau-Brunnens in der Halle des Abkommens. Beim Gedanken an Alicante hatte er immer einen Stich im Herzen verspürt, die sehnsuchtsvolle Hoffnung, eines Tages mit der Familie an den Ort zurückzukehren, an den sie gehörten. Doch der Anblick der Stadt in diesem Zustand machte diese Hoffnung ein für alle Mal zunichte. Zutiefst erschüttert bog er in eine breitere Straße ein, die zur Halle des Abkommens führte, und entdeckte plötzlich eine Horde Belial-Dämonen, die fauchend und heulend durch einen Torbogen krochen, in ihrem Schlepptau eine zuckende und sich windende Gestalt, die sie über das Kopfsteinpflaster zerrten. Sofort stürzte Alec die Straße hinunter, doch die Dämonen waren bereits verschwunden. Und am Fuß einer Säule lehnte ein schlaffer Körper, aus dem ein dünnes Blutrinnsal auf den Boden sickerte. Glasscherben knirschten wie Kiesel-steine unter Alecs Stiefeln, als er sich hinabbeugte, um den Leichnam umzudrehen. Nach einem kurzen Blick auf das violett verfärbte, verzerrte Gesicht wandte er sich schaudernd ab, dankbar, dass es sich um niemanden handelte, den er kannte.

Ein plötzliches Geräusch ließ ihn zusammenzucken; rasch richtete er sich auf. Den Gestank nahm er noch vor dem Schatten war – der Schatten einer riesigen, buckligen Kreatur, die sich schlängelnd vom unteren Ende der Straße auf ihn zubewegte. Ein Dämonenfürst? Alec hatte kein Interesse abzuwarten, um es herauszufinden. Er stürmte auf die andere Straßenseite zu einem der größeren Häuser und sprang auf das Sims eines Fensters, dessen Scheibe zerschlagen war. Wenige Minuten später zog er sich mit schmerzenden Händen und blutenden Knien an der Dachkante hoch. Schnaufend rappelte er sich auf, klopfte sich den Dreck von den Händen und schaute auf Alicante hinab.

Die defekten Dämonentürme warfen ein trübes, mattes Licht auf die wimmelnden Straßen, durch die Kreaturen sprangen, krochen und schlichen wie huschende Kakerlaken in einer heruntergekommenen Wohnung. Die kalte Nachtluft trug Schreie und Rufe zu ihm aufs Dach: das Schluchzen und Jammern von Menschen, aber auch das Kreischen und Johlen der Dämonen, ihre spitzen Freudenschreie, die Alecs menschliches Gehör wie Nadelstiche trafen. Rauch stieg über den sandsteinfarbenen Häusern auf und hüllte die Stadt in einen grauen Dunst, der sich bereits um die Türme der Abkommenshalle rankte. Als Alec zur Garnison hinaufschaute, entdeckte er ganze Heerscharen von Schattenjägern, die den Hügel hinunterstürmten, von den Elbenlichtsteinen in ihren Händen in helles Licht getaucht. Der Rat zog in die Schlacht.

Vorsichtig tastete Alec sich an den Rand des Dachs. Die Häuser standen in diesem Teil der Stadt so dicht beieinander, dass ihre Traufen sich fast berührten. Es war eine Kleinigkeit, von einem Dach auf das nächste und von dort weiter auf das übernächste zu springen. Mühelos balancierte Alec über die Dachfirste und schnellte über die tiefen, aber nicht sehr breiten Schluchten zwischen den Häusern. Es tat gut, den kalten Wind im Gesicht zu spüren und dem Gestank der Dämonen zu entkommen.

Auf diese Weise bewegte er sich ein paar Minuten vorwärts, bis ihm zwei Tatsachen bewusst wurden: Erstens rannte er in Richtung der weißen Türme der Abkommenshalle. Und zweitens stieg weiter vor ihm, auf einem Platz zwischen zwei Gassen, irgendetwas Flackerndes auf, etwas, das wie eine sprühende Wunderkerze aussah – allerdings mit einem blauen Funkenregen von der Farbe einer heißen Gasflamme. Solche blauen Funken hatte Alec schon einmal gesehen. Einen Moment lang starrte er wie gebannt auf die Lichterscheinung, dann rannte er los.

Das Dach des Hauses direkt am Platz besaß eine gefährlich steile Neigung. Bedachtsam rutschte Alec vom First zur Dachkante hinab, wobei seine Stiefel ein paar Pfannen lostraten, die krachend zu Boden gingen. Am Rand angekommen, warf er einen vorsichtigen Blick über die Kante.

Unter ihm lag der Zisternenplatz. Eine massive Metallstange, die etwa auf Höhe des ersten Stockwerks aus der Fassade des Gebäudes herausragte, versperrte ihm teilweise die Sicht.

An der Stange war ein hölzernes Ladenschild befestigt, das in der Brise leise hin und her schaukelte. Auf dem Platz wimmelte es vor Iblis-Dämonen – Kreaturen mit menschlicher Gestalt, doch geformt aus wirbelndem schwarzem Qualm und mit glühenden gelben Augen ausgestattet. Sie hatten sich in einer Reihe aufgestellt und bewegten sich langsam auf eine einsame männliche Gestalt in einem wehenden grauen Mantel zu, die sich zu einem Rückzug genötigt sah, der allerdings von einer Mauer gestoppt wurde. Atemlos starrte Alec auf die Szenerie unter ihm. Der von den Dämonen bedrohte Mann kam ihm bekannt vor, sogar sehr bekannt – die schlanken Konturen seines Rückens, die wild zerzausten schwarzen Haare und die sprühenden Funken, die wie blaue Glühwürmchen von seinen Fingerspitzen in alle Richtungen zischten.

Magnus. Der Hexenmeister schleuderte blaue Flammenspeere gegen die Iblis-Dämonen. Eine der Wurfwaffen traf einen sich nähernden Dämon mitten in die Brust, woraufhin er sich mit einem zischenden Geräusch – wie von Wasser ersticktem Feuer – zuckend wand und dann in einer Rauchsäule auflöste. Doch andere Dämonen nahmen sofort seinen Platz ein und Magnus feuerte eine weitere Salve glühender Flammenspeere. Mehrere Iblis gingen zu Boden, aber ein anderer Dämon, der gerissener war als die anderen, hatte sich um Magnus herumbewegt und näherte sich ihm schräg von hinten, bereit zuzuschlagen . . .

Alec dachte nicht lange nach. Stattdessen machte er einen Satz, hielt sich an der Dachkante fest und sprang direkt nach unten, bis er die Metallstange zu fassen bekam. Dann schwang er sich einmal um ihre Achse, um seinen Sturz abzubremsen, ließ sie anschließend los und landete geschickt auf dem Boden. Überrumpelt fuhr der Dämon herum; seine gelben Augen glühten wie funkelnde Edelsteine. Wenn Jace jetzt an seiner Stelle gewesen wäre, dann hätte er bestimmt noch einen cleveren Spruch losgelassen, schoss es Alec durch den Kopf, eine sarkastische Bemerkung, ehe er die Seraphklinge gezückt und dem Dämon in den rauchigen Leib gerammt hätte. Aber das Ergebnis blieb das Gleiche: Mit einem schrillen Aufschrei löste sich der Dämon in Luft auf und ließ bei seinem gewaltsamen Verlassen dieser Dimension nur einen feinen Aschenregen zurück, der über Alec niederging.

»*Alec?*« Ungläubig starrte Magnus ihn an. Er hatte inzwischen die restlichen Iblis-Dämonen ins Jenseits befördert und der Platz war bis auf sie beide vollkommen leer. »Hast du . . . hast du mir gerade das Leben gerettet?«

Alec wusste, dass er an dieser Stelle eigentlich etwas sagen sollte, etwas in der Art von *Natürlich! Schließlich bin ich ein Schattenjäger!* oder *Das ist nun mal mein Job.* Jace hätte bestimmt etwas Derartiges gesagt. Jace wusste immer die richtige Antwort, in jeder Situation. Doch die Worte, die schließlich aus Alecs Mund kamen, klangen vollkommen anders – irgendwie bockig, selbst in seinen eigenen Ohren. »Du hast mich nicht ein einziges Mal zurückgerufen«, stieß er hervor. »Ich habe dich so oft angerufen und du hast dich nicht einmal zurückgemeldet.«

Magnus musterte Alec, als hätte er den Verstand verloren. »Deine Heimat wird angegriffen«, erwiderte er. »Die Schutzschilde sind zusammengebrochen und in den Straßen wimmelt es vor Dämonen. Und du willst wissen, warum ich mich nicht bei dir *gemeldet* habe?«

Trotzig schob Alec das Kinn vor. »Ich will wissen, warum du mich nicht *zurückgerufen* hast.«

Mit einem Ausdruck entnervter Verzweiflung warf Magnus die Arme in die Luft. Interessiert beobachtete Alec, dass sich dabei ein paar Funken von seinen Fingerspitzen lösten, wie Glühwürmchen, die aus einem Einmachglas entwischten. »Du bist ein verdammter Idiot!«, stieß Magnus hervor.

»Deswegen hast du mich nicht angerufen? Weil ich ein Idiot bin?«

»Nein.« Mit hoch erhobenem Kopf marschierte Magnus auf Alec zu. »Ich habe mich nicht gemeldet, weil ich es leid bin, dass du mich immer nur dann in deiner Nähe haben willst, wenn du irgendetwas brauchst. Ich bin es leid zuzusehen, wie du jemand anderen anhimmelst – jemanden, der, nebenbei bemerkt, deine Gefühle niemals erwidern wird. Jemand, der dich nicht liebt . . . nicht so wie ich dich liebe.«

»Du *liebst* mich?«

»Du dummer Nephilim«, sagte Magnus geduldig. »Warum wäre ich sonst wohl hier? Warum hätte ich wohl sonst die letzten Wochen damit verbracht, all deine geistesschwachen Freunde wieder zusammenzuflicken, sobald sie sich mal wieder verletzt haben? Und dich aus jeder lächerlichen Situation zu holen, in die du dich hineinmanövriert hast? Ganz zu schweigen von meiner Hilfe bei der Schlacht gegen Valentin. Und das alles, ohne auch nur einen einzigen Cent zu kassieren!«

»So habe ich das noch gar nicht betrachtet«, räumte Alec ein.

»Natürlich nicht. Du hast die Situation noch auf keine Weise betrachtet.« Magnus' Katzenaugen funkelten vor Wut. »Ich bin siebenhundert Jahre alt, Alexander. Ich weiß, wann etwas nicht funktioniert. Du hast mich deinen Eltern gegenüber ja noch nicht einmal auch nur erwähnt.«

Sprachlos starrte Alec ihn an. »Du bist *siebenhundert Jahre alt?*«

»Also gut, achthundert«, gestand Magnus. »Allerdings sehe ich nicht danach aus! Aber das steht hier nicht zur Debatte. Der entscheidende Punkt ist schließlich . . .«

Doch Alec sollte nicht mehr herausfinden, was der entscheidende Punkt war, da in diesem Moment ein weiteres Dutzend Iblis-Dämonen auf den Platz strömte. Alec spürte, wie ihm der Mund offen stehen blieb. »Verdammt!«

Sofort wirbelte Magnus herum und folgte Alecs Blick. Die Dämonen hatten sich bereits fächerförmig um sie herum ausgebreitet und ihre gelben Augen glühten bösartig. »Das ist wirklich ein ganz mieser Trick, das Thema zu wechseln, Lightwood«, nörgelte Magnus.

»Ich sag dir was.« Alec griff nach seiner zweiten Seraphklinge. »Wenn wir das hier heil überstehen, verspreche ich dir, dass ich dich meiner gesamten Familie vorstellen werde.«

Magnus hob die Hände und spreizte die Finger, von denen einzelne azurblaue Flammen in die Höhe schossen. Sie ließen sein breites Grinsen in einem funkelnden blauen Schein erstrahlen. »Abgemacht!«

11

DAS HÖLLENHEER

»Valentin«, stieß Jace tonlos hervor. Mit bleichem Gesicht starrte er auf die Stadt hinab. Durch die Rauchschichten hindurch glaubte Clary das Labyrinth der schmalen Gassen von Alicante sehen zu können, die Straßen, auf denen verzweifelte Gestalten wie winzige schwarze Ameisen ziellos hin und her rannten. Doch als sie genauer hinschaute, war nichts zu erkennen, nichts außer dichten schwarzen Qualmwolken und stechendem Brandgeruch.

»Du glaubst, Valentin ist dafür verantwortlich?« Der Rauch kratzte in Clarys Kehle. »Das sieht nach einem Brand aus. Vielleicht ist das Feuer ja von allein ausgebrochen . . .«

»Das Nordtor steht sperrangelweit offen.« Jace deutete auf ein Bauwerk, das Clary wegen der Entfernung und der wabernden Qualmschwaden kaum erkennen konnte. »Normalerweise ist es immer verschlossen. Außerdem haben die Dämonentürme ihre Leuchtkraft verloren. Die Schutzschilde müssen zusammengebrochen sein.« Mit einem Ruck zog er eine Seraphklinge aus seinem Gürtel und umklammerte das Heft der Waffe so fest, dass seine Fingerknöchel weiß hervorstachen. »Ich muss sofort in die Stadt hinunter.«

Eine entsetzliche Furcht schnürte Clary die Kehle zu. »Simon . . .«

»Mach dir seinetwegen keine Sorgen, Clary. Man hat ihn bestimmt aus der Garnison evakuiert. Vermutlich geht's ihm besser als den meisten da unten. Die Dämonen werden ihn wahrscheinlich nicht angreifen; in der Regel lassen sie Schattenweltler in Ruhe.«

»Entschuldige«, flüsterte Clary. »Die Lightwoods . . . Alec . . . Isabelle . . .«

»Jahoel«, rief Jace und das Engelsschwert in seiner bandagierten linken Hand flackerte taghell auf. »Clary, ich möchte, dass du hier oben bleibst. Ich werde später zurückkommen und dich holen.« Der Zorn, der seit ihrem Aufbruch vom Landhaus in seinen Augen gebrannt hatte, war verschwunden. In diesem Moment war Jace durch und durch Krieger.

Clary schüttelte den Kopf. »Nein. Ich will mit dir kommen.«

»Clary . . .«, setzte Jace an, verstummte aber abrupt und erstarrte.

Eine Sekunde später hörte Clary es ebenfalls: ein wuchtiges, rhythmisches Dröhnen, über dem eine Frequenz lag, die sie an das Knistern und Krachen eines gewaltigen Feuerwerks erinnerte. Es dauerte eine Weile, bis sie das Geräusch in Gedanken in seine einzelnen Elemente zerlegt hatte, so wie man ein Musikstück in einzelne Noten aufsplittet. »Das sind . . . das sind . . .«, stammelte sie.

»Werwölfe.« Jace starrte an ihr vorbei. Als Clary seinem Blick folgte, sah sie sie: eine Flut von Werwölfen, die wie ein fließender Schatten über den nächsten Hügel strömten – die schwarze, wogende Menge nur durchbrochen von funkelnden gelben Augen. Ein Wolfsrudel . . . mehr als ein Rudel . . . es mussten Hunderte sein, wenn nicht sogar Tausende. Ihr har-

sches Bellen und Heulen – das Geräusch, das Clary für knisterndes Feuerwerk gehalten hatte – erfüllte die kalte Nachtluft und schien von Sekunde zu Sekunde anzuschwellen.

Clary drehte sich der Magen um. Werwölfe waren für sie zwar keine Unbekannten und sie hatte Seite an Seite mit Lykanthropen gekämpft, doch dies war nicht Lukes Rudel – Wölfe, die den Befehl erhalten hatten, sich um sie zu kümmern und ihr keinen Schaden zuzufügen. Clary musste unwillkürlich an die schreckliche Vernichtungskraft von Lukes Rudel in der Schlacht denken und wurde plötzlich von lähmender Furcht gepackt.

Neben ihr stieß Jace einen unterdrückten Fluch aus. Es blieb ihm keine Zeit, eine zweite Waffe zu zücken. Blitzschnell schlang er den freien Arm um Clary und zog sie fest an sich, während er den anderen Arm anhob und die Seraphklinge hoch über ihre Köpfe hielt. Das Licht des Engelsschwertes leuchtete grell in der Dunkelheit. Clary biss die Zähne zusammen . . .

Und dann waren die Wölfe da, wie eine Woge, die über sie hereinbrach, ein plötzlicher ohrenbetäubender Lärm und wirbelnder Luftschwall. Als die ersten Wölfe des Rudels heranstürmten und zum Sprung ansetzten, mit glühenden Augen und weit aufgerissenen Mäulern, grub Jace seine Finger tief in Clarys Hüfte . . .

Doch die Wölfe segelten links und rechts an ihnen vorbei, umrundeten die Stelle, an der Jace und Clary wie angewurzelt standen, um gut einen halben Meter. Ungläubig drehte Clary den Kopf, als zwei der Schattenwesen – ein geschmeidiges, gestreiftes Exemplar und ein riesiger Wolf mit stahlgrauem Fell – hinter ihnen sanft auf dem Boden landeten und sofort weiterrannten, ohne sie eines Blickes zu würdigen. Um Clary und Jace herum wimmelte es nun vor Werwölfen, doch kein einziger krümmte ihnen auch nur ein Haar. Sie stürmten an ihnen vorbei, eine Flut aus Schattenwesen, auf deren Fell sich das Mondlicht in silbern aufblitzenden Reflexionen spiegelte, sodass sie fast wie ein einziger, durchgehender Strom aus gestreckten Gestalten wirkten, der auf Jace und Clary zuraste – und sich dann um sie herum teilte wie Wasser an einem Felsen. Im Grunde hätten die beiden Schattenjäger auch zwei Statuen sein können, so wenig Beachtung schenkten ihnen die Lykanthropen, die mit aufgerissenen Mäulern und fest auf die Straße geheftetem Blick davonstürmten.

Sekunden später waren sie verschwunden. Jace drehte sich um, um dem letzten Wolf nachzusehen, der seinem Rudel hinterherhechelte.

Stille legte sich erneut über die nächtliche Landschaft, nur unterbrochen von den gedämpften Geräuschen der weit entfernten Stadt.

Jace gab Clary frei und ließ gleichzeitig die Seraphklinge sinken. »Alles in Ordnung mit dir?«, fragte er besorgt.

»Was ist passiert?«, flüsterte Clary. »Diese Werwölfe . . . sie sind einfach an uns vorbeigerannt . . .«

»Sie sind auf dem Weg in die Stadt. Nach Alicante«, erklärte er, zog eine zweite Waffe aus seinem Gürtel und hielt sie ihr entgegen. »Hier. Du wirst sie brauchen.«

»Dann lässt du mich also nicht hier allein zurück?«

»Das wäre zwecklos. Im Moment ist es nirgendwo mehr sicher. Aber . . .« Er zögerte. »Du wirst doch vorsichtig sein, oder?«

»Ja, ganz bestimmt«, versprach Clary. »Und was machen wir jetzt?«

Jace schaute hinab auf die Stadt, die brennend unter ihnen lag. »Jetzt laufen wir.«

Mit Jace mitzuhalten, war Clary noch nie leichtgefallen, doch nun, da er beinahe so schnell sprintete, wie er nur konnte, erschien es ihr fast unmöglich. Clary spürte, dass er sich ihretwegen zurückhielt und sein Tempo drosselte, damit sie zu ihm aufschließen konnte . . . und dass ihn diese Rücksichtnahme einige Überwindung kostete.

Am Fuß des Hügels angekommen, wand sich die Straße schon bald durch einen Hain hoher, dichter Bäume und erzeugte die Illusion eines Tunnels. Als Clary auf der anderen Seite der dunklen Baumallee wieder auftauchte, fand sie sich unmittelbar vor dem Nordtor wieder. Durch den Torbogen konnte sie Rauchschwaden und zuckende Flammen erkennen. Jace stand bereits unter dem hochgezogenen Fallgatter und wartete auf sie. In der einen Hand hielt er Jahoel und in der anderen eine weitere Seraphklinge, doch selbst das gebündelte Licht der beiden Engelsschwerter kam nicht gegen die flackernde Helligkeit der brennenden Stadt hinter ihm an.

»Die Wachen«, keuchte Clary und rannte auf Jace zu. »Warum sind hier keine Wachen?«

»Wenigstens einer von ihnen befindet sich dort drüben in den Bäumen.« Jace deutete mit dem Kinn in die Richtung, aus der sie gekommen waren. »Zerfetzt. Nein, schau nicht hin.«

Sein Blick fiel auf Clarys Arm. »Du hältst deine Seraphklinge falsch. Nimm sie besser so in die Hand«, sagte er und demonstrierte es ihr. »Außerdem musst du ihr einen Namen geben. Cassiel wäre nicht schlecht.«

»*Cassiel*«, wiederholte Clary, woraufhin das Licht der Klinge sofort hell erstrahlte.

Jace musterte Clary nüchtern. »Ich wünschte, ich hätte Zeit gehabt, mit dir für eine solche Situation zu trainieren. Eigentlich dürfte niemand mit so wenig Erfahrung wie du überhaupt in der Lage sein, eine Seraphklinge zu führen. Das hat mich schon beim ersten Mal gewundert, aber jetzt, da wir wissen, was Valentin gemacht hat . . .«

Doch Clary hatte keine Lust, über Valentins Taten zu reden. »Vielleicht hast du ja auch nur Angst, dass ich irgendwann besser wäre als du, wenn du mich anständig trainieren würdest«, sagte sie.

Der Anflug eines Lächelns schlich sich in Jace' Mundwinkel. »Versprich mir eines, Clary: Was auch immer geschieht, du bleibst in meiner Nähe. Verstanden?«, sagte er dann wieder ernst und schaute durch Jahoels Licht auf sie herab.

Aus irgendeinem Grund musste Clary an den Moment denken, als er sie im Gras vor dem Wayland-Landsitz geküsst hatte. Das Ganze erschien ihr eine Million Jahre zurückzuliegen. Oder wie etwas, das jemand anderem widerfahren war. »Ich werde in deiner Nähe bleiben. Versprochen.«

»Gut.« Er gab ihren Blick frei. »Dann mal los.«

Langsam bewegten sich die beiden Schattenjäger durch das Tor, Schulter an Schulter. Als sie die Stadt betraten, nahm Clary das Schlachtgetümmel plötzlich viel deutlicher wahr, als hörte sie es zum ersten Mal: eine Schallmauer aus menschlichen Schreien und unmenschlichem Heulen, das Klirren von splitterndem Glas und das Knistern von Feuer. Das Ganze ließ ihr das Blut in den Ohren rauschen.

Der Platz hinter dem Tor war menschenleer, doch auf dem Kopfsteinpflaster lagen mehrere gekrümmte Gestalten. Clary versuchte, nicht genauer hinzusehen. Sie fragte sich, woran es lag, dass man selbst aus einiger Entfernung erkennen konnte, dass jemand tot war und nicht etwa nur bewusstlos. Es schien, als könnte man fühlen, dass irgendetwas den toten Körper verlassen hatte, dass irgendein lebenswichtiger Funke fehlte.

Eilig führte Jace Clary über den Platz – sie spürte, dass ihm das offene, deckungslose Gelände nicht gefiel – und in eine der Gassen. Hier türmten sich weitere Trümmer auf. Schaufensterscheiben waren eingeschlagen, ihr Inhalt über die gesamte Straße verteilt. Außerdem hing ein ekelerregender Geruch in der Luft, der widerliche Gestank von fauligem, verrottendem Müll. Clary kannte diesen Geruch – er bedeutete Dämonen.

»Hier entlang«, zischte Jace leise und führte Clary in eine weitere, noch schmalere Gasse. Im Obergeschoss eines der umliegenden Häuser brannte ein Feuer, während die angrenzenden Gebäude vollkommen unversehrt schienen. Clary fühlte sich auf seltsame Weise an Fotos erinnert, die sie von den schweren Luftangriffen auf London gesehen hatte, wo die Zerstörung auch scheinbar willkürlich vom Himmel herabgeregnet war.

Als sie aufschaute, erkannte sie, dass die Festung hoch über der Stadt in eine schwarze Rauchsäule gehüllt war. »Die Garnison!«, stieß sie leise hervor.

»Ist garantiert längst evakuiert. Das hab ich dir doch schon gesagt . . .«, erwiderte Jace, verstummte aber, als sie die schmale Gasse verließen und auf eine breitere Durchgangsstraße hinaustraten. Auf dem Pflaster lagen etliche Leichen, teilweise in Gruppen. Darunter auch kleine leblose Körper. Kinder. Jace stürmte los, während Clary ihm zögernd folgte. Als sie näher kam, sah sie, dass es sich um drei Kleinkinder handelte – glücklicherweise keines alt genug, um Max sein zu können, wie Clary mit einer Mischung aus schlechtem Gewissen und Erleiterung feststellte. Neben den Kindern lag der Leichnam eines älteren Mannes, mit weit ausgebreiteten Armen, als habe er die Kinder mit seinem eigenen Körper schützen wollen.

Plötzlich verhärtete sich Jace' Gesichtsausdruck. »Clary . . . dreh dich langsam um. Ganz langsam.«

Clary drehte sich um. Direkt hinter ihr befand sich ein zerbrochenes Schaufenster, in dem einst Kuchen und Gebäck einladend präsentiert worden waren. Doch die bunt verzierten Törtchen lagen nun über das Kopfsteinpflaster verstreut, zwischen glitzernden Glasscherben und Lachen aus Blut, das sich mit der weißen Tortenglasur zu rosafarbenen Schlieren vermischte. Aber dieser Anblick war nicht die Ursache für Jace' warnenden Unterton: Aus dem Schaufenster kroch irgendetwas heraus – etwas Formloses, Riesiges, Schleimiges. Eine Kreatur, deren länglicher, mit einer doppelten Zahnreihe bestückter Körper von oben bis unten mit Glasur verschmiert und mit Glasscherben übersät war, was auf bizarre Weise an glitzernden Zuckerguss erinnerte.

Der Dämon flutschte aus dem Fenster auf das Pflaster und glitt langsam auf die beiden Schattenjäger zu. Irgendetwas an dieser schleimigen, rückgratlosen Bewegung bereitete Clary Übelkeit. Sie wich zurück, wobei sie fast mit Jace zusammengestoßen wäre.

»Das ist ein Behemoth-Dämon«, erklärte er und starrte auf die sich heranschlängelnde Kreatur. »Diese Dämonen fressen *alles*.«

»Etwa auch . . .?«

»Menschen? Ja«, bestätigte Jace. »Stell dich hinter mich.«

Clary ging ein paar Schritte zurück, den Blick fest auf den Behemoth geheftet. Irgendetwas an diesem Dämon stieß sie noch mehr ab als die Kreaturen, denen sie zuvor begegnet war. Das Wesen sah aus wie eine blinde Schnecke mit Zähnen und es sonderte die ganze Zeit Schleim ab . . . Aber wenigstens bewegte es sich nicht sehr schnell. Jace dürfte es nicht schwerfallen, diesen Dämon zu beseitigen, überlegte Clary.

Und wie von ihren Gedanken angetrieben, stürzte Jace vor und schwang sein hell leuchtendes Seraphschwert. Mit dem Geräusch einer zerplatzenden, überreifen Frucht bohrte sich die Klinge tief in den Rücken des Behemoth, der daraufhin zu zucken begann, sich dann schüttelte und plötzlich ein paar Meter von seinem ursprünglichen Standort entfernt neu formierte.

Ernüchtert zog Jace sein Schwert zurück. »So was hatte ich schon befürchtet«, murmelte er. »Dieser Dämon ist nur semimateriell. Schwer zu töten.«

»Dann verzichte doch einfach darauf.« Clary zupfte Jace am

Ärmel. »Wenigstens bewegt er sich nicht schnell. Lass uns hier verschwinden.«

Widerstrebend ließ Jace sich von Clary fortziehen. Rasch drehten sie sich um, um in die Richtung zurückzulaufen, aus der sie gekommen waren . . .

Aber der Dämon ragte bereits vor ihnen auf und versperrte die Straße. Er schien gewachsen zu sein und stieß ein leises Geräusch aus, ein zorniges, insektenartiges Zirpen.

»Ich glaube nicht, dass er uns gehen lassen will«, bemerkte Jace.

»Jace . . .«

Doch er stürmte bereits auf den Dämon zu und schwang Jahoel in einem weiten Bogen, um der Kreatur den Kopf abzuschlagen. Der Behemoth schüttelte sich indes nur und formierte sich wieder neu – dieses Mal hinter Jace. Dann bäumte er sich hoch auf, sodass seine gerippte Unterseite zum Vorschein kam, die an den Unterleib einer Kakerlake erinnerte. Blitzschnell wirbelte Jace herum, ließ sein Schwert auf den Dämon herabfahren und trennte ihn in der Mitte durch. Grüne Flüssigkeit, so zäh wie Schleim, ergoss sich über die Klinge.

Jace trat einen Schritt zurück, das Gesicht angewidert verzogen. Der Behemoth stieß noch immer das seltsame zirpende Geräusch aus und weitere Flüssigkeit schoss aus ihm hervor, doch er schien völlig unverletzt und bewegte sich zielbewusst auf den jungen Schattenjäger zu.

»Jace!«, rief Clary. »Deine Klinge . . .«

Sofort warf Jace einen Blick auf sein Schwert. Der Schleim des Behemoth-Dämonen hatte Jahoels Klinge vollkommen überzogen und seine Flamme gedämpft. Während Jace bestürzt darauf starrte, begann das Licht der Waffe zu flackern und erlosch dann vollständig, wie ein mit Sand ersticktes Feuer. Fluchend ließ Jace das Schwert fallen, ehe seine Haut mit dem Dämonenschleim in Berührung kam.

Im nächsten Moment bäumte sich der Behemoth erneut auf, bereit zuzuschlagen. Jace duckte sich – und dann war Clary zur Stelle: Mit gezücktem Engelsschwert stürzte sie sich zwischen Jace und den Dämon und stieß diesem die Klinge mit einem hässlichen, schmatzenden Geräusch in den schwammigen Körper, direkt unterhalb der Zahnreihe.

Keuchend wich Clary einen Schritt zurück, als der Dämon erneut von Krämpfen geschüttelt wurde. Es schien ihn ziemlich viel Kraft zu kosten, sich nach jeder Verletzung neu zu formieren. Es musste ihnen also nur gelingen, ihn oft genug zu verwunden . . .

Plötzlich bemerkte Clary eine Bewegung am Rande ihres Sichtfelds. Ein graubrauner Schatten, der rasch näher kam. Sie waren nicht länger allein in der Straße.

Jace drehte sich um und seine Augen weiteten sich. »Clary!«, schrie er. »Hinter dir!«

Clary wirbelte herum, Cassiel fest im Griff, als der Wolf auch schon fauchend auf sie zustürzte, mit weit aufgerissenem Maul und gefletschten Zähnen.

Jace brüllte irgendetwas, das Clary jedoch nicht verstand. Allerdings sah sie den wilden Ausdruck in seinen Augen, selbst als sie sich blitzschnell zur Seite warf, um dem springenden Wolf auszuweichen. Mit angespanntem Körper und ausgefahrenen Krallen segelte er an ihr vorbei und erwischte sein Ziel – den Behemoth. Er drückte den Dämon mit seinem Gewicht flach auf den Boden und fiel dann mit gebleckten Zähnen über ihn her.

Der Dämon kreischte auf – ein hohes, schrilles Pfeifen wie von Luft, die aus einem Ballon entweicht. Doch der Wolf ließ nicht von seinem Opfer ab und rammte die Zähne tief in die schleimige Flanke des Dämons. Der Behemoth schlug um sich und strampelte im verzweifelten Bemühen, sich neu zu formieren und seine Wunden zu heilen, aber der Wolf gab ihm nicht die geringste Gelegenheit dazu. Seine Krallen versanken tief im Fleisch seines Gegners und mit der Schnauze riss er ganze Stücke aus dem gallertartigen Körper des Dämons, wobei er das aus etlichen Wunden spritzende grüne Sekret einfach ignorierte. Endlich begann der Behemoth, ein letztes Mal krampfartig zu zucken: Seine gezackten Zahnreihen klapperten laut – und dann war er verschwunden. Nur noch eine dampfende grüne, zähflüssige Lache auf dem Kopfsteinpflaster zeugte von seiner ehemaligen Existenz.

Der Wolf stieß ein Geräusch hervor – eine Art zufriedenes Brummen – und wandte sich dann Jace und Clary zu, ein silbernes Glitzern in den Augen. Sofort zog Jace eine weitere Waffe aus seinem Gürtel, die eine flammende Trennlinie zwischen die beiden Schattenjäger und den Werwolf zeichnete.

Der Wolf knurrte und das Fell über seinem Rückgrat richtete sich auf.

Clary packte Jace am Arm. »Nein . . . nicht!«

»Das ist ein *Werwolf,* Clary . . .«

»Aber er hat den Dämon für uns getötet! Er steht auf unserer Seite!« Clary löste sich von Jace, ehe er sie zurückhalten konnte, und näherte sich langsam dem Wolf, mit besänftigend ausgestreckten Händen. »Es tut mir leid«, sagte sie mit leiser, ruhiger Stimme. »Ich meine, es tut *uns* leid. Wir wissen, dass du uns nicht verletzen willst.« Sie hielt einen Moment inne, die Hände noch immer ausgestreckt, während der Wolf sie mit ausdruckslosen Augen musterte. »Wer . . . wer bist du?«, fragte Clary, warf dann Jace einen kurzen Blick über die Schulter zu und runzelte die Stirn. »Kannst du das Ding mal wegstecken?«

Jace sah aus, als wollte er ihr unmissverständlich klarmachen, dass man eine hell glühende Seraphklinge im Angesicht einer drohenden Gefahr nicht einfach *wegsteckte,* doch ehe er etwas sagen konnte, stieß der Wolf ein weiteres tiefes Knurren aus und richtete sich auf. Seine Beine dehnten sich, sein Rückgrat streckte sich und sein Kiefer schrumpfte. Innerhalb weniger Sekunden stand ein Mädchen vor ihnen – ein Mädchen in einem fleckigen weißen Hemdkleid, mit lockigen Haaren, die zu Dutzenden dünner Zöpfe geflochten waren. An ihrer Kehle leuchtete eine Narbe.

»Wer bist du?««, äffte sie Clary empört nach. »Ich fass es nicht, dass du mich nicht erkannt hast. Es ist ja nicht so, als ob wir Wölfe alle gleich aussehen würden. *Menschen!*«

Clary stieß einen Seufzer der Erleichterung aus. »Maia!«

»Ganz genau. Und wie üblich hab ich euch mal wieder den Arsch gerettet«, erwiderte sie grinsend. Sie war von Kopf bis Fuß mit Blut und Sekret bespritzt, was auf ihrem Wolfsfell nicht deutlich zu erkennen gewesen war, auf ihrer braunen Haut aber nun deutlich hervortrat. Angewidert drückte sie eine Hand auf den Magen. »Ist das ekelhaft! Ich kann nicht glauben, dass ich den ganzen Dämon verdrückt habe. Hoffentlich reagiere ich nicht allergisch darauf.«

»Aber was machst du denn hier?«, fragte Clary. »Nicht, dass wir uns nicht freuen würden, dich zu sehen, aber . . .«

»Wisst ihr das denn nicht?« Verwirrt schaute Maia von Clary zu Jace und wieder zurück. »Luke hat uns kommen lassen.«

»Luke?« Clary starrte sie sprachlos an. »Luke ist . . . hier?«

Maia nickte. »Er hat sich mit uns, seinem Rudel, in Verbindung gesetzt und noch einer Reihe anderer Schattenwesen – eigentlich mit jedem, der ihm einfiel – und uns befohlen, nach Idris zu kommen. Also sind wir bis zur Grenze geflogen und von dort aus weitergereist. Einige der anderen Rudel haben sich in den Wald teleportieren lassen, um sich hier mit uns zu treffen. Luke meinte, die Nephilim würden unsere Hilfe brauchen . . .« Sie verstummte einen Moment und fragte dann: »Habt ihr das denn nicht gewusst?«

»Nein«, erwiderte Jace, »und ich bezweifle, dass die Ratsmitglieder davon wissen. Sie sind nicht besonders gut darin, von Schattenweltlern Hilfe anzunehmen.«

Maia richtete sich auf und ihre Augen funkelten zornig. »Wenn wir nicht gewesen wären, wärt ihr alle *abgeschlachtet* worden. Die Stadt wurde von niemandem verteidigt, als wir hier eintrafen . . .«

»Nein, nicht«, unterbrach Clary Jace, der bereits zu einer Antwort ansetzte, und warf ihm einen warnenden Blick zu. »Ich bin dir wirklich sehr, sehr dankbar, dass ihr uns gerettet habt, Maia. Und das Gleiche gilt für Jace – auch wenn er so stur ist, dass er sich lieber eine Seraphklinge ins Auge rammen würde, als es zuzugeben. Und *du* sag jetzt nicht, dass du das gerne sehen würdest«, fügte sie hastig hinzu, als sie den Ausdruck auf dem Gesicht des anderen Mädchens sah, »denn das bringt uns überhaupt nicht weiter. Wir müssen jetzt erst mal zum Haus der Penhallows, um nach den Lightwoods zu sehen, und dann muss ich Luke finden . . .«

»Die Lightwoods? Ich glaube, die sind in der Halle des Abkommens. Jedenfalls ist das der Ort, zu dem wir alle Einwohner der Stadt bringen. Ich meine, ich hätte Alec dort gesehen«, überlegte Maia, »zusammen mit diesem Hexenmeister . . . der mit den stachligen Haaren. Magnus.«

»Wenn Alec in der Halle ist, müssen die anderen ebenfalls dort sein.« Der Ausdruck enormer Erleichterung auf Jace' Gesicht weckte in Clary den Wunsch, ihm eine Hand auf die Schulter zu legen, doch sie hielt sich zurück. »Sehr clever, alle in die Halle zu bringen – sie ist nämlich durch Runen geschützt.« Entschlossen schob er die glühende Seraphklinge in seinen Gürtel zurück. »Los, kommt. Worauf wartet ihr noch?«

Clary erkannte das Innere der Abkommenshalle in dem Moment, in dem sie sie betraten. Es handelte sich um den Saal, von dem sie geträumt hatte, in dem sie mit Simon und dann mit Jace getanzt hatte.

Dies ist der Ort, an den ich mich mithilfe des Portals hatte bringen wollen, überlegte sie und betrachtete die blassweißen Wände und die hohe Decke mit dem riesigen Oberlicht, durch das sie den Nachthimmel erkennen konnte. Aber trotz seiner Größe erschien ihr der Saal irgendwie kleiner und schäbiger als in ihrem Traum. Zwar plätscherte und sprudelte der Brunnen mit der Meerjungfrau in der Mitte des Raums noch immer, doch er wirkte stumpf und schmuddelig. Auf seinen Stufen hockten und lagen zahllose Menschen, die meisten mit Verbänden und

Bandagen. Im ganzen Saal wimmelte es vor Schattenjägern. Leute hasteten eilig hin und her und hielten nur inne, um einem der Verwundeten ins Gesicht zu schauen, als hofften sie darauf, in der Menge einen Freund oder Verwandten zu entdecken. Der Boden war übersät mit Schlamm, der sich mit Blut und Dreck zu einem schmierigen Matsch vermischt hatte.

Doch am meisten berührte Clary die Stille. In der Welt der Irdischen hätte in einer solchen Situation, unmittelbar nach einer Katastrophe, absolutes Chaos geherrscht; Leute hätten geschrien, geschluchzt und durcheinandergerufen. Doch in diesem Saal herrschte fast völlige Stille. Die Menschen saßen schweigend da, teilweise den Kopf in die Hände gestützt, teilweise ins Leere starrend. Kinder drängten sich dicht an ihre Eltern, doch keines von ihnen weinte.

Während Clary sich in Begleitung von Jace und Maia durch den Saal bewegte, fiel ihr noch etwas auf: In der Nähe des Brunnens stand eine Gruppe ungepflegt wirkender Leute in einem lockeren Kreis. Sie schienen sich irgendwie vom Rest der Menge zu unterscheiden, und als Maia sie erblickte und lächelte, begriff Clary auch, warum.

»Mein Rudel!«, stieß Maia erfreut hervor und stürmte los. Nach ein paar Metern warf sie noch einmal einen kurzen Blick über die Schulter und rief Clary zu: »Ich bin mir sicher, dass Luke auch irgendwo hier sein muss!« Damit verschwand sie in der Gruppe, die sich um sie herum schloss.

Einen kurzen Moment fragte Clary sich, was wohl passieren würde, wenn sie dem Werwolfmädchen in den Kreis folgte. Würde man sie als Lukes Freundin willkommen heißen oder nur misstrauisch als eine weitere Schattenjägerin betrachten?

»Nein, nicht«, sagte Jace, als hätte er ihre Gedanken gelesen. »Das ist keine gute . . .«

Doch Clary sollte nicht herausfinden, was Jace sagen wollte, da in diesem Moment jemand »*Jace!*« schrie und Alec auftauchte. Atemlos bahnte er sich einen Weg durch die Menge. Seine dunklen Haare waren vollkommen zerzaust und Blut klebte an seiner Kleidung, aber seine Augen strahlten in einer Mischung aus Erleichterung und Zorn. Aufgebracht packte er Jace am Revers seiner Jacke. »Was ist mit dir *passiert*?«

Jace zog eine beleidigte Miene. »Was soll denn mit mir passiert sein?«

Alec schüttelte ihn ärgerlich. »Du hast gesagt, du würdest *spazieren gehen*! Welche Art von Spaziergang dauert sechs Stunden?«

»Ein langer?«, schlug Jace vor.

»Ich könnte dich umbringen«, erwiderte Alec und ließ Jace' Jacke los. »Ich hätte nicht übel Lust dazu.«

»Aber das würde etwas über das Ziel hinausschießen, meinst du nicht?«, warf Jace ein und schaute sich um. »Wo sind die anderen? Isabelle und . . .«

»Isabelle und Max sind noch bei den Penhallows, zusammen mit Sebastian«, erklärte Alec. »Mom und Dad haben sich schon auf den Weg gemacht, um sie zu holen. Und Aline ist hier im Saal mit ihren Eltern, aber sie ist im Moment nicht besonders gesprächig. Sie hatte eine ziemlich üble Begegnung mit einem Schuppendämon, unten am Kanal. Aber Izzy konnte sie retten.«

»Und Simon?«, fragte Clary besorgt. »Hast du Simon gesehen? Er müsste mit den anderen aus der Garnison gekommen sein.«

Alec schüttelte den Kopf. »Nein, ich habe ihn nicht gesehen. Aber ich habe auch den Inquisitor und den Konsul noch nicht gesehen. Wahrscheinlich ist Simon bei einem von den beiden. Vielleicht haben sie unterwegs noch irgendwo haltgemacht oder . . .« Er verstummte, als ein Raunen durch die Menge ging.

Clary sah, dass die Gruppe der Lykanthropen ruckartig aufschaute, wie eine Meute Jagdhunde, die Beute wittert. Rasch drehte sie sich um . . .

. . . und entdeckte Luke, der erschöpft und blutverschmiert durch die schweren Flügeltüren der Halle trat.

Sofort stürmte sie auf ihn zu. Vergessen war jeder Gedanke daran, wie betrübt sie gewesen war, dass er sie bei Amatis zurückgelassen hatte, und wie wütend er gewesen war, dass Clary sie beide nach Idris gebracht hatte. Clary war nur noch unendlich erleichtert, ihn zu sehen. Einen Moment schaute Luke überrascht, als sie auf ihn zustürzte, doch dann lächelte er, streckte die Arme aus, hob sie hoch und umarmte sie so wie früher, als sie noch ein kleines Kind gewesen war. Er roch nach Blut und Flanell und Rauch und Clary schloss kurz die Augen und dachte daran, wie Alec Jace in dem Moment, in dem er ihn in der Halle entdeckt hatte, gepackt und an sich gezogen hatte. Denn das war genau das, was man mit seinen Familienmitgliedern tat, wenn man sich furchtbare Sorgen um sie gemacht hatte: Man packte sie und drückte sie fest an sich und sagte ihnen, wie sauer man auf sie gewesen war. Aber das war kein Problem: Denn ganz gleich wie wütend man auch immer gewesen sein mochte – sie gehörten noch immer zur Familie. Und es stimmte, was sie zu Valentin gesagt hatte: Luke *war* Teil ihrer Familie.

Behutsam setzte er sie wieder ab und zuckte dabei leicht zusammen. »Vorsichtig«, sagte er. »Ein Lauerdämon hat mich unten bei der Merryweather-Brücke an der Schulter erwischt.« Dann legte er Clary die Hände auf die Schultern und studierte ihr Gesicht. »Aber dir geht's gut, oder?«

»Was für eine rührende Szene«, sagte in diesem Moment eine kalte Stimme.

Clary drehte sich um, Lukes Hand noch immer auf ihrer Schulter. Hinter ihr stand ein großer Mann in einem blauen Umhang, der um seine Füße wirbelte, als er nun auf sie zukam. Sein Gesicht unter der Kapuze wirkte wie das Antlitz einer gemeißelten Statue: kantige Züge, hohe Wangenknochen und Augen mit schweren Lidern. »Lucian«, sagte er, ohne Clary eines Blickes zu würdigen. »Ich hätte es wissen müssen, dass *du* hinter alldem hier steckst . . . hinter dieser Invasion.«

»*Invasion?*«, wiederholte Luke und plötzlich stand sein gesamtes Rudel geschlossen hinter ihm. Die Lykanthropen hatten sich so schnell und leise bewegt, dass es den Anschein hatte, als wären sie aus dem Nichts aufgetaucht. »Wir sind nicht diejenigen, die deine Stadt überfallen haben, Konsul. Das war Valentins Werk. Wir versuchen nur zu helfen.«

»Der Rat braucht keine Hilfe«, fauchte der Konsul. »Jedenfalls nicht von deinesgleichen. Durch dein unerlaubtes Betreten der Gläsernen Stadt hast du bereits gegen das Gesetz verstoßen – defekte Schutzschilde hin oder her. Das müsste dir bekannt gewesen sein.«

»Ich denke, es ist ziemlich offensichtlich, dass der Rat *doch* Hilfe benötigt. Wenn wir nicht gekommen wären, hätten noch viel mehr von euch ihr Leben verloren.« Luke schaute sich im

Saal um; mehrere Gruppen von Schattenjägern waren näher herangerückt, um herauszufinden, was da vor sich ging. Einige begegneten Lukes Blick mit hoch erhobenem Kopf, während andere die Augen senkten, als würden sie sich schämen. Doch keiner von ihnen wirkte wütend, stellte Clary überrascht fest. »Ich habe die Stadt nur betreten, um etwas zu beweisen, Malachi«, fuhr Luke fort.

»Und das wäre?«, erwiderte Malachi mit kalter Stimme.

»Dass ihr uns braucht«, sagte Luke. »Um Valentin zu schlagen, braucht ihr unsere Hilfe. Und zwar nicht nur die der Lykanthropen, sondern aller Schattenweltler.«

»Was können Schattenwesen schon gegen Valentin ausrichten?«, konterte Malachi verächtlich. »Lucian, du müsstest es eigentlich besser wissen. Schließlich warst du mal einer von uns. Seit Menschengedenken haben wir sämtlichen Gefahren immer allein getrotzt und die Welt allein vor dem Bösen geschützt. Wir werden Valentins Heer mit einem eigenen Heer entgegentreten. Die Schattenwesen wären gut beraten, sich da rauszuhalten. Wir sind Nephilim; wir tragen unsere Kämpfe alleine aus.«

»Das entspricht nicht *ganz* der Wahrheit, oder?«, meldete sich eine samtige Stimme zu Wort und aus der Menge trat Magnus Bane hervor. Er trug einen langen, glitzernden Mantel sowie mehrere Ohrringe und musterte Malachi mit einem spöttischen Lächeln. Clary hatte keine Ahnung, woher er plötzlich aufgetaucht war. »In der Vergangenheit habt ihr Schattenjäger die Hilfe der Hexenmeister bei mehr als nur einer Gelegenheit in Anspruch genommen – und auch gar nicht schlecht dafür bezahlt.«

Malachi zog eine finstere Miene. »Ich kann mich nicht entsinnen, dass der Rat dich in die Gläserne Stadt eingeladen hätte, Magnus Bane.«

»Das hat er auch nicht«, erwiderte Magnus seelenruhig. »Aber eure Schutzschilde sind zusammengebrochen.«

»Tatsächlich?« Die Stimme des Konsuls triefte vor Sarkasmus. »Das ist mir gar nicht aufgefallen.«

Magnus machte ein besorgtes Gesicht. »Aber das ist ja schrecklich. Das hätte man dir nun wirklich sagen sollen.« Er warf Luke einen Blick zu. »Sag ihm, dass die Schutzschilde zusammengebrochen sind.«

Aufgebracht wandte Luke sich an den Konsul: »Herrgott noch mal, Malachi, die Schattenwesen sind stark und wir sind viele. Ich hab dir doch gesagt, dass wir euch helfen können.«

»Und ich habe *dir* gesagt, dass wir eure Hilfe weder brauchen noch wollen!«, entgegnete der Konsul mit erhobener Stimme.

»Magnus?« Clary schob sich verstohlen neben den Hexenmeister. Inzwischen hatte sich eine kleine Menge um Luke und den Konsul versammelt und verfolgte ihre hitzige Diskussion aufmerksam; Clary war sich ziemlich sicher, dass niemand ihr Beachtung schenkte. »Magnus!«, flüsterte sie. »Ich muss mit dir reden . . . solange die anderen noch mit sich selbst beschäftigt sind.«

Magnus warf ihr einen fragenden Blick zu, nickte dann und zog sie beiseite, wobei er wie ein Büchsenöffner durch die Menge schnitt. Keiner der versammelten Schattenjäger oder Werwölfe schien sich dem über einen Meter achtzig großen Hexenmeister mit den Katzenaugen und dem schiefen Grinsen in den Weg stellen zu wollen. Eilig drängte Magnus Clary in eine etwas ruhigere Ecke des Saals. »Worum geht's?«

»Ich habe das Buch.« Vorsichtig zog Clary es aus der Tasche ihres völlig verdreckten Umhangs und hinterließ dabei schmutzige Fingerspuren auf dem elfenbeinweißen Umschlag. »Ich war in Valentins Landhaus. Das Buch stand in der Bibliothek, genau wie du gesagt hast. Und . . .« Sie verstummte und dachte an den gefangen gehaltenen Engel. »Ach, schon gut«, murmelte sie und hielt ihm das Weiße Buch entgegen. »Hier. Nimm es.«

Mit seinen langen Fingern pflückte Magnus ihr das Buch aus der Hand und durchblätterte rasch die Seiten, wobei seine Augen immer größer wurden. »Das ist ja noch viel besser, als ich gedacht habe«, verkündete er hocherfreut. »Ich kann es gar nicht erwarten, einen dieser Zaubersprüche auszuprobieren.«

»Magnus!« Clarys scharfe Stimme brachte ihn wieder auf den Boden der Realität zurück. »Zuerst meine Mutter. Du hast es versprochen.«

»Und ich halte mich an meine Versprechen.« Der Hexenmeister nickte feierlich, doch in seinen Augen schimmerte irgendetwas – etwas, dem Clary nicht ganz traute.

»Da ist noch was«, fügte sie hinzu und dachte an Simon. »Ehe du abreist . . .«

»Clary!« Eine atemlose Stimme drang über ihre Schulter. Überrascht wirbelte Clary herum und entdeckte Sebastian, der auf sie zusteuerte. Er trug seine Schattenjägermontur, die ihm erstaunlich gut stand – als wäre er zum Kampf geboren, dachte Clary. Während alle anderen blutverschmiert und ziemlich mitgenommen aussahen, wirkte er vollkommen unversehrt – abgesehen von zwei roten Kratzern, die sich über seine linke Wange zogen, als hätte irgendeine Kreatur mit langen Krallen nach ihm ausgeschlagen. »Ich habe mir Sorgen um dich gemacht. Auf dem Weg hierher bin ich an Amatis' Haus vorbeigekommen, aber du warst nicht da und sie meinte, sie hätte dich auch nicht gesehen . . .«

»Ach, mir geht's gut.« Clary schaute kurz von Sebastian zu Magnus, der das Weiße Buch fest gegen seine Brust gedrückt hielt. Sebastian musterte sie mit hochgezogenen Augenbrauen. »Und was ist mit dir?«, fragte Clary. »Dein Gesicht . . .« Vorsichtig berührte sie seine Verletzung. Aus den Kratzspuren quoll noch immer Blut.

Sebastian zuckte die Achseln und schob ihre Hand behutsam beiseite. »Eine Dämonin hat mich in der Nähe der Penhallows erwischt. Aber mir geht's gut. Was gibt's Neues?«

»Nichts. Ich unterhalte mich nur gerade mit Ma. . . Ragnor«, verbesserte Clary sich hastig, als ihr plötzlich mit Schrecken bewusst wurde, dass Sebastian keine Ahnung hatte, wer Magnus tatsächlich war.

»Maragnor?« Sebastian zog die Augenbrauen noch höher. »Okay. Na dann.« Neugierig schaute er in Richtung des Weißen Buches. Clary wünschte, Magnus würde es wegstecken – so wie er es hielt, waren die vergoldeten Buchstaben auf dem Umschlag deutlich zu erkennen. »Was ist das?«, fragte Sebastian gespannt.

Magnus musterte den Jungen einen Moment aus nachdenklich zusammengekniffenen Katzenaugen. »Ein Zauberbuch«, sagte er schließlich. »Nichts, was für einen Schattenjäger von Interesse wäre.«

»Also, meine Tante sammelt zufälligerweise Zauberbücher. Darf ich mal einen Blick reinwerfen?«, erwiderte Sebastian und streckte die Hand aus. Doch ehe Magnus diese Bitte abschlagen konnte, hörte Clary, wie jemand ihren Namen rief, und Jace und Alec kamen auf sie zu, offensichtlich nicht besonders erfreut, Sebastian hier zu sehen.

»Ich dachte, ich hätte dir gesagt, du sollst bei Max und Isabelle bleiben!«, fuhr Alec ihn an. »Hast du sie etwa allein gelassen?«

Langsam wandte Sebastian den Blick von Magnus ab und schaute zu Alec. »Deine Eltern sind nach Hause gekommen, genau wie du gesagt hast.« Seine Stimme klang kalt. »Sie haben mich hierhergeschickt, um dir zu sagen, dass es ihnen gut geht, und das Gleiche gilt für Izzy und Max. Sie sind auf dem Weg hierher.«

»Schönen Dank auch, dass du diese Nachricht sofort nach deinem Eintreffen überbracht hast«, warf Jace sarkastisch ein.

»Als ich hier angekommen bin, habe ich euch nicht gesehen«, erwiderte Sebastian. »Aber ich habe Clary gesehen.«

»Weil du nach ihr Ausschau gehalten hast.«

»Weil ich mit ihr reden muss. Und zwar allein.« Er wandte sich wieder Clary zu und der eindringliche Ausdruck in seinen Augen stimmte sie nachdenklich. Sie wollte ihm schon sagen, dass er sie in Jace' Gegenwart nicht so ansehen solle, doch das hätte übertrieben und verrückt geklungen, und möglicherweise hatte er ihr ja tatsächlich etwas Wichtiges mitzuteilen. »Clary?«, hakte Sebastian nach.

Sie nickte. »Also gut. Aber nur eine Sekunde«, sagte sie und sah, wie sich Jace' Ausdruck veränderte. Er zog zwar keine finstere Miene, doch sein Gesicht wurde vollkommen ausdruckslos. »Ich bin gleich wieder zurück«, fügte Clary hinzu, aber Jace schaute gar nicht in ihre Richtung. Seine Augen waren fest auf Sebastian geheftet.

Sebastian packte Clary am Handgelenk und zog sie von den anderen fort, in Richtung der dichten Menge in der Saalmitte. Als sie einen raschen Blick über die Schulter warf, sah sie, dass die anderen ihr nachschauten, sogar Magnus. Sie sah, dass der Hexenmeister ein einziges Mal den Kopf schüttelte, eine winzige, kaum wahrnehmbare Bewegung.

Sofort widersetzte Clary sich Sebastians Bemühungen, sie fortzuzerren. »Sebastian. *Hör auf.* Was ist los? Was wolltest du mir sagen?«

Langsam drehte er sich zu ihr um, ihr Handgelenk noch immer fest im Griff. »Ich dachte, wir könnten kurz nach draußen gehen«, erwiderte er. »Uns irgendwo ungestört unterhalten . . .«

»Nein. Ich will lieber hierbleiben«, sagte Clary. Sie hörte, wie ihre Stimme dabei leicht zitterte, als wäre sie sich nicht sicher. Aber sie war sich sicher. Entschlossen riss sie ihre Hand zurück, entwand sie seiner Umklammerung. »Was ist los mit dir?«

»Dieses Buch«, setzte Sebastian an. »Das, das Fell in den Fingern hielt – das Weiße Buch. Weißt du, woher er es hat?«

»*Darüber* hast du mit mir reden wollen?«

»Dieses Buch enthält eine Sammlung außerordentlich machtvoller Zaubersprüche«, erklärte Sebastian. »Es ist ein Buch, das . . . na ja, ein Buch, nach dem viele Leute schon sehr lange suchen.«

Clary schnaubte genervt. »Also schön. Hör zu, Sebastian«,

sagte sie. »Der Mann dort drüben ist nicht Ragnor Fell, sondern Magnus Bane.«

»*Das* ist Magnus Bane?« Sebastian wirbelte herum und starrte den Hexenmeister an, ehe er sich mit einem vorwurfsvollen Blick in den Augen erneut Clary zuwandte. »Und das hast du die ganze Zeit gewusst, oder? Du kennst Bane, stimmt's?«

»Ja, und es tut mir leid. Aber er wollte nicht, dass ich es dir sage. Außerdem ist er der Einzige, der mir helfen kann, meine Mutter zu retten. Deswegen habe ich ihm auch das Weiße Buch gegeben. Darin steht ein Zauberspruch, der ihr vielleicht helfen könnte.«

Tief in Sebastians Augen blitzte irgendetwas auf und Clary verspürte wieder dasselbe Unbehagen wie in dem Moment, als er sie geküsst hatte: das plötzliche Gefühl, dass irgendetwas nicht stimmte, grundlegend nicht stimmte – als hätte sie einen Schritt nach vorne gemacht, in der Erwartung, auf festen Boden zu treffen. Doch stattdessen schien sie in einen Abgrund zu stürzen.

Sebastians Hand schoss vor und packte sie erneut am Handgelenk. »Du hast das Buch – das Weiße Buch – einem *Hexenmeister* gegeben? Einem dreckigen Schattenweltler?«

Clary blieb stocksteif stehen. »Ich kann nicht fassen, dass du so etwas gerade gesagt hast«, erwiderte sie kühl. Dann schaute sie hinab auf ihr Handgelenk, das Sebastian eisern festhielt. »Magnus ist mein Freund.«

Sebastian lockerte den Griff ein wenig, allerdings nur einen Hauch. »Tut mir leid«, räumte er ein. »Das hätte ich nicht sagen sollen. Es ist nur so . . . wie gut kennst du Magnus Bane?«

»Jedenfalls besser als dich«, konterte Clary und warf einen

Blick über die Schulter zu der Stelle, wo sie Magnus mit Jace und Alec zurückgelassen hatte. Doch im nächsten Moment jagte ein Gefühl unangenehmer Überraschung durch ihren Körper: Magnus war verschwunden. Jace und Alec standen allein da und beobachteten sie und Sebastian. Clary konnte die Intensität von Jace' Missbilligung spüren wie die Hitze eines glühend heißen Backofens.

Sebastian folgte ihrem Blick und seine Augen verdüsterten sich. »Kennst du ihn auch gut genug, um zu wissen, wohin er mit deinem Buch verschwunden ist?«

»Das ist nicht mein Buch. Ich habe es ihm geschenkt«, fauchte Clary, aber ein eisiges Gefühl breitete sich in ihrem Magen aus, als sie an den überschatteten Ausdruck in Magnus' Augen dachte. »Außerdem wüsste ich nicht, was dich das überhaupt angeht. Hör zu, ich weiß es wirklich zu schätzen, dass du gestern angeboten hast, mir bei der Suche nach Ragnor Fell zu helfen, aber jetzt jagst du mir wirklich Angst ein. Ich geh wieder zu meinen Freunden zurück.«

Clary setzte sich in Bewegung, doch Sebastian war schneller und versperrte ihr den Weg. »Tut mir leid. Ich hätte das alles nicht sagen sollen. Es ist nur so, dass hinter dieser ganzen Geschichte mehr steckt, als du ahnst.«

»Dann erzähl es mir.«

»Komm mit mir nach draußen. Dann erzähl ich dir alles.« Sein Ton klang eindringlich, besorgt. »Clary, bitte.«

Doch Clary schüttelte den Kopf. »Ich muss hier drinnen bleiben. Ich muss auf Simon warten.« Das entsprach sogar teilweise der Wahrheit. »Alec hat mir erzählt, dass sie die Gefangenen hierherbringen würden . . .«

Sebastian zog die Augenbrauen hoch. »Hat dir das denn niemand gesagt, Clary? Sie haben die Gefangenen in der Garnison zurückgelassen. Das habe ich von Malachi aufgeschnappt. Als die Stadt angegriffen wurde, haben sie die Garnison evakuiert bis auf die Gefangenen. Malachi meinte, dass die beiden sowieso mit Valentin unter einer Decke stecken würden. Und sie freizulassen, wäre ein zu großes Risiko gewesen.«

Clary hörte Sebastians Worte wie durch einen Nebel; ihr wurde schwindelig und dann übel. »Das kann nicht stimmen.«

»Doch, es stimmt«, sagte Sebastian. »Das schwöre ich.« Sein Griff um Clarys Handgelenk verstärkte sich erneut und Clary begann zu schwanken. »Hör zu: Ich kann dich den Hügel hinaufbringen. Zur Garnison. Ich kann dir helfen, ihn da rauszuholen. Aber du musst mir versprechen, dass du . . .«

»Sie muss dir gar nichts versprechen«, sagte Jace in dem Moment. »Lass sie los, Sebastian.«

Überrumpelt lockerte Sebastian den Griff um Clarys Handgelenk. Sie riss sich los und drehte sich um. Vor ihr standen Jace und Alec, beide mit finsterer Miene. Jace' Hand ruhte locker auf dem Heft der Seraphklinge an seinem Gürtel.

»Clary kann tun, was sie will«, erwiderte Sebastian. Auf seinem Gesicht breitete sich ein seltsamer, starrer Ausdruck aus, der Clary noch schlimmer erschien als jede finstere Miene. »Und in diesem Moment will sie mit mir zur Garnison, um ihren Freund zu retten. Den Freund, den *ihr* ins Gefängnis habt werfen lassen.«

Während Alec leicht erbleichte, schüttelte Jace nur den Kopf. »Ich mag dich nicht«, sagte er nachdenklich. »Ich weiß, dass alle anderen dich mögen, Sebastian, aber ich nicht. Vielleicht liegt es daran, dass du so angestrengt darum bemüht bist, dass die Leute dich mögen. Vielleicht bin ich auch nur ein egoistischer Mistkerl. Aber ich mag dich nicht und noch weniger mag ich die Art und Weise, wie du meine Schwester festgehalten hast. Wenn sie zur Garnison und nach Simon suchen möchte – prima. Dann wird sie mit uns dorthin gehen. Und nicht mit dir.«

Sebastians Gesicht blieb unverändert starr. »Ich denke, dass sollte sie selbst entscheiden«, erwiderte er. »Findest du nicht?«

Beide sahen Clary erwartungsvoll an. Unschlüssig schaute sie an ihnen vorbei, hinüber zu Luke, der noch immer heftig mit Malachi diskutierte.

»Ich möchte mit meinem Bruder gehen«, sagte sie schließlich.

Irgendetwas flackerte in Sebastians Augen auf – allerdings war es so schnell wieder verschwunden, dass Clary keine Zeit blieb, es genauer zu erkennen. Trotzdem verspürte sie eine schneidende Kälte an ihrer Kehle, als hätte eine eisige Hand sie dort berührt. »Natürlich«, sagte Sebastian und trat einen Schritt beiseite.

Alec setzte sich als Erster in Bewegung und schob Jace vor sich her. Die drei hatten gerade die Hälfte der Strecke zur Tür zurückgelegt, als Clary bewusst wurde, dass ihr Handgelenk schmerzte – es brannte, als wäre sie einer Herdplatte zu nahe gekommen. Sie warf einen Blick darauf, in der Erwartung, rote Striemen an der Stelle vorzufinden, wo Sebastian sie festgehalten hatte, doch es ließ sich nichts erkennen. Nur ein wenig Blut an ihrem Ärmel, das von der Kratzwunde in Sebastians

Gesicht stammte. Stirnrunzelnd zog sie den Ärmel über das noch immer brennende Handgelenk und beeilte sich, um zu Jace und Alec aufzuschließen.

12
DE PROFUNDIS

Simons Hände waren schwarz vor Blut.

Er hatte versucht, zuerst die Gitterstäbe vor dem Fenster und dann die Zellentür aus ihrer Verankerung zu reißen, doch jede längere Berührung mit dem Metall brannte ihm blutige Blasen in die Handflächen. Nach vielen vergeblichen Bemühungen brach er keuchend auf dem Boden zusammen und starrte wie betäubt auf seine Finger, während die Blessuren wie in einem Video auf schnellem Vorlauf prompt verheilten und die verkohlte Haut sich in Fetzen löste und abfiel.

Auf der anderen Seite der Zellenwand hörte er Samuel, der laut betete: »*Wenn Unglück, Schwert des Gerichts, Pestilenz oder Hungersnot über uns kommt und wir vor diesem Hause und vor dir stehen (da dein Name in diesem Hause wohnt) und wir in unsrer Not zu dir schreien, so wollest du hören und helfen!*«

Simon wusste, dass er nicht beten konnte; er hatte es mehrfach versucht, doch der Name Gottes hatte ihm den Mund versengt und ihm die Kehle zugeschnürt. Er fragte sich, warum er die Worte denken, aber nicht aussprechen konnte. Und warum er unbeschadet in der Mittagssonne stehen, aber nicht sein letztes Gebet sprechen konnte.

Inzwischen zog dichter Rauch wie ein zielstrebiges Gespenst durch den Korridor des Zellentrakts. Simon konnte den Brandgeruch wahrnehmen und das Prasseln und Knacken des Feuers, das sich immer weiter ausbreitete, doch er blieb seltsam unberührt davon, distanziert und losgelöst von seiner Umgebung. Irgendwie erschien es ihm merkwürdig, dass er einerseits zum Vampir geworden war und damit etwas erhalten hatte, das man nicht anders als das ewige Leben beschreiben konnte, andererseits aber jetzt trotzdem sterben sollte, im Alter von gerade mal sechzehn Jahren.

»Simon!« Die Stimme klang weit entfernt, doch sein Vampirgehör hatte sie über das Tosen der wütenden Flammen aufgeschnappt. Der Rauch im Korridor war nur ein Vorbote der Hitzewelle gewesen, die ihm nun wie eine massive Wand entgegenschlug. »Simon!«

Das war Clarys Stimme – er würde sie unter Tausenden wiedererkennen. Allmählich fragte er sich, ob ihm sein Gehirn ihre Stimme vielleicht vorgaukelte, eine letzte Erinnerung an den Menschen, den er während seines kurzen Lebens am meisten geliebt hatte, um ihn durch sein Sterben zu begleiten.

»Simon, du Idiot! Ich bin hier drüben! Am Fenster!«

Ruckartig sprang Simon auf die Beine, denn er bezweifelte, dass sein Verstand ihm *diese* Worte vorgegaukelt hatte. Durch den immer dichter werdenden Qualm sah er, wie sich vor dem Zellenfenster etwas Weißes hin und her bewegte. Als er näher kam, entpuppten sich die weißen Objekte als zwei Hände, die die Gitterstäbe umklammerten. Mit einem Satz sprang er auf die Pritsche und schrie über das Tosen des Feuers: »Clary?«

»Gott sei Dank!« Eine der Hände griff durch das Gitter und drückte seine Schulter. »Wir . . . wir holen dich hier raus.«

»Und wie?«, fragte Simon, nicht ungerechtfertigterweise,

doch im nächsten Moment hörte er ein Rascheln, Clarys Hände verschwanden und an ihrer Stelle tauchten andere Hände auf – größere, zweifellos maskuline Hände, mit vernarbten Knöcheln und langen, dünnen Pianistenfingern.

»Warte.« Jace' Stimme klang ruhig und selbstsicher, als würden sie sich während einer Party unterhalten statt durch die Gitterstäbe eines lichterloh brennenden Verlieses. »Vielleicht solltest du besser einen Schritt zurücktreten.«

Widerspruchslos folgte Simon der Aufforderung und ging beiseite. Jace' Hände schlossen sich so fest um die Eisenstäbe, dass seine Fingerknöchel beunruhigend weiß hervortraten. Dann ertönte ein ächzendes Krachen, das Gitter brach als Ganzes aus dem Mauerwerk heraus und stürzte neben der Pritsche auf den Zellenboden. Gesteinsstaub prasselte in einer dichten weißen Wolke auf Simon herab.

Sofort darauf erschien Jace' Gesicht im leeren Fensterrahmen. »Simon. Komm schon!«, drängte er und hielt ihm die Hände entgegen.

Simon reckte die Arme und bekam Jace' Finger zu fassen. Dann spürte er, wie er hinaufgehievt wurde, und als er die Fensterkante erreichte, stemmte er sich hoch und schlängelte sich durch die schmale Öffnung wie eine Schlange in einem Tunnel. Eine Sekunde später lag er lang ausgestreckt auf dem feuchten Gras und starrte in einen Kreis besorgter Gesichter, die auf ihn hinabblickten: Jace, Clary und Alec.

»Du siehst echt übel aus, Vampir«, bemerkte Jace. »Was ist mit deinen Händen passiert?«

Simon setzte sich auf. Die Verletzungen an seinen Fingern waren verheilt, aber die Haut war noch immer schwarz an den

Stellen, wo er das Gitter umklammert hatte. Doch ehe er etwas erwidern konnte, zog Clary ihn plötzlich an sich und umarmte ihn fest.

»Simon«, flüsterte sie. »Ich kann es noch immer nicht fassen. Ich wusste ja nicht einmal, dass du überhaupt hier bist. Bis letzte Nacht hab ich gedacht, du wärst noch in New York . . .«

»Na ja, ich wusste ja auch nicht, dass *du* hier bist«, erwiderte Simon und warf Jace einen Blick über die Schulter zu. »Genau genommen, hat man mir ausdrücklich gesagt, du wärst nicht in Idris.«

»Das habe ich nie gesagt«, stellte Jace richtig. »Ich habe dich lediglich nicht korrigiert, als du eine . . . eine falsche Vermutung geäußert hast. Na, jedenfalls habe ich dich gerade davor bewahrt, bei lebendigem Leibe zu verbrennen, daher schätze ich mal, dass du nicht das Recht hast, sauer zu sein.«

Bei lebendigem Leibe zu verbrennen. Simon löste sich von Clary und schaute sich um. Sie befanden sich in einem quadratisch angelegten Garten, der auf zwei Seiten von Festungsmauern umgeben war und an den beiden anderen Seiten von dichten Baumreihen. Zwischen den Bäumen führte ein Kiesweg den Hügel hinunter in die Stadt; der Pfad war gesäumt von Elbenlichtfackeln, von denen jedoch nur wenige brannten und ein spärliches, gedämpftes Licht verströmten. Simon schaute zur Garnison hoch. Aus dieser Perspektive konnte man kaum erkennen, dass in ihrem Inneren ein Brand tobte – zwar verdunkelten schwarze Rauchwolken den Sternenhimmel über der Festung und das Licht, das aus manchen Fenstern fiel, schien unnatürlich hell, doch die Steinmauern hüteten ihr Geheimnis gut.

»Samuel«, stieß Simon plötzlich hervor. »Wir müssen Samuel da rausholen.«

Clary musterte ihn verblüfft. »Wen?«

»Ich war nicht der einzige Gefangene. Samuel . . . er saß in der Nachbarzelle.«

»Der Haufen Lumpen, den ich durch das Fenster gesehen habe?«, fragte Jace ungläubig.

»Ja. Er ist irgendwie ein komischer Kauz, aber kein übler Kerl. Wir können ihn unmöglich dort unten lassen.« Simon rappelte sich auf. »Samuel? Samuel!«

Doch er erhielt keine Antwort. Sofort rannte Simon zu dem niedrigen, vergitterten Fenster neben der Maueröffnung, aus der er gerade herausgekrochen war. Durch die Gitterstäbe konnte er nur wogenden Qualm sehen. »Samuel! Bist du da drin?«

Irgendetwas bewegte sich innerhalb der Rauchschwaden – etwas Gekrümmtes, Dunkles. Dann ertönte Samuels vom Qualm heisere Stimme: »Lass mich in Ruhe! Verschwinde!«

»Samuel! Du wirst da unten sterben.« Simon riss an den Gitterstäben. Doch nichts geschah.

»Nein! Lass mich in Ruhe! Ich will hierbleiben!«

Verzweifelt sah Simon sich um und entdeckte Jace, der bereits neben ihm hockte. »Mach Platz!«, befahl Jace, und als Simon sich zur Seite lehnte, trat er mit Wucht gegen das Gitter. Mit einem lauten Krachen brachen die Stäbe aus dem Mauerwerk und stürzten in Samuels Zelle. Im nächsten Moment stieß Samuel ein heiseres Röcheln aus.

»Samuel! Alles in Ordnung?« Vor Simons innerem Auge zeichnete sich die Horrorvorstellung ab, dass Samuel von den fallenden Stäben erschlagen worden war.

Aber dann steigerte sich Samuels Stimme zu einem Krei-schen: »VERSCHWINDE!«

Simon warf Jace einen Blick zu. »Ich glaube, er meint es ernst.«

Genervt schüttelte Jace den Kopf. »Du musstest dich ja unbe-dingt mit einem verrückten Knastbruder anfreunden, oder? Warum konntest du nicht einfach die Deckenfliesen zählen oder eine Maus zähmen, wie jeder andere normale Häftling?« Dann ließ er sich – ohne Simons Antwort abzuwarten – auf den Boden und kroch durch das Fenster.

»Jace!«, quietschte Clary und rannte zusammen mit Alec zu ihm, doch Jace war bereits durch die Maueröffnung ver-schwunden. Clary warf Simon einen wütenden Blick zu. »Wie konntest du das zulassen?«

»Na ja, Jace kann den Kerl da unten ja nicht einfach krepie-ren lassen«, kam Alec Simon unerwarteterweise zu Hilfe, ob-wohl er selbst auch wenig beunruhigt wirkte. »Wir reden hier schließlich von Jace . . .«

Er verstummte, als zwei Hände aus dem Rauch auftauchten. Alec packte die eine Hand, Simon die andere und gemeinsam hievten sie Samuel wie einen schlaffen Sack Kartoffeln aus der Zelle und legten ihn auf den Rasen. Einen Moment später grif-fen Simon und Clary nach Jace' Händen und zogen ihn nach oben, obwohl er deutlich weniger schlaff war und wütend fluchte, als sie ihn beim Rausziehen versehentlich mit dem Kopf gegen den oberen Fensterrahmen stoßen ließen. Er schüttelte sie ab, kraxelte das letzte Stück selbst hinaus und ließ sich rückwärts ins Gras fallen. »Au«, stieß er hervor, wäh-rend er in den Himmel hinaufsah. »Ich glaub, ich hab mir was gezerrt.« Dann setzte er sich auf und schaute zu Samuel. »Alles in Ordnung mit ihm?«

Samuel kauerte zusammengekrümmt auf dem Boden, die Hände vors Gesicht geschlagen, und schaukelte lautlos vor und zurück.

»Ich glaube, irgendetwas stimmt nicht mit ihm«, sagte Alec, beugte sich vor und berührte Samuel an der Schulter. Augenblicklich zuckte Samuel so heftig zurück, dass er fast hintenüberfiel.

»Lass mich in Ruhe«, stammelte er mit brechender Stimme. »Bitte. Bitte, lass mich in Ruhe, Alec.«

Alec erstarrte. »Was hast du gerade gesagt?«

»Er hat gesagt, du sollst ihn in Ruhe lassen«, mischte Simon sich ein, doch Alec schenkte ihm keine Beachtung – er schien nicht einmal wahrzunehmen, dass Simon etwas gesagt hatte. Stattdessen schaute er zu Jace hinüber, der plötzlich bleich geworden war und sich bereits aufrappelte.

»Samuel«, sagte Alec, in seltsam harschen Ton. »Nimm die Hände vom Gesicht.«

»Nein.« Samuel drückte das Kinn noch fester auf die Brust; seine Schultern bebten. »Nein, bitte. Nein.«

»Alec!«, protestierte Simon. »Siehst du denn nicht, dass es ihm nicht gut geht?«

Clary packte Simon am Ärmel. »Simon, irgendetwas stimmt hier nicht.«

Ihre Augen waren auf Jace geheftet – waren sie das nicht immer? –, während er sich zu der gekrümmten Gestalt hinabbeugte. Jace' Fingerspitzen schimmerten blutig, da er sich an den scharfen Metallresten des Fensterrahmens geschnitten hatte, und als er sich nun die Haare aus den Augen strich, hinterließen sie blutige Streifen auf seinen Wangen. Doch das schien er gar nicht zu bemerken. Seine Lippen waren zu einem dünnen, harten Strich zusammengepresst. »Schattenjäger«, sagte er mit unerbittlicher klarer Stimme, »zeig uns dein Gesicht.«

Samuel zögerte noch einen Moment und ließ dann langsam die Hände sinken. Simon hatte die Züge seines Zellennachbarn nie gesehen und es war ihm nicht in den Sinn gekommen, dass Samuel verhärmt oder alt aussehen könnte. Aber sein Gesicht war zur Hälfte mit einem struppigen grauen Bart bedeckt; seine Augen lagen tief in den Höhlen und seine Wangen wirkten stark gefurcht. Trotz allem erschien er Simon seltsam vertraut.

Alecs Lippen bewegten sich, doch er brachte keinen Ton hervor. Es war Jace, der als Erster seine Stimme wiederfand.

»*Hodge*«, sagte er nur.

»Hodge?«, wiederholte Simon verwirrt. »Aber das kann nicht sein. Hodge war doch . . . Nein, Samuel kann unmöglich . . .«

»Das ist genau das, was Hodge anscheinend immer macht«, erwiderte Alec bitter. »Er lässt dich glauben, er wäre jemand anderes.«

»Aber er hat doch gesagt . . .«, setzte Simon an, doch Clary verstärkte ihren Griff um seinen Arm und die Worte erstarben ihm auf den Lippen. Der Ausdruck auf Hodges Gesicht verriet alles: zwar kein Schuldgefühl und auch kein Entsetzen darüber, dass seine Tarnung aufgeflogen war, aber ein abgrundtiefer Kummer, der sich nur schwer mit ansehen ließ.

»Jace«, sagte Hodge sehr leise. »Alec . . . es tut mir so leid.«

Im nächsten Moment bewegte Jace sich so geschmeidig wie im Kampf, wie Sonnenlicht auf einer Wasseroberfläche: Im Bruchteil einer Sekunde stand er vor Hodge, mit gezücktem Messer, dessen scharfe Spitze auf die Kehle seines alten Lehrers zielte. Der Widerschein des Feuers tanzte über die Klinge. »Spar dir deine Entschuldigungen. Ich will einen vernünftigen Grund hören, warum ich dich nicht töten sollte, jetzt und hier, an Ort und Stelle.«

»Jace.« Alec musterte ihn beunruhigt. »Jace, warte.«

Plötzlich ertönte ein lautes Grollen, als Teile des Garnisonsdaches in Flammen aufgingen. Die Hitze ließ die Luft schimmern und den Nachthimmel orange aufleuchten. Clary konnte jeden einzelnen Grashalm auf dem Rasen und jede Falte in Hodges hagerem, schmutzigem Gesicht erkennen.

»Nein«, erwiderte Jace. Die ausdruckslose Miene, mit der er auf Hodge hinabblickte, erinnerte Clary an ein anderes, maskenhaftes Gesicht – an das von Valentin. »Du hast gewusst, was mein Vater mit mir gemacht hat, stimmt's? Du hast all seine schmutzigen Geheimnisse gekannt!«, herrschte Jace Hodge an.

Alec schaute verständnislos von Jace zu seinem alten Lehrer und wieder zurück. »Wovon redest du? Was ist hier los?«

Hodge verzog das Gesicht. »Jonathan . . .«

»Du hast es die ganze Zeit gewusst und nie auch nur einen Ton gesagt. Während all dieser Jahre im Institut hast du geschwiegen.«

Hodge ließ das Kinn sinken. »Ich . . . ich war mir nicht sicher«, flüsterte er. »Wenn man ein Kind seit dem Säuglingsal-

ter nicht mehr gesehen hat . . . ich war mir nicht sicher, wer du
warst, und schon gar nicht, was du warst.«

»Jace?« Alecs bestürzter Blick wanderte noch immer zwischen seinem besten Freund und seinem Lehrer hin und her,
aber keiner der beiden schenkte ihm auch nur einen Funken
Beachtung.

Hodge wirkte wie ein Mann in einem Schraubstock, der immer fester zugedreht wurde: Seine Hände zitterten wie vor
Schmerzen und seine Augen zuckten hin und her. Clary dachte
an den gepflegt gekleideten Mann in seiner mit hohen Bücherregalen gesäumten Bibliothek, der Mann, der ihr Tee und
freundliche Ratschläge angeboten hatte . . . Das Ganze schien
Tausende von Jahren zurückzuliegen.

»Ich glaube dir nicht«, stieß Jace hervor. »Du hast gewusst,
dass Valentin nicht tot war. Er muss es dir doch erzählt haben . . .«

»Valentin hat mir gar nichts erzählt«, keuchte Hodge. »Als
die Lightwoods mir mitteilten, dass sie Michael Waylands
Sohn aufnehmen würden, hatte ich seit dem Aufstand nichts
mehr von Valentin gehört. Ich dachte, er hätte mich vergessen. Und ich betete sogar, dass er tot sei, aber ich war mir
eben nie sicher. Und dann, in der Nacht vor deiner Ankunft in
New York, tauchte plötzlich Hugo mit einer Nachricht von Valentin auf. ›Der Junge ist mein Sohn.‹ Das war alles, was auf
dem Zettel stand.« Hodge holte kurzatmig Luft. »Ich wusste
nicht, ob ich ihm glauben sollte. Und ich dachte, ich würde es
wissen . . . ich würde es in dem Moment wissen, in dem ich
dich zu Gesicht bekäme. Aber da war nichts, absolut nichts,
was mir Gewissheit verschafft hätte. Daraufhin nahm ich an,

dass es sich vielleicht um einen von Valentins Tricks handelte. Doch was sollte dieser Trick bewirken? Was versuchte er damit zu erreichen? Du hattest nicht den blassesten Schimmer, das war mir sofort klar, aber worauf zielte Valentin ab . . .«

»*Du hättest mir sagen müssen, was ich bin*«, stieß Jace in einem Atemzug hervor, als hätte man die Worte aus ihm herausgeprügelt. »Damals hätte ich noch etwas dagegen unternehmen können. Mich vielleicht umbringen.«

Hodge hob den Kopf und schaute durch seine verfilzten Haare zu Jace hoch. »Ich war mir nicht sicher«, wiederholte er leise, fast wie zu sich selbst. »Und jedes Mal, wenn ich Zweifel hatte, ob es nicht vielleicht doch stimmte, hab ich mir überlegt . . . da habe ich überlegt, ob die Erziehung nicht vielleicht eine größere Rolle spielen könnte als die Abstammung . . . dass man dir vielleicht beibringen könnte . . .«

»Was beibringen? Kein Monster zu sein?« Jace' Stimme zitterte, aber die Hand mit dem Messer war vollkommen ruhig. »Du hättest es besser wissen müssen. Doch er hat einen unterwürfigen Feigling aus dir gemacht, stimmt's? Dabei warst du kein hilfloses kleines Kind mehr. Du hättest dich widersetzen können.«

Hodge senkte den Blick. »Ich habe mir alle Mühe mit dir gegeben«, murmelte er. Doch selbst in Clarys Ohren klangen seine Worte jämmerlich.

»Bis zu Valentins Rückkehr«, erwiderte Jace, »und dann hast du alles getan, was er verlangt hat: Du hast mich ihm übergeben, als wäre ich ein Hund, der ihm einst gehört hatte und den du ein paar Jahre für ihn gehütet hattest . . .«

»Und dann bist du verschwunden«, wandte Alec sich an

Hodge. »Hast uns alle einfach zurückgelassen. Hast du wirklich geglaubt, dass du dich hier verstecken könntest, hier in Alicante?«

»Ich bin nicht hierhergekommen, um mich zu verstecken«, sagte Hodge mit tonloser Stimme. »Ich bin gekommen, um Valentin aufzuhalten.«

»Du kannst doch nicht ernsthaft erwarten, dass wir das glauben.« Alec klang nun wütend. »Du hast immer auf Valentins Seite gestanden. Dabei hättest du die Wahl gehabt . . . du hättest dich gegen ihn entscheiden können . . .«

»Diese Wahl hatte ich nie!«, fauchte Hodge. »Deine Eltern haben die Chance bekommen, ein neues Leben anzufangen – diese Möglichkeit hat man mir verwehrt! Ich saß fünfzehn Jahre lang im Institut gefangen . . .«

»Das Institut war unser Zuhause!«, protestierte Alec. »War es wirklich so schlimm, mit uns zu leben – Teil unserer Familie zu sein?«

»Nein, nicht euretwegen.« Hodges Stimme klang rau. »Euch Kinder habe ich geliebt. Aber ihr wart nun mal *Kinder*. Und ein Ort, den man nie verlassen darf, kann kein echtes Zuhause sein . . . kein Ort auf der Welt kann das. Manchmal habe ich wochenlang kein einziges Wort mit einem Erwachsenen gewechselt. Keiner der anderen Schattenjäger vertraute mir. Nicht einmal deine Eltern haben mich wirklich gemocht; sie haben mich toleriert, weil ihnen keine andere Wahl blieb. Ich konnte weder heiraten noch jemals eigene Kinder haben . . . kein eigenes Leben führen. Und irgendwann wärt ihr Kinder erwachsen geworden und aus dem Haus gegangen und dann hätte ich nicht einmal mehr euch gehabt. Ich habe in ständiger

Angst gelebt, wenn man das überhaupt als Leben bezeichnen will.«

»Spar dir deine Versuche, an unser Mitleid zu appellieren – das funktioniert nicht«, sagte Jace. »Nicht nach dem, was du getan hast. Und wovor, zum Teufel, hast du dich denn gefürchtet während all der Jahre in der Bibliothek? Vielleicht vor Hausstaubmilben? Wir waren doch diejenigen, die hinausgegangen sind und gegen Dämonen gekämpft haben!«

»Er hat sich vor Valentin gefürchtet«, wandte Simon ein. »Kapierst du das denn nicht . . .«

Jace warf ihm einen bösen Blick zu. »Halt die Klappe, Vampir! Das hier geht dich überhaupt nichts an.«

»Nicht direkt vor Valentin«, sagte Hodge und sah Simon zum ersten Mal richtig an. In seinem erschöpften Blick lag etwas, das Clary überraschte – fast so etwas wie Zuneigung. »Ich habe mich vor meiner eigenen Schwäche gefürchtet. Denn ich wusste, Valentin würde eines Tages zurückkehren. Ich wusste, er würde versuchen, die Macht an sich zu reißen und den Rat zu beherrschen. Und ich wusste auch, was er mir bieten konnte. Die Aufhebung meines Fluchs. Freiheit. Ein eigenes Leben. Einen Platz in der Welt. Ich hätte wieder ein Schattenjäger werden können, in Valentins Welt. In dieser Welt hier wäre mir das niemals mehr möglich gewesen.« Eine tiefe Sehnsucht schwang in seiner Stimme mit. »Und ich wusste, dass ich zu schwach sein würde, ihm zu widerstehen, falls er mir ein solches Angebot machen sollte.«

»Und jetzt sieh dir an, was für ein Leben du nun führst«, fauchte Jace. »Gefangen und vergessen in einer Zelle der Garnison. War es das wert? War es das wert, uns zu betrügen?«

»Die Antwort darauf kennst du selbst.« Hodge klang erschöpft. »Valentin hat den Fluch von mir genommen. Er hatte es versprochen und hat sich daran gehalten. Ich dachte, er würde mich wieder im Kreis aufnehmen – oder zumindest in dem, was noch davon übrig war. Aber das hat er nicht getan. Nicht einmal *er* wollte mich. Und da wusste ich, dass in seiner neuen Welt kein Platz für mich war . . . und dass ich alles, was ich besessen hatte, für eine Lüge aufgegeben hatte.« Er schaute auf seine zusammengeballten, schmutzigen Hände. »Mir war nur noch eines geblieben – eine einzige Chance, aus meinem Leben etwas anderes zu machen als eine totale Zeitverschwendung. Als ich hörte, dass Valentin die Stillen Brüder getötet hatte . . . dass er das Schwert der Engel hatte, da wurde mir klar, dass er als Nächstes versuchen würde, den Engelsspiegel an sich zu bringen. Ich wusste, dass er alle drei Insignien der Engel benötigte. Und ich wusste auch, dass sich der Spiegel hier in Idris befindet.«

»Moment mal.« Alec hielt eine Hand hoch. »Der Spiegel der Engel? Du meinst, du weißt, wo er ist? Wer ihn in seinem Besitz hat?«

»Niemand hat ihn in seinem Besitz«, sagte Hodge. »Niemand könnte den Engelsspiegel in seinen Besitz bringen. Kein Nephilim und auch kein Schattenweltler.«

»Du bist da unten wirklich komplett verrückt geworden, stimmt's?«, warf Jace ein und deutete mit dem Kinn auf die ausgebrannten Fenster des Verlieses.

»Jace.« Clary schaute besorgt zur Garnison hinauf, deren Dach mit einem Netz rotgoldener Flammen überzogen war. »Das Feuer breitet sich immer weiter aus. Wir sollten hier schleunigst verschwinden. Wir können doch auf dem Weg in die Stadt weiterreden . . .«

»Fünfzehn Jahre war ich im Institut eingesperrt«, fuhr Hodge fort, als hätte Clary überhaupt nichts gesagt. »Nicht einmal einen Fuß konnte ich vor die Tür setzen. Ich habe den ganzen Tag in der Bibliothek verbracht, auf der Suche nach einer Möglichkeit, den Fluch aufzuheben, den der Rat mir auferlegt hatte. Dabei erfuhr ich, dass nur eine der Engelsinsignien den Fluch rückgängig machen konnte. Buch für Buch las ich . . . alles über die Geschichte und die Legenden, die sich um den Erzengel ranken: wie er aus dem See aufstieg, die Engelsinsignien in den Händen, und wie er sie Jonathan Shadowhunter, dem ersten Nephilim, überreichte und dass es drei Insignien waren: Kelch, Schwert und Spiegel . . .«

»Das wissen wir alles«, unterbrach Jace ihn verärgert. »Schließlich hast du uns das alles beigebracht.«

»Du glaubst, alles über diese Sagengeschichten zu wissen, aber da irrst du dich. Als ich die verschiedenen Varianten der Überlieferungen studierte, stieß ich immer wieder auf dieselbe Illustration, dieselbe Abbildung . . . wir kennen sie alle: der Erzengel Raziel, der mit dem Schwert in der einen Hand und dem Kelch in der anderen aus dem See aufsteigt. Und jedes Mal habe ich mich gefragt, warum der Spiegel nicht abgebildet war. Aber dann wurde es mir schlagartig bewusst: Der Spiegel ist der See. Der See ist der Spiegel. Sie sind ein und dasselbe.«

Langsam ließ Jace das Messer sinken. »Der Lyn-See?«, fragte er.

Sofort musste Clary an ihre Begegnung mit dem See denken – die Wasseroberfläche, die sich ihr wie ein Spiegel entgegengehoben hatte und bei ihrem Aufprall in Tausende Stücke zu zerbrechen schien. »Als ich hierhergekommen bin, bin ich in den See gefallen. An diesem See ist tatsächlich irgendetwas merkwürdig. Luke meinte, dass er seltsame Eigenschaften habe und dass die Feenwesen ihn den *Spiegel der Träume* nennen würden.«

»Stimmt genau«, bestätigte Hodge eifrig und fuhr dann fort: »Als Nächstes erkannte ich, dass der Rat sich dieser Tatsache nicht bewusst war, dass das Wissen um den See im Laufe der Jahrhunderte verschollen war. Nicht einmal Valentin wusste es . . .«

Im nächsten Moment wurde er von einem dröhnenden Krachen unterbrochen – der Turm am anderen Ende der Garnison stürzte mit einem ohrenbetäubenden Poltern in sich zusammen und sandte ein Feuerwerk aus roten, glitzernden Funken in den Nachthimmel.

»Jace«, stieß Alec hervor und hob beunruhigt den Kopf. »Jace, wir müssen hier weg. Hoch mit dir«, wandte er sich an Hodge, packte ihn am Arm und zog ihn auf die Beine. »Du kannst das, was du uns gerade gesagt hast, dem Rat erzählen.«

Hodge richtete sich schwankend auf. Wie schrecklich musste es sein, mit dem Wissen zu leben, dass man sich nicht nur für seine vergangenen Taten schämen musste, sondern auch dafür, was man in diesem Moment tat und was man immer wieder tun würde, dachte Clary in einem plötzlichen Anfall von eigentlich unerwünschtem Mitleid. Hodge hatte schon vor langer Zeit jeden Versuch aufgegeben, ein besseres oder anderes Leben zu führen, und war nur von einem Wunsch beseelt gewesen – keine Angst mehr zu haben. Doch das hatte dazu geführt, dass er ständig in Angst gelebt hatte.

»Komm schon.« Alec hielt Hodge noch immer am Arm und stieß ihn vorwärts. Doch Jace war schneller und versperrte ihnen beiden den Weg.

»Wenn Valentin den Engelsspiegel in die Finger bekommt, was passiert dann?«, fragte er.

»Jace«, protestierte Alec, »nicht jetzt . . .«

»Wenn er es dem Rat erzählt, werden wir es nie erfahren«, entgegnete Jace. »Für die sind wir doch nur Kinder. Aber Hodge schuldet uns die Wahrheit.« Erneut wandte er sich an seinen alten Lehrer. »Du hast gesagt, dir wäre bewusst geworden, dass du Valentin aufhalten müsstest. Wobei aufhalten? Welche Macht verleiht ihm der Spiegel? Was könnte er damit tun?«

Hodge schüttelte den Kopf. »Ich kann nicht . . .«

»Und keine Märchen.« Das Messer an Jace' Seite glitzerte gefährlich; seine Hand umklammerte das Heft. »Denn für jede Lüge, die du uns auftischst, schneide ich dir einen Finger ab. Oder zwei.«

Hodge wich zurück, echte Angst in den Augen. Bestürzt musterte Alec seinen Freund. »Jace. Nicht. So was wäre typisch für deinen Vater. Aber so bist du nicht.«

»Alec«, setzte Jace an, ohne Alec anzusehen; aber der Ton in seiner Stimme war wie die sanfte Berührung einer Hand, eine Geste des Bedauerns. »Du hast keine Ahnung, wie ich wirklich bin.«

Alecs Blick traf sich mit dem von Clary. *Er kann nicht begreifen, warum Jace sich so verhält,* dachte sie. *Er weiß es nicht. Zö-*

gernd ging sie einen Schritt vor. »Jace, Alec hat recht – wir sollten Hodge in die Stadt bringen und dann kann er dem Rat erzählen, was er uns gerade gesagt hat . . .«

»Wenn er bereit wäre, mit dem Rat zu reden, hätte er das längst getan«, fauchte Jace, die Augen fest auf Hodge geheftet. »Und die Tatsache, dass er das nicht getan hat, beweist, dass er lügt.«

»Dem Rat ist nicht zu trauen!«, protestierte Hodge verzweifelt. »In seinen Reihen befinden sich Spione . . . Valentins Männer . . . Ich konnte den Ratsmitgliedern unmöglich sagen, wo sich der Spiegel befindet. Wenn Valentin den Spiegel fände, dann würde er . . .«

Doch Hodge sollte seinen Satz nicht mehr beenden: Etwas leuchtend Silbernes blitzte im Mondlicht auf, ein glitzernder Lichtschein in der Dunkelheit. Alec schrie auf, dann riss Hodge die Augen weit auf und taumelte ein paar Schritte zurück, die Hände auf die Brust gedrückt. Als er nach hinten sank, erkannte Clary den Grund: Aus seinem Brustkorb ragte das Heft eines langen Dolches, wie der Schaft eines Pfeils, der sein Ziel getroffen hat.

Alec machte einen Satz nach vorn und fing Hodge auf, als dieser stürzte. Behutsam legte er ihn auf dem Boden ab und schaute hilflos auf. Blutspritzer seines alten Lehrers schimmerten feucht auf seinem Gesicht. »Jace, warum . . .«

»Das war ich nicht . . .« Jace' Gesicht war kreidebleich und Clary sah, dass er das Messer noch immer fest in der Hand hielt. »Ich . . .«

Sofort wirbelte Simon herum. Clary folgte seinem Beispiel und starrte ebenfalls in die Dunkelheit. Die Feuersbrunst beleuchtete das Gras mit einem infernalischen orangeroten Schein, aber der Bereich zwischen den Bäumen war pechschwarz. Plötzlich tauchte etwas aus der Finsternis hervor, eine schemenhafte männliche Gestalt, mit dunklen, wirren Haaren. Der Junge bewegte sich auf sie zu – der Feuerschein erhellte sein Gesicht und reflektierte sich in den schwarzen Augen, die dadurch aussahen, als würden sie selbst in Flammen stehen.

»*Sebastian?*«, fragte Clary ungläubig.

Jace' Blick wanderte rasch von Hodge zu Sebastian, der unsicher am Rand des Gartens verharrte. »Du . . .«, setzte er fast benommen an. »*Du* hast das getan?«

»Mir blieb keine andere Wahl«, entgegnete Sebastian. »Er hätte dich sonst getötet.«

»*Womit* denn?« Jace' Stimme schwoll an. »Er hatte doch noch nicht mal eine Waffe . . .«

»Jace!«, unterbrach Alec seinen Freund. »Komm her und hilf mir mit Hodge.«

»Er hätte dich getötet«, wiederholte Sebastian. »Ganz ohne Zweifel hätte er das getan . . .«

Doch Jace hatte sich bereits neben Alec gekniet und steckte sein Messer in seinen Gürtel. Alec hielt Hodge in den Armen, dessen Blut nun auch das Hemd des jungen Schattenjägers tränkte. »Hol die Stele aus meiner Tasche«, wandte er sich an Jace. »Versuch's mit einer Heilrune . . .«

Vor Entsetzen wie gelähmt sah Clary zu, bis sie merkte, dass Simon sich neben ihr bewegte. Als sie sich ihm zudrehte, stellte sie bestürzt fest, dass er weiß wie eine Wand war, bis auf zwei fiebrige rote Flecken auf seinen Wangen. Dünne Adern schimmerten unter seiner Haut hindurch, wie die Zweige einer fein verästelten Koralle.

»Das Blut«, wisperte er, ohne Clary anzusehen. »Ich muss hier weg.«

Clary streckte die Hand aus, um ihm am Ärmel festzuhalten, aber er wich ruckartig zurück und riss sich von ihr los.

»Nein, lass mich, Clary, bitte. Ich . . . ich komme gleich zurück . . . keine Sorge . . . ich muss nur . . .«, stammelte Simon und lief los.

Clary versuchte, ihm hinterherzulaufen, doch er war zu schnell für sie und verschwand in der Dunkelheit zwischen den Bäumen.

»Hodge . . .« Alecs Stimme klang panisch. »Hodge, halt still . . .«

Doch sein Lehrer zappelte und strampelte und versuchte, sich aus Alecs Griff zu befreien, fort von der Stele in Jace' Hand. »Nein . . .«, stieß er mühsam hervor. Sein Gesicht wirkte wächsern und seine Augen zuckten unruhig von Jace zu Sebastian, der noch immer im Halbschatten stand. »Jonathan . . .«

»Jace«, erwiderte Jace, fast im Flüsterton. »Nenn mich Jace.«

Hodges Blick ruhte nun wieder auf ihm, doch den Ausdruck darin konnte Clary nicht richtig entziffern: Flehentlich, aber vermischt mit etwas anderem . . . Furcht . . . und einer Art Bedürfnis. Dann hob er abwehrend die Hand. »Nicht du«, flüsterte er, begleitet von einem Blutschwall, der sich aus seinem Mund ergoss.

Ein gekränkter Ausdruck huschte über Jace' Gesicht. »Alec, zeichne du die Heilrune – ich glaube, er will nicht, dass ich ihn berühre.«

Hodges Hand krümmte sich klauenartig und er packte Jace am Ärmel. Mit rasselndem Atem brachte er noch ein paar Worte hervor: »Du warst . . . nie . . .«

Und dann starb er. Clary konnte genau sagen, wann der letzte Lebenshauch ihn verließ – kein stilles, sofortiges Ableben wie im Film, sondern ein krampfhaftes Ringen: Seine Stimme versagte mit einem Röcheln, dann verdrehte er die Augen und im nächsten Moment erschlafften seine Muskeln, bis sein Arm in einem schiefen Winkel unter seinem kraftlosen, schweren Körper eingeklemmt war.

Behutsam schloss Alec Hodge die Augen. »*Vale*, Hodge Starkweather.«

»Das hat er sich nicht verdient.« Sebastians Stimme klang scharf. »Er war kein Schattenjäger, sondern ein Verräter. Den traditionellen Abschiedsgruß verdient er nicht.«

Ruckartig hob Alec den Kopf. Dann legte er Hodge auf dem Boden ab und richtete sich auf. Seine blauen Augen funkelten wie klirrendes Eis. »Du weißt überhaupt nicht, wovon du redest. Du hast gerade einen unbewaffneten Mann getötet, einen Nephilim. Du bist ein Mörder.«

Sebastian verzog spöttisch die Lippen. »Du denkst, ich wüsste nicht, wer das war?«, erwiderte er und deutete auf Hodge. »Starkweather war ein Mitglied des Kreises. Er hat den Rat betrogen und wurde zur Strafe mit einem Fluch belegt. Für das, was er getan hat, hätte er eigentlich sterben müssen, doch die Ratsmitglieder ließen Milde walten. Und was hat es ihnen gebracht? Der Verräter hat uns alle ein weiteres Mal betrogen, als er den Kelch der Engel an Valentin verscherbelte, damit dieser den Fluch von ihm nahm – einen Fluch, mit dem er zu

Recht belegt war.« Schwer atmend hielt Sebastian einen Moment inne und fuhr dann fort: »Das, was ich getan habe, hätte ich vielleicht nicht tun sollen, aber ihr könnt nicht behaupten, dass er es nicht verdient hätte.«

»Woher weißt du so viel über Hodge?«, fragte Clary fordernd. »Und was tust du überhaupt hier? Ich dachte, wir hätten vereinbart, dass du in der Abkommenshalle bleibst.«

Sebastian zögerte. »Ihr habt so lange gebraucht«, sagte er schließlich. »Da habe ich mir Sorgen gemacht. Ich dachte, ihr würdet vielleicht meine Hilfe benötigen.«

»Du hast also beschlossen, uns zu helfen, *indem du einen Mann tötest, mit dem wir uns gerade unterhalten haben?*«, herrschte Clary ihn an. »Weil du dachtest, er hätte eine dunkle Vergangenheit? Wer . . . wer *tut* denn so etwas? Das ergibt doch überhaupt keinen Sinn.«

»Das liegt daran, dass er lügt«, bemerkte Jace und warf Sebastian einen kalten, abwägenden Blick zu. »Und das noch nicht mal besonders gut. Ich hätte gedacht, du wärst in der Hinsicht ein wenig cleverer, Verlac.«

Sebastian begegnete seinem Blick mit Gleichmut. »Ich weiß nicht, was du meinst, Morgenstern.«

»Er meint damit . . .«, setzte Alec an und trat einen Schritt vor, »wenn du das, was du getan hast, wirklich für gerechtfertigt hältst, dann dürfte es dir ja nichts ausmachen, uns zur Abkommenshalle zu begleiten und dich gegenüber der Schattenjägerkongregation zu verantworten. Also, wie sieht's aus?«

Ein winziger Moment verstrich, ehe Sebastian mit einem Lächeln reagierte – dasselbe Lächeln, das Clary anfangs so bezaubernd gefunden hatte. Doch nun hatte es etwas Schiefes an sich, wie ein Bild, das leicht schräg an der Wand hing.

»Natürlich macht es mir nichts aus«, sagte Sebastian und bewegte sich langsam, fast schlendernd, auf die anderen zu, als hätte er nicht die geringsten Sorgen – als hätte er nicht gerade einen Mord begangen. »Allerdings ist es schon ein wenig merkwürdig, dass ihr so aufgebracht seid, weil ich einen Mann getötet habe, während Jace ihm eben noch jeden Finger einzeln abschneiden wollte«, fügte er hinzu.

Alecs Kiefermuskulatur spannte sich an. »Das hätte er nicht getan.«

»*Du* . . .« Jace musterte Sebastian voller Abscheu. »Du hast keine Ahnung, wovon du redest.«

»Oder *du* bist vielleicht nur sauer, weil ich deine Schwester geküsst habe. Weil sie mich wollte«, erwiderte Sebastian.

»Das hab ich *nicht*«, protestierte Clary, doch keiner der beiden schaute sie an. »*Gewollt,* meine ich.«

»Sie hat diese kleine Angewohnheit – die Art und Weise, wie sie leicht nach Luft schnappt, wenn man sie küsst, als wäre sie überrascht.« Sebastian stand nun unmittelbar vor Jace, ein engelsgleiches Lächeln im Gesicht. »Eine wirklich entzückende Eigenschaft. Aber das musst du doch bemerkt haben.«

Jace sah aus, als würde er sich gleich übergeben. »Meine Schwester . . .«

»*Deine Schwester*«, unterbrach Sebastian ihn. »Ist sie das tatsächlich? Denn ihr zwei verhaltet euch nicht gerade wie Geschwister. Glaubst du ernsthaft, andere Leute würden nicht mitbekommen, wie ihr euch anseht? Oder du würdest deine Gefühle vor anderen verbergen können? Und denkst du tatsächlich, dass alle anderen das nicht für krank und widernatürlich halten? Denn genau das ist es.«

»Das reicht jetzt.« Jace musterte den dunkelhaarigen Schattenjäger mit einem mörderischen Blick.

»Warum tust du das, Sebastian?«, fragte Clary. »Warum sagst du all diese schrecklichen Dinge?«

»Weil ich endlich die Gelegenheit dazu habe«, erwiderte Sebastian. »Du hast ja keine Ahnung, wie es für mich gewesen ist, die vergangenen Tage mit euch verbringen zu müssen, ständig so tun zu müssen, als könnte ich euch leiden. Als würde mich euer Anblick nicht krank machen . . .«, stieß er angewidert hervor und wandte sich an Jace: »Da wärst zunächst einmal du: Jede Sekunde, in der du nicht hinter deiner eigenen Schwester herhechelst, bist du nur am Jammern, dass dein Daddy dich nicht geliebt hat. Aber wer wollte es ihm verdenken? Und dann du, du dämliche Schlampe . . .« Sebastian drehte sich zu Clary um. »Du gibst dieses unbezahlbare Buch einfach einem Halbblut, einem Hexenmeister! Hast du in deinem winzigen Spatzenhirn auch nur eine einzige funktionierende Gehirnzelle? Und damit zu dir . . .« Nun wandte er sich Alec zu. »Ich denke, wir alle wissen, was mit *dir* nicht stimmt. Deinesgleichen dürfte gar nicht als Schattenjäger zugelassen werden. Du bist einfach widerlich.«

Alec wurde blass, obwohl er eher verblüfft wirkte. Clary konnte ihm deswegen keine Vorwürfe machen – auch ihr fiel es schwer, Sebastian anzusehen, sein engelsgleiches Lächeln zu sehen und sich dann vorzustellen, dass er solche Dinge sagen konnte.

»Du hast so *getan,* als könntest du uns leiden?«, wiederholte sie. »Aber warum musstest du das denn vorgeben . . . es sei denn . . . es sei denn, du wolltest uns ausspionieren«, beendete sie ihre Überlegung und erkannte deren Wahrheitsgehalt in dem Moment, in dem sie den Gedanken aussprach. »Es sei denn, du bist einer von Valentins Spionen.«

Sebastians attraktives Gesicht verzog sich; er presste die vollen Lippen fest aufeinander und kniff die länglichen, eleganten Augen zu Schlitzen zusammen. »Na, endlich habt ihr's kapiert«, sagte er. »Glaubt mir: Da draußen gibt es vollkommen lichtlose Dämonendimensionen, die nicht annähernd so unterbelichtet sind wie ihr drei.«

»Wir mögen ja nicht sehr helle sein«, warf Jace ein, »aber dafür sind wir wenigstens noch am Leben.«

Sebastian musterte ihn angewidert. »Ich bin auch noch ziemlich lebendig«, stellte er klar.

»Aber nicht mehr lange«, entgegnete Jace. Funkelndes Mondlicht blitzte auf der Klinge seines Messers auf, als er sich auf Sebastian stürzte – in einer solch schnellen, fließenden Bewegung, dass seine Konturen zu verschwimmen schienen. Schneller als jede menschliche Bewegung, die Clary je gesehen hatte.

Bis zu diesem Moment.

Sebastian hechtete zur Seite, wich dem Messerstoß aus und erwischte Jace' Arm. Das Messer fiel klirrend auf die Steinplatten und dann packte Sebastian Jace am Rücken seiner Jacke, hob ihn hoch und schleuderte ihn mit ungeheurer Kraft von sich. Jace flog durch die Luft, prallte mit knochenbrecherischer Wucht gegen die Garnisonsmauer und sank auf dem Boden zusammen.

»Jace!« Clary sah rot. Rasend vor Wut ging sie auf Sebastian los, bereit, ihn zu töten. Doch er trat geschickt einen Schritt zur Seite und wischte sie mit einer Handbewegung von sich, als würde er ein lästiges Insekt vertreiben. Der Schlag traf sie so hart an der Schläfe, dass sie zu Boden ging. Clary rollte sich ab und blinzelte mehrfach, um den roten Nebel zu beseitigen, mit dem der Schmerz ihr die Sicht nahm.

In der Zwischenzeit hatte Alec den Bogen von der Schulter gerissen und einen Pfeil auf die Sehne gelegt. Mit vollkommen ruhigen Händen zielte er nun auf Sebastian. »Bleib, wo du bist«, befahl er, »und nimm die Hände auf den Rücken.«

Sebastian lachte. »Du würdest doch nicht ernsthaft auf mich schießen, oder?«, spottete er und ging so leichtfüßig und sorglos auf Alec zu, als stiege er die Stufen zu seiner eigenen Haustür hinauf.

Alec kniff die Augen zu Schlitzen zusammen. Mit einer gekonnten, fließenden Bewegung spannte er den Bogen und ließ den Pfeil von der Sehne schnellen. Der Pfeil flog auf Sebastian zu . . .

Und verfehlte sein Ziel. Sebastian hatte sich geduckt oder sonst wie bewegt – Clary vermochte es nicht zu sagen –, sodass das tödliche Geschoss an ihm vorbeigeflogen war und sich in den Stamm eines Baums gebohrt hatte. Alec blieb gerade noch Zeit für einen überraschten Blick, ehe Sebastian auch schon bei ihm war und ihm den Bogen aus den Händen wand. Dann zerbrach er ihn wie einen dünnen Zweig und das Splittern des Holzes ließ Clary zusammenzucken, als hörte sie das Bersten von Knochen. Mühsam versuchte sie, sich aufzusetzen, und ignorierte dabei den stechenden Schmerz in ihrem

Kopf. Nur wenige Meter von ihr entfernt lag Jace, vollkommen reglos. Clary wollte sich aufrappeln, um zu ihm zu gelangen, aber ihre Beine versagten ihr den Dienst.

Im nächsten Moment warf Sebastian die zerbrochenen Hälften des Bogens achtlos beiseite und näherte sich Alec, der inzwischen eine Seraphklinge gezückt hatte, die in seiner Hand funkelte. Als er sich jedoch auf Sebastian stürzte, fegte dieser die Waffe mühelos beiseite, packte Alec an der Kehle und hob ihn fast aus den Schuhen. Und dann drückte er zu, gnadenlos, brutal und mit einem boshaften Grinsen, während Alec strampelte und verzweifelt nach Luft schnappte. »Lightwood«, zischte Sebastian. »Ich habe mich heute schon mal um einen deiner Leute gekümmert. Aber ich hätte nicht gedacht, dass ich so viel Glück habe und an einem Tag gleich zwei von euch erledigen kann.«

Doch im nächsten Moment zuckte er zurück, wie eine Marionette, an deren Drähten gerissen wurde. Aus dem eisernen Griff befreit, sank Alec zu Boden, die Hände an der Kehle. Clary konnte seine rasselnde, stoßweise Atmung hören, aber ihr Blick blieb auf Sebastian geheftet. Ein dunkler Schatten hatte sich auf seinen Rücken geworfen und krallte sich daran fest wie ein Blutegel. Sebastian griff sich an den Hals, spuckte und keuchte, während er sich auf der Stelle drehte und nach dem Wesen zu schlagen versuchte, das ihm die Kehle zudrückte. Als er herumwirbelte, fiel Mondlicht auf das Gesicht des Angreifers, und Clary erkannte, um wen es sich handelte.

Es war Simon. Er hatte die Arme um Sebastians Hals geklammert und seine weißen Schneidezähne glitzerten wie Knochennadeln. Seit seiner Erweckung in jener Nacht auf dem kalten New Yorker Friedhof war es für Clary das erste Mal, dass sie ihn als voll entwickelten Vampir zu sehen bekam, und sie starrte ihn entsetzt an, unfähig, den Blick abzuwenden. Er bleckte die Zähne, bis seine Lippen zurückwichen und seine messerscharfen Fangzähne zum Vorschein kamen. Und dann grub er sie tief in Sebastians Oberarm und schlug ihm eine lange, blutspritzende Wunde.

Sebastian schrie gellend auf, ließ sich nach hinten fallen und landete hart auf dem Boden. Als er sich hin und her wälzte, Simon halb auf ihm, begannen die beiden, aufeinander einzuschlagen, mit ausgefahrenen Krallen und fauchendem Knurren wie Kampfhunde in einer Arena. Sebastian blutete aus mehreren Wunden, als er schließlich auf die Beine kam und zwei gezielte Tritte gegen Simons Brustkorb landete. Simon krümmte sich zusammen, die Arme um den Rumpf geklammert.

»Du miese kleine Zecke«, knurrte Sebastian und holte zu einem weiteren Fußtritt aus.

»Das würde ich lassen«, sagte in dem Moment eine ruhige Stimme.

Ruckartig riss Clary den Kopf hoch, woraufhin hinter ihren Augen eine weitere Schmerzwoge feuerrot explodierte. Jace stand nur wenige Schritte von Sebastian entfernt. Sein Gesicht war blutüberströmt und ein Auge fast völlig zugeschwollen, aber er hatte eine flammende Seraphklinge gezückt, die vollkommen ruhig in seiner Hand lag. »Ich habe noch nie einen Menschen mit einer dieser Waffen getötet«, sagte Jace. »Aber für dich mach ich gern eine Ausnahme.«

Sebastian verzog das Gesicht. Er schaute auf Simon hinab,

hob den Kopf und spuckte auf den Boden. Die Worte, die er anschließend hervorstieß, entstammten einer Sprache, die Clary nicht kannte – und dann wirbelte er mit derselben beängstigenden Schnelligkeit herum, mit der er Jace angegriffen hatte, machte auf dem Absatz kehrt und verschwand in der Dunkelheit.

»Nein!«, schluchzte Clary und versuchte erneut, sich aufzurappeln, doch der sengende Schmerz schoss ihr wie ein brennender Pfeil durch den Kopf und sie brach auf dem feuchten Gras zusammen. Eine Sekunde später beugte Jace sich bereits über sie und musterte sie mit bleichem, besorgtem Gesicht. Clary schaute zu ihm auf, wobei ihre Sicht verschwamm – sie musste unscharf sein, sonst hätte sie den weißen Schein, dieses Licht, das ihn umgab, doch nicht gesehen . . .

Als Nächstes hörte sie Simons Stimme und dann Alecs und einer der beiden drückte Jace irgendetwas in die Hand – eine Stele. Ihr Arm begann zu brennen, doch schließlich ließ der Schmerz langsam nach und auch ihr Kopf wurde wieder klarer. Blinzelnd schaute sie zu den drei Gesichtern hoch, die über ihr schwebten. »Mein Kopf . . .«

»Du hast eine Gehirnerschütterung«, sagte Jace. »Die Heilrune sollte dir vorerst helfen, aber wir müssen dich schleunigst hinunter in die Stadt zu einem Arzt bringen. Kopfverletzungen können ziemlich gefährlich sein.« Er gab Alec die Stele zurück und fragte Clary besorgt: »Glaubst du, dass du aufstehen kannst?«

Clary nickte. Doch das war ein Fehler. Erneut zuckte ein heißer Schmerz durch ihren Kopf, während zwei Hände ihr unter die Arme griffen und ihr auf die Beine halfen. Simon. Dankbar lehnte sie sich an ihn und wartete darauf, dass sie ihr Gleichgewicht wiederfand. Sie hatte noch immer das Gefühl, als würde sie jeden Moment umfallen.

Jace musterte sie nun mit finsterem Blick. »Du hättest Sebastian nicht einfach so angreifen dürfen. Du warst ja noch nicht mal bewaffnet. Was hast du dir nur dabei gedacht?«

»Was haben wir uns alle nur dabei gedacht?«, kam Alec Clary unerwarteterweise zu Hilfe. »Ich kann es noch immer nicht fassen, dass er dich einfach wie einen Softball durch die Luft geschleudert hat, Jace. So was hab ich noch nie gesehen . . . dass jemand auf diese Weise die Oberhand über dich gewinnen konnte.«

»Ich . . . er hat mich überrascht«, räumte Jace widerstrebend ein. »Er muss eine Art Spezialtraining absolviert haben. Damit habe ich einfach nicht gerechnet.«

»Gut möglich.« Simon tastete vorsichtig seinen Brustkorb ab und zuckte zusammen. »Ich glaube, er hat mir ein paar Rippen gebrochen. Ist schon okay«, fügte er hinzu, als er Clarys besorgten Blick sah. »Die Brüche verheilen bereits. Aber Sebastian ist definitiv stark. Sehr stark.« Dann wandte er sich an Jace. »Wie lange hatte er wohl schon im Schatten gestanden und uns belauscht?«

Jace zog eine finstere Miene und warf dann einen Blick in die Richtung, in der Sebastian zwischen den Bäumen verschwunden war. »Egal, der Rat wird ihn auf jeden Fall schnappen – und wahrscheinlich einen Fluch gegen ihn aussprechen. Ich hätte nichts dagegen, wenn sie ihn mit demselben Fluch belegen, mit dem sie auch Hodge bestraft haben. Das wäre dann ausgleichende Gerechtigkeit.«

Simon drehte sich etwas zur Seite und spuckte ins Gebüsch. Anschließend wischte er sich mit dem Handrücken über den Mund und zog eine Grimasse. »Sein Blut schmeckt widerlich – wie Gift.«

»Vermutlich können wir das der Liste seiner charmanten Eigenschaften hinzufügen«, bemerkte Jace. »Ich frage mich, was er heute Nacht noch vorhatte.«

»Wir müssen unbedingt zur Abkommenshalle zurück.« Alec sah ziemlich angespannt aus und Clary erinnerte sich, dass Sebastian ihm irgendetwas zugezischt hatte, irgendetwas über die anderen Lightwoods . . . »Kannst du laufen, Clary?«, fragte er sie nun.

Clary löste sich von Simon. »Ja, es geht schon wieder. Aber was ist mit Hodge? Wir können ihn doch nicht einfach hierlassen.«

»Uns bleibt keine andere Wahl«, erklärte Alec. »Wenn wir diese Nacht alle lebend überstehen, wird noch genügend Zeit sein, zurückzukommen und ihn zu holen.«

Bevor sie aufbrachen, hielt Jace einen Moment inne, zog seine Jacke aus und legte sie über Hodges erschlaffte Gesichtszüge. Am liebsten wäre Clary sofort zu Jace gegangen und hätte ihm vielleicht sogar eine Hand auf die Schulter gelegt, doch irgendetwas an seiner Haltung ließ sie zögern. Nicht einmal Alec wagte es, sich ihm zu nähern oder ihm eine Heilrune anzubieten, obwohl Jace auf dem Weg in die Stadt hinunter stark humpelte.

Während die lichterloh brennende Garnison hinter ihnen den Himmel rot beleuchtete, stiegen sie langsam den gewundenen Hügelpfad hinab, mit gezückten Waffen und auf einen

Angriff vorbereitet. Doch ihnen begegneten keine Dämonen. Die Stille und das unheimliche Licht verursachten Clary rasende Kopfschmerzen. Sie fühlte sich wie in einem Traum. Die Erschöpfung hielt sie in einem eisernen Griff und jeder einzelne Schritt erschien ihr, als würde sie einen Betonblock anheben und dröhnend wieder absetzen. Wenige Meter vor sich hörte sie Jace und Alec, deren Stimmen trotz der Nähe irgendwie verzerrt klangen.

Alec sprach leise, fast flehentlich: »Jace, die Art und Weise, wie du da oben geredet hast . . . mit Hodge . . . das kannst du doch nicht ernsthaft glauben. Nur weil du Valentins Sohn bist, macht dich das noch lange nicht zu einem Monster. Was auch immer er dir während deiner Kindheit angetan hat oder dich gelehrt hat, du musst einsehen, dass das nicht deine Schuld ist . . .«

»Ich will nicht darüber reden, Alec. Weder jetzt noch irgendwann. Sprich mich nie wieder darauf an.« Jace' Ton klang brutal und schonungslos und Alec verstummte. Clary konnte fast spüren, wie sehr er gekränkt war. Was für eine Nacht, dachte Clary – eine Nacht, die allen so viel Schmerz und Kummer bereitet hatte.

Sie versuchte, nicht an Hodge zu denken, an den flehentlichen, kläglichen Ausdruck auf seinem Gesicht, ehe er starb. Sie hatte Hodge nie sehr gemocht, doch das, was Sebastian ihm angetan hatte, hatte er nicht verdient. Niemand verdiente so etwas. Ihre Gedanken wanderten zu Sebastian und zu der Tatsache, dass er sich bewegt hatte wie stiebende Funken. Außer Jace hatte sie noch nie jemanden gesehen, der so schnell war. Und sie wollte das Rätsel unbedingt lösen: Was war mit

Sebastian passiert? Wie konnte es sein, dass ein Cousin der Penhallows so aus dem Ruder hatte laufen können und diese es nicht bemerkt hatten? Sie hatte gedacht, er wollte ihr dabei helfen, ihre Mutter zu retten, doch tatsächlich war er nur hinter dem Weißen Buch her gewesen, um es Valentin zu geben. Magnus hatte sich geirrt – Valentin hatte nicht durch die Lightwoods von Ragnor Fell Kenntnis bekommen. Er hatte von dem Hexenmeister erfahren, weil sie Sebastian davon erzählt hatte. Wie hatte sie nur so dumm sein können?

Zutiefst bestürzt nahm Clary kaum wahr, wie sich der Weg zu einer Straße verbreiterte, die sie nach Alicante hineinführte. Die Stadt wirkte wie ausgestorben. Die Häuser lagen dunkel da, viele Elbenlichtlaternen waren zertrümmert, ihre Glasscherben über das Kopfsteinpflaster verstreut. Zwar hörte Clary Stimmen wie aus großer Ferne und zwischen den Gebäuden entdeckte sie den Leuchtschein einzelner Fackeln, doch sonst herrschte Grabesstille . . .

»Es ist so furchtbar still hier«, bestätigte Alec in diesem Moment Clarys Überlegungen und schaute sich überrascht um. »Und . . .«

»Und es riecht überhaupt nicht mehr nach Dämonen.« Jace runzelte die Stirn. »Seltsam. Los, kommt weiter. Wir müssen zur Abkommenshalle.«

Obwohl Clary auf dem Weg dorthin ständig mit einem Angriff rechnete, begegnete ihnen kein einziger Dämon. Zumindest kein lebender. Allerdings sah sie, als sie an einer schmalen Gasse vorbeikamen, wie eine Gruppe von drei oder vier Schattenjägern eine Kreatur umzingelt hatte, die sich krampfhaft zuckend auf dem Boden wand, während die Männer abwechselnd mit langen, spitzen Stäben auf sie einstachen. Schaudernd wandte Clary sich ab.

Die Halle des Abkommens war hell erleuchtet – Elbenlicht strömte aus ihren Türen und Fenstern. Hastig stürmten die Freunde die Stufen zum Eingang hinauf, wobei Clary strauchelte und sich gerade noch fangen konnte. Das Schwindelgefühl wurde wieder schlimmer und die Welt schien sich um sie herum zu drehen, als befände sie sich im Inneren einer kreiselnden Kugel. Über ihr zogen die Sterne weiße, verschwommene Streifen am Firmament.

»Du solltest dich hinlegen«, sagte Simon, und als sie nicht reagierte, fragte er: »Clary?«

Unter größter Mühe zwang sie sich zu einem Lächeln. »Mir geht's gut.«

Jace stand bereits in der Eingangstür der Halle und schaute sich schweigend nach ihr um. Im harschen Licht der Elbenlichtfackeln wirkte sein blutverschmiertes Gesicht mit dem geschwollenen Auge übel zugerichtet.

Aus dem Inneren der Halle drang ein dumpfes Dröhnen, das tiefe Murmeln Hunderter von Stimmen. In Clarys Ohren klang es wie das Pulsieren eines gewaltigen Herzens. Das Licht der Wandfackeln und der zahllosen Elbensteine brannte ihr in den Augen und ließ sie nur noch vage Schatten erkennen, verschwommene Formen und Farben – Weiß, Gold und die Schattierung des Nachthimmels, dessen dunkles Blau sich zu einem helleren Ton lichtete. Wie spät war es eigentlich?, fragte Clary sich.

»Ich kann sie nirgends sehen«, sagte Alec im nächsten Moment und schaute sich suchend nach seiner Familie um. Er klang, als wäre er Hunderte Meilen entfernt oder tief unter Wasser. »Sie müssten doch längst hier sein . . .«

Seine Stimme verhallte, während Clarys Schwindelgefühl zunahm. Sie stützte sich an einer Säule ab, um nicht umzufallen. Eine Hand strich ihr über den Rücken – Simon. Er sprach mit Jace und klang irgendwie besorgt. Dann vermischte sich seine Stimme mit dem Murmeln Dutzender anderer, die wie schäumende, sich brechende Wogen an ihr Ohr drangen.

»So was hab ich noch nicht erlebt. Die Dämonen haben sich einfach umgedreht und sind verschwunden, einfach so.«

»Liegt vermutlich an der Morgendämmerung. Sie fürchten sich davor und es dauert nicht mehr lange, bis die Sonne aufgeht.«

»Nein, da war noch irgendetwas anderes im Spiel.«

»Ich möchte mir gar nicht ausmalen, dass sie bei Anbruch der Dunkelheit wieder zurückkehren könnten.«

»Sag doch nicht so was; dafür besteht überhaupt kein Grund. Die Schutzschilde werden mit Sicherheit wieder aktiviert.«

»Und Valentin wird sie wieder zusammenbrechen lassen.«

»Vielleicht haben wir es nicht anders verdient. Vielleicht hatte Valentin ja recht – und wir haben durch die Allianz mit den Schattenweltlern den Segen des Erzengels tatsächlich verwirkt.«

»Seid doch mal still. Und zeigt etwas Respekt. Sie zählen die Toten.«

»Da sind sie ja!«, stieß Alec erleichtert hervor. »Da drüben, beim Podium. Es sieht so aus, als ob . . .« Seine Stimme verstummte und dann stürmte er los, bahnte sich einen Weg durch die Menge.

Clary blinzelte und versuchte, wieder klar zu sehen. Aber sie konnte nur verschwommene Umrisse erkennen . . .

Im nächsten Moment hörte sie, wie Jace scharf die Luft einzog und sich dann ohne ein weiteres Wort hinter Alec durch die Menschenmenge drängte. Clary stieß sich von der Säule ab, um ihm zu folgen, strauchelte aber. Simon fing sie auf.

»Du musst dich unbedingt hinlegen, Clary«, sagte er.

»Nein«, flüsterte sie. »Ich will sehen, was passiert ist . . .«

Dann verstummte sie. Simon schaute an ihr vorbei zu Jace; er wirkte bestürzt. Erneut stützte Clary sich gegen die Säule, stellte sich vorsichtig auf die Zehenspitzen und versuchte angestrengt, über die Menge hinweg etwas zu erkennen . . .

Da waren sie, die Lightwoods: Maryse hatte ihre Arme um Isabelle geschlungen, die hemmungslos schluchzte, und Robert Lightwood hockte auf dem Boden und hielt irgendetwas – nein, *irgendjemanden*. Unwillkürlich musste Clary an eine der ersten Begegnungen mit Max denken, im New Yorker Institut. Er hatte auf dem roten Sofa in der Eingangshalle gelegen, die Brille leicht verrutscht auf der Nase und eine Hand schlaff über dem Boden. *Max ist wie eine Katze – er kann überall schlafen,* hatte Jace damals gesagt und der kleine Junge sah auch jetzt fast so aus, als würde er schlafen, auf dem Schoß seines Vaters. Doch Clary wusste, dass er nicht schlief . . .

Alec kniete vor Max und hielt eine seiner Hände, aber Jace stand wie angewurzelt da, vollkommen reglos. Mehr denn je wirkte er verloren, als hätte er keine Ahnung, wo er sich befand oder was er hier tat.

Clary wünschte sich nichts sehnlicher, als zu ihm zu laufen und ihn in den Arm zu nehmen, doch der Ausdruck auf Simons

Gesicht warnte sie davor – genau wie die Erinnerung an das Landhaus und Jace' Arme um ihren Körper. Sie war der letzte Mensch auf Erden, der ihm jemals Trost spenden konnte.

»Clary«, murmelte Simon, aber sie riss sich bereits von ihm los, trotz ihres Schwindelgefühls und der Schmerzen im Kopf. Sie stürmte zur Tür und stieß sie auf, rannte hinaus zu den Stufen und blieb abrupt stehen, während sie verzweifelt die kalte Luft einatmete. In der Ferne schimmerte der Horizont in einem rötlichen Schein; die Sterne waren verblasst und verschmolzen mit dem sich lichtenden Himmel. Die Nacht war vorüber. Die Morgendämmerung hatte begonnen.

13
Wo Leid ist . . .

Schwer atmend erwachte Clary aus einem Traum mit blutenden Engeln, das Bettlaken in einer engen Spirale um ihre Beine gewickelt. In Amatis' Gästezimmer war es stockdunkel und
stickig, fast wie in einem Sarg. Clary streckte einen Arm aus
und riss die Vorhänge auf. Tageslicht strömte in den Raum.
Doch dann warf sie einen Blick aus dem Fenster, runzelte die
Stirn und zog die Vorhänge wieder zu.

Die Nephilim verbrannten ihre Toten und seit dem Angriff
der Dämonen war der Himmel im Westen der Stadt ständig
von Rauchwolken verhangen. Der Anblick bereitete Clary
Übelkeit, daher ließ sie die Vorhänge weitgehend geschlossen. In der Dunkelheit des Gästezimmers schloss sie die Augen und versuchte, sich an ihren Traum zu erinnern. Darin waren Engel vorgekommen und das Bild der Rune, die Ithuriel ihr
gezeigt hatte – wieder und wieder hatte sie sich hinter Clarys
geschlossenen Lidern abgezeichnet, wie ein blinkendes grünes Ampelmännchen. Es handelte sich um eine einfache Rune,
so schlicht wie ein geknüpfter Knoten; aber sosehr Clary sich
auch konzentrierte, es gelang ihr nicht, sie zu entziffern, ihre
Bedeutung zu erkennen. Sie wusste nur eines: Die Rune erschien ihr irgendwie unvollständig, als hätte ihr Schöpfer das
Ornament nicht vollendet.

Dies sind nicht die ersten Träume, die ich dir geschickt habe, hatte Ithuriel gesagt. Unwillkürlich musste Clary an ihre anderen Träume denken: Simon mit eingebrannten Kruzifixen in den Handflächen, Jace mit weißen Schwingen, Seen mit gefährlich knackenden Eisflächen, die glitzerten wie Spiegelglas. Hatte der Erzengel ihr diese Träume ebenfalls gesandt?

Seufzend setzte Clary sich auf. Die Träume mochten nicht schön sein, aber die Wachbilder, die ihr durch den Kopf spukten, waren auch nicht viel besser: Isabelle, die schluchzend auf dem Boden der Abkommenshalle kauerte und sich mit solcher Vehemenz die schwarzen Haare raufte, dass Clary schon fürchtete, sie würde sich alle ausreißen. Maryse, die Jia Penhallow anschrie und ihr mit überschlagender Stimme vorwarf, der Junge, den sie in ihr Haus geholt hatten, habe dieses abscheuliche Verbrechen begangen . . . ihr Cousin . . . und wenn er ein solch enger Verbündeter Valentins sei, was sage das dann über die Penhallows aus? Alec, der versuchte, seine Mutter zu beruhigen, und Jace vergebens bat, ihm dabei zu helfen. Jace, der einfach nur dastand, während über Alicante die Sonne aufging und durch das Glasdach der Halle strahlte. »Der Morgen ist angebrochen«, hatte Luke gesagt und dabei erschöpfter gewirkt, als Clary ihn jemals gesehen hatte. »Zeit, die Toten zusammenzuholen.« Und dann hatte er Patrouillen losgeschickt, um die toten Schattenjäger und Lykanthropen, die noch in den Straßen lagen, einzusammeln und zum Platz vor der Abkommenshalle zu bringen – derselbe Platz, den Clary mit Sebastian überquert hatte und wo sie gemeint hatte, das Gebäude erinnere ein wenig an eine Kirche. Damals war ihr der Platz sehr hübsch vorgekommen, mit seinen Blumenkästen und den leuchtend bunten Ladenfronten. Doch nun stapelten sich hier die Leichen.

Dazu gehörte auch Max. Beim Gedanken an den kleinen Jungen, der sich mit ihr so ernsthaft über Mangas unterhalten hatte, krampfte sich Clarys Magen zusammen. Sie hatte ihm versprochen, ihn einmal zu *Forbidden Planet* mitzunehmen, doch daraus würde nun nichts mehr werden. *Ich hätte ihm Bücher gekauft,* dachte sie, *alle Bücher, die er sich gewünscht hätte.* Aber das spielte jetzt keine Rolle mehr.

Nur nicht darüber nachdenken, ermahnte sie sich, schlug die Decke zurück und stand auf. Nach einer schnellen Dusche zog sie die Jeans und die anderen Kleidungsstücke an, die sie am Tag ihrer Ankunft in Idris getragen hatte. Ehe sie ihren Pullover überstreifte, drückte sie sehnsüchtig das Gesicht in das Material, in der Hoffnung, einen Hauch von Brooklyn riechen zu können oder den Duft des heimischen Waschmittels – irgendetwas, das sie an zu Hause erinnerte. Doch die Sachen waren gewaschen worden und rochen nach Zitronenseife. Clary stieß einen weiteren Seufzer aus und lief die Treppe hinunter.

Das Haus war leer – bis auf Simon, der auf dem Sofa im Wohnzimmer saß. Durch die geöffneten Fenster hinter ihm strömte Tageslicht. Simon war inzwischen wie eine Katze, überlegte Clary, immer auf der Suche nach einem Fleckchen Sonnenschein, in dem er sich dann genüsslich zusammenrollen konnte. Aber ganz gleich, wie viel Sonne er auch abbekam, seine Haut blieb immer makellos weiß.

Clary nahm einen Apfel aus der Obstschale auf dem Tisch, ließ sich neben Simon auf dem Sofa nieder und zog die Beine unter den Po. »Hast du schlafen können?«

»Ein wenig.« Simon musterte sie eingehend. »Eigentlich sollte ich *dich* das fragen. Du bist diejenige mit den dunklen Ringen unter den Augen. Noch mehr Albträume?«

Clary zuckte die Achseln. »Immer das Gleiche: Tod, Zerstörung, böse Engel.«

»Also fast wie im richtigen Leben.«

»Ja, aber wenigstens ist der Spuk vorbei, wenn ich aufwache.« Sie biss herzhaft in ihren Apfel. »Lass mich raten: Luke und Amatis sind in der Abkommenshalle, bei noch einer Besprechung.«

»Ja. Ich glaube, das ist die Besprechung, in der sie besprechen, welche weiteren Besprechungen sie anberaumen müssen.« Gedankenverloren zupfte Simon an der Fransenkante eines Sofakissens. »Hast du irgendetwas von Magnus gehört?«

»Nein.« Clary versuchte, nicht über die Tatsache nachzudenken, dass sie Magnus zum letzten Mal vor drei Tagen gesehen und er sich seitdem nicht mehr gemeldet hatte. Oder über die Tatsache, dass ihn im Grunde nichts daran hinderte, sich das Weiße Buch zu schnappen und damit auf Nimmerwiedersehen in den Tiefen des Äthers zu verschwinden. Sie fragte sich, wie sie jemals hatte auf die Idee kommen können, jemandem zu vertrauen, der so viel Eyeliner trug.

Vorsichtig berührte sie Simon am Handgelenk. »Und du? Was ist mit dir? Fühlst du dich immer noch wohl hier?« Eigentlich hatte Clary Simon unmittelbar nach Beendigung der Schlacht mit den Dämonen nach New York schicken wollen – nach Hause, wo er in Sicherheit wäre. Doch seltsamerweise hatte er sich gegen ihren Vorschlag gesträubt; aus irgendeinem Grund schien er bleiben zu wollen. Sie konnte nur hoffen, dass er das nicht ihretwegen beschlossen hatte, nur weil er glaubte, er müsse sich um sie kümmern. Fast wäre ihr die Bemerkung herausgerutscht, dass sie seinen Schutz nicht brauchte, doch dann hatte sie geschwiegen – unter anderem auch deshalb, weil ein Teil von ihr es nicht ertragen konnte, ihn gehen zu sehen. Also war Simon geblieben, worüber Clary insgeheim – und mit einem leicht schlechten Gewissen – froh war. »Bekommst du auch alles . . . du weißt schon . . . alles, was du brauchst?«, fragte sie nun.

»Du meinst Blut? Ja, Maia bringt mir weiterhin täglich ein paar Flaschen. Aber frag mich nicht, woher sie es hat.« Am ersten Morgen, den Simon in Amatis' Haus verbrachte, war ein grinsender Lykanthrop an der Haustür erschienen, mit einer lebenden Katze in der Hand. »Blut«, hatte er in einem starken Akzent gesagt und ihm das Tier entgegengehalten. »Für dich. Frisches Blut!« Simon hatte dem Werwolf gedankt, dann gewartet, bis dieser wieder verschwunden war, und die Katze anschließend freigelassen, mit einer leicht grünlichen Gesichtsfarbe.

»Na ja, irgendwoher wirst du dein Blut schließlich bekommen müssen«, hatte Luke mit einem amüsierten Ausdruck in den Augen bemerkt.

»Ich habe zu Hause einen Kater«, hatte Simon erwidert. »Kommt nicht infrage.«

»Okay, ich werde Maia Bescheid geben«, hatte Luke versprochen und von da an war das Blut jeden Morgen in diskreten Glasflaschen angeliefert worden. Clary hatte keine Ahnung, wie Maia das hinbekam, und genau wie Simon wollte sie es eigentlich auch gar nicht wissen. Seit der Nacht der Dämonen-

schlacht hatte sie das Werwolfmädchen nicht mehr gesehen –
die Lykanthropen kampierten irgendwo im nahe gelegenen
Wald und nur Luke war in der Stadt geblieben.

»Was ist los?« Simon lehnte den Kopf zurück und betrachtete Clary durch halb geschlossene Lider. »Du siehst aus, als
wolltest du mich irgendetwas fragen.«

Es gab eine ganze Reihe von Dingen, die Clary ihn gern gefragt hätte, doch sie entschied sich für ein eher unverfängli-
ches Thema. »Hodge . . .«, setzte sie an und zögerte dann einen Moment. »Als du mit ihm in dem Verlies warst, hast du da
wirklich nicht gewusst, wer er war?«

»Ich hab ihn doch nicht sehen können . . . und seine Stimme
nur ganz schwach durch die Wand gehört. Wir haben geredet – viel geredet.«

»Und, hast du ihn gemocht? Ich meine, war er nett?«

»Nett? Ich weiß nicht recht. Eher gequält, traurig, intelligent
und in manchen Momenten auch mitfühlend. Ja, ich hab ihn
gemocht. Ich glaube, ich habe ihn irgendwie an sich selbst erinnert . . .«

»Sag doch nicht *so was!*«, protestierte Clary, setzte sich kerzengerade auf und ließ ihren Apfel fast fallen. »Du bist überhaupt nicht wie Hodge.«

»Du meinst also nicht, ich wäre gequält und intelligent?«

»Hodge war böse. Das bist *du* nicht«, erwiderte Clary mit
Nachdruck. »Und mehr gibt es dazu nicht zu sagen.«

Simon seufzte. »Die Menschen kommen nicht gut oder böse
auf die Welt. Möglicherweise werden sie mit der einen oder
anderen Neigung geboren, aber es kommt darauf an, wie man
sein Leben führt. Und mit welchen Leuten man umgeht. Valen-

tin war Hodges Freund und ich glaube nicht, dass Hodge irgendjemand anderes in seinem Umfeld hatte, der ihn zur Rede stellen oder zu einem besseren Menschen hätte machen können. Wenn ich so ein Leben führen würde – ich weiß nicht, was dann aus mir werden würde. Aber glücklicherweise muss ich das nicht. Denn ich habe meine Familie. Und ich habe dich.«

Clary schenkte ihm ein Lächeln, aber seine Worte hallten schmerzhaft in ihren Ohren nach. *Die Menschen kommen nicht gut oder böse auf die Welt.* Das hatte sie auch immer geglaubt, doch in den Bildern, die der Engel ihr gezeigt hatte, war zu sehen gewesen, wie ihre Mutter ihr eigenes Kind als böse bezeichnet hatte, als Monster. Clary wünschte, sie könnte Simon davon erzählen, ihm alles berichten, was der Engel ihr gezeigt hatte, doch das ging nicht. Denn es hätte bedeutet, ihm auch die Dinge zu erzählen, die sie über Jace herausgefunden hatten, und das konnte sie unmöglich riskieren. Es war sein Geheimnis, nicht ihres. Simon hatte sie ein einziges Mal gefragt, was Jace während des Gesprächs mit Hodge gemeint hatte, warum er sich selbst als Monster bezeichnet hatte. Clary hatte darauf nur erwidert, dass es selbst zu besten Zeiten schwierig nachzuvollziehen sei, was Jace meinte. Sie war sich nicht sicher, ob Simon ihr geglaubt hatte, aber er hatte auch nicht nachgehakt.

Auch in diesem Moment blieb ihr eine Antwort erspart, da es laut an der Haustür klopfte. Stirnrunzelnd legte Clary das Apfelgehäuse auf den Tisch. »Ich geh schon«, sagte sie.

Als sie die Tür öffnete, wehte eine Woge kalter, frischer Luft herein. Auf den Stufen stand Aline Penhallow, in einer violettrosa Seidenjacke, deren Farbe fast den Ringen unter ihren Augen entsprach.

»Ich muss mit dir reden«, sagte sie ohne Umschweife.

Clary konnte nur überrascht nicken und ihr die Tür aufhalten. »Okay. Komm rein.«

»Danke.« Aline schob sich brüsk an ihr vorbei und marschierte ins Wohnzimmer. Als sie Simon auf dem Sofa entdeckte, erstarrte sie und musterte ihn verblüfft. »Ist das nicht . . .«

»Der Vampir?« Simon grinste, wobei die normalerweise kaum wahrnehmbare, unnatürliche Schärfe seiner Schneidezähne nun deutlich zum Vorschein kam. Clary wünschte, er würde nicht so breit grinsen.

Sofort wandte Aline sich an Clary: »Kann ich mit dir unter vier Augen sprechen?«

»Nein«, erwiderte Clary und setzte sich neben Simon auf das Sofa. »Alles, was du zu sagen hast, kannst du uns beiden sagen.«

Aline biss sich auf die Lippe. »Also schön. Es gibt da etwas, was ich Alec und Jace und Isabelle gern mitteilen möchte. Aber ich weiß nicht, wo ich sie finden kann.«

Clary seufzte. »Die Lightwoods haben ihre Beziehungen spielen lassen und sind in ein leer stehendes Haus gewechselt. Die Eigentümer sind aufs Land gezogen.«

Aline nickte. Seit dem Dämonenangriff hatten viele Familien Idris verlassen. Die meisten waren zwar geblieben, deutlich mehr Schattenjäger als Clary erwartet hätte, aber eine ganze Reihe hatte die Sachen gepackt und war fortgezogen, weshalb ihre Häuser nun leer standen.

»Es geht ihnen gut, falls du danach fragen wolltest«, erklärte

Clary. »Ich habe sie auch schon eine Weile nicht mehr gesehen. Jedenfalls nicht seit der Schlacht. Wenn du willst, kann ich ihnen über Luke eine Nachricht zukommen lassen . . .«

»Ich weiß nicht recht.« Aline kaute erneut auf ihrer Unterlippe herum. »Meine Eltern haben Sebastians Tante in Paris mitteilen müssen, was er getan hat. Sie war zutiefst bestürzt.«

»Was nur natürlich ist, wenn sich der eigene Neffe als bösartiges Genie entpuppt«, bemerkte Simon.

Aline warf ihm einen finsteren Blick zu. »Sie meinte, das wäre vollkommen untypisch für ihn und dass da irgendein Irrtum bestehen müsse. Also hat sie mir ein paar Fotos von ihm geschickt.« Aline griff in ihre Tasche und zog mehrere leicht geknickte Fotografien hervor, die sie Clary reichte. »Hier, sieh mal.«

Clary warf einen Blick auf die Bilder. Sie zeigten einen lachenden, dunkelhaarigen Jungen, der mit seinem verschmitzten Grinsen und der etwas zu großen Nase auf ganz eigene Weise attraktiv wirkte. Er sah aus wie die Sorte von Jungs, mit der man bestimmt viel Spaß haben konnte – und kein bisschen wie Sebastian. »*Das* ist dein Cousin?«, fragte Clary entgeistert.

»Das ist Sebastian Verlac. Was bedeutet . . .«

». . . dass der Junge, der hier war und sich als Sebastian ausgegeben hat, jemand vollkommen anderes war?« Mit wachsender Beunruhigung blätterte Clary durch die Fotos.

»Ich habe mir überlegt . . .«, setzte Aline an und strapazierte erneut ihre Unterlippe, »ich dachte, wenn die Lightwoods erführen, dass Sebastian – oder wer auch immer dieser Junge war – *nicht* unser Cousin ist, dass sie mir dann vielleicht vergeben würden. Uns vergeben würden.«

»Da bin ich mir sogar ziemlich sicher.« Clary versuchte, ihrer Stimme einen möglichst freundlichen, warmen Ton zu verleihen. »Aber diese Geschichte geht vermutlich noch viel weiter. Der Rat sollte darüber informiert werden, dass Sebastian nicht einfach nur ein irregeleiteter Schattenjägerjunge ist, sondern von Valentin ganz bewusst als Spion eingesetzt wurde.«

»Dabei war er so überzeugend«, sagte Aline. »Er wusste Dinge, von denen nur unsere Familie wusste. Begebenheiten aus unserer Kindheit . . .«

»Da stellt sich doch die Frage, was mit dem echten Sebastian passiert ist. Deinem Cousin«, meinte Simon. »Allem Anschein nach hat er Paris verlassen, um nach Idris zu reisen, ist hier aber nie angekommen. Also, was ist ihm unterwegs widerfahren?«

Darauf wusste Clary die passende Antwort: »Valentin ist ihm widerfahren. Er muss alles von langer Hand geplant und genau gewusst haben, wo Sebastian sich aufhalten würde und wie er ihn auf dem Weg hierher abfangen konnte. Und wenn er das mit Sebastian gemacht hat . . .«

»Dann hat er das bestimmt auch noch mit anderen gemacht«, ergänzte Aline. »Du solltest unbedingt mit dem Rat reden. Erzähle Lucian Graymark davon.« Als sie Clarys überraschten Blick auffing, fügte sie hinzu: »Die Leute hören auf ihn. Das haben zumindest meine Eltern gesagt.«

»Wie wär's, wenn du uns zur Abkommenshalle begleitest?«, schlug Simon vor. »Dann kannst du es ihm selbst erzählen.«

Aline schüttelte den Kopf. »Ich kann den Lightwoods nicht

unter die Augen treten. Vor allem Isabelle nicht. Sie hat mir das Leben gerettet und ich . . . ich bin einfach weggerannt. Aber ich konnte nichts dagegen tun. Ich musste einfach fort.«

»Du hast unter Schock gestanden – das ist doch nicht deine Schuld.«

Doch Aline wirkte nicht sehr überzeugt. »Und jetzt die Geschichte mit ihrem Bruder . . .« Sie verstummte und biss sich ein weiteres Mal auf die Lippe. »Na ja, wie dem auch sei . . . Aber ich wollte *dir* noch etwas sagen, Clary.«

»*Mir?*« Clary war sprachlos.

»Ja.« Aline holte tief Luft. »Als du . . . als du Jace und mich vor ein paar Tagen in der Bibliothek überrascht hast . . . das hatte nichts zu bedeuten. *Ich* habe *ihn* geküsst. Es war . . . eine Art Experiment. Und es hat nicht funktioniert.«

Clary spürte, wie ihr das Blut in die Wangen schoss und sie rot anlief, vermutlich in einem spektakulären Scharlachrot. *Warum erzählt sie mir das alles?,* fragte sie sich und erwiderte dann betont beiläufig: »Ist schon okay. Das ist schließlich Jace' Privatsache und geht mich nichts an.«

»Na ja, du schienst damals ziemlich bestürzt zu sein.« Ein kleines Lächeln umspielte Alines Mundwinkel. »Und ich glaube, ich kenne auch den Grund dafür.«

Clary schluckte hart, um den säuerlichen Geschmack in ihrem Mund zu beseitigen. »Tatsächlich?«

»Es ist doch so: Dein Bruder ist ziemlich begehrt. Das weiß schließlich jeder. Er war schon mit einer beträchtlichen Menge Mädchen verabredet. Und da hattest du eben einfach die Sorge, wenn er mit mir rummacht, würde ihn das in Schwierigkeiten bringen. Schließlich sind – *waren* – unsere Familien eng befreundet. Aber darüber brauchst du dir keine Gedanken zu machen. Er ist nicht mein Typ.«

»Ich glaub nicht, dass ich den Satz schon mal von einem Mädchen gehört habe«, bemerkte Simon. »Ich hab immer gedacht, Jace wäre die Sorte von Junge, die jedermanns Typ ist.«

»Ja, das habe ich auch gedacht«, sagte Aline gedehnt, »und darum hab ich ihn auch geküsst. Ich wollte herausfinden, welche Sorte von Junge mein Typ ist.«

Sie hat Jace geküsst – und nicht umgekehrt, dachte Clary. *Sie hat ihn geküsst!* Über Alines Kopf hinweg kreuzte sich ihr Blick mit dem ihres alten Freundes. Simon wirkte belustigt. »Und, zu welchem Ergebnis bist du gekommen?«

Aline zuckte die Achseln. »Ich bin mir noch nicht sicher. Aber wenigstens brauchst du dir wegen Jace keine Sorgen mehr zu machen.«

Schön wär's. »Wegen Jace muss ich mir immer Sorgen machen.«

Der Saal im Inneren der Abkommenshalle war nach der Dämonenschlacht notdürftig repariert worden und diente seit der Zerstörung der Garnison als Versammlungsort der Schattenjägerkongregation sowie als Treffpunkt für all jene, die nach vermissten Familienmitgliedern suchten oder die neuesten Nachrichten in Erfahrung bringen wollten. Der Brunnen in der Saalmitte war trockengelegt und auf beiden Seiten mit mehreren Reihen langer Holzbänke flankiert worden, ausgerichtet auf ein erhöhtes Podium am hinteren Ende des Saals. Während einige Nephilim offensichtlich in einer Ratsbesprechung zusammensaßen, liefen Dutzende anderer besorgt durch die Gänge und Arkaden, die den zentralen Bereich umgaben. Die Halle wirkte nicht länger wie ein Ort, der zum Tanzen einlud: Eine angespannte Stimmung lag in der Luft, eine Mischung aus Nervosität und böser Vorahnung.

Trotz der Ratsversammlung in der Raummitte war der Saal vom leisen Gemurmel zahlreicher Gespräche erfüllt. Während Clary und Simon sich langsam vorwärtsbewegten, schnappten sie verschiedene Satzfetzen auf: Die Dämonentürme funktionierten wieder. Die Schutzschilde waren reaktiviert, aber schwächer als zuvor. In den Hügeln südlich der Stadt hatte man Dämonen gesichtet. Viele Landhäuser wirkten verlassen. Weitere Familien hatten der Stadt den Rücken gekehrt, darunter einige, die ganz aus dem Rat ausgetreten waren.

Auf dem erhöhten Podium stand der Konsul, umgeben von großen Karten der Stadt, und starrte finster wie ein Leibwächter vor sich hin, während neben ihm ein kleiner, gedrungener, grau gekleideter Mann ununterbrochen redete und dabei wütend gestikulierte. Doch niemand schien ihm Beachtung zu schenken.

»Oh Mist, das ist der Inquisitor«, murmelte Simon und deutete verstohlen auf den Mann. »Aldertree.«

»Und da drüben ist Luke«, sagte Clary, als sie ihn in der Menge entdeckt hatte. Er lehnte gegen den trockengelegten Brunnen, tief in ein Gespräch vertieft mit einem Mann in stark verschlissener Kampfmontur und einem Verband, der fast seine ganze linke Gesichtshälfte verdeckte. Clary hielt nach Amatis Ausschau und entdeckte sie schließlich am hinteren Ende einer Holzbank, wo sie allein und weitab von den anderen

Schattenjägern saß. Als sie Clarys Blick auffing, zog sie ein verblüfftes Gesicht und machte Anstalten, aufzustehen und auf sie zuzugehen.

Doch in dem Augenblick sah Luke Clary, runzelte die Stirn, wechselte mit dem bandagierten Mann ein paar Worte und entschuldigte sich für einen Moment. Dann durchquerte er mit großen Schritten den Saal und marschierte zu der Säule, an der Clary und Simon stehen geblieben waren. Während er auf sie zukam, verfinsterte sich seine Miene zunehmend. »Was machst du hier?«, wandte er sich an Clary. »Du weißt doch, dass der Rat bei seinen Sitzungen keine Minderjährigen duldet. Und was *dich* betrifft . . .« Er funkelte Simon an. »Vermutlich wäre es eine gute Idee, wenn du deine Nase nicht gerade in Gegenwart des Inquisitors zeigen würdest, selbst wenn er kaum etwas dagegen machen kann.« Doch dann stahl sich ein Lächeln in Lukes Gesicht. »Jedenfalls nicht, ohne eine zukünftige Allianz zwischen Schattenweltlern und Rat zu gefährden.«

»Stimmt genau.« Simon wackelte mit den Fingern in Aldertrees Richtung, der dessen Winken jedoch ignorierte.

»Simon, lass das!«, rief Clary ihn zur Ordnung, wandte sich anschließend an Luke und drückte ihm die Fotos von Sebastian in die Hand. »Wir sind aus einen bestimmten Grund hier: Das ist Sebastian Verlac. Der *echte* Sebastian Verlac.«

Lukes Miene verdüsterte sich. Schweigend blätterte er die Fotografien durch, während Clary ihm berichtete, was Aline ihr erzählt hatte. Währenddessen stand Simon unbehaglich daneben und starrte hinüber zu Aldertree, der ihn jedoch weiterhin geflissentlich übersah.

»Besteht zwischen dem echten Sebastian und seinem Nach-ahmer große Ähnlichkeit?«, fragte Luke schließlich.

»Nein, eigentlich nicht«, erklärte Clary. »Der falsche Sebasti-an war größer. Und ich vermute, er war blond – jedenfalls hat er sich die Haare gefärbt. Kein Mensch hat *so* schwarze Haare.« *Und die Koloration hat abgefärbt, als ich ihm mit den Fingern durchs Haar gefahren bin,* grübelte sie, behielt diesen Gedanken aber für sich. »Aline hat uns gebeten, dir und den Lightwoods diese Fotos zu zeigen. Sie dachte, wenn sie vielleicht erführen, dass Sebastian nicht wirklich mit den Penhallows ver-wandt war . . .«

»Dann hat Aline ihren Eltern nichts von den Bildern er-zählt?«, fragte Luke und zeigte auf die Fotos.

»Nein, noch nicht, glaube ich«, überlegte Clary. »Ich denke, sie ist direkt zu mir gekommen. Und sie wollte, dass ich dir da-von berichte. Sie meinte, die Leute würden auf dich hören.«

»Vielleicht der eine oder andere«, wiegelte Luke ab und schaute in Richtung des Mannes mit dem bandagierten Ge-sicht. »Ich habe mich gerade mit Patrick Penhallow unterhal-ten, als ihr gekommen seid. Valentin war früher eng mit ihm befreundet gewesen und möglicherweise hat er die Familie Penhallow im Laufe der Jahre weiterhin beschatten lassen. Hodge hat dir doch erzählt, dass Valentins Spitzel überall sind.« Luke reichte Clary die Fotos zurück. »Bedauerlicherwei-se nehmen die Lightwoods an der heutigen Sitzung nicht teil. Heute Morgen war Max' Begräbnis. Sie sind wahrscheinlich noch auf dem Friedhof.« Als er den Ausdruck auf Clarys Ge-sicht sah, fügte er hinzu: »Es war eine sehr kleine Trauerfeier, Clary. Nur im engsten Familienkreis.«

Aber ich gehöre doch zu Jace' Familie, protestierte ein dünnes Stimmchen in ihrem Kopf. Doch dann meldete sich eine andere, lautere Stimme zu Wort, die Clary aufgrund ihrer Verbitterung überraschte. *Aber er hat dir auch gesagt, dass er sich in deiner Nähe so fühlen würde, als würde er langsam von innen verbluten. Glaubst du ernsthaft, dass er das gebrauchen kann – an einem Tag, an dem er Max zu Grabe getragen hat?*

»Vielleicht kannst du die Lightwoods ja heute Abend informieren«, bat Clary. »Ich meine, das ist doch eine gute Nachricht. Wer auch immer Sebastian sein mag – er ist nicht mit ihren Freunden verwandt.«

»Es wäre eine noch bessere Nachricht, wenn wir wüssten, wo er sich im Moment aufhält«, murmelte Luke. »Oder welche anderen Spitzel Valentin hier eingeschleust hat. Es muss eine ganze Reihe sein, wenn man bedenkt, wie schwierig es ist, die Schutzschilde außer Gefecht zu setzen. Das konnte nur innerhalb der Stadtmauern durchgeführt werden.«

»Hodge meinte, Valentin habe einen Weg gefunden«, erklärte Simon. »Er sagte, es erfordere Dämonenblut, um die Schutzschilde zu deaktivieren, und es bestünde keine Möglichkeit, dieses Blut an den Schilden vorbei in die Stadt zu schmuggeln. Aber Valentin habe eine Art Hintertürchen gefunden.«

»Irgendjemand hat mit Dämonenblut eine Rune auf eine der Turmspitzen gemalt«, seufzte Luke. »Das heißt, Hodge lag mit seiner Vermutung richtig. Leider hat der Rat immer viel zu sehr auf seine Schutzschilde vertraut. Aber selbst für das vertrackteste Rätsel gibt es immer eine Lösung.«

»Das erinnert mich an die falsche Sicherheit, in der man sich häufig bei Computerspielen wiegt«, bemerkte Simon. »In dem Moment, in dem man seine Festung mit einem Unsichtbarkeits-Zauberspruch kaschiert und vermeintlich beschützt hat, kommt irgendjemand daher und findet im Nu heraus, wie er die Anlage total verwüsten kann.«

»Simon, halt die Klappe«, murmelte Clary.

»Er liegt mit seiner Beobachtung gar nicht mal so weit daneben«, widersprach Luke. »Wir wissen nur noch nicht, wie Valentin es geschafft hat, Dämonenblut in die Stadt zu schmuggeln, ohne vorher die Schutzschilde zu deaktivieren.« Dann zuckte er die Achseln. »Doch das ist im Moment unser geringstes Problem. Die Schutzschilde funktionieren zwar wieder, aber wir wissen ja bereits, dass sie nicht sicher sind. Valentin könnte jeden Augenblick mit einem noch größeren Dämonenheer zurückkehren und ich bezweifle, dass wir gegen ihn ankommen. Es gibt einfach zu wenige Nephilim und diejenigen, die noch hier sind, sind vollkommen demoralisiert.«

»Aber was ist mit den Schattenweltlern?«, fragte Clary. »Du hast dem Konsul doch gesagt, dass der Rat zusammen mit den Schattenwesen kämpfen muss.«

»Das kann ich Malachi und Aldertree so oft erzählen, bis ich blau anlaufe, aber das bedeutet nicht, dass sie mir auch zuhören«, erwiderte Luke müde. »Sie dulden meine Anwesenheit hier nur aus einem einzigen Grund: Die Schattenjägerkongregation hat dafür gestimmt, mich als Berater zu berufen. Und *das* ist auch nur deshalb geschehen, weil mein Rudel einer ganzen Reihe von ihnen das Leben gerettet hat. Allerdings bedeutet das nicht, dass sie weitere Schattenweltler in Idris sehen wollen . . .«

In dem Augenblick ertönte ein Schrei.

Amatis war aufgesprungen, hatte eine Hand vor den Mund geschlagen und starrte in Richtung Eingang. In der Tür stand ein Mann, eingerahmt vom grellen Sonnenlicht. Einen Moment lang war nur seine Silhouette zu sehen, doch dann trat er einen Schritt vor, in die Halle hinein, und Clary konnte sein Gesicht erkennen.

Valentin.

Aus irgendeinem unerklärlichen Grund fiel Clary als Erstes auf, dass er glatt rasiert war. Dadurch wirkte er jünger – viel mehr wie der zornige Junge, den Ithuriel ihr im Traum gezeigt hatte. Statt der Kampfmontur trug er einen eleganten Nadelstreifenanzug mit Krawatte. Er war vollkommen unbewaffnet und hätte ein x-beliebiger Mann auf den Straßen Manhattans sein können. Er hätte jedermanns Vater sein können.

Während er den schmalen Gang zwischen den Bänken entlangschlenderte, würdigte er Clary keines Blickes und hielt stattdessen die Augen fest auf Luke geheftet.

Wie kann er es nur wagen, ohne Waffe hierherzukommen?, wunderte Clary sich und erhielt einen Moment später eine Antwort auf ihre Frage: Inquisitor Aldertree stieß ein Geräusch aus wie ein verwundeter Bär, riss sich von Malachi los, der ihn festzuhalten versuchte, taumelte dann die Stufen des Podiums hinunter und stürzte sich auf Valentin.

Doch er passierte Valentins Körper wie ein Messer, das durch ein Blatt Papier schneidet. Mit einem Ausdruck gelangweilten Desinteresses drehte Valentin sich um und sah zu, wie der Inquisitor geradeaus torkelte, gegen eine Säule stieß und angeschlagen zu Boden ging, wo er liegen blieb, bis Malachi ihm folgte und wieder auf die Beine half. Auf dem Gesicht des Konsuls spiegelte sich kaum verhohlene Abscheu. Clary fragte sich, ob diese Abscheu Valentin galt oder Aldertree, weil dieser sich wie ein Narr benahm.

Während der Inquisitor in Malachis eisernem Griff wie eine Ratte in der Falle quiekte und strampelte, ging ein Raunen durch die Menge, als Valentin sich weiter auf das Podium zubewegte, ohne den beiden auch nur noch einen Funken Beachtung zu schenken. Die Schattenjäger auf den Holzbänken wichen zurück wie die Wogen des Roten Meeres vor Moses Stab, bis ein breiter Gang entstand, der mitten durch den Saal führte. Clary erschauderte, als Valentin sich Luke, Simon und ihr näherte. *Er ist nur eine Projektion,* ermahnte sie sich. *Er ist nicht wirklich hier. Er kann mir nicht wehtun.*

Neben ihr erschauderte Simon nun ebenfalls. Clary ergriff seine Hand in dem Moment, als Valentin am Fuß der Stufen zum Podium innehielt und sich ihr direkt zuwandte. Seine Augen streiften sie einmal beiläufig, als würde er ihre Maße nehmen, übersprangen dann Simon und blieben an Luke haften.

»Lucian«, sagte er.

Luke erwiderte seinen Blick, ruhig und kühl, sagte aber nichts. Seit ihrer Begegnung in Renwicks Ruine war es das erste Mal, dass die beiden sich im selben Raum befanden, überlegte Clary, und damals war Luke halb tot gewesen und blutüberströmt. Sowohl die Unterschiede als auch die Ähnlichkeiten zwischen den beiden Männern ließen sich nun leichter erkennen: Luke in seinem zerschlissenen Karohemd und der abgewetzten Jeans und Valentin in seinem eleganten, teuren Anzug; Luke mit einem Dreitagebart und grauen Strähnen in den

Haaren und Valentin mit glatt rasiertem Gesicht – er sah aus wie mit fünfundzwanzig, nur irgendwie kälter und härter, als hätten die vergangenen Jahre einen Prozess in Gang gesetzt, der ihn langsam zu Stein verwandelte.

»Wie ich höre, hat die Schattenjägerkongregation dich zum Berater berufen«, eröffnete Valentin das Gespräch. »Es passt zu einem Rat, der von Korruption und moralischem Verfall geprägt ist, dass er nun von degenerierten Halbblütlern unterwandert wird.« Seine Stimme klang ruhig, fast heiter, sodass man das Gift in seinen Worten kaum spüren konnte – oder zumindest kaum glauben mochte, dass er es wirklich ernst meinte. Sein Blick wanderte nun wieder zu Clary zurück. »Clarissa«, sagte er, »und wie ich sehe, in Begleitung des Vampirs. Wenn sich die Lage ein wenig beruhigt hat, werden wir mal ein ernstes Wörtchen über die Wahl deiner Haustiere wechseln müssen.«

Ein tiefes Knurren drang aus Simons Kehle. Clary drückte seine Hand – so fest, dass er früher vor Schmerz zusammengezuckt wäre und sich losgerissen hätte. Doch nun schien er nichts zu spüren. »Nicht«, flüsterte sie. »Reagier einfach nicht darauf.«

In der Zwischenzeit hatte Valentin seine Aufmerksamkeit wieder von ihnen abgewandt, war die Stufen hinaufgestiegen und drehte sich jetzt der Menge zu. »So viele bekannte Gesichter«, bemerkte er. »Patrick. Malachi. Amatis.«

Amatis stand stocksteif da; ihre Augen funkelten vor Hass.

Der Inquisitor kämpfte noch immer gegen Malachi an, der ihn nach wie vor eisern festhielt. Valentins Blick streifte leicht belustigt über ihn. »Aldertree nicht zu vergessen. Wie ich höre, bist du indirekt für den Tod meines alten Freundes Hodge Starkweather verantwortlich. Ein Jammer, wirklich ein Jammer.«

In dem Moment fand Luke seine Stimme wieder. »Dann gibst du es also zu«, sagte er. »*Du* hast die Schutzschilde deaktiviert. Und *du* hast die Dämonen gesandt.«

»Ja, ich habe sie geschickt«, bestätigte Valentin. »Und ich kann noch mehr schicken. Aber damit müssen die Ratsmitglieder – und seien sie auch noch so dumm – doch gerechnet haben! *Du* hast damit gerechnet, nicht wahr, Lucian?«

Lukes blaue Augen schauten ernst. »Ja, ich habe damit gerechnet. Aber ich kenne dich schließlich auch, Valentin. Also, bist du hierhergekommen, um uns ein Angebot zu machen oder um dich an unserem Leid zu weiden?«

»Weder noch«, erwiderte Valentin und betrachtete die schweigende Menge. »Für mich besteht nicht die Notwendigkeit für Verhandlungen«, sagte er, und obwohl sein Ton ruhig klang, trug seine Stimme weit durch den Saal, als wäre sie elektronisch verstärkt. »Und ich verspüre auch keine Schadenfreude. Denn es gefällt mir keineswegs, den Tod zahlreicher Schattenjäger zu verursachen; es gibt ohnehin schon viel zu wenige von uns . . . in einer Welt, die dringend auf uns angewiesen ist. Aber genauso will es der Rat ja nun einmal haben, oder nicht? Das ist nur eine weitere seiner vielen unsinnigen Regeln – Regeln, die er dazu nutzt, einfache Schattenjäger zu Tode zu schinden. Das, was ich getan habe, tat ich lediglich, weil mir keine andere Wahl blieb. Ich tat es, weil es der einzige Weg war, den Rat zum Zuhören zu zwingen. Nicht meinetwegen sind Schattenjäger gestorben – sie sind gestorben, weil der Rat mich ignoriert hat.« Über die Menge hinweg traf sich Valentins Blick mit dem von Aldertree. Das Gesicht des Inquisitors war kreidebleich und verzerrt. »So viele von euch haben einst meinem Kreis angehört«, sagte Valentin gedehnt. »An euch wende ich mich jetzt – und an diejenigen, die vom Kreis wussten, ihm aber nicht beigetreten sind. Erinnert ihr euch, was ich euch vor fünfzehn Jahren prophezeit habe? Wenn wir uns nicht gegen das Abkommen stellen würden, dass es dann in der Stadt Alicante, unserer eigenen geliebten Hauptstadt, nur so wimmeln würde vor Horden von sabbernden, geifernden Halbblütlern und dass die degenerierten Rassen alles niedertrampeln würden, was uns lieb und teuer ist! Und genauso ist es gekommen, jede einzelne meiner Prophezeiungen ist eingetroffen. Die Garnison ist bis auf die Grundmauern niedergebrannt, das Portal zerstört, unsere Straßen überlaufen von Monstern, während halbmenschlicher Abschaum sich erdreistet, uns anführen zu wollen. Und daher frage ich euch, meine Freunde, meine Feinde, meine Brüder im Namen des Erzengels, ich frage euch: Glaubt ihr mir jetzt?« Seine Stimme schwoll zu einem lauten Dröhnen an: »GLAUBT IHR MIR JETZT?«

Sein Blick schweifte über die Menge, als erwartete er eine Reaktion. Doch niemand rührte sich – er starrte in ein Meer schweigender Gesichter.

»Valentin«, durchbrach schließlich Lukes ruhige Stimme die Stille. »Erkennst du nicht, was du getan hast? Das Abkommen, das du so sehr fürchtest, hat nicht dafür gesorgt, dass Schattenweltler den Nephilim ebenbürtig sind. Es garantierte den Halbmenschen keinen Sitz in der Kongregation. Der alte Hass zwischen Schattenwesen und Schattenjägern war noch längst nicht begraben. Du hättest einfach nur auf diesen Hass vertrauen müssen, doch das hast du nicht getan – nicht gekonnt. Und nun hast du uns das Einzige geschenkt, das uns überhaupt vereinen konnte.« Seine Augen suchten die von Valentin. »Einen gemeinsamen Feind.«

Eine fiebrige Röte breitete sich auf Valentins bleichem Gesicht aus. »Ich bin kein Feind. Jedenfalls nicht der Nephilim. Das bist *du*. Du bist derjenige, der versucht, sie zu einem aussichtslosen Kampf zu verleiten. Glaubst du ernsthaft, die Dämonen, die du gesehen hast, wären alles, was ich habe? Sie sind nur ein Bruchteil dessen, was ich noch heraufbeschwören kann.«

»Auch von uns gibt es noch viel mehr«, erwiderte Luke. »Mehr Nephilim und mehr Schattenweltler.«

»*Schattenweltler*«, schnaubte Valentin verächtlich. »Beim ersten Anzeichen ernster Gefahr werden sie davonlaufen wie die Hasen. Die Nephilim sind geborene Krieger, dazu auserkoren, diese Welt zu schützen. Aber deinesgleichen hasst die Welt. Es gibt einen guten Grund, warum reines Silber dich verätzt und warum Tageslicht die Kinder der Nacht versengt.«

»*Mich* versengt es nicht«, sagte Simon mit lauter, klarer Stimme, trotz Clarys festem Griff. »Hier stehe ich, inmitten von Sonnenstrahlen . . .«

Doch Valentin lachte nur. »Ich habe gesehen, wie du beim Versuch, den Namen Gottes auszusprechen, fast erstickt bist, Vampir«, höhnte er. »Und was deine Unempfindlichkeit gegenüber Sonnenlicht betrifft . . .« Er schwieg einen Moment und grinste. »Wahrscheinlich liegt das daran, dass du eine Abnormität bist. Eine Absonderlichkeit. Aber nichtsdestoweniger ein Monster.«

Ein Monster. Unwillkürlich musste Clary an die Nacht auf Valentins Schiff denken, an das, was er ihr dort gesagt hatte: *Deine Mutter hat mir vorgeworfen, dass ich aus ihrem ersten Kind ein Monster gemacht hätte. Sie hat mich verlassen, bevor ich ihrem zweiten das Gleiche antun konnte.*

Jace. Allein der Gedanke an ihn, das Denken seines Namens bereitete Clary einen stechenden Schmerz. *Nach allem, was Valentin getan hat, steht er jetzt hier und redet von Monstern . . .*

»Das einzige Monster weit und breit bist du!«, stieß sie empört hervor, trotz ihres festen Entschlusses zu schweigen. »Ich habe Ithuriel gesehen«, fuhr sie fort, als Valentin sich ihr überrascht zuwandte. »Ich weiß alles . . .«

»Das bezweifle ich«, spottete Valentin. »Wenn du wirklich alles wüsstest, würdest du jetzt den Mund halten. Wenn schon nicht zu deinem eigenen Wohle, dann wenigstens zum Wohle deines Bruders.«

Wage es nicht, in meiner Gegenwart von Jace zu sprechen!, wollte Clary wütend erwidern, doch eine andere Stimme kam ihr zuvor, eine kühle, unerwartete weibliche Stimme, die furchtlos und verbittert klang.

»Und was ist mit *meinem* Bruder?« Amatis trat an den Fuß der Podiums-Treppe und sah Valentin herausfordernd an. Überrascht schaute Luke in ihre Richtung und schüttelte den Kopf, doch sie ignorierte ihn.

Valentine runzelte die Stirn. »Was soll mit Lucian sein?« Clary spürte, dass Amatis' Frage ihn aus dem Konzept gebracht hatte; vielleicht lag es aber auch daran, dass sie vorgetreten war und ihn nun konfrontierte. Mit Sicherheit hatte Valentin sie schon vor Jahren als schwache Frau abgeschrieben, die ihn wohl kaum herausfordern würde. Valentin schätzte es nicht, wenn die Menschen ihn überraschten.

»Du hast mir gesagt, er wäre nicht länger mein Bruder«, erwiderte Amatis nun. »Dann hast du mir Stephen genommen. Meine Familie zerstört. Du behauptest zwar, du wärst kein Feind der Nephilim, aber du versuchst, uns gegeneinander aufzustacheln, Familie gegen Familie, und zerstörst dabei Leben ohne jeden geringsten Skrupel. Du sagst zwar, du würdest den Rat hassen, aber du bist auch derjenige, der ihn zu dem gemacht hat, was er heute ist – engstirnig und paranoid. Früher haben wir einander vertraut, wir Nephilim. Das hast *du* geändert. Und das werde ich dir niemals verzeihen.« Ihre Stimme zitterte. »Genauso wenig wie die Tatsache, dass du mich dazu gebracht hast, Lucian nicht länger als meinen Bruder zu betrachten. Das werde ich weder dir noch mir jemals verzeihen . . . Und ich werde mir nicht verzeihen, dass ich auf dich gehört habe.«

»Amatis . . .« Luke trat einen Schritt vor, aber seine Schwester hielt eine Hand hoch, um ihn aufzuhalten. In ihren Augen schimmerten Tränen, doch ihr Rücken war kerzengerade und ihre Stimme fest und unerschütterlich.

»Es hat einmal eine Zeit gegeben, da waren wir alle mehr als bereit, auf dich zu hören, Valentin«, fuhr sie fort. »Und wir alle werden das unser Leben lang mit unserem Gewissen ausmachen müssen. Doch diese Zeit ist jetzt vorbei. *Endgültig vorbei.* Oder ist hier irgendjemand im Saal, der nicht mit mir übereinstimmt?«

Clary riss den Kopf hoch und schaute über die versammelten Schattenjäger: Die Männer und Frauen wirkten auf sie wie die Rohskizze einer größeren Menschenmenge, mit weißen, verschwommenen Gesichtern. Sie sah Patrick Penhallow, mit fest zusammengepresstem Kiefer, und den Inquisitor, der wie ein zartes Bäumchen im Wind zitterte. Und Malachi, dessen dunkles, glänzendes Gesicht seltsam unergründlich wirkte.

Niemand sagte auch nur ein Wort.

Falls Clary erwartet hatte, dass Valentin verärgert reagieren würde über diesen Mangel an Begeisterung vonseiten der Nephilim, die er zu führen gehofft hatte, wurde sie nun enttäuscht. Bis auf ein Zucken seiner Kiefermuskulatur blieb sein Gesicht vollkommen ausdruckslos. Als ob er mit dieser Reaktion gerechnet hätte. Als ob er seine Pläne bereits darauf abgestimmt hätte.

»Also schön«, sagte er. »Wenn ihr nicht auf die Stimme der Vernunft hören wollt, dann werdet ihr euch eben der Macht beugen müssen. Ich habe euch ja bereits demonstriert, dass ich die Schutzschilde der Stadt niederreißen kann. Wie ich sehe, wurden sie inzwischen repariert, aber das ist völlig bedeutungslos; ich kann sie jederzeit wieder deaktivieren. Also werdet ihr entweder meine Forderungen annehmen oder jedem Dämon gegenübertreten, den das Engelsschwert heraufbeschwören kann. Und ich werde meinem Dämonenheer den Befehl erteilen, nicht einen Einzigen von euch zu verschonen, keinen Mann, keine Frau, kein Kind. Die Entscheidung liegt ganz bei euch.«

Ein Raunen ging durch den Saal. Luke starrte Valentin fassungslos an. »Du würdest absichtlich *dein eigenes Volk* zerstören, Valentin?«

»Manchmal muss man kranke Pflanzen herausreißen, um den Garten zu retten«, erwiderte Valentin. »Und wenn *alle Gewächse* verseucht sind . . .« Erneut wandte er sich der entsetzten Menge zu. »Die Entscheidung liegt ganz bei euch«, wiederholte er. »Ich habe den Engelskelch in meinem Besitz. Wenn nötig, werde ich damit eine ganz neue Schattenjägerwelt errichten, mit neuen Nephilim – jeder einzelne von mir persönlich erschaffen und unterrichtet. Aber ich gebe euch eine letzte Chance. Wenn der Rat sämtliche Befugnisse der Kongregation auf mich überträgt und meine unumschränkte Macht und Herrschaft akzeptiert, werde ich mich zurückhalten. Sämtliche Schattenjäger werden einen Unterwerfungseid leisten und eine permanente Treue-Rune akzeptieren, die sie an mich bindet. Das sind meine Bedingungen.«

Im Saal herrschte betroffene Stille. Clary sah noch, dass Amatis die Hand vor den Mund geschlagen hatte, dann begann der Rest der Menge vor ihren Augen zu verschwimmen. *Sie können seiner Forderung unmöglich nachgeben,* dachte sie. *Das können sie nicht tun!* Aber welche andere Chance blieb ihnen schon? Welche andere Chance hatte jeder Einzelne von ihnen? *Valentin hat sie in eine Falle gelockt,* dachte sie niedergeschlagen, *so wie Jace und ich in der Falle sitzen, durch das, was er aus uns gemacht hat. Wir alle sind durch unser Blut an ihn gebunden.*

Obwohl es nur einen Moment dauerte, erschien es Clary wie eine halbe Ewigkeit, bis schließlich eine dünne Stimme die Stille zerriss – die hohe, krächzende Stimme des Inquisitors.

»Unumschränkte Macht und Herrschaft?«, quiekte er. »*Deine Herrschaft?*«

»Aldertree . . .«, setzte der Konsul an und machte Anstalten, ihn wieder festzuhalten, doch der Inquisitor war schneller. Er riss sich los und stürmte zum Podium. Dabei stieß er irgendetwas hervor – immer wieder dieselben Worte, als hätte er vollends den Verstand verloren – und verdrehte die Augen, bis nur noch das Weiße sichtbar war. Rüde schob er Amatis beiseite und torkelte die Stufen hinauf zu Valentin. »Ich bin der Inquisitor, hast du mich verstanden? Der *Inquisitor!*«, schrie er mit sich überschlagender Stimme. »Ich bin Teil des Rats! Der *Kongregation!* Ich mache die Regeln, nicht du! Ich herrsche, nicht du! Das werde ich nicht zulassen, du schmieriger, dämonenliebender Emporkömmling . . .«

Mit einem fast gelangweilten Gesichtsausdruck streckte Valentin die Hand aus, als wollte er den Inquisitor an der Schulter berühren. Aber Valentin konnte niemanden berühren, er war ja nur eine Projektion, schoss es Clary durch den Kopf. Doch dann musste sie zu ihrem Entsetzen feststellen, dass Valentins Hand langsam durch Haut, Muskulatur und Knochen des Inquisitors drang und sich in seinen Brustkorb grub. Eine Sekunde lang – nur eine winzige Sekunde lang – schien der gesamte Saal atemlos auf Valentins linken Arm zu starren, der irgendwie, unfassbarerweise, bis zum Handgelenk in Aldertrees Brust verschwunden war. Dann drehte Valentin seine Hand plötzlich und ruckartig nach links, als würde er einen widerspenstigen, rostigen Türknauf bewegen wollen.

Der Inquisitor stieß einen einzigen Schrei aus und fiel im nächsten Moment wie ein Stein zu Boden.

Bedächtig zog Valentin seine Hand zurück. Sie war blutüberströmt – ein scharlachroter Handschuh, der ihm fast bis zum Ellbogen ging und den teuren Wollstoff seines eleganten Anzugs rot färbte. Dann ließ er die blutige Hand sinken, schaute über die entsetzte Menge hinweg, bis seine Augen schließlich Luke fixierten. »Ich gebe euch bis morgen Abend um Mitternacht, um meine Bedingungen zu akzeptieren«, sagte er langsam. »Bis dahin werde ich mein Dämonenheer in seiner gesamten Stärke in der Brocelind-Ebene versammeln. Sollte ich bis Mitternacht keine Kapitulationsnachricht vom Rat erhalten, werde ich mit meinen Truppen nach Alicante einmarschieren. Und dieses Mal werden wir niemanden am Leben lassen. Bis dahin habt ihr Zeit, über meine Bedingungen nachzudenken. Nutzt diese Zeit weise.«

Und mit diesen Worten verschwand er.

14
Im finstren Wald

»Also, wie findet ihr das?«, setzte Jace an, ohne Clary eines Blickes zu würdigen – im Grunde hatte er sie nicht richtig angesehen, seit sie und Simon an der Eingangstür des Hauses erschienen waren, das die Lightwoods inzwischen bezogen hatten. Stattdessen lehnte er sich gegen eines der hohen Fenster im Wohnzimmer und starrte in den sich rasch verfinsternden Himmel. »Ein Junge nimmt am Begräbnis seines kleinen Bruders teil und verpasst dadurch den ganzen Spaß«, fuhr er fort.

»Jace, hör auf«, sagte Alec mit müder Stimme. Er hatte sich in einen der abgewetzten, schweren Polstersessel fallen lassen – neben dem Sofa die einzigen Sitzgelegenheiten im gesamten Wohnzimmer. Das ganze Haus verströmte eine merkwürdige, unvertraute Atmosphäre: Sämtliche Räume waren in verblassten Pastelltönen und floralen Mustern dekoriert und alles wirkte leicht abgenutzt und schäbig. Auf dem Beistelltisch neben Alec stand eine Glasschale mit Pralinen; vor lauter Hunger hatte Clary ein paar davon gegessen, dabei aber feststellen müssen, dass das Schokoladenkonfekt ausgetrocknet und bröckelig war. Sie fragte sich, welche Sorte von Leuten hier wohl gelebt hatte. Die Sorte, die davonlief, sobald die Situation ernster wurde, dachte sie säuerlich; diese Leute hatten es nicht anders verdient, als dass man ihr Haus beschlagnahmt hatte.

»*Womit* soll ich aufhören?«, fragte Jace. Draußen war es inzwischen so dunkel geworden, dass Clary die Reflexion seines Gesichts in der Fensterscheibe sehen konnte. Seine Augen wirkten fast schwarz. Er trug noch immer die Kleidung, die er bei der Beerdigung getragen hatte – kein Schwarz, da dies die Farbe des Kampfes war, sondern Weiß, die Farbe der Trauer bei den Nephilim. In den Kragen und die Ärmel seiner weißen Jacke waren scharlachrote Runen gewirkt; doch im Gegensatz zu den Kampfrunen, die eine aggressive und schützende Ausstrahlung besaßen, sprachen diese Runen eine sanftere Sprache – Worte von Kummer und Heilung. Auch die Metallbänder an seinen Handgelenken zeigten ähnliche Runen. Alec war auf die gleiche Weise gekleidet, von Kopf bis Fuß in Weiß, mit denselben rotgoldenen Runen, wodurch seine Haare tiefschwarz schimmerten.

Jace dagegen, überlegte Clary, wirkte in seiner weißen Kleidung wie ein Engel – wenngleich auch wie ein Racheengel.

»Du bist doch gar nicht auf Clary sauer. Oder auf Simon«, sagte Alec, runzelte dann aber leicht die Stirn: »Zumindest *glaube* ich, dass du nicht auf Simon sauer bist.«

Clary rechnete fast mit einer wütenden Erwiderung, doch Jace antwortete nur: »Clary weiß, dass ich nicht sauer auf sie bin.«

Simon legte einen Arm auf die Rückenlehne des Sofas und verdrehte die Augen, sagte aber lediglich: »Ich verstehe nur nicht, wie es Valentin gelingen konnte, den Inquisitor zu töten. Ich dachte immer, Projektionen könnten niemandem Schaden zufügen.«

»Eigentlich sollten sie dazu auch nicht in der Lage sein«, erklärte Alec. »Sie sind nur Illusionen, so was wie bunte Luft.«

»Aber nicht in diesem Fall. Valentin hat einfach in den Inquisitor hineingegriffen und dann seine Hand *gedreht* . . .« Clary erschauderte bei der Erinnerung. »Der ganze Boden war voller Blut.«

»Klingt nach einem zusätzlichen Snack für dich«, wandte Jace sich an Simon.

Simon ignorierte seine Bemerkung. »Hat es jemals einen Inquisitor gegeben, der nicht eines schrecklichen Todes gestorben ist?«, fragte er sich laut. »Das ist ja fast wie bei den Drummern von *Spinal Tap*.«

Alec rieb sich mit der Hand übers Gesicht. »Meine Eltern wissen noch gar nichts davon und ich freu mich nicht gerade darauf, es ihnen erzählen zu dürfen«, murmelte er.

»Wo sind denn deine Eltern?«, fragte Clary. »Ich dachte, sie wären oben«, fügte sie hinzu und schaute in Richtung Treppe.

Alec schüttelte den Kopf. »Sie sind noch immer in der Totenstadt. An Max' Grab. Sie haben uns nach Hause geschickt, weil sie noch einen Moment allein sein wollten.«

»Und was ist mit Isabelle?«, fragte Simon. »Wo steckt sie?«

»Sie weigert sich, ihr Zimmer zu verlassen«, erklärte Jace nun mit todernster Miene. »Sie glaubt, dass Max' Tod ihre Schuld sei. Sie wollte noch nicht mal mit zur Beerdigung.«

»Habt ihr versucht, mit ihr zu reden?«

»Nein«, erwiderte Jace, »wir haben ihr stattdessen kräftig ins Gesicht geschlagen. Warum fragst du? Meinst du, Prügel würden nichts bringen?«

»War ja nur 'ne Frage.« Simons Ton klang sanft.

»Wir sollten ihr erzählen, dass Sebastian nicht der richtige Cousin der Penhallows war«, überlegte Alec. »Vielleicht fühlt sie sich dann etwas besser. Sie denkt, sie hätte es spüren müssen, dass mit Sebastian irgendetwas nicht stimmte. Aber wenn er ein Spion war . . .« Alec zuckte die Achseln. »*Keiner* von uns hat auch nur irgendetwas Merkwürdiges an ihm festgestellt. Nicht mal die Penhallows.«

»Ich habe ihn für ein Arschloch gehalten«, berichtigte Jace seinen Freund.

»Ja, aber nur, weil er . . .« Alec verstummte und sank noch tiefer in seinen Sessel. Er sah erschöpft aus – seine Gesichtsfarbe wirkte hellgrau gegen das leuchtende Weiß seiner Trauerkleidung. »Ach, das spielt jetzt auch keine Rolle mehr. Sobald Isabelle erfährt, womit Valentin droht, kann sie sowieso nichts mehr aufheitern.«

»Aber wird er seine Drohung wirklich wahr machen?«, fragte Clary. »Ein Dämonenheer gegen die Nephilim aussenden? Ich meine, er ist doch immer noch ein *Schattenjäger,* oder? Er kann doch nicht sein eigenes Volk vernichten wollen.«

»Nicht mal bei seinen eigenen Kindern hat es ihn interessiert, ob er ihr Leben zerstörte«, entgegnete Jace und schaute quer durch den Raum Clary an, die seinem Blick standhielt. »Wie kommst du auf die Idee, dass er sich für sein Volk interessieren würde?«

Fragend blickte Alec von Jace zu Clary und zurück. Sein Gesichtsausdruck verriet ihr, dass Jace ihm noch nicht von Ithuriel erzählte hatte. Er schaute verwirrt und sehr, sehr traurig. »Jace . . .«

»Das Ganze erklärt allerdings eines«, sagte Jace, ohne Alec

anzusehen. »Magnus hat versucht, eine Ortungsrune an den persönlichen Dingen anzuwenden, die Sebastian in seinem Zimmer zurückgelassen hat . . . damit wir ihn vielleicht auf diese Weise aufspüren können. Aber er meinte, er empfange nicht viele Impulse, von keinem der Gegenstände . . . nur ein Rauschen.«

»Und was bedeutet das?«

»Diese Dinge haben Sebastian Verlac gehört, dem echten Cousin. Der falsche Sebastian hat sie ihm wahrscheinlich abgenommen, als er ihn abgefangen hat. Und Magnus empfängt deshalb keine Impulse, weil der echte Sebastian . . .«

». . . vermutlich nicht mehr lebt«, beendete Alec seinen Satz. »Und der Sebastian, den wir kennen, ist viel zu gerissen, um irgendetwas zurückzulassen, mit dem wir ihn orten könnten. Schließlich braucht man dazu schon einen besonderen, persönlichen Gegenstand – etwas, das irgendwie mit der gesuchten Person in Verbindung steht. Ein Familienerbstück oder eine Stele oder eine Bürste mit ein paar Haaren . . . irgend so etwas.«

»Was wirklich ärgerlich ist, denn wenn wir ihm folgen könnten, würde er uns wahrscheinlich direkt zu Valentin führen«, sinnierte Jace. »Ich bin mir sicher, er ist sofort zu seinem Herrn und Gebieter zurückgerannt, um Bericht zu erstatten. Wahrscheinlich hat er ihm auch längst von Hodges hirnrissiger Theorie erzählt, dass der Lyn-See der Spiegel sein soll.«

»Vielleicht ist diese Idee gar nicht so hirnrissig«, erwiderte Alec. »Jedenfalls hat der Rat auf allen Wegen, die zum See führen, Wachen postiert und Schutzschilde errichtet, die sofort ein Warnsignal senden, wenn sich jemand mithilfe eines Portals dorthin teleportiert.«

»Na großartig. Jetzt fühlen wir uns alle doch schon viel sicherer«, schnaubte Jace und lehnte sich gegen die Wand.

»Da ist noch was, das ich nicht verstehe«, warf Simon ein. »Warum ist Sebastian hiergeblieben? Nach dem, was er Izzy und Max angetan hatte, wusste er doch, dass man ihn schnappen würde. Er konnte seine Tarnung gar nicht länger aufrechterhalten. Selbst wenn er geglaubt hat, er hätte Izzy getötet, statt sie ›nur‹ k. o. zu schlagen, wie wollte er denn dann erklären, dass die beiden tot waren, er aber vollkommen unversehrt? Nein, spätestens in dem Moment wäre er aufgeflogen. Also, warum ist er während der Dämonenschlacht geblieben? Warum ist er zur Garnison gekommen? Um *mich* zu holen? Kann ich mir nicht vorstellen. Ich bin mir ziemlich sicher, dass es ihm im Grunde herzlich egal war, ob ich noch am Leben war oder nicht.«

»Jetzt tust du ihm aber unrecht«, spottete Jace. »Ich bin mir sicher, dass er dich lieber tot als lebendig gesehen hätte.«

»Ehrlich gesagt, glaube ich, dass er meinetwegen geblieben ist«, warf Clary ein.

Jace warf ihr aus seinen goldenen Augen einen funkelnden Blick zu. »Deinetwegen? Hat er sich vielleicht ein weiteres heißes Date erhofft?«

Clary spürte, wie sie errötete. »Nein. Und unser Date war auch nicht heiß. Genau genommen, war es nicht mal ein Date. Aber das tut nichts zur Sache. Als Sebastian zur Abkommenshalle gekommen ist, hat er die ganze Zeit versucht, mich nach draußen zu locken, um ungestört reden zu können. Er hat irgendetwas von mir gewollt, aber ich weiß wirklich nicht, was.«

»Oder vielleicht hat er ja dich gewollt«, sagte Jace. Als er Clarys Gesichtsausdruck sah, fügte er hinzu: »Nein, nicht auf diese Weise. Ich meine, er hat dich vielleicht zu Valentin bringen wollen.«

»Valentin interessiert sich nicht für mich«, widersprach Clary. »Der Einzige, für den er sich überhaupt interessiert, bist du.«

Irgendetwas flackerte in den Tiefen von Jace' Augen auf. »Ach, so nennst du das also?« Sein Gesichtsausdruck wirkte beängstigend düster. »Nach dem, was auf dem Schiff passiert ist, interessiert er sich jetzt aber für dich. Was bedeutet, dass du vorsichtig sein musst. Sehr vorsichtig. Genau genommen, könnte es nicht schaden, wenn du die nächsten Tage im Haus bleibst. Du kannst dich ja in deinem Zimmer einschließen, so wie Isabelle.«

»Das werde ich auf keinen Fall tun.«

»Natürlich nicht«, erwiderte Jace, »denn du bist schließlich auf dieser Welt, um mich zu peinigen, stimmt's?«

»Es dreht sich nicht immer alles nur um *dich,* Jace«, konterte Clary fuchsteufelswild.

»Mag sein«, räumte Jace ein, »aber in den meisten Fällen schon – das musst du zugeben.«

Clary widerstand dem Drang, laut loszuschreien.

In dem Moment räusperte Simon sich. »Wo wir gerade von Isabelle sprechen – was zwar schon einen Augenblick zurückliegt, aber ich dachte, ich sollte noch mal darauf zurückkommen, ehe dieser Streit vollends ausbricht . . . Ich denke, *ich* sollte mal versuchen, mit ihr zu reden.«

»*Du?*«, fragte Alec entgeistert, schämte sich dann aber für seine taktlose Äußerung und fügte hinzu: »Es ist nur so ... Isabelle will nicht mal für ihre eigene Familie ihr Zimmer verlassen. Warum sollte sie dann bei dir eine Ausnahme machen?«

»Vielleicht gerade deshalb, weil ich eben *nicht* zur Familie gehöre«, erklärte Simon. Er stand ruhig da, die Hände in den Taschen, die Schultern entspannt. Als Clary neben ihm auf dem Sofa gesessen hatte, war ihr die dünne weiße Linie an seinem Hals wieder aufgefallen – an der Stelle, wo Valentin ihm die Kehle durchgeschnitten hatte – und die Narben an den ebenfalls aufgeschlitzten Handgelenken. Simons Begegnungen mit der Welt der Schattenjäger hatten ihn verändert, und zwar nicht nur an der Oberfläche; die Veränderungen gingen sogar noch tiefer als seine Verwandlung zum Vampir. Er stand aufrecht da, den Kopf hoch erhoben und nahm jede Bemerkung, die Jace oder Alec ihm an den Kopf warfen, gelassen hin; es schien ihn nicht einmal zu interessieren. Den Simon, der sich vor ihnen gefürchtet oder von ihnen hätte einschüchtern lassen, gab es nicht mehr.

Plötzlich verspürte Clary einen heftigen Stich im Herzen und erkannte mit einem Schlag die Ursache dafür: Er *fehlte* ihr – Simon fehlte ihr. Der Simon, der er früher einmal gewesen war.

»Ich werde mal einen Versuch unternehmen, Isabelle zum Reden zu bringen«, sagte Simon nun. »Schaden kann's jedenfalls nicht.«

»Aber es ist doch schon fast dunkel«, protestierte Clary. »Und wir haben Luke und Amatis versprochen, vor Sonnenuntergang wieder zurück zu sein.«

»Ich bring dich nach Hause«, bot Jace an. »Und was Simon betrifft: Er findet sich ja wohl allein im Dunkeln zurecht. Oder, Simon?«

»Natürlich tut er das«, warf Alec entrüstet ein, als wollte er seine vorherige Kränkung wieder gutmachen. »Schließlich ist er ein *Vampir* – und . . .« Er verstummte einen Moment und fügte dann hinzu: »Und mir ist gerade klar geworden, dass du wahrscheinlich nur einen Scherz gemacht hast. Vergiss es einfach.«

Simon grinste. Clary öffnete den Mund, um erneut zu protestieren, schloss ihn dann aber wieder. Einerseits, weil sie genau wusste, dass sie sich unvernünftig verhielt. Und andererseits, weil sie Jace' Blick sah, den er Simon zuwarf: eine Mischung aus Belustigung, Dankbarkeit und tatsächlich so etwas wie Respekt – ein klein wenig Respekt, wie Clary überrascht feststellte.

Das neue Domizil der Lightwoods lag nicht weit von Amatis' Haus entfernt, aber Clary wünschte inständig, der Weg würde länger dauern. Sie wurde das Gefühl nicht los, dass jeder Augenblick mit Jace kostbar und irgendwie zeitlich begrenzt war und dass sie sich einem kaum wahrnehmbaren Stichtag näherten – einem Moment, der sie für immer voneinander trennen würde.

Während sie durch die Gassen liefen, warf Clary Jace einen verstohlenen Blick zu. Er schaute unverwandt geradeaus, fast als wäre sie gar nicht da. Im harschen Elbenlicht der Straßenlaternen wirkte sein Profil scharf umrissen und kantig. Seine Haare kräuselten sich an den Wangen und verdeckten nur unzulänglich die weiße Narbe an der Schläfe, wo sich ein Runenmal befunden hatte. An seiner Kehle blitzte etwas Metallisches auf – die Kette, an der der Morgenstern-Ring baumelte. Seine linke Hand hing locker an seiner Seite herab; Clary sah, dass die Knöchel noch immer wund wirkten. Dann heilte er also tatsächlich wie ein Irdischer – so wie Alec es von ihm verlangt hatte.

Als Clary bei dem Gedanken schauderte, warf Jace ihr einen Blick zu. »Ist dir kalt?«, fragte er.

»Ich musste nur gerade an etwas denken«, erklärte sie. »Es wundert mich, dass Valentin auf den Inquisitor losgegangen ist – anstatt auf Luke«, fuhr sie fort. »Schließlich war der Inquisitor ein Schattenjäger und Luke . . . Luke ist ein Schattenweltler. Und hinzu kommt außerdem, dass Valentin ihn hasst.«

»Aber in gewisser Weise respektiert er ihn auch, selbst wenn Luke ein Schattenweltler ist«, gab Jace zu bedenken und Clary erinnerte sich an den Blick, den Jace Simon kurz zuvor zugeworfen hatte. Rasch versuchte sie, nicht daran zu denken. Die Vorstellung gefiel ihr ganz und gar nicht, dass Jace und Valentin irgendwelche Gemeinsamkeiten haben könnten, auch wenn es nur um so etwas Banales wie einen Blick ging. »Luke versucht, den Rat zu verändern, ihn zum Umdenken zu bewegen. Genau das Gleiche hat auch Valentin versucht, wenn auch mit . . . mit einem anderen Ziel. Luke ist ein Revolutionär. Er strebt nach Veränderung. Und für Valentin repräsentierte der Inquisitor den alten, engstirnigen Rat, den er so abgrundtief hasst.«

»Und sie waren ja auch einst Freunde«, sagte Clary. »Luke und Valentin.«

»Die Spuren dessen, was einst war«, sagte Jace und am leicht spöttischen Unterton in seiner Stimme erkannte Clary, dass er aus irgendeinem Werk zitierte. »Unglücklicherweise hasst man niemanden so sehr wie denjenigen, den man einst geliebt hat. Ich könnte mir vorstellen, dass Valentin für Luke etwas ganz Besonderes geplant hat . . . wenn er erst einmal die Macht übernommen hat.«

»Aber das wird er doch nicht . . . die Macht übernehmen«, erwiderte Clary, und als Jace schwieg, wiederholte sie mit erhobener Stimme: »Er wird *nicht* gewinnen – das kann er nicht. Er kann doch nicht ernsthaft einen Krieg wollen, nicht gegen Schattenjäger *und* Schattenweltler . . .«

»Wie kommst du auf die Idee, dass die Schattenjäger Seite an Seite mit den Schattenweltlern kämpfen werden?«, fragte Jace, den Blick noch immer abgewandt. Der Weg führte am Kanal entlang und Jace starrte angespannt auf das dunkle Wasser. »Nur weil Luke das sagt? Luke ist ein Idealist.«

»Und was ist daran schlecht?«

»Nichts. Aber ich bin nun mal keiner«, sagte Jace und die Leere in seiner Stimme versetzte Clary einen eisigen Stich. *Verzweiflung, Zorn, Hass – allesamt Dämoneneigenschaften. Er verhält sich so, wie er glaubt, sich verhalten zu* müssen.

Inzwischen hatten sie Amatis' Haus erreicht. Clary blieb am Fuß der Treppe stehen und drehte sich zu Jace um. »Mag sein«, sagte sie. »Aber du bist auch nicht wie *er*.«

Bei diesen Worten zuckte Jace leicht zusammen, aber vielleicht lag es auch nur an der Bestimmtheit in Clarys Ton. Er drehte den Kopf und schaute sie seit dem Verlassen des Lightwood-Hauses zum ersten Mal richtig an – zumindest kam es Clary so vor. »Clary . . .«, setzte er an, hielt dann aber bestürzt den Atem an. »Da ist Blut an deinem Ärmel. Bist du verletzt?«

Rasch trat er einen Schritt auf sie zu und nahm ihr Handgelenk hoch. Als Clary einen Blick darauf warf, stellte sie zu ihrer Überraschung fest, dass er recht hatte: Auf dem rechten Ärmel ihres Umhangs prangte ein unregelmäßig geformter scharlachroter Fleck. Doch noch viel seltsamer erschien ihr die Tatsache, dass der Blutfleck hellrot schimmerte. Sollte getrocknetes Blut nicht eigentlich viel dunkler sein? Clary runzelte die Stirn. »Das ist nicht mein Blut.«

Jace entspannte sich ein wenig und lockerte seinen Griff um ihr Handgelenk. »Vielleicht vom Inquisitor?«

Clary schüttelte den Kopf. »Nein, ich glaube, das ist Sebastians Blut.«

»*Sebastians* Blut?«

»Ja. Weißt du noch, wie er am Abend der Schlacht in die Halle gekommen ist? Sein Gesicht war blutig. Ich vermute, Isabelle hatte sich gewehrt und ihm dabei ein paar tiefe Kratzer zugefügt. Na, jedenfalls habe ich sein Gesicht berührt und dabei offensichtlich meinen Ärmel mit Blut beschmiert.« Erstaunt inspizierte sie den Fleck genauer. »Ich dachte, Amatis hätte den Umhang gewaschen, aber anscheinend ist sie nicht dazu gekommen.«

Eigentlich erwartete Clary, dass Jace ihr Handgelenk nun loslassen würde, doch er hielt ihren Ärmel noch eine Weile fest und betrachtete das Blut interessiert, ehe er ihre Hand schließlich freigab, offensichtlich zufrieden. »Danke.«

Einen Moment lang starrte Clary ihn an und schüttelte dann

den Kopf. »Du hast nicht vor, mir zu erzählen, was das jetzt gerade sollte, oder?«

»Auf keinen Fall.«

Entnervt riss Clary die Arme in die Luft. »Ich geh jetzt rein. Bis dann.« Sie machte auf dem Absatz kehrt und lief die Stufen zu Amatis' Haustür hinauf. Sie konnte ja nicht ahnen, dass das Lächeln auf Jace' Gesicht in dem Moment verschwand, als sie ihm den Rücken zudrehte. Und dass er – nachdem sie die Tür hinter sich geschlossen hatte – noch eine ganze Weile in der Dunkelheit dastand, ihr nachschaute und ein kurzes Stück Faden wieder und wieder zwischen den Fingern drehte.

»Isabelle«, rief Simon. Er hatte eine Weile gebraucht, um ihr Zimmer zu finden, aber der laute Schrei »Geh weg!«, der durch die Tür drang, überzeugte ihn davon, dass er vor dem richtigen Raum stand. »Isabelle, lass mich rein.«

Im nächsten Moment ertönte ein dumpfes Dröhnen und die Tür vibrierte leicht, als hätte Isabelle irgendetwas dagegengeworfen. Vermutlich einen Schuh. »Ich will nicht mit dir oder Clary reden. Ich will mit niemandem reden. Lass mich in Ruhe, Simon.«

»Clary ist nicht hier«, erwiderte Simon. »Und ich werde nicht weggehen, bis du mit mir redest.«

»Alec!«, brüllte Isabelle. »Jace! Macht, dass er verschwindet!«

Simon wartete. Aus dem unteren Stockwerk war nichts zu hören. Entweder hatte Alec das Haus ebenfalls verlassen oder er hielt sich einfach zurück. »Sie sind nicht da, Isabelle. Ich bin allein hier.«

Auf der anderen Seite der Tür herrschte einen Augenblick

Stille, doch schließlich hörte er Isabelles Stimme wieder, dieses Mal jedoch aus größerer Nähe, als wenn sie direkt vor der Tür stünde. »Du bist wirklich allein?«

»Ja, ganz allein«, bestätigte Simon.

Im nächsten Moment öffnete sich die Tür quietschend einen Spalt. Dahinter stand Isabelle, in einem schwarzen Slip, die langen Haare vollkommen zerzaust. So hatte Simon sie noch nie zu Gesicht bekommen: barfuß, ungekämmt und ohne Make-up. »Du kannst reinkommen«, murmelte sie.

Schweigend folgte er ihr in den dunklen Raum – die Vorhänge waren zugezogen und sämtliche Lampen ausgeschaltet. Im Lichtschein aus dem Flur erkannte Simon, dass das Zimmer so aussah, als wäre ein Tornado hindurchgefegt – zumindest hätte seine Mutter das so formuliert. Überall auf dem Boden lagen Kleidungsstücke verstreut und vor dem Bett stand eine weit geöffnete Reisetasche, die den Eindruck erweckte, als wäre sie explodiert. Über einem der Bettpfosten hing Isabelles leuchtend silber-goldene Peitsche und ein weißer, spitzenbesetzter BH baumelte über dem anderen. Verlegen wandte Simon den Blick ab.

Isabelle ließ sich auf die Bettkante sinken und betrachtete Simon mit einem bitteren Lächeln. »Ein Vampir, der errötet – wer hätte das gedacht?!« Dann hob sie resolut das Kinn. »So, ich hab dich reingelassen. Also, was willst du?«

Trotz ihres wütend funkelnden Blicks hatte Simon den Eindruck, dass sie jünger wirkte als sonst – ihre riesigen Augen stachen dunkel aus ihrem erschöpften bleichen Gesicht hervor. Selbst im dämmrigen Licht des Raums konnte er die weißen Narben erkennen, die ihre helle Haut bedeckten – von den nackten Armen, Schultern und Schlüsselbeinen bis hinunter zu ihren Beinen. *Wenn Clary eine Schattenjägerin bleibt, wird sie eines Tages genauso aussehen . . . am ganzen Körper mit Narben bedeckt,* dachte er. Doch diese Vorstellung traf ihn nicht mehr so hart wie vielleicht noch vor wenigen Wochen. Die Art und Weise, mit der Isabelle ihre Narben trug, hatte etwas Besonderes an sich, als wäre sie stolz darauf.

Isabelle hielt etwas in den Händen, einen kleinen Gegenstand, den sie unablässig in den Fingern drehte und der im schummrigen Licht matt glänzte. Einen Moment lang glaubte Simon, dass es sich vielleicht um ein Schmuckstück handeln könnte.

»Das, was Max zugestoßen ist . . .«, setzte er an, »das ist nicht deine Schuld.«

Statt zu Simon hochzuschauen, starrte Isabelle unvermindert auf das Objekt in ihren Händen. »Weißt du, was das ist?«, fragte sie schließlich und hob es Simon entgegen.

Offenbar handelte es sich um einen kleinen, handgeschnitzten Spielzeugsoldaten. Ein Miniatur-Schattenjäger, inklusive schwarzer, von Hand aufgemalter Kampfmontur, erkannte Simon plötzlich. Das silberne Glitzern, das er bemerkt hatte, stammte von den Farbresten des kleinen Schwertes, das der Krieger in der Hand hielt.

»Der hat früher mal Jace gehört«, sagte Isabelle, ohne seine Antwort abzuwarten. »Es war das einzige Spielzeug, das er bei sich hatte, als er aus Idris zu uns kam. Möglicherweise gehörte der Soldat einst zu einem größeren Set . . . vielleicht hat er ihn auch selbst geschnitzt . . . keine Ahnung; er hat nie viele Worte darüber verloren. Aber er trug ihn jahrelang immer mit sich herum, in einer Jacken- oder Hosentasche oder sonst wo. Und dann entdeckte ich eines Tages, dass Max den Spielzeugsoldaten hatte und von da an überall mit hinschleppte. Jace muss damals etwa dreizehn gewesen sein. Er hat ihn Max einfach geschenkt, vermutlich, als er sich zu alt dafür fühlte. Na, jedenfalls lag der Soldat in Max' Hand, als man ihn fand. Es schien, als hätte er ihn fest umklammert, als Sebastian . . . als er . . .« Sie verstummte. Die Anstrengung, die es sie kostete, um nicht in Tränen auszubrechen, war deutlich sichtbar: Sie presste die Lippen fest zusammen, da diese unkontrolliert zu zucken begannen. »Ich hätte für ihn da sein müssen, ihn beschützen müssen. *Ich* hätte diejenige sein sollen, an der er sich hätte festhalten können, und nicht so ein dummer, kleiner Spielzeugsoldat.« Wütend warf sie den Miniatur-Schattenjäger auf das Bett; ihre Augen schimmerten feucht.

»Du warst doch bewusstlos«, protestierte Simon. »Und du wärst beinahe selbst gestorben, Izzy. Es gab wirklich nichts, was du hättest tun können.«

Isabelle schüttelte den Kopf, wobei ihre wirren Haare über ihre Schultern streiften. Sie sah grimmig und wild aus. »Was weißt du denn schon?«, herrschte sie ihn an. »Hast du gewusst, dass Max in der Nacht seines Todes zu uns gekommen ist und uns erzählt hat, er habe gesehen, wie jemand auf einen der Dämonentürme geklettert sei? Und dass ich seine Beobachtung mit der Bemerkung abgetan habe, er müsse geträumt haben, und ihn dann wieder ins Bett geschickt habe? Und dabei hatte er die ganze Zeit recht. Ich wette, das war dieser Dreckskerl Sebastian, der den Turm hinaufgeklettert ist, um auf diese Weise die Schutzschilde zu deaktivieren. Und dann hat er Max getötet, damit der Kleine niemandem mehr erzählen konnte, dass er ihn gesehen hatte. Wenn ich doch nur zugehört hätte, mir nur eine Sekunde Zeit zum Zuhören genommen hätte, dann wäre das alles nicht passiert.«

»Aber woher hättest du das denn ahnen sollen?«, widersprach Simon. »Und was Sebastian betrifft: Er war nicht wirklich der Cousin der Penhallows. Er hat alle zum Narren gehalten.«

Isabelle wirkte nicht überrascht. »Ich weiß«, murmelte sie, »ich hab dich mit Alec und Jace reden hören. Ich hab hier oben am Treppengeländer gestanden . . .«

»Dann hast du gelauscht?«

Isabelle zuckte die Achseln. »Nur bis zu dem Moment, als du gesagt hast, du wolltest hochkommen und mit mir reden. Da bin ich dann wieder in mein Zimmer zurückgerannt. Ich hatte keine Lust, mit dir zu sprechen.« Sie warf ihm einen Seitenblick zu. »Eines muss ich dir allerdings lassen: Du bist echt hartnäckig.«

»Hör mal, Isabelle«, setzte Simon an und ging einen Schritt auf sie zu. Doch plötzlich wurde er sich der Tatsache bewusst, dass sie nur spärlich bekleidet war; daher verzichtete er darauf, ihr eine Hand auf die Schulter zu legen oder sie mit einer anderen tröstenden Geste zu berühren. »Als mein Vater starb, wusste ich zwar, dass das nicht meine Schuld war, aber ich konnte einfach nicht aufhören, an all die Dinge zu denken, die ich hätte tun sollen, ihm hätte sagen sollen, bevor es zu spät war.«

»Ja, aber in diesem Fall *ist* es nun mal meine Schuld«, entgegnete Isabelle. »Und ich hätte *zuhören* sollen. Aber mir bleibt immer noch die Möglichkeit, diesen Dreckskerl zu finden, der Max das angetan hat, und ihn zu töten.«

»Ich bin mir nicht sicher, ob das wirklich hilft . . .«

»Woher willst du das denn wissen?«, konterte Isabelle. »Hast du denjenigen, der für den Tod deines Vaters verantwortlich war, aufgestöbert und getötet?«

»Mein Vater hatte einen Herzinfarkt«, erklärte Simon.

»Dann weißt du auch nicht, wovon du redest, oder?« Isabelle hob herausfordernd das Kinn und musterte ihn mit festem Blick. »Komm her.«

»Wie bitte?«

Herrisch winkte sie ihn mit dem Zeigefinger zu sich heran. »Komm *her*, Simon.«

Zögernd ging Simon auf sie zu. Er war kaum noch einen Schritt von ihr entfernt, als sie ihn am Kragen seines T-Shirts packte und ruckartig zu sich heranzog, bis nur noch wenige Zentimeter sie voneinander trennten. Simon konnte erkennen, dass auf der Haut unter Isabelles Augen die Spuren kürzlich vergossener Tränen schimmerten. »Weißt du, was ich jetzt wirklich brauche?«, fragte sie und artikulierte dabei jedes Wort klar und deutlich.

»Hm«, sagte Simon. »Nein . . .«

»Ein wenig Ablenkung«, erklärte Isabelle und riss ihn mit einer halben Körperdrehung neben sich auf das Bett.

Simon landete mit dem Rücken in einem Haufen zusammengeknäuelter Kleidungsstücke. »Isabelle«, protestierte er leise, »glaubst du wirklich, dass du dich dadurch besser fühlen wirst?«

»Vertrau mir«, erwiderte Isabelle und legte ihm eine Hand

auf die Brust, genau über sein schlagloses Herz. »Ich fühle mich schon jetzt deutlich besser.«

Clary lag hellwach im Bett und starrte auf den schmalen Streifen Mondlicht, der langsam über die Decke wanderte. Sie war von den Ereignissen des Tages noch viel zu aufgedreht, um an Schlaf auch nur denken zu können, und die Tatsache, dass Simon nicht zum Abendessen zurückgekehrt war, trug auch nicht zu ihrer Beruhigung bei. Nachdem sie eine Weile angespannt am Esstisch gesessen hatte, hatte sie Luke ihre Sorge mitgeteilt, woraufhin dieser sich seinen Mantel übergeworfen hatte und zum Haus der Lightwoods gehastet war. Kurze Zeit später war er mit einem belustigten Lächeln auf den Lippen zurückgekehrt. »Simon geht es gut, Clary«, hatte er gesagt. »Geh schlafen.« Und dann war er zusammen mit Amatis zu einer weiteren endlosen Sitzung in der Abkommenshalle aufgebrochen. Clary fragte sich, ob inzwischen jemand die Überreste von Aldertrees weit verspritztem Blut beseitigt hatte.

Da sie nichts anderes zu tun hatte, war sie tatsächlich ins Bett gegangen, aber der Schlaf wollte sich einfach nicht einstellen. Immer wieder sah sie Valentin vor ihrem inneren Auge: Wie er dem Inquisitor in die Brust gegriffen und dann das Herz herausgerissen hatte. Wie er sich zu ihr umgedreht und hervorgestoßen hatte: »*Wenn du wirklich alles wüsstest, würdest du jetzt den Mund halten. Wenn schon nicht zu deinem eigenen Wohle, dann wenigstens zum Wohle deines Bruders.*« Doch am stärksten belasteten Clary die Geheimnisse, die sie von Ithuriel erfahren hatte – wie ein tonnenschweres Gewicht lagen sie auf ihrer Brust. Und unter all diese Sorgen mischte sich, wie ein steter Herzschlag, die unablässige Angst um ihre Mutter ... dass sie sterben könnte. Wo, zum Teufel, steckte Magnus?

Plötzlich ertönte ein leises Rascheln hinter dem Vorhang und ein breiter Mondstrahl fiel durch das Fenster in den Raum. Ruckartig setzte Clary sich auf und tastete fieberhaft nach der Seraphklinge, die sie auf ihrem Nachttisch aufbewahrte.

»Keine Panik.« Eine Hand streckte sich ihr entgegen, eine schlanke, narbenübersäte, vertraute Hand. »Ich bin's nur.«

Clary zog scharf die Luft ein, woraufhin die Hand verschwand. »Jace«, stieß Clary hervor. »Was machst du hier? Was ist passiert?«

Als Jace nicht sofort reagierte, drehte sie sich zu ihm hin und zog dabei die Bettdecke um sich herum. Sie spürte, wie sie errötete, da ihr siedend heiß bewusst wurde, dass sie nur eine Schlafanzughose und ein dünnes Trägerhemdchen trug. Doch dann sah sie den Ausdruck auf seinem Gesicht und ihre Verlegenheit schwand.

»Jace?«, flüsterte sie. Er stand am Kopfende des Bettes, noch immer in seiner weißen Trauerkleidung, und in der Art und Weise, wie er zu ihr hinunterschaute, lag nichts Leichtes oder Sarkastisches oder Distanziertes. Sein Gesicht war kreidebleich und seine Augen wirkten gehetzt und vor Anspannung fast schwarz. »Jace, ist alles in Ordnung mit dir?«, fragte Clary besorgt.

»Ich weiß es nicht«, erwiderte er mit einem benommenen Ausdruck im Gesicht, als wäre er gerade aus einem Traum erwacht. »Eigentlich wollte ich gar nicht hierherkommen. Ich bin die ganze Nacht ziellos umhergewandert – ich konnte nicht schlafen. Und dann hab ich festgestellt, dass meine Füße mich immer wieder hierhergebracht haben. Zu dir.«

Clary setzte sich aufrechter und ließ die Bettdecke auf ihre Hüften sinken. »Warum kannst du nicht schlafen? Ist irgendetwas passiert?«, fragte sie und kam sich sofort ziemlich dumm vor. Was war schließlich *nicht* alles passiert?

Jace schien ihre Frage kaum wahrzunehmen. »Ich musste dich einfach sehen«, murmelte er, eher zu sich selbst. »Ich weiß, dass ich das nicht sollte. Aber ich konnte nicht anders.«

»Komm, setz dich«, sagte Clary und zog ihre Beine hoch, damit er sich auf der Bettkante niederlassen konnte. »Weil du mir nämlich Angst einjagst – so wie du da stehst. Bist du sicher, dass nichts passiert ist?«

»Ich hab nicht gesagt, dass nichts passiert sei.« Vorsichtig setzte er sich auf das Bett, das Gesicht ihr zugewandt. Er war nun so nahe, dass sie sich nur leicht hätte vorbeugen müssen, um ihn zu küssen . . .

Clary Herz schlug schneller. »Gibt es irgendwelche Neuigkeiten? Schlechte Nachrichten? Ist alles . . . sind alle in Ordnung . . .?«

»Nein, keine schlechten Nachrichten und eigentlich auch gar keine Neuigkeit, sondern eher das Gegenteil . . . etwas, das ich schon immer gewusst habe und das du . . . das du wahrscheinlich ebenfalls weißt. Besonders gut hab ich es ja nicht verbergen können.« Seine Augen erfassten ihr Gesicht, tasteten langsam jeden Zentimeter ab, als wollte er sich ihre Züge gut einprägen. »Es ist etwas passiert«, sagte er gedehnt und zögerte einen Moment. »Mir ist nämlich etwas bewusst geworden.«

»Jace«, wisperte Clary und fürchtete sich plötzlich aus unerklärlichem Grund vor dem, was er als Nächstes sagen würde. »Jace, du brauchst nicht . . .«

»Eigentlich wollte ich zu einem . . . zu einem bestimmten Ort, aber irgendwie bin ich immer wieder hier gelandet«, erklärte Jace. »Ich konnte einfach nicht aufhören zu laufen . . . aufhören zu denken . . . an den Moment, in dem ich dich zum ersten Mal gesehen habe, und daran, dass ich dich danach einfach nicht vergessen konnte. Ich wollte es zwar, habe es aber nicht geschafft. Also habe ich Hodge überredet, dass er *mich* nach dir auf die Suche schickt, um dich zum Institut zu bringen. Und selbst damals schon, in diesem blöden Café, als ich dich zusammen mit Simon auf der Couch sitzen sah, hatte ich das Gefühl, dass das nicht richtig war – *ich* hätte derjenige sein sollen, der neben dir auf dem Sofa saß. Derjenige, der dich zum Lachen brachte. Dieses Gefühl konnte ich einfach nicht loswerden. Dass ich derjenige sein sollte. Und je besser ich dich kennenlernte, desto mehr verstärkte sich dieses Gefühl. So etwas hatte ich noch nie zuvor empfunden. Bis dahin hatte ich ein Mädchen immer nur gewollt, und wenn es dann so weit war, dass ich sie besser kannte, interessierte sie mich nicht mehr. Doch mit dir wurde dieses Gefühl von Mal zu Mal nur noch stärker – bis zu jener Nacht, als du in Renwicks Ruine aufgetaucht bist. In dem Moment *wusste* ich es.

Und als ich dann herausfand, warum ich so für dich empfand – als wärst du ein Teil von mir, den ich verloren und von dem ich bis zu deinem Erscheinen nicht einmal geahnt hatte, dass er mir fehlte –, als ich erfuhr, dass dies daran lag, dass du *meine Schwester* bist, da erschien mir das Ganze wie eine Art kosmischer Witz. Als würde Gott mir ins Gesicht spucken. Und ich weiß noch nicht einmal, wofür! Dafür, dass ich mir eingebildet hatte, du könntest tatsächlich eines Tages zu mir gehören, oder dass ich etwas Derartiges verdient hätte . . . dass ich es verdient hätte, so glücklich zu sein? Ich konnte mir beim besten Willen nicht vorstellen, was ich getan hatte, um derart bestraft zu werden . . .«

»Wenn du dich gestraft fühlst, dann werde auch ich bestraft«, sagte Clary. »Weil ich nämlich genau dasselbe gefühlt habe wie du. Aber wir können nicht . . . wir *müssen* aufhören, so zu empfinden, weil das unsere einzige Chance ist.«

Jace hatte die Hände zu Fäusten geballt. »Unsere einzige Chance *wofür*?«

»Um überhaupt zusammen sein zu können. Denn sonst könnten wir uns nicht in der Nähe des anderen aufhalten, nicht einmal im selben Raum sein, und das könnte ich nicht ertragen. Lieber habe ich dich nur als Bruder in meinem Leben als gar nicht . . .«

»Dann soll ich danebensitzen und zusehen, wie du dich mit anderen Jungs verabredest, dich in jemand anderen verliebst, heiratest . . .?« Seine Stimme klang angespannt. »Und jeden Tag sterbe ich innerlich ein Stückchen mehr.«

»Nein. Denn dann wird es dir egal sein«, erwiderte Clary, fragte sich aber in dem Moment, ob sie die Vorstellung überhaupt ertragen konnte, dass es Jace eines Tages vielleicht egal war. So weit in die Zukunft vorausgedacht wie er hatte sie noch nicht, und als sie sich nun vorzustellen versuchte, wie sie mit ansah, dass *er* sich in jemand anderes verliebte, jemand anderes heiratete, gelang es ihr nicht einmal, sich ein Bild davon zu machen. Das Einzige, was sie sah, war ein leerer schwarzer Tunnel, der sich endlos lang vor ihr erstreckte. »Bitte«, flüsterte sie. »Wenn wir nicht mehr darüber reden . . . wenn wir einfach vorgeben . . .«

»Da gibt es nichts vorzugeben«, erwiderte Jace mit fester, klarer Stimme. »Ich liebe dich und ich werde dich immer lieben, bis zu dem Tag, an dem ich sterbe. Und wenn es ein Leben nach dem Tod gibt, werde ich dich auch dann noch lieben.«

Clary hielt den Atem an. Er hatte es ausgesprochen – die Worte, nach denen es kein Zurück mehr gab. Mühsam rang sie um eine Antwort, brachte aber kein Wort über die Lippen.

»Und ich weiß, dass du glaubst, ich würde nur mit dir zusammen sein wollen, weil . . . weil ich mir selbst beweisen müsse, was für ein Monster ich bin«, fuhr Jace fort. »Und vielleicht bin ich ja tatsächlich ein Monster – die Antwort darauf kenne ich nicht. Aber ich weiß eines: Selbst wenn Dämonenblut in meinen Adern fließt, so fließt doch auch menschliches Blut in mir. Und ich könnte dich nicht so sehr lieben, wie ich dich liebe, wenn ich nicht auch wenigstens ein kleines bisschen Mensch wäre. Denn Dämonen *wollen*. Aber sie lieben nicht. Und ich . . .«

Ruckartig stand er auf, mit einer Art brutaler Abruptheit, und ging zum Fenster. Er wirkte schrecklich verloren – so verloren wie in der Abkommenshalle, als er vor Max' leblosem Körper gestanden hatte.

»Jace?«, fragte Clary beunruhigt. Als er nicht reagierte, krabbelte sie aus dem Bett, lief zu ihm und legte ihm eine Hand auf den Arm. Doch er starrte weiterhin reglos aus dem Fenster. Ihre Reflexionen in der Scheibe waren fast transparent – die geisterhaften Konturen eines hochgewachsenen Jungen und eines kleineren Mädchens, deren Hand sich ängstlich an seinen Arm klammerte. »Jace, was ist los?«

»Ich hätte dir das alles nicht erzählen dürfen«, sagte er, ohne sie anzuschauen. »Es tut mir leid. Das war wahrscheinlich ein bisschen viel auf einmal. Du hast so . . . so geschockt ausgesehen.« Die Anspannung ließ seine Stimme vibrieren wie einen Draht, der unter Strom stand.

»Das war ich auch«, erklärte Clary. »Während der vergangenen Tage habe ich mich ständig gefragt, ob du mich vielleicht hassen würdest. Und als ich dich heute Abend sah, war ich mir ziemlich sicher, dass meine Befürchtung stimmte.«

»Dich hassen?«, wiederholte Jace und starrte sie verwundert an. Dann streckte er vorsichtig die Hand aus und berührte sie leicht an der Wange – seine Fingerspitzen streiften sanft über ihre Haut. »Ich habe dir ja schon erzählt, dass ich nicht schlafen konnte. Morgen Abend um Mitternacht werden wir uns entweder im Krieg befinden oder unter Valentins Knechtschaft. Dies könnte die letzte Nacht unseres Lebens sein, mit Sicherheit die letzte halbwegs normale. Die letzte Nacht, in der wir uns schlafen legen und am Morgen aufstehen, so wie wir es immer getan haben. Aber ich konnte nur an eines denken: dass ich diese Nacht mit dir verbringen möchte.«

Clarys Herz setzte einen Schlag aus. »Jace . . .«

»Neinnein, ich meine das nicht auf diese Weise«, erklärte er. »Ich werde dich nicht anrühren, jedenfalls nicht, solange du es nicht willst. Und ich weiß, dass es falsch ist – herrje, es ist in jeder Hinsicht falsch –, aber ich möchte mich einfach nur neben dich legen und zusammen mit dir aufwachen, nur ein Mal, nur ein einziges Mal in meinem Leben.« Verzweiflung klang aus seiner Stimme. »Es ist nur diese eine Nacht. Und welche Rolle spielt schon eine Nacht, verglichen mit einem ganzen Leben?«

Sie spielt deshalb eine Rolle, weil du bedenken solltest, wie wir uns am nächsten Morgen fühlen würden. Denk doch nur mal daran, wie viel schlimmer es wäre, in Gegenwart aller anderen vorgeben zu müssen, dass wir einander nichts bedeuten, wo wir doch die Nacht zusammen verbracht hätten – selbst wenn wir nur nebeneinander geschlafen hätten. Das wäre, als würde man eine kleine Menge Drogen einnehmen – es führt nur dazu, dass man immer mehr will, überlegte Clary.

Doch plötzlich erkannte sie, dass er ihr das alles genau aus diesem Grund erzählt hatte. Weil es *nicht* zutraf, jedenfalls nicht für ihn. Es gab nichts, was die Situation noch schlimmer machen würde – genauso wenig wie es etwas gab, das sie verbessern konnte. Seine Gefühle waren so endgültig wie eine lebenslange Haftstrafe. Und konnte sie wirklich behaupten, dass es ihr tatsächlich so viel anders erging? Selbst wenn sie das erhoffte . . . wenn sie hoffte, eines Tages, nach langen Jahren, vernunftbedingt oder aufgrund allmählicher Gewöhnung, nicht mehr so zu empfinden, spielte es in diesem Moment doch überhaupt keine Rolle. In ihrem ganzen Leben hatte sie sich nichts so sehr gewünscht, wie diese Nacht mit Jace zu verbringen.

»Dann zieh bitte den Vorhang zu, ehe du ins Bett kommst«,

sagte sie. »Ich kann nicht schlafen, wenn so viel Licht ins Zimmer fällt.«

Ein Ausdruck absoluter Ungläubigkeit breitete sich auf Jace' Gesicht aus; überrascht erkannte Clary, dass er wirklich nicht damit gerechnet hatte, dass sie zustimmen würde. Eine Sekunde später schlang er die Arme um sie und zog sie an sich, das Gesicht in ihre zerzausten Haare gedrückt. »Clary . . .«

»Komm ins Bett«, sagte sie leise. »Es ist schon spät.« Behutsam löste sie sich aus seiner Umarmung, kehrte ins Bett zurück und zog die Bettdecke bis zur Taille. Als sie ihm einen Blick zuwarf und ihn dastehen sah, konnte sie sich fast vorstellen, wie es in ein paar Jahren – und unter anderen Umständen – wohl gewesen wäre. In einigen Jahren, wenn sie schon so lange zusammen wären, dass sie dies schon Hunderte Male getan hätten . . . dass jede Nacht ihnen gehören würde und nicht nur diese eine. Clary stützte das Kinn auf die Hände und sah zu, wie er den Vorhang schloss, dann seine weiße Jacke auszog und sie über die Rückenlehne des Stuhls hängte. Darunter trug er ein hellgraues T-Shirt, und als er den Waffengürtel löste und auf den Boden legte, schimmerten die dunklen Runenmale auf seinen nackten Oberarmen. Dann bückte er sich, um seine Stiefel aufzuschnüren, streifte sie ab, kam zum Bett und legte sich äußerst vorsichtig neben Clary. Flach auf dem Rücken liegend, wandte er ihr den Kopf zu. Das wenige Licht, das entlang des Vorhangs in den Raum fiel, reichte ihr, um die Konturen seines Gesichts und das helle Strahlen seiner Augen erkennen zu können.

»Gute Nacht, Clary«, sagte er leise.

Seine Arme lagen dicht neben ihm und er schien kaum zu atmen – Clary war sich nicht einmal sicher, ob sie selbst noch atmete. Behutsam schob sie ihre eigene Hand über die Bettdecke, gerade so weit, dass ihre Fingerspitzen einander berührten – so leicht, dass Clary es wahrscheinlich nicht einmal gespürt hätte, wenn sie jemanden anderen als Jace berührt hätte. Doch die Nervenden an ihren Fingerspitzen prickelten leicht, als hielte sie sie über eine schwache Flamme. Sie spürte, wie sein Körper sich neben ihr kurz anspannte und dann wieder lockerte. Er hielt die Augen geschlossen und seine Wimpern warfen zarte Schatten auf die Rundungen seiner Wangenknochen. Ein Lächeln umspielte seine Lippen, als würde er spüren, dass sie ihn beobachtete, und Clary fragte sich, wie er wohl am Morgen aussehen würde, mit zerzausten Haaren und Schlafspuren im Gesicht. Der Gedanke daran schenkte ihr trotz allem ein intensives Glücksgefühl.

Vorsichtig verschränkte sie ihre Finger mit den seinen. »Gute Nacht«, flüsterte sie und dann – wie zwei Kinder in einem Märchen, die sich an den Händen hielten – fiel sie neben Jace in einen tiefen Schlaf.

15
DIE WELT ZERFÄLLT

Luke hatte den Großteil der Nacht damit verbracht, durch das transparente Dach der Abkommenshalle den Lauf des Monds zu beobachten: Der Himmelskörper erinnerte ihn an eine Silbermünze, die über die glatte Oberfläche eines Glastischs rollte. Wie jeden Monat kurz vor Nahen des Vollmonds spürte er auch nun, dass sich seine Sehschärfe und sein Geruchssinn deutlich verbesserten, selbst in Menschengestalt. So konnte er beispielsweise in diesem Moment den Schweiß der Skepsis im Saal wahrnehmen und darunter den scharfen Gestank der Angst. Und er spürte die angespannte Sorge seines Rudels im Brocelind-Wald, das in der Dunkelheit unter den Bäumen ruhelos auf und ab lief und auf Nachricht von ihm wartete.

»Lucian.« Amatis' Stimme drang leise, aber eindringlich an sein Ohr. »*Lucian!*«

Aus seinen Gedanken gerissen, bemühte Luke sich angestrengt, seinen Blick trotz seiner Müdigkeit auf das Bild vor ihm zu konzentrieren: Ein kleiner, abgerissener Haufen Schattenjäger stand im Saal beieinander – diejenigen, die zugestimmt hatten, sich seinen Plan wenigstens einmal anzuhören. Es waren weniger, als er erhofft hatte. Viele kannte er noch aus seinem früheren Leben in Idris – die Penhallows, die Lightwoods, die Ravenscars –, aber genauso viele hatte er erst kürzlich kennengelernt, wie etwa die Monteverdes, die das Institut in Lissabon leiteten und eine Mischung aus Portugiesisch und Englisch sprachen, oder Nasreen Chaudhury, die ernst dreinblickende Leiterin des Instituts von Bombay. Ihr dunkelgrüner Sari war mit kunstvollen Runen durchwirkt, deren Silberfäden so hell leuchteten, dass Luke jedes Mal instinktiv zurückwich, wenn sie ihm zu nahe kam.

»Also wirklich, Lucian«, tadelte Maryse Lightwood ihn in dem Moment. Ihr kleines bleiches Gesicht wirkte vor Erschöpfung und Kummer ganz verhärmt. Luke hatte nicht ernsthaft damit gerechnet, dass sie oder ihr Mann kommen würden, doch als er ihnen gegenüber die Versammlung angesprochen hatte, hatten sie sofort bereitwillig zugestimmt. Vermutlich musste er dankbar sein, dass sie sich tatsächlich in der Halle eingefunden hatten, auch wenn die Trauer Maryse ungehaltener und hitziger reagieren ließ als üblich. »Du bist doch derjenige, der uns alle hat hierherkommen lassen; dann könntest du jetzt wenigstens zuhören.«

»Das tut er doch.« Amatis hatte die Beine unter den Po gezogen wie ein junges Mädchen, doch ihr Gesichtsausdruck verriet Entschlossenheit. »Aber es ist nicht Lucians Schuld, dass wir uns die letzte Stunde nur noch im Kreis drehen.«

»Und das werden wir auch weiterhin – bis wir eine Lösung gefunden haben«, erwiderte Patrick Penhallow mit angespannter Stimme.

»Bei allem Respekt, Patrick, aber möglicherweise gibt es für dieses Problem keine *Lösung*«, warf Nasreen mit starkem Akzent ein. »Das Beste, worauf wir hoffen können, ist ein Plan.«

»Ein Plan, der weder Knechtschaft beinhaltet noch . . .«, setzte Jia, Patricks Frau, an, verstummte dann aber und biss sich auf die Lippe. Sie war eine hübsche, schlanke Frau, die ihrer Tochter Aline sehr ähnelte. Luke erinnerte sich noch daran, wie Patrick ins Institut nach Peking gewechselt war und sie geheiratet hatte. Damals hatte das einen Skandal ausgelöst, da er eigentlich ein Mädchen in Idris heiraten sollte, das seine Eltern bereits für ihn ausgesucht hatten. Doch Patrick hatten Vorschriften noch nie wirklich interessiert – eine Eigenschaft, für die Luke nun dankbar war.

»Weder Knechtschaft noch eine Allianz mit den Schattenweltlern?«, beendete Luke Jias Satz. »Ich fürchte, daran führt kein Weg vorbei.«

»Das ist nicht das Problem und das weißt du auch«, erwiderte Maryse. »Es geht um die Sitze in der Kongregation. Darauf wird der Rat sich niemals einlassen – das weißt du. *Vier* ganze Sitze . . .«

»Nein, nicht vier«, sagte Luke. »Jeweils einer für das Lichte Volk, für die Kinder des Mondes und für Liliths Kinder.«

»Die Feenwesen, die Lykanthropen und die Hexenmeister«, wiederholte Senhor Monteverde mit sanfter Stimme, aber hochgezogenen Augenbrauen. »Und was ist mit den Vampiren?«

»Sie haben sich noch nicht entschieden«, räumte Luke ein. »Und ich habe ihnen ebenfalls keine Versprechungen gemacht. Möglicherweise sind sie nicht sehr erpicht darauf, der Kongregation beizutreten – sie halten nicht viel von meinesgleichen und auch nicht von Regeln und Versammlungen. Aber sollten sie ihre Meinung ändern, sind sie jederzeit willkommen.«

»Malachi und Konsorten werden dem niemals zustimmen und ohne sie haben wir möglicherweise nicht genügend Kongregationsstimmen«, murmelte Patrick. »Außerdem: Ohne die Vampire – welche Chance haben wir da überhaupt?«

»Eine sehr gute«, fauchte Amatis, die von Lukes Plan überzeugter zu sein schien als Luke selbst. »Da draußen sind viele Schattenweltler, die auf jeden Fall mit uns kämpfen werden, und sie sind verdammt mächtig. Schon allein die Hexenmeister . . .«

Mit einem kurzen Kopfschütteln wandte Senhora Monteverde sich an ihren Mann. »Dieser Plan ist völliger Irrsinn. Er wird niemals funktionieren. Schattenwesen kann man nicht trauen.«

»Während des Aufstands hat es funktioniert«, hielt Luke dagegen.

Die Portugiesin verzog verächtlich die Lippen. »Aber nur weil Valentin mit einem Haufen Narren und keinem Dämonenheer angetreten ist«, erwiderte sie. »Und woher wollen wir überhaupt wissen, dass die Mitglieder seines alten Kreises nicht zu ihm zurückkehren, sobald er sie an seine Seite ruft?«

»Sei vorsichtig mit dem, was du da sagst, Senhora«, knurrte Robert Lightwood. Es war das erste Mal seit über einer Stunde, dass er sich überhaupt zu Wort meldete; den Großteil des Abends hatte er reglos dagesessen, wie betäubt von seinem Kummer. Tiefe Falten hatten sich in sein Gesicht gegraben – Falten, von denen Luke geschworen hätte, dass sie drei Tage zuvor noch nicht da gewesen waren – und die Qualen, die er litt, zeigten sich deutlich in seinen angespannten Schultern und den zusammengeballten Fäusten. Luke konnte es ihm kaum verübeln. Zwar hatte er Robert nie besonders gemocht, aber der Anblick eines solch großen Mannes, der vor Kummer ganz hilflos wirkte, ließ sich nur schwer ertragen. »Wenn du glaubst, ich würde mich Valentin nach Max' Tod wieder anschließen, hast du dich geirrt«, wandte Robert sich erneut an die Portugiesin. »Er hat meinen Jungen kaltblütig *ermorden* lassen . . .«

»Robert«, murmelte Maryse und legte ihm beruhigend eine Hand auf den Arm.

»Wenn wir uns Valentin nicht anschließen, werden möglicherweise *all* unsere Kinder sterben«, warf Senhor Monteverde ein.

»Wenn ihr das glaubt, warum seid ihr dann überhaupt gekommen?«, schnaubte Amatis und sprang auf die Beine. »Ich dachte, wir wären darin übereingekommen, dass . . .«

Das hab ich auch gedacht. Lukes Kopf dröhnte. So war es jedes Mal mit ihnen, dachte er, zwei Schritte vor und einen zurück. Diese Schattenjäger waren genauso schlimm wie die sich gegenseitig bekriegenden Schattenweltler – wenn sie das doch nur begreifen würden. Vielleicht wären sie alle ja tatsächlich besser dran, wenn sie ihre Probleme durch Kämpfen lösen würden, so wie sein Rudel . . .

Plötzlich erregte eine rasche Bewegung vor den Türen der Halle Lukes Aufmerksamkeit. Das Ganze hatte nur den Bruchteil einer Sekunde gedauert, und wenn der Mond nicht fast voll gewesen wäre, hätte er die Bewegung vielleicht nicht einmal bemerkt oder die Gestalt erkannt, die auf den Stufen vor der Halle unruhig auf und ab lief. Einen Moment lang fragte Luke sich, ob er sich das vielleicht eingebildet hatte – manchmal, wenn er sehr erschöpft war, glaubte er, Jocelyn zu sehen, in den Tiefen eines Schattens, im Spiel des Lichts auf einer Mauer.

Aber die Gestalt dort draußen war nicht Jocelyn. Rasch erhob Luke sich von seinem Platz. »Ich geh mal fünf Minuten an die frische Luft. Bin gleich wieder zurück.« Er spürte, wie die anderen ihm nachsahen, während er zur Tür marschierte – alle, sogar Amatis. Senhor Monteverde flüsterte seiner Frau etwas auf Portugiesisch zu; Luke schnappte das Wort »lobo« auf, den Begriff für »Wolf«. *Wahrscheinlich denken sie, dass ich nach draußen gehe, um im Kreis zu rennen und den Mond anzuheulen.*

Die Luft vor der Halle war kalt und frisch; der Himmel schimmerte in einem Schiefergrau. Im Osten tönte die Morgendämmerung den Horizont leicht rötlich und tauchte die weißen Marmorstufen in einen rosa Schein. Am Fuß der Treppe wartete Jace auf ihn. Seine weiße Trauerkleidung versetzte Luke einen heftigen Stich – eine Ermahnung an all die Toten, die sie bereits zu beklagen hatten und an jene, die vermutlich bald fallen würden.

Luke blieb ein paar Stufen oberhalb von Jace stehen. »Was machst du hier, Jonathan?«

Als Jace schwieg, verfluchte Luke sich innerlich für seine Vergesslichkeit – Jace mochte es nicht, wenn man ihn Jonathan nannte, und reagierte darauf normalerweise mit einer scharfen Bemerkung. Doch dieses Mal schien es ihn überhaupt nicht zu interessieren. Der Ausdruck auf seinem Gesicht war so fest entschlossen wie der auf den Mienen sämtlicher Schattenjäger in der Abkommenshalle. Obwohl ihn noch ein ganzes Jahr vom Eintritt ins Erwachsenenalter trennte, hatte er in seinem kurzen Leben schon schlimmere Dinge gesehen, als die meisten Erwachsenen sich auch nur vorstellen konnten.

»Suchst du deine Eltern?«, fragte Luke.

»Du meinst die Lightwoods?« Jace schüttelte den Kopf. »Nein. Ihretwegen bin ich nicht hier. Ich muss mit *dir* reden.«

»Geht es um Clary?« Luke stieg ein paar Stufen hinunter, bis er direkt oberhalb von Jace stand. »Ist mit ihr alles in Ordnung?«

»Es geht ihr gut.« Bei der Erwähnung von Clarys Namen schienen Jace' Züge sich zu verkrampfen, was wiederum Lukes geschärfte Sinne alarmierte; aber andererseits würde Jace niemals behaupten, dass es Clary gut ginge, wenn das nicht der Fall wäre.

»Worum geht es denn dann?«, fragte er.

Jace schaute an ihm vorbei, in Richtung Eingangstür der Abkommenshalle. »Und, wie läuft's da drinnen? Kommt ihr voran?«

»Nein, nicht besonders gut«, räumte Luke ein. »So wenig die Schattenjäger sich Valentin ergeben wollen, so wenig passt ihnen die Vorstellung, dass Schattenweltler in die Kongregation berufen werden könnten. Aber ohne eine feste Zusage für einen Sitz in der Kongregation werden meine Leute nicht kämpfen.«

Jace' Augen funkelten. »Der Rat wird diese Idee *hassen.*«

»Er braucht sie ja nicht zu lieben – sie muss ihm nur besser gefallen als die Vorstellung eines kollektiven Selbstmords.«

»Wie ich den Rat kenne, werden die Mitglieder versuchen, sich nicht festzulegen«, erklärte Jace. »Wenn ich du wäre, würde ich ihnen ein Ultimatum stellen. Mit klaren Zeitvorgaben kommt der Rat besser zurecht.«

Luke musste über diesen Ratschlag grinsen. »Sämtliche Schattenweltler, die ich zusammentrommeln konnte, werden sich bei Anbruch der Dunkelheit vor dem Nordtor versammeln. Wenn der Rat bis dahin zustimmt, mit ihnen zusammen zu kämpfen, werden sie die Stadt betreten. Wenn nicht, kehren sie sofort um. Noch mehr Zeit konnte ich dem Rat nun wirklich nicht einräumen – wir schaffen es ohnehin kaum noch rechtzeitig bis Mitternacht zur Brocelind-Ebene.«

Jace pfiff durch die Zähne. »Da fährst du ja ein großes Geschütz auf. Hoffst du, dass der Anblick all dieser Schattenweltler den Rat inspirieren wird, oder willst du ihm Angst einjagen?«

»Vermutlich ein bisschen von beidem. Viele Ratsmitglieder gehören einem Institut an, so wie du, und sind den Umgang mit Schattenweltlern gewöhnt. Aber mir bereiten vor allem die Einwohner Idris' Sorgen. Der Anblick von Schattenweltlern vor ihren Toren könnte bei ihnen Panik auslösen. Andererseits kann es nicht schaden, wenn sie daran erinnert werden, wie verwundbar sie sind.«

Wie auf Kommando wanderte Jace' Blick hinauf zu den schwarzen Ruinen der Garnison – ein düsterer Schandfleck inmitten der Hügel über der Stadt. »Ich glaube nicht, dass irgendjemand weitere Erinnerungen daran benötigt.« Dann wandte er sich wieder Luke zu, mit ernstem Ausdruck in den klaren Augen. »Ich möchte dir etwas mitteilen und ich möchte, dass du es vertraulich behandelst.«

Luke konnte seine Überraschung nicht verbergen. »Und warum willst du es mir erzählen? Warum nicht den Lightwoods?«

»Weil du derjenige bist, der hier die Verantwortung trägt . . .

der tatsächlich die Fäden in der Hand hat. Und das weißt du auch.«

Luke zögerte. Irgendetwas an Jace' bleichem, müdem Gesicht erweckte bei ihm trotz der eigenen Erschöpfung Sympathie – Sympathie und den Wunsch, diesem Jungen, der von den Erwachsenen in seinem Leben derart betrogen und missbraucht worden war, zu zeigen, dass nicht alle Erwachsenen so waren, dass es tatsächlich welche gab, auf die er sich verlassen konnte. »Also gut.«

»Und«, fuhr Jace fort, »weil ich darauf vertraue, dass du die richtigen Worte finden wirst, um es Clary zu erklären.«

»*Was* soll ich Clary erklären?«

»Warum ich es tun musste.« Jace' Augen schimmerten groß in der aufgehenden Sonne, wodurch er um Jahre jünger wirkte. »Ich werde Sebastian aufspüren, Luke. Ich weiß, wo ich ihn finden kann, und dann werde ich ihm so lange folgen, bis er mich zu Valentin führt.«

Vor Überraschung verschlug es Luke den Atem. »Du *weißt, wo du ihn finden kannst?*«, stieß er hervor.

»Als ich bei Magnus in dessen Wohnung in Brooklyn untergebracht war, hat er mir gezeigt, wie man jemanden mithilfe von Ortungsmagie lokalisieren kann. Damals haben wir Valentins Ring benutzt, um ihn zu finden. Das hat zwar nicht funktioniert, aber . . .«

»Jace, du bist kein Hexenmeister! Du solltest eigentlich gar nicht in der Lage sein, Ortungsmagie anzuwenden.«

»Nur die Ruhe – es geht hier um eine Rune. Um die gleiche Art von Rune, die die Inquisitorin benutzte, um mich zu beschatten, als ich Valentin auf seinem Schiff aufgesucht habe.

Das Einzige, was mir bisher noch fehlte, war ein Stück von Sebastians persönlichem Hab und Gut«, erwiderte Jace.

»Aber wir haben doch das ganze Haus der Penhallows auf den Kopf gestellt. Sebastian hat nichts zurückgelassen. Sein Zimmer war penibel gesäubert – wahrscheinlich genau aus diesem Grund.«

»Ich habe aber etwas gefunden«, erklärte Jace. »Einen Faden mit seinem Blut daran. Das ist zwar nicht viel, reicht jedoch völlig. Ich habe es bereits ausprobiert und es hat funktioniert.«

»Aber du kannst doch nicht einfach allein losziehen, um Valentin zu suchen, Jace. Das werde ich nicht zulassen«, protestierte Luke.

»Du wirst mich nicht daran hindern können. Es sei denn, du legst es gleich hier auf einen Kampf an. Einen Kampf, den du im Übrigen nicht gewinnen kannst. Das weißt du genauso gut wie ich.« In Jace' Stimme schwang ein seltsamer Ton mit, eine Mischung aus Gewissheit und Selbsthass.

»Hör zu, Jace, so entschlossen du auch sein magst, den einsamen Helden zu spielen . . .«, setzte Luke an.

»Ich bin kein Held«, unterbrach Jace ihn mit ruhiger, tonloser Stimme, als würde er eine einfache Tatsache verkünden.

»Aber denk doch mal daran, was du den Lightwoods damit antust, selbst wenn dir nichts passieren sollte. Denk an Clary . . .«

»Glaubst du wirklich, ich würde dabei *nicht* an Clary denken? Nicht an meine Familie? Was glaubst du denn, warum ich das alles hier mache?«

»Und denkst *du* vielleicht, ich wüsste nicht mehr, wie es ist,

siebzehn zu sein?«, entgegnete Luke. »Wenn man davon überzeugt ist, die Kraft zur Rettung der Welt zu haben – und nicht
nur die Kraft, sondern auch die Verpflichtung . . .«

»Sieh mich mal an«, forderte Jace Luke auf. »Sieh mir ins Gesicht und dann sag mir, dass ich ein ganz normaler Siebzehn-
jähriger bin.«

Luke seufzte. »An dir ist nichts Normales.«

»Dann sag mir, dass es unmöglich ist. Sag mir, dass mein
Vorhaben sich nicht durchführen lässt.« Als Luke schwieg, fuhr
Jace fort: »Hör mal, dein Plan ist gut. Bring die Schattenweltler
nach Brocelind und bekämpf Valentin vor den Toren Alicantes.
Alles ist besser, als tatenlos zuzusehen, wie er über die Stadt
hinwegwalzt. Aber genau damit rechnet er. Du wirst ihn auf
diese Weise nicht überrumpeln können. Ich dagegen . . . ich
könnte ihn überraschen. Denn vielleicht weiß er nicht, dass
Sebastian beschattet wird. Das ist zumindest eine Möglichkeit
und wir müssen jede Chance ergreifen, die sich uns bietet.«

»Das mag ja alles richtig sein«, erwiderte Luke. »Aber so ein
Wagnis kann man unmöglich von einem Menschen allein verlangen. Nicht einmal von dir.«

»Aber verstehst du denn nicht? Ich bin der *Einzige,* der überhaupt dafür infrage kommt«, widersprach Jace, in dessen Stimme sich allmählich Verzweiflung schlich. »Selbst wenn Valentin merken sollte, dass ich ihn verfolge, lässt er mich vielleicht
nahe genug an sich heran . . .«

»Nahe genug heran *wofür?*«

»Um ihn zu töten«, erklärte Jace. »Was denn sonst?«

Erschöpft musterte Luke den Jungen, der eine Stufe unter
ihm stand. Er wünschte, er könnte irgendwie durch ihn hin-

durchsehen und Jocelyn in ihm erkennen, so wie er sie manchmal in Clary erkannte. Aber Jace war wie immer nur er selbst – beherrscht, allein und isoliert. »Das könntest du?«, fragte Luke. »Du könntest deinen eigenen Vater töten?«

»Ja«, bestätigte Jace, mit einer Stimme, die so entfernt klang wie ein Echo. »Kommt jetzt der Moment, in dem du mir sagst, dass ich ihn nicht töten kann, weil er immerhin mein Vater ist und weil Vatermord ein unverzeihliches Verbrechen darstellt?«

»Nein. Dies ist der Moment, in dem ich dir sage, dass du dir deiner Fähigkeiten absolut sicher sein musst«, erwiderte Luke und erkannte dabei zu seiner eigenen Überraschung, dass ein Teil von ihm längst akzeptiert hatte, dass Jace seinen Plan ohnehin ausführen würde – und dass er ihn nicht daran hindern wollte. »Du kannst nicht einfach alle Brücken hinter dir niederreißen und Valentin mutterseelenallein jagen, nur um dann im letzten Moment zu versagen.«

»Keine Sorge«, sagte Jace, »glaub mir, ich bin dazu fähig.« Sein Blick wanderte von Luke hinunter zum Platz, auf dem sich bis zum Tag zuvor noch die Leichen gestapelt hatten. »Mein Vater hat mich zu dem gemacht, was ich bin. Und dafür hasse ich ihn. Oh ja, ich kann ihn töten. Dafür hat er selbst gesorgt.«

Luke schüttelte den Kopf. »Ganz gleich, wie er dich erzogen hat, Jace, du hast dagegen angekämpft. Er hat dich nicht korrumpieren können . . .«

»Nein«, erwiderte Jace, »das brauchte er auch gar nicht.« Prüfend schaute er zum Himmel hinauf, der inzwischen von blaugrauen Streifen überzogen war. In den Bäumen rund um den

Platz hatten die ersten Vögel ihren Morgengesang angestimmt. »Ich sollte mich besser auf den Weg machen.«

»Gibt es irgendetwas, das ich den Lightwoods ausrichten soll?«

»Nein. Nein, sag ihnen gar nichts. Sie würden dir doch nur Vorwürfe machen, wenn sie davon erfahren sollten, dass du von meinem Plan wusstest und mich trotzdem hast gehen lassen. Ich habe ihnen eine Nachricht hinterlassen«, fügte er hinzu. »Sie werden es schon selbst herausfinden.«

»Und warum . . .«

». . . hab ich dir das alles dann erzählt? Weil ich will, dass du es weißt. Ich möchte, dass du es im Hinterkopf behältst, wenn du deinen Schlachtplan schmiedest . . . Dass ich dort draußen bin und nach Valentin suche. Wenn ich ihn finde, schick ich dir eine Nachricht.« Ein flüchtiges Lächeln huschte über Jace' Gesicht. »Betrachte mich einfach als deinen Ausweichplan.«

Luke beugte sich nach unten und ergriff die Hand des Jungen. »Wenn dein Vater nicht der wäre, der er ist, wäre er sehr stolz auf dich«, sagte er.

Einen Moment lang wirkte Jace überrascht, doch genauso schnell errötete er und zog seine Hand zurück. »Wenn du wüsstest . . .«, setzte er an, biss sich dann aber auf die Lippe. »Ach, schon gut. Alles Gute, Lucian Graymark. *Ave atque vale.*«

»Lass uns hoffen, dass dies kein endgültiger Abschied wird«, erwiderte Luke. Die Sonne war inzwischen über den Bäumen aufgestiegen, und als Jace den Kopf hob, um gegen die plötzliche Lichtfülle anzublinzeln, zeichnete sich etwas auf seinem Gesicht ab – eine Mischung aus Verletzlichkeit und störrischem Stolz, die in Luke eine Saite zum Klingen brachte. »Du erinnerst mich an jemanden«, platzte er, ohne nachzudenken, heraus. »An jemanden, den ich vor Jahren gekannt habe.«

»Ich weiß«, sagte Jace mit einem bitteren Zug um den Mund. »Ich erinnere dich an Valentin.«

»Nein«, widersprach Luke in einem verwunderten Ton, doch als Jace sich abwandte, verblasste die Erinnerung wieder und die Geister der Vergangenheit verschwanden. »Nein, an Valentin habe ich dabei überhaupt nicht gedacht – ganz im Gegenteil.«

In dem Moment, in dem Clary erwachte, wusste sie sofort, dass Jace fort war. Sie wusste es, noch bevor sie die Augen aufgeschlagen hatte. Ihre Hand, die noch immer quer über der Bettdecke lag, war leer; keine Finger erwiderten den Druck ihrer Finger. Langsam setzte sie sich auf, ein mulmiges Gefühl im Magen.

Jace musste die Vorhänge geöffnet haben, ehe er gegangen war, denn das Fenster stand offen und helle Sonnenstrahlen fielen auf das Bett. Clary fragte sich, warum das Licht sie nicht geweckt hatte. Der Himmelsstellung der Sonne nach zu urteilen, musste es bereits früher Nachmittag sein. Clarys Kopf fühlte sich schwer und irgendwie umnebelt an und ihr Blick war verschwommen. Vielleicht hatte sie deswegen so lange geschlafen, weil sie in der vergangenen Nacht zum ersten Mal seit langer Zeit nicht von Albträumen geplagt worden war und ihr Körper sich den benötigten Schlaf einfach geholt hatte.

Erst als sie aufstand, bemerkte sie den zusammengefalteten Zettel auf ihrem Nachttisch. Mit einem Lächeln um die Lippen nahm sie ihn in die Hand – Jace hatte ihr also eine Nachricht hinterlassen –, und als etwas Schweres unter dem Papier hervorrutschte und klirrend zu Boden fiel, war sie so überrascht, dass sie erschrocken einen Satz nach hinten machte.

Vor ihren Füßen lag ein Haufen glitzernder Metallglieder. Noch bevor sie sich danach bückte, wusste Clary, worum es sich dabei handelte: um die Kette mit dem Silberring, die Jace um den Hals getragen hatte. Der Familienring. Clary hatte Jace so gut wie nie ohne diese Kette gesehen. Plötzlich wurde sie von einem Gefühl der Furcht erfasst.

Beunruhigt faltete sie das Papier auseinander und las die ersten Zeilen: *Trotz allem, was geschehen ist, kann ich den Gedanken nicht ertragen, dass dieser Ring für immer verloren gehen könnte – genauso wenig wie ich den Gedanken ertragen kann, dich für immer zu verlieren. Und obwohl ich im letzteren Fall keine andere Wahl habe, liegt es wenigstens bei dem Ring in meiner Macht, eine Wahl zu treffen.*

Der Rest des Briefs schien vor Clarys Augen zu einer bedeutungslosen Ansammlung von Buchstaben zu verschwimmen; sie musste die Zeilen wieder und wieder lesen, um einen Sinn darin zu erkennen. Als sie die Nachricht schließlich vollständig verstanden hatte, stand sie einfach nur da und starrte auf den Bogen Papier, der in ihrer Hand unkontrolliert zu zittern begann. In diesem Moment begriff sie, warum Jace ihr all die Dinge erzählt und warum er gesagt hatte, dass eine einzige Nacht keine Rolle spielte. Schließlich konnte man jemandem, von dem man glaubte, dass man ihn nie wiedersehen würde, alles anvertrauen, was man wollte.

Als Clary kurze Zeit später in Schattenjägermontur die Treppe hinunterstürmte, konnte sie sich nicht erinnern, was sie als Nächstes getan oder wie sie sich angezogen hatte. Doch nun lief sie hastig ins Erdgeschoss, den Brief in einer Hand haltend und die Kette mit dem Ring hastig über den Kopf gestreift.

Das Wohnzimmer war leer, das Feuer im Kamin zu grauer Asche heruntergebrannt, aber aus der Küche drangen Licht und Lärm, fröhliche Stimmen und der Geruch von warmen Backwaren. *Pfannkuchen?,* überlegte Clary erstaunt. Sie hätte nicht gedacht, dass Amatis wusste, wie man die zubereitet.

Und damit sollte sie auch recht behalten. Als sie die Küche betrat, spürte sie, wie sich ihre Augen vor Überraschung weiteten: Am Herd stand Isabelle, die glänzenden schwarzen Haare im Nacken zu einem Knoten hochgesteckt, eine Schürze um die Hüften und eine Schöpfkelle in der Hand. Simon saß am Tisch hinter ihr, die Füße auf einen Stuhl gelegt, und Amatis lehnte entspannt gegen die Küchentheke – statt ihm zu sagen, er solle die Schuhe runternehmen.

Isabelle wedelte Clary mit der Schöpfkelle entgegen. »Guten Morgen«, rief sie. »Hast du Lust auf Frühstück? Obwohl es vermutlich wohl eher Zeit fürs Mittagessen wäre.«

Sprachlos schaute Clary zu Amatis, die nur die Achseln zuckte. »Die beiden sind gerade erst hier aufgetaucht und wollten Frühstück machen«, erklärte sie, »und ich muss gestehen, dass ich keine besonders gute Köchin bin.«

Unwillkürlich dachte Clary an Isabelles grauenhafte Suppe im Institut und unterdrückte ein Schaudern. »Wo ist Luke?«, fragte sie.

»In Brocelind, bei seinem Rudel«, sagte Amatis. »Ist alles in Ordnung mit dir, Clary? Du guckst so . . .«

». . . entgeistert«, beendete Simon den Satz für sie. »Alles in Ordnung?«

Einen Moment lang fiel Clary keine Antwort darauf ein. *Die beiden sind gerade erst hier aufgetaucht,* hatte Amatis gesagt. Das bedeutete, dass Simon die *ganze* Nacht bei Isabelle verbracht hatte. Sprachlos starrte Clary ihn an. Er sah jedoch nicht anders aus als sonst.

»Mir geht's gut«, brachte sie schließlich hervor. Dies war wohl kaum der richtige Augenblick, um sich Gedanken über Simons Liebesleben zu machen. »Ich muss mit Isabelle reden.«

»Schieß los«, sagte Isabelle und stocherte an einem unförmigen Teigklumpen am Boden der Pfanne herum, bei dem es sich vermutlich um einen Pfannkuchen handeln sollte. »Ich bin ganz Ohr.«

»*Unter vier Augen*«, betonte Clary.

Isabelle runzelte die Stirn. »Kann das nicht warten? Ich bin fast fertig . . .«

»Nein«, erwiderte Clary und in ihrer Stimme schwang ein Ton mit, der wenigstens Simon dazu veranlasste, sich aufrecht hinzusetzen. »Nein, das kann nicht warten.«

Simon erhob sich vom Tisch. »Okay. Dann lassen wir euch beide mal allein«, sagte er und wandte sich an Amatis. »Vielleicht könntest du mir jetzt diese Babyfotos von Luke zeigen, von denen du eben geredet hast.«

Amatis warf Clary einen beunruhigten Blick zu, folgte Simon dann aber doch aus dem Raum hinaus. »Ich kann ja mal nachsehen, ob ich sie finde . . .«

Als sich die Tür hinter den beiden geschlossen hatte, schüttelte Isabelle den Kopf. Dabei glitzerte irgendetwas in ihrem

Nacken: ein funkelndes, äußerst feines Messer, das sie durch ihre hochgesteckten Haare geschoben hatte, um diese zu fixieren. Denn trotz der häuslichen Atmosphäre war sie immer noch eine Schattenjägerin. »Hör mal«, setzte sie nun an. »Falls es bei diesem Gespräch um Simon gehen sollte . . .«

»Hier geht's nicht um Simon. Es geht um Jace.« Clary hielt Isabelle die Nachricht entgegen. »Hier, lies das.«

Mit einem Seufzer schaltete Isabelle den Herd aus, nahm den Zettel und setzte sich, um ihn zu studieren. Clary angelte sich einen Apfel aus dem Obstkorb und ließ sich auf einem Stuhl nieder, während Isabelle auf der anderen Seite des Tischs schweigend Jace' Nachricht las. Stumm zupfte Clary an der Apfelschale herum; sie konnte sich nicht vorstellen, den Apfel zu essen – genau genommen, konnte sie sich nicht vorstellen, überhaupt jemals wieder irgendetwas zu essen.

Nach einer Weile schaute Isabelle mit fragend hochgezogenen Augenbrauen auf. »Dieser Brief scheint . . . scheint ziemlich persönlich zu sein. Bist du sicher, dass ich ihn wirklich lesen soll?«

Vermutlich nicht. Clary konnte sich kaum an die Worte in Jace' Brief erinnern; unter normalen Umständen hätte sie ihn Isabelle auf keinen Fall gegeben, aber ihre panische Angst um Jace setzte alle anderen Bedenken außer Kraft. »Lies ihn einfach zu Ende.«

Isabelle wandte sich wieder ihrer Lektüre zu. Als sie die Nachricht vollständig gelesen hatte, legte sie den Brief auf den Tisch. »Ich hab mir schon gedacht, dass er so was machen würde.«

»Du verstehst also, was ich meine«, sprudelte Clary hervor.

»Er kann noch nicht lange weg oder weit gekommen sein. Wir müssen versuchen, ihn einzuholen und . . .« Sie verstummte abrupt, als ihr Gehirn endlich das verarbeitete, was Isabelle gesagt hatte. »Wie meinst du das: Du hättest dir schon gedacht, dass er so etwas machen würde?«

»Genau so, wie ich es gesagt habe.« Isabelle schob sich eine lose Haarsträhne hinters Ohr. »Seit Sebastian verschwunden ist, reden wir alle von nichts anderem, als ihn aufzuspüren. Ich habe sein Zimmer im Haus der Penhallows von Kopf bis Fuß durchsucht, um irgendetwas zu finden, mit dem wir ihn orten können – aber der Raum wirkte wie geleckt. Allerdings war mir auch klar: Sollte Jace einen persönlichen Gegenstand von Sebastian finden, würde er sofort versuchen, ihn aufzuspüren.« Sie biss sich auf die Lippe. »Ich hatte nur gehofft, dass er Alec mitnehmen würde. Alec wird nicht gerade erfreut sein.«

»Dann meinst du, Alec wird versuchen, Jace einzuholen?«, fragte Clary mit wachsender Hoffnung.

»Clary.« Isabelle klang ein wenig genervt. »Verrate mir mal, *wie* wir ihn einholen sollen! Woher sollen wir denn wissen, in welche Richtung er gegangen ist?«

»Aber es muss doch einen Weg geben . . .«

»Wir könnten versuchen, ihn zu orten. Aber Jace ist nicht blöd. Er wird eine Möglichkeit gefunden haben, eine Ortungsrune zu blockieren, genau wie Sebastian.«

Eine kalte Wut regte sich in Clarys Brust. »Ich frage mich, ob du ihn überhaupt finden *willst*! Interessiert es dich überhaupt, dass er zu einem Vorhaben aufgebrochen ist, bei dem es sich im Grunde um ein Himmelsfahrtskommando handelt? Er kann Valentin unmöglich allein gegenübertreten.«

»Wahrscheinlich nicht«, räumte Isabelle ein. »Aber ich bin mir sicher, dass Jace seine Gründe hat . . .«

»Gründe wofür? Sterben zu wollen?«

»*Clary.*« Isabelles Augen funkelten in einem plötzlichen Anfall von Wut. »Glaubst du ernsthaft, dass wir anderen uns hier in *Sicherheit* befinden? Wir alle warten nur darauf, zu sterben oder in Knechtschaft gestürzt zu werden. Kannst du dir das wirklich vorstellen, dass Jace einfach nur herumsitzt und abwartet, bis etwas Schreckliches passiert? Siehst du ihn tatsächlich auf diese Weise . . .«

»Das Einzige, was ich sehe, ist die Tatsache, dass Jace genauso dein Bruder ist, wie Max es war«, erwiderte Clary. »Und bei *ihm* hat es dich interessiert, was mit ihm passiert ist«, fügte sie hinzu, bereute ihre Worte aber noch im selben Moment.

Isabelles Gesicht wurde kreidebleich, als hätten Clarys Worte ihrer Haut sämtliche Farbe entzogen. »Max«, konterte sie mit mühsam beherrschter Wut, »war ein *kleiner Junge,* kein Krieger – er war *neun Jahre alt.* Jace ist ein Schattenjäger, ein Soldat. Glaubst du, dass Alec nicht in die Schlacht ziehen wird, wenn wir gegen Valentin kämpfen? Glaubst du wirklich, dass nicht jeder Einzelne von uns jederzeit bereit ist zu sterben, falls es sein muss, falls die Sache es erfordert? Valentin ist Jace' Vater. Von uns allen hat Jace vermutlich die größte Chance, nahe genug an ihn heranzukommen, um das zu tun, was getan werden muss . . .«

»Valentin wird Jace töten, wenn es darauf ankommt«, entgegnete Clary. »Er wird ihn nicht verschonen.«

»Ich weiß.«

»Aber das spielt alles keine Rolle, solange Jace nur heldenhaft stirbt? Wird er dir denn überhaupt nicht fehlen?«

»Jace wird mir *jeden einzelnen* Tag fehlen«, sagte Isabelle, »und zwar für den Rest meines Lebens, was vermutlich – falls Jace versagt – noch etwa eine Woche dauern wird; da wollen wir uns doch mal nichts vormachen.« Verärgert schüttelte sie den Kopf. »Du kapierst es nicht, Clary. Du verstehst einfach nicht, wie es ist, im ständigen Kriegszustand zu leben, mit Schlachten und Opfern aufzuwachsen. Vermutlich ist das nicht deine Schuld. Du bist einfach nur nicht so erzogen . . .«

Abwehrend hielt Clary die Hände hoch. »Oh doch, ich *verstehe* sehr gut. Ich weiß, du magst mich nicht, Isabelle. Weil ich für dich immer noch eine Irdische bin.«

»Du glaubst, *das* wäre der Grund . . .?« Isabelle verstummte. Ihre Augen glänzten, aber nicht vor Wut, wie Clary überrascht feststellte, sondern vor Tränen. »Gott, du kapierst aber auch *gar nichts,* oder? Seit wann kennst du Jace? Seit einem Monat? Ich kenne ihn seit sieben Jahren. Und in all diesen Jahren habe ich nicht ein einziges Mal erlebt, dass er sich verliebt hätte oder dass er jemand anderen auch nur *gemocht* hätte. Natürlich hat er sich mit etlichen Mädchen verabredet. Und die haben sich auch jedes Mal in ihn verliebt, aber ihn hat das völlig kaltgelassen. Ich vermute, das ist auch der Grund, weshalb Alec gedacht hat . . .« Isabelle unterbrach sich, hielt sich einen Moment kerzengerade und rührte sich nicht von der Stelle. *Sie versucht, nicht zu weinen,* dachte Clary verwundert – Isabelle, die immer den Eindruck erweckte, als würde sie *niemals* in Tränen ausbrechen. »Jace' Verhalten hat

mir ziemliche Sorgen gemacht und meiner Mutter auch . . .
Ich meine, welcher Jugendliche verknallt sich nicht wenigstens mal in jemanden? Es schien, als wäre er in Bezug auf andere Menschen irgendwie empfindungslos. Ich hab gedacht, das läge vielleicht daran, dass der brutale Tod seines Vaters ihm möglicherweise einen dauerhaften Schaden zugefügt hat, dass er vielleicht niemals einen anderen Menschen würde lieben können. Wenn ich damals gewusst hätte, was *tatsächlich* mit seinem Vater passiert ist – aber dann wäre ich wahrscheinlich auch zu keinem anderen Schluss gekommen, oder? Denn mal ehrlich: Wer würde bei dieser Geschichte *keinen* Schaden nehmen?

Und dann haben wir dich kennengelernt und es war, als würde Jace aus einem tiefen Schlaf erwachen. Du konntest das nicht sehen, weil du ihn ja gar nicht anders kanntest. Aber ich hab es gesehen. Hodge hat es gesehen. Und Alec ebenfalls . . . Was glaubst du wohl, warum er dich so gehasst hat? Und so war es von der allerersten Sekunde an: Du hast es erstaunlich gefunden, dass du uns sehen konntest, und das war es ja auch. Aber was *mich* am meisten erstaunte, war die Tatsache, dass Jace *dich umgekehrt ebenfalls sah*. Auf dem gesamten Rückweg zum Institut hat er von nichts anderem als von dir gesprochen; dann hat er Hodge überredet, dass *er* dich suchen durfte, und als er dich ins Institut gebracht hatte, wollte er nicht, dass du wieder gingst. Ganz gleich, wo du dich in einem Raum aufgehalten hast, seine Augen ruhten ständig auf dir . . . Er war sogar auf Simon eifersüchtig. Ich bin mir nicht sicher, ob ihm das selbst bewusst gewesen ist, aber an der Tatsache lässt sich nun mal nicht rütteln. Ich konnte es ihm ansehen. Eifersüchtig auf einen *Irdischen*. Und dann, nach dieser Geschichte auf der Party, als Simon sich in eine Ratte verwandelt hatte, war Jace bereit, mit dir ins Hotel Dumort zu gehen, die Gesetze des Rats zu brechen, nur um einen Irdischen zu retten, den er nicht einmal mochte. Das hat er nur für dich getan. Weil er wusste, dass es *dich* zutiefst treffen würde, wenn Simon irgendetwas zustoßen sollte. Du warst der erste Mensch außerhalb unserer Familie, dessen Glück ihm am Herzen lag. Weil er dich *geliebt* hat.«

Clary stieß einen unterdrückten Laut aus. »Aber das war, bevor . . .«

». . . bevor er herausfand, dass du seine Schwester bist. Ich weiß. Und ich mache dir deswegen auch keine Vorwürfe. Du hast es nicht wissen können. Und vermutlich hast du auch nicht anders gekonnt, als danach unbekümmert weiterzumachen und dich mit Simon zu verabreden, als würde dich das Ganze überhaupt nicht interessieren. Ich hab gedacht, da Jace nun wusste, dass du seine Schwester bist, würde er aufgeben und irgendwann darüber hinwegkommen. Aber das war nicht der Fall – er konnte es einfach nicht. Ich weiß nicht, was Valentin ihm angetan hat, als er noch ein Kind war, und ob das vielleicht der Grund für Jace' Verhalten ist. Oder ob er einfach von Natur aus so sein muss. Aber er kommt nicht über dich hinweg, Clary. Er schafft es einfach nicht. Nach einer Weile hab ich angefangen, deinen Anblick zu hassen. Ich habe dich dafür gehasst, dass *Jace* dich immer wiedersehen musste. Das ist wie bei einer Verletzung mit Dämonengift – man muss die Wunde in Ruhe lassen, damit sie heilen kann. Denn jedes Mal, wenn man den Verband entfernt, reißt man die Wunde nur wieder auf. Jedes Mal, wenn er dich sieht, ist es, als würde der Verband erneut abgerissen.«

»Ich weiß«, flüsterte Clary. »Was glaubst du denn, wie das für mich ist?«

»Keine Ahnung. Ich kann nicht sagen, was du empfindest. Schließlich bist du nicht *meine* Schwester. Aber ich hasse dich nicht, Clary. Im Gegenteil: Ich mag dich sogar. Wenn die Umstände anders wären, würde ich mir für Jace niemand anderes wünschen als dich. Aber ich hoffe, du verstehst, wenn ich jetzt sage: Sollten wir all das hier wie durch ein Wunder überleben, hoffe ich von ganzem Herzen, dass meine Familie so weit wegzieht, dass wir dich nie wiedersehen werden.«

Tränen brannten in Clarys Augen. Es war seltsam: Isabelle und sie saßen an diesem Tisch und weinten wegen Jace, aus Gründen, die sich einerseits deutlich voneinander unterschieden und sich andererseits doch auf seltsame Weise ähnelten. »Warum erzählst du mir das alles?«

»Weil du mir vorwirfst, ich würde Jace nicht beschützen wollen. Selbstverständlich möchte ich ihn beschützen. Warum, glaubst du, war ich so bestürzt, als du plötzlich bei den Penhallows aufgetaucht bist? Du agierst immer so, als wärst du nicht Teil dieser ganzen Geschichte, nicht Teil unserer Welt – als wärst du nur ein Zaungast. Aber das stimmt nicht: Du bist ein Teil davon. Du stehst sogar mittendrin. Du kannst nicht ewig so tun, als würde dich das alles nicht betreffen, Clary – nicht wenn du Valentins Tochter bist. Nicht wenn Jace das, was er tut, teilweise deinetwegen macht.«

»*Meinetwegen?*«

»Was glaubst du wohl, warum er sein Leben so bereitwillig aufs Spiel setzt? Warum es ihm egal ist, ob er stirbt?«

Isabelles Worte stachen wie spitze Nadeln in Clarys Ohren. *Ich weiß den Grund,* dachte sie. *Weil er glaubt, er sei ein Dämon, kein richtiger Mensch – das ist der Grund. Aber den kann ich dir nicht verraten. Ich kann dir das Einzige, was dich verstehen lassen würde, nicht sagen.*

»Jace hat schon immer gedacht, dass mit ihm irgendetwas nicht stimmen würde, und deinetwegen glaubt er jetzt, dass er für immer verflucht sei. Ich hab gehört, wie er das zu Alec gesagt hat. Warum sollte man *nicht* sein Leben riskieren, wenn man sowieso nicht mehr leben will? Warum sollte man *nicht* sein Leben riskieren, wenn man doch nie wieder glücklich sein wird, ganz gleich, was man auch versucht?«

»Isabelle, das reicht jetzt.« Die Küchentür hatte sich fast lautlos geöffnet und Simon stand im Türrahmen. Clary hatte ganz vergessen, wie viel schärfer sein Gehör seit der Verwandlung war. »Das ist nicht Clarys Schuld.«

Heiße Wut verfärbte Isabelles Gesicht. »Halt dich da raus, Simon! Du hast keine Ahnung, worum's hier geht.«

Doch Simon trat einen Schritt in die Küche und schloss die Tür hinter sich. »Ich hab genug von dem gehört, was du gesagt hast«, erwiderte er sachlich. »Sogar durch die Wand. Du hast gesagt, du wüsstest nicht, was Clary empfinden würde, weil du sie nicht lange genug kennst. Aber ich kenne sie. Wenn du glaubst, Jace sei der Einzige, der hier leidet, dann hast du dich geirrt.«

Einen Moment lang herrschte Stille und der wütende Ausdruck verschwand allmählich aus Isabelles Gesicht. In der Ferne glaubte Clary zu hören, wie jemand an die Haustür klopfte: Luke vermutlich oder Maia, die weiteres Blut für Simon brachte.

»Nicht *meinetwegen* ist Jace aufgebrochen«, setzte Clary an und ihr Herz begann, wie wild zu schlagen. *Kann ich ihnen Jace' Geheimnis anvertrauen, jetzt, da er verschwunden ist? Kann ich ihnen den wahren Grund für seinen Aufbruch verraten, den wahren Grund dafür, dass es ihm egal ist, ob er stirbt?* Im nächsten Moment schienen die Worte nur so aus ihr herauszuströmen, fast gegen ihren Willen: »Als Jace und ich den Landsitz der Waylands aufgesucht haben . . . um das Weiße Buch zu finden . . .«

Im nächsten Moment verstummte sie jedoch, als jemand die Küchentür mit Schwung aufstieß. Amatis stürmte herein, mit einem äußerst merkwürdigen Ausdruck im Gesicht. Einen Augenblick lang dachte Clary, Amatis hätte Angst, und ihr Herz setzte einen Schlag aus. Doch dann erkannte sie, dass es sich nicht um einen Ausdruck der Furcht handelte. Amatis sah vielmehr so aus wie an jenem Abend, als Luke und Clary plötzlich bei ihr aufgetaucht waren. Sie sah aus, als hätte sie ein Gespenst gesehen. »Clary«, sagte sie langsam. »Da ist jemand, der dich sprechen will . . .«

Doch noch bevor sie ihren Satz beenden konnte, schob sich der Besucher an ihr vorbei in die Küche. Amatis ging einen Schritt zur Seite, sodass Clary einen Blick auf den Eindringling werfen konnte – eine schlanke, vollkommen in Schwarz gekleidete Frau. Zunächst sah Clary nur die Schattenjägermontur und hätte die Frau fast nicht erkannt . . . Erst in dem Moment, als ihr Blick bis zum Gesicht der Frau gewandert war, wurde es ihr schlagartig klar und sie spürte, wie ihr Magen einen Satz machte – genau wie damals, als Jace mit dem Motorrad über die Dachkante des Hotel Dumort gerast und sechs Stockwerke in die Tiefe gesaust war.

Vor ihr stand ihre Mutter.

TEIL DREI

DER WEG
ZUM HIMMEL

Oh ja, ich weiß, der Weg zum Himmel war leicht.
Wir fanden das kleine Reich unserer Leidenschaft,
das all jene teilen können, die den Weg der Liebenden gehn.
In wildem, heimlichem Glück taumelten wir;
und Götter und Dämonen tobten in unseren Sinnen.

SIEGFRIED SASSOON, »The Imperfect Lover«

16

GLAUBENSARTIKEL

Seit dem Abend, an dem ihre Mutter verschwunden war, hatte Clary sie sich immer wieder vorgestellt – wohlauf und gesund. Sie hatte diese Bilder so oft vor ihrem inneren Auge abgerufen, dass sie fast schon ein wenig abgenutzt wirkten, wie ein Foto, das man zu oft hervorgeholt und betrachtet hatte. Und genau diese Wunschvorstellungen stiegen nun wieder in ihr auf, noch während sie Jocelyn ungläubig anstarrte – Bilder, in denen ihre gesunde, glückliche Mutter sie in den Arm nahm und ihr erzählte, wie sehr sie ihr gefehlt habe, aber dass jetzt alles wieder gut werden würde.

Doch die Mutter in Clarys Wunschvorstellungen besaß nur wenig Ähnlichkeit mit der Frau, die nun direkt vor ihr stand. Clary hatte Jocelyn als sanfte, künstlerisch veranlagte Person in Erinnerung, als ein wenig unkonventionell mit ihren farbbekleckerten Overalls und den roten Haaren, die sie immer zu Zöpfen geflochten oder mit einem Bleistift zu einem wirren Knoten hochgesteckt hatte. Aber diese Jocelyn hier in Amatis' Küche wirkte so hart und scharf wie ein Messer: Ihre Haare waren straff nach hinten gekämmt und das tiefe Schwarz ihrer Schattenjägermontur ließ ihr Gesicht bleich und kantig erscheinen. Und auch ihr Gesichtsausdruck war vollkommen anders, als Clary ihn sich vorgestellt hatte: Statt Freude zeichnete sich eine Art Entsetzen auf ihren Zügen ab, als sie Clary aus großen grünen Augen musterte. »Clary«, stieß sie atemlos hervor. »Deine *Kleidung!*«

Clary schaute an sich hinab. Sie trug Amatis' alte Schattenjägermontur – genau die Sorte von Kleidung, die Jocelyn während Clarys gesamtem Leben von ihr fernzuhalten versucht hatte, damit ihre Tochter sie niemals würde tragen müssen. Clary schluckte heftig und stand auf, wobei sie sich mit den Händen an der Tischkante festklammerte. Sie konnte zwar sehen, dass ihre Fingerknöchel weiß hervorstachen, aber ihre Hände fühlten sich irgendwie losgelöst von ihrem Körper an, als gehörten sie jemand anderem.

Jocelyn ging einen Schritt auf sie zu und streckte die Arme aus. »Clary . . .«

Doch Clary musste feststellen, dass sie vor ihr zurückwich – so hastig, dass sie mit dem Kreuz schmerzhaft gegen die Küchentheke stieß. Aber der Schmerz drang kaum zu ihr durch. Stumm starrte sie ihre Mutter an – genau wie Simon, der Jocelyn mit offenem Mund anglotzte, und Amatis, die ein bestürztes Gesicht zog.

Sofort stand Isabelle auf und schob sich zwischen Clary und ihre Mutter. Ihre Hand glitt unter ihre Schürze und Clary hatte das Gefühl, dass Isabelles dünne Elektrumpeitsche darunter zum Vorschein kommen würde. »Was geht hier vor?«, fragte die junge Schattenjägerin energisch. »Wer sind Sie?«

Ihre kräftige Stimme zitterte ein wenig, als sie den Ausdruck auf Jocelyns Gesicht sah.

Jocelyn starrte sie sprachlos an, eine Hand auf ihr Herz gedrückt. »*Maryse*«, wisperte sie kaum hörbar.

Verblüfft musterte Isabelle die fremde Frau. »Woher kennen Sie den Namen meiner Mutter?«

Schlagartig kehrte das Blut in Jocelyns Wangen zurück. »Natürlich! Du bist Maryses Tochter. Du . . . du siehst ihr unglaublich ähnlich.« Langsam ließ sie ihre Hand sinken. »Ich bin Jocelyn Fr. . . Fairchild. Ich bin Clarys Mutter.«

Isabelle zog die Hand unter der Schürze hervor und warf Clary einen verwirrten Blick zu. »Aber Sie waren doch im Krankenhaus . . . in New York . . .«

»Ja, das stimmt«, bestätigte Jocelyn mit fester werdender Stimme. »Aber dank meiner Tochter geht es mir jetzt wieder gut. Und ich würde mich gern einen Moment mit ihr allein unterhalten.«

»Ich bin mir nicht sicher, ob sie das umgekehrt auch will«, warf Amatis ein und legte Jocelyn beruhigend eine Hand auf die Schulter. »Das muss ein ziemlicher Schock für sie sein . . .«

Jocelyn schüttelte Amatis ab und ging mit ausgestreckten Armen auf Clary zu. »Clary . . .«

In dem Moment fand Clary endlich ihre Stimme wieder – eine kalte, eisige Stimme, die so wütend war, dass es sie selbst überraschte. »Wie bist du hierhergekommen, Jocelyn?«

Abrupt blieb Jocelyn stehen und ein Ausdruck von Unsicherheit huschte über ihr Gesicht. »Ich habe ein Portal benutzt und mich vor die Tore der Stadt bringen lassen, zusammen mit Magnus Bane. Er ist gestern zu mir ins Krankenhaus gekommen und hat mir das Gegengift gebracht. Danach hat er mir alles erzählt, was du für mich getan hast. Und seit dem Moment, in dem ich aufgewacht bin, habe ich mir nichts anderes gewünscht, als dich zu sehen . . .« Ihre Stimme verstummte einen

Augenblick. »Clary, stimmt irgendetwas nicht?«, fragte sie schließlich.

»Warum hast du mir nie erzählt, dass ich einen Bruder habe?«, stieß Clary hervor. Eigentlich waren das nicht die Worte, die sie von sich selbst erwartet hätte – nicht einmal die, die sie geplant hatte. Aber nun waren sie ausgesprochen.

Jocelyn ließ die Hände sinken. »Ich dachte, er wäre tot. Ich dachte, es würde dir nur Kummer bereiten, wenn du davon wüsstest.«

»Dann will ich dir mal eines sagen, Mom«, entgegnete Clary. »Es ist immer besser, etwas zu wissen, als ahnungslos zu bleiben. Und das gilt für jede Situation. Ohne Ausnahme.«

»Es tut mir leid . . .«, setzte Jocelyn.

»*Es tut dir leid?*«, wiederholte Clary mit lauter werdender Stimme; sie hatte das Gefühl, als wäre tief in ihrem Inneren etwas aufgerissen worden, als würden sich all die angestauten Gefühle der vergangenen Wochen einen Weg nach draußen bahnen, ihre Verbitterung, ihre unterdrückte Wut. »Kannst du mir vielleicht mal erklären, warum du mir nie gesagt hast, dass ich eine Schattenjägerin bin? Oder dass mein Vater gar nicht tot ist, sondern noch lebt? Und, ach ja, wie steht es damit: Warum du Magnus dafür bezahlt hast, mir meine Erinnerungen zu nehmen?«

»Ich habe nur versucht, dich zu beschützen . . .«

»Na, das ist dir ja *großartig* gelungen!«, konterte Clary aufgebracht. »Was hast du eigentlich gedacht, was mit mir nach deinem Verschwinden passieren würde? Wenn Jace und die anderen nicht gewesen wären, wäre ich jetzt tot. Du hast mir nie gezeigt, wie ich mich selbst schützen kann. Mir nie gesagt, wie gefährlich die Welt für mich tatsächlich ist. Was hast du dir eigentlich dabei gedacht? Wenn ich das Böse nicht sehen könnte, dass es mich dann auch nicht sieht?« Clarys Augen brannten. »Du hast gewusst, dass Valentin nicht tot war. Du hast Luke erzählt, dass du glaubst, er wäre noch am Leben.«

»Genau deswegen habe ich dich ja verstecken müssen«, erwiderte Jocelyn. »Ich konnte das Risiko nicht eingehen, dass Valentin von deinem Aufenthaltsort erfuhr. Ich durfte nicht zulassen, dass er dich in seine Finger bekommen würde . . .«

»Weil er nämlich schon dein erstes Kind in ein Monster verwandelt hatte«, schnaubte Clary, »und du wolltest nicht, dass er mit mir dasselbe macht.«

Sprachlos vor Entsetzen starrte Jocelyn Clary an. »Ja«, sagte sie schließlich, »ja, das stimmt, aber das war nicht der einzige Grund, Clary . . .«

»Du hast mir meine Erinnerungen gestohlen«, fuhr Clary unbeirrt fort. »Du hast sie mir einfach genommen. Du hast mir genommen, wer ich tatsächlich bin.«

»Aber das bist du nicht!«, protestierte Jocelyn. »Ich habe nie gewollt, dass du so bist . . .«

»Es spielt keine Rolle, was *du* willst!«, stieß Clary wütend hervor. »Es geht darum, wer *ich* bin! All das hast du mir einfach genommen, aber dazu hattest du nicht das geringste Recht!«

Jocelyn war aschfahl geworden. Tränen stiegen Clary in die Augen – sie konnte es nicht ertragen, ihre Mutter so zu sehen, so verletzt, und dennoch war sie diejenige, die Jocelyn diese Verletzungen zufügte. Außerdem wusste Clary instinktiv: Wenn sie den Mund wieder öffnete, würden nur noch mehr schreckliche Worte daraus hervorsprudeln, noch mehr hässliche, wütende Dinge. Bestürzt schlug sie die Hand vor den Mund und stürmte in Richtung Flur, vorbei an ihrer Mutter und vorbei an Simons ausgestreckter Hand. Sie wollte weg, einfach nur weg. Tränenblind riss sie die Haustür auf und stolperte die Stufen hinunter auf die Straße. Hinter ihr rief jemand ihren Namen, doch Clary reagierte nicht darauf. Sie rannte los und drehte sich nicht mehr um.

Zu seiner Überraschung stellte Jace fest, dass Sebastian das Pferd der Familie Verlac im Stall zurückgelassen hatte, statt mit ihm in der Nacht seiner Flucht davonzugaloppieren. Vielleicht hatte er befürchtet, dass man Wayfarer und damit ihn auf irgendeine Weise orten konnte.

Es verschaffte Jace eine gewisse Befriedigung, den Hengst zu satteln und auf ihm aus der Stadt zu reiten. Sicher, wenn Sebastian Wayfarer wirklich gewollt hätte, hätte er ihn nicht zurückgelassen – außerdem hatte ihm das Pferd ja eigentlich gar nicht gehört. Aber Jace liebte Pferde nun mal. Sein letzter Reitausflug lag zwar schon sieben Jahre zurück, aber zu seiner großen Freude stellten sich die Erinnerungen rasch wieder ein.

Der Fußmarsch vom Landsitz der Waylands zurück nach Alicante hatte Clary und ihn sechs Stunden gekostet, doch jetzt, im strammen Galopp, brauchte er nur zwei Stunden, um an den Ort zurückzukehren. Bei seiner Ankunft auf dem Hügel, von dem sich ein Blick auf das Haus und die Ländereien bot, waren er und das Pferd mit leichtem Schweiß bedeckt.

Die Irrleitungs-Schutzschilde, die das Anwesen kaschiert hatten, waren zusammen mit den Grundmauern des Hauses zerstört worden. Von dem einst eleganten Gebäude schien nur noch ein Haufen rußgeschwärzter Balken und Steine zurückgeblieben zu sein. Nur der Garten, der an den Rändern angesengt war, erinnerte Jace noch an die Kindheit, die er hier verbracht hatte. Er entdeckte die alten Rosensträucher, inzwischen ohne Blüten und von Unkraut überwuchert, die Steinbank am Teich, aber auch die Senke, in der er mit Clary in der Nacht des Hauseinsturzes gelegen hatte. Und zwischen den Bäumen konnte er das blaue Glitzern des nahe gelegenen Sees erkennen.

Ein bitteres Gefühl überkam ihn. Mit finsterer Miene griff er in seine Tasche und zog zuerst eine Stele hervor – er hatte sie sich aus Alecs Zimmer »geborgt«, als Ersatz für seine eigene, die Clary verloren hatte. Schließlich konnte Alec sich jederzeit eine neue besorgen. Und dann holte Jace den Faden hervor, den er von Clarys Ärmel genommen hatte, legte ihn in seine Handfläche und schloss die Finger fest um das an einem Ende rötlich braun verfärbte Stück Garn, bis seine Knöchel weiß hervorstachen. Mit der Stele zeichnete er anschließend eine Rune auf seinen Handrücken. Sofort verspürte er das vertraute Sengen der Stelenspitze und beobachtete, wie das Runenmal wie ein Stein im Wasser in seiner Hautoberfläche versank. Dann schloss er die Augen.

Auf der Innenseite seiner Lider tauchte ein Tal auf. Er selbst stand auf einem Felsvorsprung, schaute auf die Landschaft hinab und wusste instinktiv, wo er sich befand – so als läge eine Karte vor ihm, die ihm seinen aktuellen Standort zeigte. Auf diese Weise hatte die Inquisitorin also gewusst, wo sie Valentins Schiff auf dem East River finden würde, begriff er schlagartig. Jedes kleinste Detail war glasklar zu erkennen – jeder Grashalm, die verstreuten braunen Blätter zu seinen Füßen –, nur kein einziges Geräusch. Über der Szenerie lag eine unheimliche Stille.

Das Tal erstreckte sich hufeisenförmig zwischen zwei Hügeln und spitzte sich an einem Ende zu. Ein silbern schimmernder Wasserlauf – ein Bach oder ein flacher Fluss – verlief durch die Talmitte und verschwand hinter Felsen am schmalen Ende. Direkt am Wasser erkannte Jace ein graues Steinhaus, aus dessen quadratischem Schornstein weiße Rauchwolken aufstiegen. Das Ganze wirkte seltsam idyllisch, fast ruhig und heiter unter dem strahlend blauen Himmel. Während Jace in die Ferne schaute, kam eine schlanke Gestalt in Sicht. Sebastian. Nun, da er niemandem mehr etwas vorspielen musste, trat seine arrogante Haltung deutlich zutage – die Art und Weise, wie er ging und seine Schultern hielt. Mit einem spöttischen Lächeln um die Lippen kniete er sich an das Ufer, tauchte die Hände in den Bach und spritzte sich Wasser ins Gesicht und über die Haare.

Jace öffnete die Augen. Unter ihm knabberte Wayfarer zufrieden an ein paar Grashalmen. Jace schob die Stele und den Faden wieder in seine Tasche und mit einem letzten Blick auf die Ruinen des Hauses, in dem er aufgewachsen war, packte er die Zügel und gab dem Pferd die Sporen.

Clary lag im Gras und starrte verdrossen über den Rand des Garnisonhügels hinunter auf Alicante. Der Blick von hier oben war wirklich sensationell, das musste sie zugeben. Sie konnte die Dächer der Stadt sehen, mit ihren eleganten Steinmetzarbeiten und den runenbedeckten Wetterfahnen; dahinter erkannte sie die Türme der Abkommenshalle und in der Ferne schimmerte etwas wie der Rand einer Silbermünze – der Lyn-See? Hinter ihr ragten die schwarzen Ruinen der Garnison auf und die Dämonentürme funkelten wie Kristall. Clary glaubte fast, die Schutzschilde wahrnehmen zu können, die wie ein unsichtbares Netz um die Stadtmauern herumflimmerten.

Missmutig schaute Clary auf ihre Hand; in ihrer Wut hatte sie mehrere Grasbüschel ausgerupft und an ihren Fingern klebten Dreck und Blut, da sie sich einen Nagel eingerissen hatte. Nach einer Weile war die Wut abgeebbt und hatte ein Gefühl der Leere hinterlassen. Clary war gar nicht bewusst gewesen, wie groß die Wut auf ihre Mutter war – jedenfalls nicht bis zu dem Moment, in dem Jocelyn durch die Küchentür spaziert kam und Clary ihre schrecklichen Sorgen um ihre Mutter beiseiteschieben und erkennen konnte, was unter dieser Angst geschlummert hatte. Jetzt, da sie sich ein wenig beruhigt hatte, fragte sie sich, ob ein Teil von ihr Jocelyn vielleicht für das bestrafen wollte, was mit Jace geschehen war. Wenn man ihn nicht belogen hätte – wenn man sie *beide* nicht belogen hätte –, dann hätte der Schock angesichts der Erkenntnis, was Valentin ihm in seiner Kindheit angetan hatte, ihn bestimmt nicht zu diesem Alleingang getrieben, der in Clarys Augen einem Selbstmord gleichkam.

»Was dagegen, wenn ich mich zu dir setze?«

Erschrocken zuckte Clary zusammen und drehte sich auf die Seite, um zu der Stimme hochzuschauen. Über ihr stand Simon, die Hände in den Taschen. Irgendjemand – vermutlich Isabelle – hatte ihm eine dunkle Jacke aus dem strapazierfähigen schwarzen Material gegeben, das die Nephilim für ihre Kampfmontur verwendeten. Ein Vampir in Schattenjägerkleidung, dachte Clary und fragte sich, ob das wohl eine Premiere war.

»Du hast dich an mich herangeschlichen«, sagte sie. »Ich schätze, dann kann ich keine allzu gute Schattenjägerin sein, oder?«

Simon zuckte die Achseln. »Na ja, zu deiner Verteidigung muss man wohl anführen, dass ich mich inzwischen mit lautloser, raubkatzenartiger Anmut bewege.«

Unwillkürlich musste Clary lächeln. Sie richtete sich auf und wischte sich den Dreck von den Händen. »Komm, setz dich. Hier darf jeder Trübsal blasen, wer will.«

Simon ließ sich neben ihr nieder, schaute über die Stadt und pfiff anerkennend. »Keine üble Aussicht.«

»Stimmt.« Clary warf ihm einen Seitenblick zu. »Wie hast du mich gefunden?«

»Na ja, das hat mich einige Stunden gekostet.« Er schenkte ihr ein leicht schiefes Lächeln. »Aber dann hab ich mich daran erinnert, wie wir früher immer gestritten haben, in der ersten Klasse, und dass du dann jedes Mal eingeschnappt auf unser Dach geklettert bist und meine Mom dich wieder runterholen musste . . .«

»Ja, und?«

»Ich kenne dich«, erklärte Simon. »Wenn dich irgendetwas betrübt, suchst du dir ein hoch gelegenes Fleckchen.« Und dann hielt er ihr wortlos etwas entgegen – ihren grünen, sorgfältig zusammengefalteten Umhang.

Clary nahm das Stoffbündel und schüttelte es aus. Das arme

Kleidungsstück trug schon sichtliche Gebrauchsspuren und am Ellbogen prangte sogar ein Loch, durch das man einen ganzen Finger schieben konnte.

»Danke, Simon.« Sie schlang die Arme um die Knie und starrte hinab auf die Stadt. Die Sonne stand bereits tief am Horizont und die Türme begannen, in einem schwachen rosaroten Schein zu glühen. »Hat meine Mutter dich hierhergeschickt, um mich zu holen?«

Simon schüttelte den Kopf. »Nein, das war Luke. Er hat mich gebeten, dir auszurichten, dass du vielleicht vor Sonnenuntergang zurückkommen solltest. Da unten passieren dann nämlich ein paar ziemlich wichtige Dinge.«

»Was für Dinge?«

»Luke hat den Ratsmitgliedern bis Sonnenuntergang Zeit gegeben, um sich zu entscheiden, ob sie den Schattenweltlern mehrere Sitze in der Kongregation einräumen wollen. Bei Anbruch der Dämmerung werden sich alle Schattenwesen vor dem Nordtor versammeln. Falls der Rat zustimmt, werden sie Alicante betreten. Und falls nicht . . .«

»Werden sie wieder verschwinden«, beendete Clary Simons Satz. »Und der Rat wird sich Valentin ergeben.«

»Ja.«

»Die Ratsmitglieder werden bestimmt zustimmen«, sagte Clary und umklammerte ihre Knie noch fester. »Sie müssen einfach. Sie können sich unmöglich für Valentin entscheiden. Das würde doch niemand tun.«

»Freut mich, dass du deinen Idealismus noch nicht verloren hast«, erwiderte Simon, aber obwohl sein Ton unbekümmert klang, hörte Clary noch eine andere Stimme daraus – Jace, der ihr gesagt hatte, er sei kein Idealist. Bei dem Gedanken daran erschauderte Clary, trotz des warmen Umhangs.

»Simon?«, setzte sie an. »Ich muss dich mal was Blödes fragen.«

»Schieß los!«

»Hast du mit Isabelle geschlafen?«

Simon stieß ein ersticktes Geräusch hervor. Clary wandte sich ihm langsam zu, um sein Gesicht sehen zu können.

»Alles in Ordnung?«, fragte sie.

»Glaub schon«, erwiderte er und versuchte mit sichtlicher Mühe, seine Selbstbeherrschung wiederzuerlangen. »Ist das dein Ernst?«, fragte er.

»Na ja, du warst doch die ganze Nacht weg.«

Simon schwieg eine Weile, doch schließlich meinte er: »Ich bin mir zwar nicht sicher, ob dich das überhaupt etwas angeht, aber die Antwort lautet Nein.«

»Okay«, sagte Clary und fügte nach einer kleinen Pause besonnen hinzu: »Ich hätte mir denken können, dass du niemand bist, der die Situation ausnutzt und Isabelle zu irgendetwas nötigt – jetzt, wo sie wegen Max so tieftraurig ist.«

Simon schnaubte verächtlich. »Wenn du jemals auf einen Mann triffst, der Isabelle zu irgendetwas nötigen könnte, dann sag mir Bescheid. Ich würde ihm gern die Hand schütteln. Oder ziemlich schnell vor ihm wegrennen. Ich bin mir nicht ganz sicher, was angebrachter wäre.«

»Dann verabredest du dich also nicht mehr mit ihr?«

»Clary«, sagte Simon, »warum fragst du mich all diese Dinge über Isabelle? Willst du denn nicht über deine Mutter reden? Oder über Jace? Izzy hat mir erzählt, dass er fort ist. Ich weiß, wie du dich jetzt fühlst.«

»Nein«, widersprach Clary. »Nein, ich glaube nicht, dass du das weißt.«

»Du bist nicht die Einzige, die sich jemals einsam und allein gefühlt hat.« Ein ungeduldiger Unterton schwang in Simons Stimme mit. »Ich hab nur gedacht . . . ich meine, ich hab dich noch nie so wütend gesehen. Und dann auch noch gegenüber deiner Mutter. Ich dachte eigentlich, sie hätte dir gefehlt.«

»Natürlich hat sie mir gefehlt!«, schnaubte Clary, doch im selben Moment wurde ihr bewusst, wie die Szene in der Küche gewirkt haben musste – vor allem auf ihre Mutter. Beschämt schob sie den Gedanken beiseite. »Es ist nur so: Während der ganzen Zeit habe ich mich so darauf konzentriert, sie zu retten – sie vor Valentin zu bewahren und dann einen Weg zu finden, sie wieder zu heilen –, dass ich keine Sekunde daran dachte, wie wütend ich war, dass sie mich all die Jahre belogen hat. Dass sie das alles vor mir geheim gehalten hat, die Wahrheit vor mir versteckt hat. Ich habe nie erfahren, wer ich wirklich bin.«

»Das ist aber nicht das, was du zu ihr gesagt hast, als sie in die Küche kam«, erwiderte Simon leise. »Du hast gerufen: ›Warum hast du mir nie erzählt, dass ich einen Bruder habe?‹«

»Ich weiß.« Clary riss einen Grashalm aus und drehte ihn unruhig zwischen den Fingern. »Ich komme einfach nicht über den Gedanken hinweg, dass ich Jace nicht auf diese Weise kennengelernt hätte, wenn ich die Wahrheit gewusst hätte. Ich hätte mich nicht in ihn verliebt.«

Simon schwieg einen Moment. »Ich glaub nicht, dass du das jemals zuvor laut geäußert hast.«

»Dass ich ihn liebe?« Clary lachte, doch es klang freudlos,

selbst in ihren eigenen Ohren. »Ist doch sinnlos, jetzt noch so zu tun, als wäre es nicht so. Das spielt doch gar keine Rolle mehr. Wahrscheinlich werde ich ihn sowieso nie wiedersehen.«

»Er wird zurückkommen.«

»Vielleicht.«

»Doch, ganz bestimmt. Er wird zurückkommen«, wiederholte Simon. »Deinetwegen.«

»Ach, ich weiß nicht.« Clary schüttelte den Kopf. Allmählich wurde es kühler; inzwischen hatte die Sonne fast schon den Horizont erreicht. Clary kniff die Augen leicht zusammen, beugte sich vor und starrte auf die Stadt. »Da, sieh mal, Simon.«

Er folgte ihrem Blick. Jenseits der Schutzschilde versammelten sich Hunderte dunkler Gestalten vor dem Nordtor; einige standen dicht zusammen, während andere sich weiter verstreut aufhielten: Die Schattenweltler, die Luke zur Verteidigung der Stadt herbeigerufen hatte, warteten geduldig auf ein Wort des Rats, um Alicante betreten zu können. Ein Schauer jagte Clary über den Rücken. Von ihrem erhöhten Platz auf der Hügelkuppe hatte sie nicht nur einen Blick über den steilen Abhang hinunter auf die Stadt, sondern auch auf den Beginn einer drohenden Krise, auf ein Ereignis, das die Grundfesten der gesamten Schattenjägerwelt für immer erschüttern würde.

»Sie kommen«, murmelte Simon, fast zu sich selbst. »Ich frage mich, ob das bedeutet, dass der Rat eine Entscheidung getroffen hat.«

»Das hoffe ich zumindest.« Der Grashalm, mit dem Clary nervös herumgespielt hatte, war inzwischen nur noch grüner Matsch; ungeduldig warf sie ihn weg und riss einen weiteren Halm aus. »Ich weiß nicht, was ich tun werde, wenn sie beschließen, sich Valentin zu ergeben. Vielleicht kann ich ein Portal erschaffen, das uns alle an einen Ort bringt, wo Valentin uns niemals finden wird. Eine verlassene Insel oder so was.«

»Okay, jetzt muss ich dich auch mal was Blödes fragen«, sagte Simon. »Du kannst doch neue Runen erfinden, oder? Warum kreierst du nicht einfach eine, die jeden Dämon in dieser Welt vernichtet? Oder Valentin tötet?«

»So funktioniert das leider nicht«, erklärte Clary. »Ich kann nur Runen erschaffen, die ich mir auch bildlich vorstellen kann. Ich muss das gesamte Bild vor meinem inneren Auge sehen, wie ein Gemälde. Aber wenn ich versuche, ›Töte Valentin‹ oder ›Beherrsche die Welt‹ zu visualisieren, dann erhalte ich keine Bilder, sondern nur eine Art statisches Rauschen.«

»Und woher kommen diese Runenabbildungen? Was glaubst du?«

»Ich weiß es nicht«, sagte Clary. »Alle Runen, die die Schattenjäger kennen, stammen aus dem Grauen Buch; deshalb können sie auch nur von Nephilim verwendet werden – dafür sind sie gemacht. Aber es gibt noch andere, ältere Runen und Male. Magnus hat mir davon erzählt. Wie etwa das Kainsmal. Es war ein Schutzzeichen, allerdings keines aus dem Grauen Buch, sondern viel, viel älter. Wenn ich also eine dieser Runen vor mir sehe, wie etwa die Rune der Furchtlosigkeit, dann weiß ich nicht, ob ich gerade etwas Neues erfunden habe oder mich einfach nur an etwas *erinnere* – an Runen und Male, die älter sind als die Nephilim. Runen so alt wie die Engel selbst.« Unwillkürlich musste Clary an die Rune denken, die Ithuriel ihr gezeigt hatte – eine Rune, so schlicht wie ein geknüpfter Knoten. War diese Rune ihrem eigenen Geist entsprungen oder dem des Engels? Oder handelte es sich vielleicht um ein Symbol, das schon immer existiert hatte, so wie das Meer und der Himmel? Der Gedanke daran ließ Clary erschaudern.

»Ist dir kalt?«, fragte Simon.

»Ja. Dir nicht?«

»Mir wird heutzutage nicht mehr kalt.« Schützend legte er einen Arm um ihre Schultern, rieb mit dem Daumen über Clarys Handrücken und lachte wehmütig in sich hinein. »Vermutlich hilft das nicht sonderlich, jetzt, da ich keine Körperwärme mehr abstrahle.«

»Nein«, sagte Clary. »Ich meine, doch. Doch, das hilft tatsächlich. Bleib einfach so.« Vorsichtig schaute sie zu ihm hoch. Simon starrte den Hügel hinunter zum Nordtor, vor dem sich weitere Schattenweltler versammelt hatten und reglos warteten. Das rötliche Licht der Dämonentürme spiegelte sich in seinen Augen; er sah aus wie jemand auf einem Foto, das mit Blitzlicht geschossen worden war. Clary konnte an den Stellen, wo Simons Haut am dünnsten war, das hellblaue Adergeflecht unter der Oberfläche erkennen – an den Schläfen, am Ansatz des Schlüsselbeins. Inzwischen wusste sie genug über Vampire, um zu wissen, was dies bedeutete: Seine letzte Mahlzeit musste schon eine Weile zurückliegen. »Bist du hungrig?«, fragte sie leise.

Simon schaute zu ihr hinunter. »Hast du Angst, ich könnte dich beißen?«

»Du weißt, dass du dich jederzeit an meinem Blut bedienen kannst.«

Ein Schauer – allerdings nicht von der Kälte – jagte durch Simons Körper und er zog Clary noch fester an sich. »Das würde ich niemals tun«, sagte er ernst und fügte dann etwas leichtherziger hinzu: »Außerdem habe ich schon von Jace' Blut getrunken. Ich will mich nicht bei noch mehr Freunden durchfuttern.«

Clary musste an die silberne Narbe an Jace' Kehle denken. »Glaubst du, das ist der Grund, warum . . .«, setzte sie langsam an, in Gedanken immer noch bei Jace.

»Der Grund wofür?«

»Der Grund, warum Sonnenlicht dir keinen Schaden zufügt. Ich meine, vorher hat die Sonne dich doch versengt, oder? Vor jener Nacht auf Valentins Schiff?«

Simon nickte zögernd.

»Also, was hat sich verändert? Oder liegt es nur daran, dass du von Jace' Blut getrunken hast?«

»Du meinst, weil er ein Nephilim ist? Nein. Nein, das hat irgendwelche anderen Gründe. Du und Jace – ihr beide seid nicht ganz normal, stimmt's? Ich meine, ihr seid keine normalen Schattenjäger. An euch ist irgendetwas Besonderes, an euch beiden. Genau wie die Feenkönigin es gesagt hat. Ihr seid Experimente.« Simon lächelte, als er Clarys bestürzten Blick sah. »Ich bin doch nicht blöd. Ich kann eins und eins zusammenzählen. Du mit deinen Runenfähigkeiten und Jace . . . na ja, niemand könnte so nervtötend sein wie er, wenn er nicht irgendwelche übernatürlichen Kräften besäße.«

»Verabscheust du ihn wirklich so sehr?«

»Ich verabscheue Jace überhaupt nicht«, protestierte Simon. »Okay, anfangs hab ich ihn gehasst. Er schien wahnsinnig arrogant und sich seiner selbst so sicher und du hast so getan, als hätte er das Rad erfunden . . .«

»Das hab ich nicht!«

»Lass mich ausreden, Clary.« In Simons Stimme schwang eine gewisse Atemlosigkeit mit – falls jemand, der nicht mehr atmete, als atemlos bezeichnet werden kann. Er klang, als wollte er unbedingt auf etwas hinaus. »Ich habe gesehen, wie sehr du ihn mochtest, aber ich dachte, er würde dich nur benutzen . . . dass er dich nur für eine dumme Irdische halten würde, die er mit seinen Schattenjägertricks beeindrucken konnte. Anfangs hab ich mir immer wieder gesagt, dass du niemals auf ihn hereinfallen würdest, und falls doch, dass er nach einer Weile genug von dir hätte und du zu mir zurückkommen würdest. Darauf bin ich nicht besonders stolz, aber wenn man verzweifelt ist, klammert man sich vermutlich an jeden Strohhalm. Und als sich dann herausstellte, dass er dein Bruder ist, erschien mir das wie eine Begnadigung in allerletzter Minute und ich war nur noch froh. Ich war sogar froh darüber, dass er unter der Situation schrecklich zu leiden schien – bis zu jener Nacht am Lichten Hof, als du ihn geküsst hast. Da konnte ich sehen . . .« Simon verstummte einen Moment.

»Da konntest du *was* sehen?«, drängte Clary, unfähig, die Pause länger zu ertragen.

»Die Art und Weise, wie er dich angesehen hat. In dem Augenblick wurde es mir klar. Er hatte dich zu keiner Zeit benutzt. Er liebte dich und das Ganze brach ihm das Herz.«

»Ist das der Grund, weshalb du anschließend zum Hotel Dumort gelaufen bist?«, flüsterte Clary. Das hatte sie schon immer wissen wollen, sich aber nie zu fragen getraut.

»Wegen dir und Jace? Nein, im Grunde nicht. Seit jener ersten Nacht in dem Hotel hatte ich immer an diesen Ort zurückkehren wollen. Ich habe davon geträumt. Manchmal bin ich aufgewacht und stand bereits angezogen auf der Straße, mit dem brennenden Wunsch, dorthin zurückzulaufen. Nachts war dieser Drang besonders schlimm oder wenn ich mich dem Hotel näherte. Dabei ist es mir nie in den Sinn gekommen, dass es sich um irgendeine übernatürliche Sache handeln könnte – ich hab immer gedacht, es wäre eine Art posttraumatische Reaktion oder so was. Nach jenem Besuch am Lichten Hof, als ich so erschöpft und wütend war und wir uns gar nicht weit vom Dumort aufhielten . . . und es außerdem tiefe Nacht war . . . Ich kann mich kaum erinnern, was dann passiert ist. Ich weiß nur noch, dass ich aus dem Park gelaufen bin. Doch was danach geschah . . .«

»Aber wenn du nicht so wütend auf mich gewesen wärst, wenn wir dich nicht so verärgert hätten . . .«

»Nein, es ist ja nicht so, als ob du eine Wahl gehabt hättest«, erwiderte Simon. »Und das war mir irgendwie auch bewusst. Man kann die Wahrheit nur eine bestimmte Zeit lang unterdrücken, aber dann bahnt sie sich mit aller Macht einen Weg. Der Fehler, den ich begangen habe, bestand darin, dass ich dir nicht erzählt habe, was in mir vorging, dass ich dir nichts von meinen Albträumen erzählt habe. Aber ich bereue nicht, dass wir eine Weile zusammen waren. Ich bin froh, dass wir es versucht haben. Und dafür allein liebe ich dich, auch wenn es nie funktioniert hätte.«

»Ich habe mir so sehr gewünscht, dass es funktioniert«, sagte Clary leise. »Ich wollte dir ganz bestimmt nicht wehtun.«

»Ich würde es nicht anders wollen, als es jetzt ist«, erwiderte Simon. »Für nichts in der Welt würde ich aufhören, dich zu lieben. Weißt du, was Raphael mir gesagt hat? Er meinte, ich wüsste nicht, wie ein anständiger Vampir sich zu verhalten hätte . . . und dass anständige Vampire akzeptieren würden, dass sie tot sind. Aber solange ich mich noch daran erinnern kann, wie es sich angefühlt hat, dich zu lieben, werde ich mich immer lebendig fühlen.«

»Simon . . .«

»Sieh mal, da unten!« Mit einer ungeduldigen Geste schnitt er ihr das Wort ab und zeigte mit weit aufgerissenen Augen nach unten auf die Stadt.

Die Sonne war nur noch ein roter Schimmer am Horizont; als Clary hinüberschaute, flimmerte sie kurz und verschwand dann hinter dem dunklen Rand der Erde.

Im nächsten Moment flammten die Dämonentürme von Alicante plötzlich weiß glühend auf. In ihrem Schein konnte Clary die dunkle Menge, die sich nun unruhig vor dem Nordtor hin und her bewegte, deutlich erkennen. »Was passiert da unten?«, flüsterte sie. »Die Sonne ist untergegangen, aber warum werden die Tore nicht geöffnet?«

Simon saß reglos da. »Die Ratsmitglieder müssen Lukes Angebot abgelehnt haben«, sagte er leise.

»Aber das können sie doch nicht machen!«, protestierte Clary mit zunehmend schriller Stimme. »Das würde bedeuten . . .«

». . . dass sie sich Valentin ergeben wollen.«

»Das *können* sie nicht tun!«, rief Clary erneut empört, doch noch während sie auf Alicante hinunterblickte, sah sie, wie die Gruppen dunkler Gestalten vor dem Tor auf dem Absatz kehrtmachten und sich von der Stadt abwandten, wie Ameisen, die aus einem zerstörten Ameisenhügel herausströmten.

Im schwindenden Licht der Abenddämmerung wirkte Simons Gesicht wächsern und bleich. »Offensichtlich hasst der Rat uns so sehr, dass er sich lieber für Valentin entscheidet.«

»Hier geht's nicht um Hass«, widersprach Clary, »sondern um Furcht. Sogar Valentin hat sich vor den Schattenweltlern gefürchtet«, fügte sie, ohne nachzudenken, hinzu und erkannte im selben Moment, dass es der Wahrheit entsprach. »Hier geht es um Furcht und Neid.«

Überrascht schaute Simon zu Clary hinunter. »Neid?«

Doch Clary war in Gedanken bereits bei dem Traum, den Ithuriel ihr gezeigt hatte, und Valentins Stimme erklang wieder in ihren Ohren. *Ich wollte von ihm den Grund erfahren, das Warum. Warum Raziel uns geschaffen hat, das Geschlecht der Schattenjäger, uns aber nicht die Kräfte verliehen hat, die Schattenweltler besitzen: die Schnelligkeit der Werwölfe, die Unsterblichkeit der Feenwesen, die Zauberkräfte der Hexenmeister oder die Ausdauer der Vampire. Er ließ uns nackt im Angesicht der Höllengeburten zurück, nackt bis auf diese schwarzen Linien auf unserer Haut. Aber warum sollen ihre Kräfte unsere übersteigen? Warum können wir nicht auch das haben, was sie besitzen?*

Blind und mit leicht geöffneten Lippen starrte Clary auf die Stadt unter ihr. Wie aus großer Ferne nahm sie wahr, dass Simon ihren Namen rief, aber ihre Gedanken waren weit weg und überschlugen sich förmlich. Der Engel hätte ihr alles Mögliche zeigen können, überlegte Clary, aber aus irgendeinem

Grund hatte er beschlossen, ihr genau diese Szenen zu zeigen, diese Erinnerungen. Sie dachte wieder an Valentin, der wütend hervorgestoßen hatte: *Allein die Vorstellung, dass wir an alle Schattenwesen gebunden, an diese Kreaturen gefesselt sein sollten . . .!*

Und dann sah sie wieder die Rune vor sich, die Rune aus ihrem Traum, so schlicht wie ein geknüpfter Knoten.

Warum können wir nicht auch das haben, was sie besitzen?

»Gebunden«, murmelte sie vor sich. »Es ist eine Vereinigungsrune! Sie verbindet Gleich und Ungleich.«

»Was?« Simon starrte sie verwirrt an.

Doch Clary rappelte sich bereits auf und klopfte den Dreck von ihrem Umhang. »Ich muss sofort in die Stadt. Wo sind sie?«

»Wo ist *wer*? Clary . . .«

»Die *Ratsmitglieder*. Wo findet ihre Versammlung statt? Wo ist Luke?«

Auch Simon stand nun auf. »In der Halle des Abkommens. Clary . . .«

Aber Clary hatte sich schon in Bewegung gesetzt und stürmte den gewundenen Weg zur Stadt hinunter. Leise fluchend machte Simon sich daran, ihr zu folgen.

Es heißt, alle Straßen führen zu dieser Halle. Sebastians Worte gingen Clary unaufhörlich durch den Kopf, während sie durch die schmalen Gassen Alicantes rannte. Sie konnte nur hoffen, dass diese Behauptung stimmte, denn sonst würde sie sich in der Stadt rettungslos verirren. Die Gassen wanden sich unüberschaubar durch das Häusermeer und ließen sich in nichts mit dem übersichtlichen, geraden, gitterartigen Straßennetz Manhattans vergleichen. In Manhattan wusste man immer, wo man sich befand, und alles war ordentlich angelegt und klar nummeriert. Aber das hier war ein Labyrinth!

Hastig durchquerte Clary einen winzigen Innenhof und stürmte dann am Kanal entlang – sie wusste, wenn sie dem Wasserverlauf folgte, würde sie letztendlich zum Platz des Erzengels gelangen. Zu ihrer Überraschung führte der Weg an Amatis' Haus vorbei und Sekunden später bog Clary keuchend in eine breitere, geschwungene Straße ein, die sie inzwischen gut kannte. Nach hundert Metern öffnete sich die Straße zu dem weiten Platz mit der Engelsstatue, an dessen hinterem Ende sich die weiße Abkommenshalle erhob. Neben der hell schimmernden Statue stand Simon mit verschränkten Armen und musterte sie finster.

»Du hättest auf mich warten können«, stieß er hervor.

Clary beugte sich vor und stützte sich schnaufend auf ihre Knie. »Das . . . meinst du . . . nicht ernst«, keuchte sie, »zumal du . . . noch vor mir . . . hier angekommen bist.«

»Vampirgeschwindigkeit«, erklärte Simon mit einer gewissen Befriedigung in der Stimme. »Wenn wir wieder in New York sind, sollte ich mich zum Marathon anmelden.«

»Das wäre . . . Betrug.« Mit einem letzten tiefen Atemzug richtete Clary sich auf und schob sich die verschwitzten Haare aus den Augen. »Komm. Wir müssen in die Halle.«

Im Saal wimmelte es vor Schattenjägern – es waren deutlich mehr Nephilim, als Clary jemals auf einem Fleck gesehen hatte. Ihre erhobenen Stimmen erzeugten ein lautes Dröhnen, wie eine herabstürzende Lawine. Die meisten standen in streitlustigen Gruppen zusammen und diskutierten hitzig, während das Podium verlassen dalag und die Karte von Idris verloren von der Wand dahinter herabbaumelte.

Fieberhaft schaute Clary sich nach Luke um. Es dauerte einen Moment, bis sie ihn entdeckte: Er lehnte mit halb geschlossenen Augen an einer Säule und sah schrecklich aus – halb tot und mit hängenden Schultern. Hinter ihm stand Amatis und klopfte ihm besorgt auf den Rücken. Erneut blickte Clary sich im Saal um, aber Jocelyn war nirgends zu sehen.

Einen Moment lang zögerte Clary, doch dann dachte sie an Jace, der Valentins Verfolgung aufgenommen hatte, mutterseelenallein und in dem Wissen, dass er dabei möglicherweise ums Leben kam. Denn er wusste, dass er ein Teil dieser Ereignisse war, ein Teil dieser ganzen Geschichte – und das war *sie* auch. Sie war nie etwas anderes gewesen, selbst zu der Zeit, als sie von alldem hier noch nicht einmal das Geringste geahnt hatte. Das Adrenalin rauschte durch ihre Adern und schärfte ihre Sinne, sodass alles plötzlich viel klarer erschien. Fast schon zu klar. Rasch drückte Clary Simons Hand. »Wünsch mir Glück«, sagte sie; dann trugen ihre Füße sie fast ohne ihr Zutun zu den Podiumsstufen und einen Moment später stand sie auf dem Podium und wandte sich der Menge zu.

Clary war sich nicht sicher, was sie erwartet hatte. Überraschte Ausrufe? Ein Meer schweigender, erwartungsvoller Gesichter? Doch die Menge beachtete sie kaum; nur Luke schaute auf, als hätte er ihre Gegenwart gespürt, und erstarrte mit einem erstaunten Ausdruck in den Augen. Aber dann tat sich doch etwas: Ein großer Mann mit hageren Zügen bahnte sich einen Weg durch die Menge, direkt auf Clary zu. Konsul

Malachi. Er gestikulierte und bedeutete ihr, das Podium zu verlassen; dabei schüttelte er heftig den Kopf und rief etwas, das Clary aber nicht verstehen konnte. Während Malachi nach vorne stürmte, drehten sich immer mehr Schattenjäger zu ihr um, bis schließlich alle Anwesenden verstummten und sich ihr zuwandten.

Clary hatte nun das erreicht, was sie wollte – sämtliche Augen waren auf sie gerichtet. Im nächsten Moment hörte sie ein Raunen durch die Menge gehen: *Das ist sie. Das ist Valentins Tochter.*

»Ihr habt recht«, sagte sie mit lauter, klarer Stimme, »ich bin *tatsächlich* Valentins Tochter. Noch bis vor wenigen Wochen wusste ich nicht, dass er mein Vater ist – ich wusste noch nicht einmal von seiner *Existenz*. Mir ist klar, dass viele von euch das jetzt nicht glauben werden, aber das macht nichts. Glaubt, was ihr wollt. Solange ihr auch glaubt, dass ich Dinge über Valentin weiß, von denen ihr nichts ahnt . . . Dinge, die euch helfen könnten, diese Schlacht gegen ihn zu gewinnen – *wenn ihr mir nur einen Moment zuhört.*«

»Lachhaft.« Malachi stand am Fuß der Podiumstreppe. »Das ist einfach lachhaft. Du bist doch nur ein kleines Mädchen . . .«

»Sie ist Jocelyn Fairchilds Tochter«, hielt Patrick Penhallow entgegen. Er hatte sich durch die Menge bis zum Rand des Podiums geschoben und hob eine Hand. »Lass das Mädchen sagen, was sie zu sagen hat, Malachi.«

Die Menge tuschelte aufgeregt.

»Sie«, wandte Clary sich laut an den Konsul. »Sie und der Inquisitor, Sie haben meinen Freund Simon ins Gefängnis geworfen . . .«

Malachi schnaubte verächtlich. »Deinen Freund, den Vampir?«

»Er hat mir erzählt, dass Sie von ihm wissen wollten, was in jener Nacht auf dem East River mit Valentins Schiff passiert ist. Sie waren davon überzeugt, dass Valentin irgendetwas unternommen haben musste, irgendeine Art schwarzer Magie. Aber das hat er nicht. Wenn Sie wissen wollen, wer oder was sein Schiff zerstört hat, dann steht die Antwort hier direkt vor Ihnen: Ich. Ich war diejenige.«

Malachis ungläubiges Gelächter wurde aus verschiedenen Ecken im Saal erwidert. Luke schaute zu Clary hoch und schüttelte den Kopf, aber Clary ließ sich nicht beirren.

»Ich habe sein Schiff mit einer Rune zerstört«, fuhr sie fort. »Einer Rune, die so mächtig war, dass sie das Schiff in tausend Stücke hat zerbersten lassen. Denn ich bin in der Lage, neue Runen zu erschaffen. Nicht nur diejenigen aus dem Grauen Buch, sondern Runen, die noch niemand zuvor je gesehen hat – mächtige Runen . . .«

»Das reicht jetzt!«, donnerte Malachi. »So etwas ist doch lächerlich. Niemand kann neue Runen erschaffen. Das ist vollkommen unmöglich.« Mit einem höhnischen Grinsen wandte er sich an die Menge: »Genau wie der Vater – eine geborene Lügnerin!«

»Nein, sie lügt nicht.« Die Stimme kam aus dem hinteren Teil der Menge; sie klang klar, laut und resolut. Sämtliche Köpfe drehten sich nach hinten und Clary sah, wer da gesprochen hatte: Alec. Er stand am Rand des Saals, flankiert von Isabelle und Magnus. Simon war bei ihnen und auch Maryse Lightwood. Die fünf bildeten eine kleine, entschlossen wirkende

Gruppe in der Nähe der Eingangstür. »Ich habe gesehen, wie sie eine Rune erschaffen hat. Sie hat sie sogar an mir ausprobiert. Und es hat funktioniert.«

»Du lügst doch«, schnaubte der Konsul, in dessen Augen sich allerdings erste Zweifel geschlichen hatten. »Du willst doch nur deine kleine Freundin beschützen . . .«

»Also wirklich, Malachi«, sagte Maryse mit schneidender Stimme. »Warum sollte mein Sohn lügen, wenn die Wahrheit sich so einfach herausfinden lässt? Gib dem Mädchen eine Stele und lass sie eine Rune erschaffen.«

Im Saal erhob sich beifälliges Gemurmel. Patrick Penhallow trat einen Schritt vor und hielt Clary eine Stele entgegen. Dankbar nahm sie sie und wandte sich wieder der Menge zu.

Ihr Mund fühlte sich wie ausgetrocknet an, und obwohl noch immer Adrenalin durch ihre Adern rauschte, reichte es nicht, um ihr Lampenfieber vollständig zu unterdrücken. Was sollte sie nur tun? Welche Art von Rune sollte sie erschaffen, um diese Menge davon zu überzeugen, dass sie die Wahrheit sagte? Was würde diesen Menschen die Wahrheit vor Augen führen?

Langsam hob sie den Blick und schaute über die Menge, bis sie Simon bei den Lightwoods sah, der gebannt in ihre Richtung blickte. Er schaute sie auf die gleiche Weise an wie Jace im Landhaus der Waylands. Es war das Einzige, was diese beiden Jungen, die sie so sehr liebte, miteinander verband, überlegte Clary, ihre einzige Gemeinsamkeit: Beide glaubten fest an sie, auch wenn Clary nicht einmal selbst an sich glaubte.

Den Blick auf Simon geheftet und in Gedanken bei Jace, nahm sie die Stele und führte deren sengende Spitze an die Innenseite ihres Handgelenks, auf Höhe ihrer Pulsader. Dann schloss sie die Augen und zeichnete die geschwungenen Linien blind, im festen Vertrauen darauf, dass sie genau die Rune erschuf, die sie benötigte. Als Clary fertig war, hob sie den Kopf und öffnete die Augen.

Ihr Blick fiel als Erstes auf Malachi. Sein Gesicht war kreidebleich und er wich entsetzt vor ihr zurück, während er etwas in einer Sprache murmelte, die Clary nicht verstand. Hinter ihm stand Luke und starrte sie mit leicht geöffnetem Mund an. »Jocelyn?«, fragte er ungläubig.

Clary schüttelte leise den Kopf und schaute dann auf das Meer von Gesichtern vor ihr – manche lächelten, andere sahen sich überrascht um oder wandten sich an die Person, die neben ihnen stand. Während Clary ihren Blick über die Menge schweifen ließ, entdeckte sie weitere bestürzte und verblüffte Mienen, während andere Schattenjäger erstaunt die Hand vor den Mund geschlagen hatten. Clary sah Alec, der rasch zu Magnus hinüberschaute und dann wieder zu ihr, vollkommen ungläubig; sie sah Simon, der ziemlich verwirrt schien, und dann steuerte Amatis auf sie zu, schob sich an Patrick Penhallows massiger Gestalt vorbei und rannte zum Rand des Podiums. »Stephen!«, stieß sie hervor und betrachtete Clary mit einem Ausdruck völliger Verwunderung. »Stephen!«

»Nein, Amatis«, sagte Clary, »leider nein.« Sekunden später spürte sie, wie die Kraft der Rune von ihr abfiel wie ein dünnes Tuch – sie hatte sie nur leicht gezeichnet, weil sie ihre Wirkung nur für einen kurzen Moment benötigte. Der sehnliche Ausdruck auf Amatis' Gesicht verebbte und sie wich vom Podium zurück, eine Mischung aus Trauer und Verwunderung in den Augen.

Clary schaute auf die Menge herab, die sie nun in sprachlosem Erstaunen anstarrte. »Ich weiß, was ihr alle gerade gesehen habt«, erklärte Clary. »Und ich weiß auch, dass ihr wisst, dass diese Art von Magie jeden Zauberglanz und jede Illusion bei Weitem übersteigt. Diesen Effekt habe ich mit einer Rune erzielt, einer einzigen Rune, die ich gerade *erschaffen* habe. Es gibt einen Grund, warum ich diese Fähigkeit besitze, und mir ist bewusst, dass er euch vielleicht nicht gefallen wird oder ihr ihn gar nicht glauben wollt. Aber das spielt jetzt keine Rolle. Das Einzige, was zählt, ist die Tatsache, dass ich euch helfen kann, diese Schlacht gegen Valentin zu gewinnen – wenn ihr mich nur lasst.«

»Es wird keine Schlacht gegen Valentin geben«, sagte Malachi, wobei er jeden Augenkontakt mit Clary vermied. »Der Rat hat einen Entschluss gefasst: Wir werden Valentins Bedingungen akzeptieren und morgen früh unsere Waffen niederlegen.«

»Das könnt ihr nicht tun«, widersprach Clary, in deren Stimme sich Verzweiflung schlich. »Glaubt ihr ernsthaft, alles wäre wieder wie früher, wenn ihr euch ergebt? Glaubt ihr, Valentin lässt euch einfach so weitermachen wie bisher? Und wird sich nur auf die Vernichtung von Dämonen und Schattenwesen beschränken?« Clary ließ ihren Blick über den Saal schweifen. »Die meisten von euch haben Valentin in den vergangenen fünfzehn Jahren nicht zu Gesicht bekommen. Vielleicht habt ihr ja vergessen, wie er wirklich ist. Aber ich weiß genau, wovon ich rede. Ich habe ihn von seinen Plänen erzählen hören.

Ihr denkt, ihr könntet unter Valentins Herrschaft euer altes Leben einfach weiterführen, aber da irrt ihr euch. Er wird euch bis ins kleinste Detail kontrollieren und beherrschen, denn er kann euch jederzeit mit eurer Vernichtung drohen – mithilfe der Engelsinsignien. Natürlich wird er bei den Schattenweltlern anfangen, aber danach wird er sich den Rat vornehmen und dessen Mitglieder töten, weil er sie für schwach und korrupt hält. Anschließend wird er sich jedem widmen, der mit einem Schattenweltler auch nur entfernt verwandt ist . . . sei es ein Werwolf-Bruder . . .« – Clarys Blick streifte über Amatis – ». . . oder eine rebellische Teenagertochter, die sich gelegentlich mit Elbenrittern verabredet . . .« – ihre Augen wanderten zu den Lightwoods – »und jedem anderen, der mit einem Schattenweltler befreundet ist. Und dann wird er sich all diejenigen vorknöpfen, die je die Dienste eines Hexenmeisters in Anspruch genommen haben. Wie viele von euch mögen das wohl sein?«

»Das ist völliger Unsinn«, widersprach Malachi scharf. »Valentin hat kein Interesse daran, die Nephilim zu zerstören.«

»Aber er ist der Überzeugung, dass niemand, der sich mit Schattenwesen ›abgibt‹, es verdient, diesen Namen zu tragen«, beharrte Clary. »Begreift es doch: Eure Aufgabe besteht nicht darin, gegen Valentin zu kämpfen. Euer Kampf gilt den Dämonen . . . sie aus dieser Welt fernzuhalten. Das ist euer Auftrag, euer himmlischer Auftrag. Und einen vom Himmel erteilten Auftrag kann man nicht einfach *ignorieren*. Auch die Schattenweltler hassen Dämonen. Und sie vernichten sie ebenfalls, wo sie können. Aber wenn Valentin seinen Willen bekommt, wird er so viel Zeit mit der Ermordung aller Schattenwesen und jedes mit ihnen verbündeten Schattenjägers verbringen, dass er die Dämonen vollkommen aus den Augen verlieren wird. Und euch wird es nicht anders ergehen, denn ihr werdet in ständiger Furcht vor Valentin leben. Und dann werden die Dämonen diese Welt überrollen – und das war's dann endgültig.«

»Ich verstehe, worauf das hier hinauslaufen soll«, stieß Malachi zwischen zusammengebissenen Zähnen hervor. »Aber wir werden nicht an der Seite von Schattenwesen in eine Schlacht ziehen, die wir nicht gewinnen können . . .«

»Aber genau darum geht es doch: Ihr könnt sie gewinnen«, protestierte Clary. »Ihr könnt diese Schlacht gewinnen!« Ihre Kehle war wie ausgetrocknet, ihr Kopf pochte vor Schmerz und die Gesichter in der Menge vor ihr schienen zu einer nichtssagenden Masse zu verschwimmen, nur hin und wieder von weißen Lichtblitzen durchbrochen. *Nein, du darfst jetzt nicht aufgeben,* ermahnte sie sich, *du musst weitermachen. Du musst es wenigstens versuchen.* »Mein Vater hasst die Schattenweltler so sehr, weil er neidisch auf sie ist«, fuhr sie hastig fort, wobei sich ihre Worte fast überschlugen. »Neidisch und von Furcht erfüllt . . . wegen all der Eigenschaften, die Schattenwesen besitzen, er aber nicht. Er hasst den Gedanken, dass sie in mancher Hinsicht mächtiger als die Nephilim sind, und ich wette, mit diesem Hass steht er nicht alleine da. Denn es ist leicht, sich vor etwas zu fürchten, das man selbst nicht besitzt.« Clary holte tief Luft. »Aber was wäre, wenn ihr diese Eigenschaft *teilen* könntet? Was, wenn ich eine Rune erschaffen könnte, die euch – jeden einzelnen Schattenjäger – mit einem Schattenwesen vereinigen würde, der an eurer Seite kämpfen würde . . . dessen Kräfte ihr teilen könntet: Ihr würdet so schnell verheilen wie Vampire, wärt so zäh wie Werwölfe oder so geschickt wie ein Elbenritter. Und die Schattenweltler könnten umgekehrt von eurem Training profitieren, von euren Kampffähigkeiten. Ihr könntet eine unschlagbare Truppe sein – wenn ihr euch von mir mit dem entsprechenden Runenmal versehen lasst und gemeinsam mit den Schattenweltlern in die Schlacht zieht. Denn wenn ihr nicht Seite an Seite mit ihnen kämpft, werden die Runenmale nicht wirken.« Clary schwieg einen Moment. »Bitte!«, sagte sie, aber ihre Stimme war durch ihre ausgetrocknete Kehle kaum zu hören. »Bitte, lasst mich euch mit dem Runenmal versehen.«

Ihre Worte fielen in eine sirrende Stille. Die Welt verschwamm in wogenden Farben und Clary erkannte, dass sie während der letzten Minuten ihrer Ansprache zur Hallendecke geschaut hatte und dass es sich bei den weißen Lichtblitzen, die sie gesehen hatte, um die Sterne handelte, die nach und nach am nächtlichen Firmament erschienen waren. Die Stille dauerte an und Clarys Hände, die locker herabgehangen hatten, ballten sich wie in Zeitlupe zu Fäusten. Und dann senkte sie langsam, sehr langsam den Blick und schaute in die Gesichter der Menge, die sie mit großen Augen anstarrte.

17
DIE GESCHICHTE
DER SCHATTENJÄGERIN

Clary saß auf den Stufen der Abkommenshalle und schaute über den Platz des Erzengels. Der Mond war bereits aufgegangen und kam nun gerade über den Dächern der Stadt zum Vorschein, wobei die Dämonentürme sein silberweißes Licht reflektierten. Die Dunkelheit verbarg die Wunden und Narben der Stadt und unter dem klaren Nachthimmel wirkte Alicante fast friedlich – solange man nicht zum Garnisonshügel hinaufschaute und die Ruinen der Festung sah. Clarys Blick wanderte zurück zu dem Platz vor ihr, auf dem Wachen Patrouille gingen und in regelmäßigen Abständen in die Lichtkegel der Elbenlichtlaternen eintauchten, ehe sie Clarys Gegenwart geflissentlich ignorierten und wieder in den Schatten verschwanden.

Ein paar Stufen unter ihr lief Simon unruhig, aber vollkommen geräuschlos auf und ab. Er hatte die Hände in die Taschen gesteckt, und als er am Ende der Stufen kehrtmachte und wieder auf Clary zukam, brach sich das Mondlicht auf seiner blassen Haut wie auf einer reflektierenden Oberfläche.

»Hör auf damit«, bat Clary ihn, »du machst mich nur noch nervöser.«

»Tut mir leid.«

»Es kommt mir vor, als säßen wir schon eine Ewigkeit hier.« Clary spitzte die Ohren, konnte aber außer dem gedämpften Gemurmel, das durch die geschlossenen Türen der Halle drang, nichts hören. »Kannst du verstehen, was die da drinnen reden?«

Simon kniff die Augen zusammen und schien sich angestrengt zu konzentrieren. »Ein paar Brocken«, sagte er nach einer Weile.

»Ich wünschte, ich wäre jetzt da drin«, murmelte Clary und trat mit den Fersen gereizt gegen die Stufen, auf denen sie saß. Luke hatte sie gebeten, vor der Halle zu warten, während der Rat sich beriet. Er hatte ihr Amatis als Gesellschaft schicken wollen, aber Simon hatte darauf bestanden, dass er stattdessen Clary begleiten würde. Denn er vertrat die Ansicht, dass es sinnvoller wäre, wenn Amatis in der Halle bliebe und Clarys Anliegen unterstützte. »Ich wäre so gern bei der Besprechung dabei«, fuhr Clary fort.

»Nein«, widersprach Simon, »das wärst du nicht.«

Clary wusste, warum Luke sie gebeten hatte, im Freien zu warten. Sie konnte sich vorstellen, was die Anwesenden im Augenblick über sie sagten. *Lügnerin. Verrückte. Närrin. Durchgedreht. Dumm. Monströs. Valentins Tochter.* Vermutlich war es tatsächlich besser, dass sie vor der Halle wartete, aber die Anspannung in Erwartung der Ratsentscheidung ließ sich kaum aushalten.

»Vielleicht könnte ich ja auf eines dieser Dinger klettern«, sinnierte Simon und musterte die wuchtigen weißen Säulen, die das schräge Dach der Halle trugen. Die Steinquader waren mit einem überlappenden Runenmuster versehen, boten aber ansonsten keinen sichtbaren Halt. »Um ein wenig Dampf ab-zulassen«, erläuterte er.

»Ach, hör auf«, murrte Clary. »Du bist ein Vampir, nicht Spi-derman.«

Doch statt einer Antwort lief Simon leichtfüßig die Stufen zum Fuß einer Säule hinauf. Nachdenklich betrachtete er den Säulenschaft, legte dann die Hände auf das Gestein und be-gann, daran hochzuklettern. Mit offenem Mund beobachtete Clary, wie seine Fingerspitzen und Füße selbst an unmögli-chen Stellen in der kannelierten Säule Halt fanden.

»Du bist tatsächlich Spiderman!«, stieß sie sprachlos her-vor.

Simon schaute von seinem Aussichtsposten etwa auf der Hälfte der Säule zu Clary hinab. »Das würde dich dann zu Mary Jane machen, die übrigens auch rote Haare hat«, erwiderte er, kletterte weiter und warf stirnrunzelnd einen Blick auf die Stadt. »Ich hatte gehofft, ich könnte das Nordtor von hier aus sehen, aber ich bin nicht hoch genug.«

Clary wusste, warum Simon diesen Wunsch verspürte. Man hatte Boten vor die Tore der Stadt geschickt, um die Schatten-weltler zu bitten, noch zu warten, während der Rat sich be-riet. Und Clary konnte nur hoffen, dass sie dazu bereit waren. In ihrer Fantasie malte sie sich aus, wie die Menge da draußen rastlos auf und ab lief, ungeduldig wartete und sich fragte, was in der Halle wohl vor sich ging . . .

Plötzlich öffnete sich eine der Doppeltüren einen Spalt und eine schlanke Gestalt schlüpfte heraus, schloss die Tür hinter sich und wandte sich Clary zu. Ihr Gesicht lag im Schatten, und erst als sie auf Clary zukam und in das Licht der Elbenlaternen trat, sah Clary die rot aufleuchtenden Haare – und erkannte ihre Mutter.

Mit einem verwirrten Ausdruck in den Augen schaute Jocelyn die Säule hinauf. »Oh, hallo, Simon. Freut mich, dass du so gut mit der Situation . . . zurechtkommst.«

Simon stieß sich von der Säule ab und landete leichtfüßig vor deren Sockel. Er wirkte ein wenig beschämt. »Hi, Mrs Fray.«

»Ich weiß nicht, ob es noch sinnvoll ist, mich weiterhin so zu nennen«, erwiderte Clarys Mutter. »Vielleicht solltest du mich einfach nur Jocelyn nennen.« Sie zögerte einen Moment. »So merkwürdig das alles auch sein mag, aber ich bin doch froh, dich hier bei Clary zu sehen. Ich kann mich gar nicht mehr erinnern, wie lange es her ist, dass ich euch beide mal getrennt erlebt habe.«

Simon war sichtlich verlegen. »Ich freu mich auch, Sie wiederzusehen.«

»Danke, Simon.« Jocelyn warf ihrer Tochter einen Blick zu. »Hör mal, Clary, hättest du vielleicht ein paar Minuten Zeit für mich, damit wir reden können? Unter vier Augen?«

Einen langen Moment saß Clary einfach nur da und musterte ihre Mutter; sie hatte fast das Gefühl, eine Fremde anzusehen. Sie spürte, wie es ihr die Kehle zuschnürte. Dann schaute sie zu Simon hinüber – der eindeutig auf ein Zeichen von ihr wartete, ob er gehen oder bleiben sollte – und seufzte. »Okay.«

Nachdem Simon ihr noch signalisiert hatte, dass er ihr die Daumen drückte, und dann in der Halle verschwunden war, drehte Clary sich wieder um und starrte geradeaus auf den

Platz vor ihr, während Jocelyn die Stufen herunterkam und sich neben sie hockte. Ein Teil von Clary hätte sich gern zur Seite gelehnt und den Kopf auf die Schulter ihrer Mutter gelegt. Und wenn sie die Augen schloss, könnte sie sogar so tun, als wäre alles in bester Ordnung, überlegte sie. Doch ein anderer Teil von ihr wusste, dass das keinen Unterschied machen würde – schließlich konnte sie nicht ewig die Augen verschließen.

»Clary . . .«, setzte Jocelyn nach einer Weile mit leiser Stimme an, »Clary, es tut mir so leid.«

Reglos starrte Clary auf ihre Hände. Sie hielt noch immer Patrick Penhallows Stele in den Fingern, wie ihr plötzlich bewusst wurde. *Hoffentlich denkt er nicht, ich will sie stehlen,* überlegte sie.

»Ich hätte nicht gedacht, dass ich diesen Platz jemals wiedersehen würde«, murmelte Jocelyn. Clary warf ihr einen verstohlenen Seitenblick zu und stellte fest, dass ihre Mutter über die Stadt schaute und hinauf zu den Dämonentürmen, die ihr grellweißes Licht in den Himmel sandten.

»Manchmal habe ich davon geträumt«, fuhr Jocelyn fort. »Ich habe diesen Ort sogar malen wollen, meine Erinnerungen in Bildern festhalten wollen, doch das durfte ich nicht. Ich habe gedacht, wenn du die Gemälde jemals sehen würdest, könntest du anfangen, Fragen zu stellen und dich wundern, woher ich diese Vorstellungen hätte und wie mir diese Bilder überhaupt in den Kopf gekommen wären. Ich hatte fürchterliche Angst, du könntest herausfinden, woher ich wirklich stammte. Wer ich wirklich bin.«

»Und jetzt habe ich es herausgefunden.«

»Ja, jetzt hast du es herausgefunden«, bestätigte Jocelyn wehmütig. »Und du hast allen Grund, mich zu hassen.«

»Ich hasse dich nicht, Mom«, sagte Clary. »Ich kann dir nur einfach . . .«

». . . nicht mehr vertrauen«, ergänzte Jocelyn. »Und das kann ich dir nicht verübeln. Ich hätte dir die Wahrheit sagen sollen.« Vorsichtig berührte sie Clary an der Schulter und schien erleichtert, als Clary nicht zurückzuckte. »Ich könnte dir jetzt sagen, dass ich das alles nur getan habe, weil ich dich beschützen wollte, aber ich weiß, wie das klingen würde. Ich war dort . . . vorhin in der Halle und habe dich beobachtet . . .«

»Du warst dort?«, wiederholte Clary perplex. »Ich hab dich gar nicht gesehen.«

»Ich stand am hinteren Ende der Halle. Luke hatte mich gebeten, nicht zur Versammlung zu kommen, weil meine Anwesenheit die anderen nur ablenken und alles durcheinanderbringen würde, und wahrscheinlich lag er damit gar nicht mal falsch, aber ich wollte unbedingt dabei sein. Also bin ich nach Beginn der Versammlung einfach in die Halle geschlüpft und habe mich in den Schatten versteckt. Aber ich war da. Und ich wollte dir nur sagen . . .«

»Dass ich mich zum Narren gemacht habe?«, fragte Clary verbittert. »Danke, aber das weiß ich bereits.«

»Nein. Ich wollte dir sagen, wie stolz ich auf dich bin.«

Clary drehte den Kopf und sah ihre Mutter an. »Ehrlich?«

Jocelyn nickte. »Natürlich bin ich stolz. Die Art und Weise, wie du vor den Rat getreten bist. Wie du den Anwesenden gezeigt hast, wozu du fähig bist. Du hast sie in deine Richtung schauen und in dir den Menschen sehen lassen, den sie auf der Welt am meisten lieben, stimmt's?«

»Ja, stimmt«, sagte Clary. »Woher weißt du das?«

»Weil ich gehört habe, wie sie unterschiedliche Namen ausriefen«, erklärte Jocelyn leise. »Aber ich habe nach wie vor nur dich gesehen.«

»Oh.« Clary schaute auf ihre Füße. »Na ja . . . aber ich bin mir noch immer nicht sicher, ob sie mir glauben . . . das mit der Rune, meine ich. Ich hoffe es natürlich, aber . . .«

»Kannst du sie mir zeigen?«, fragte Jocelyn.

»*Was* zeigen?«

»Die Rune. Diejenige, die du erschaffen hast, um Schattenjäger und Schattenweltler zu vereinigen.« Jocelyn zögerte einen Moment. »Aber wenn das nicht geht . . .«

»Doch, doch, ist schon okay.« Mit der Stele zeichnete Clary die Linien der Rune, die der Engel ihr gezeigt hatte, auf die Marmorstufe. Ihre Konturen leuchteten golden glühend auf – es war eine mächtige Rune, eine Karte geschwungener Linien über einem Raster aus geraden Strichen. Schlicht und komplex zugleich. Clary wusste nun, warum ihr die Rune früher immer irgendwie unvollständig erschienen war: Sie benötigte ein passendes Gegenstück, um ihre Wirkung entfalten zu können. Einen Zwilling. Einen Partner. »Allianz«, sagte sie, »so nenne ich diese Vereinigungsrune.«

Schweigend sah Jocelyn zu, wie die Rune aufflammte und dann verblasste, wobei sie schwache Ränder auf dem Marmor hinterließ. »Als ich eine junge Frau war, habe ich so hart dafür gekämpft, Schattenweltler und Schattenjäger zu verbünden, das Abkommen zu beschützen. Damals dachte ich, ich würde einem Traum nachjagen, etwas wollen, das die meisten Schattenjäger sich nicht einmal vorstellen konnten. Und nun hast du diesen Traum greifbar gemacht und ihn *wahr* werden lassen.« Aufgewühlt musste sie ein paarmal blinzeln. »Als ich dich da in der Halle gesehen habe, ist mir etwas klar geworden: In all den Jahren habe ich dich immer dadurch zu schützen versucht, dass ich dich versteckt habe. Deswegen gefiel es mir auch überhaupt nicht, dass du ins *Pandemonium* gegangen bist. Ich wusste, dass es sich dabei um einen Klub handelt, den Schattenwesen und Irdische gleichermaßen besuchen – und dass dort dementsprechend auch Schattenjäger sein würden. Ich hab mir gedacht, dass wohl irgendetwas in deinem Blut dich dorthin zog, etwas, das die Verborgene Welt erkannte, obwohl dir dein zweites Gesicht ja genommen war. Ich dachte, du wärst in Sicherheit, solange ich diese Welt nur vor dir versteckt halten konnte. Auf den Gedanken, dich zu schützen, indem ich dich stark und wehrhaft mache, bin ich nie gekommen«, fügte sie traurig hinzu. »Aber irgendwie hast du es ja auch allein geschafft – jetzt bist du stark. Stark genug, dass ich dir die Wahrheit erzählen kann, falls du sie noch hören möchtest.«

»Ich weiß es nicht«, erwiderte Clary und musste an die schrecklichen Bilder denken, die der Engel ihr gezeigt hatte. »Ich weiß, ich war furchtbar sauer auf dich, weil du mich belogen hast. Aber ich bin mir nicht sicher, ob ich noch mehr grauenhafte Dinge erfahren möchte.«

»Ich habe vorhin mit Luke gesprochen. Er meinte, du solltest alles wissen, was ich dir zu sagen habe. Die ganze Geschichte. Jede Einzelheit. Darunter befinden sich viele Dinge, die ich noch niemandem erzählt habe, nicht einmal Luke. Ich kann dir nicht versprechen, dass dir die Wahrheit immer gefallen wird, aber es ist zumindest die Wahrheit.«

Das Gesetz ist hart, aber es ist das Gesetz. Clary war es Jace schuldig, die Wahrheit herauszufinden – mindestens so sehr, wie sie es sich selbst schuldete. Clary umklammerte die Stele in ihrer Hand, bis ihre Knöchel weiß hervortraten. »Ich will alles hören.«

»Alles . . .« Jocelyn holte tief Luft. »Ich weiß gar nicht, wo ich anfangen soll.«

»Wie wär's, wenn du mir erzählst, wie du Valentin heiraten konntest? Wie konntest du einen solchen Mann heiraten, ihn zu meinem Vater machen? Er ist ein *Monster.*«

»Nein. Er ist ein Mensch. Zugegeben, kein guter Mensch. Aber wenn du wissen willst, warum ich ihn geheiratet habe . . . Ich habe ihn geliebt.«

»Das kann nicht sein«, entgegnete Clary. »Niemand kann Valentin lieben.«

»Ich war etwa in deinem Alter, als ich mich in ihn verliebt habe«, erklärte Jocelyn. »Ich dachte, er sei perfekt: brillant, clever, wundervoll, witzig, charmant. Ich weiß, ich weiß – du denkst jetzt wahrscheinlich, ich hätte den Verstand verloren. Aber du kennst nur den Valentin von heute und kannst dir nicht vorstellen, wie er damals gewesen ist. Als wir zusammen zur Schule gingen, war er bei allen total beliebt. *Jeder* mochte ihn. Irgendwie schien er eine Art Licht auszustrahlen, als gäbe es einen besonderen, hell erleuchteten Teil des Universums, zu dem nur er Zugang hatte – und wenn wir anderen Glück hatten, würde er uns daran teilhaben lassen, zumindest ein wenig. Alle Mädchen waren verrückt nach ihm und ich dachte, ich selbst hätte nicht die geringste Chance. An mir war nichts Außergewöhnliches. Ich war nicht einmal besonders beliebt; Luke war einer meiner besten Freunde und ich verbrachte die meiste Zeit mit ihm. Aber irgendwie, aus irgendeinem Grund, hatte Valentin sich doch für mich entschieden.«

Igitt!, wäre Clary fast herausgeplatzt. Doch sie hielt sich zurück. Vielleicht lag es an der Mischung aus Wehmut und Bedauern in Jocelyns Stimme oder vielleicht daran, was sie über Valentin gesagt hatte – dass er irgendwie Licht ausgestrahlt hätte. Clary hatte das Gleiche schon einmal von Jace gedacht; damals war sie sich bei dem Gedanken dumm vorgekommen. Aber vielleicht empfand ja jeder Frischverliebte so. »Okay«, räumte sie ein, »ich verstehe, was du meinst. Aber damals warst du sechzehn. Das bedeutet doch nicht, dass du ihn gleich heiraten musstest.«

»Ich war achtzehn, als wir geheiratet haben. Und er war neunzehn«, erläuterte Jocelyn sachlich.

»Ach, du lieber Himmel«, stieß Clary entsetzt hervor. »Du würdest mich *umbringen,* wenn ich mit achtzehn heiraten wollte.«

»Stimmt«, bestätigte Jocelyn. »Aber Schattenjäger heiraten nun mal früher als Irdische. Ihre – *unsere* – Lebenserwartung ist kürzer; viele von uns sterben eines gewaltsamen Todes. Das führt dazu, dass wir mit fast allen Dingen früher beginnen. Doch selbst für damalige Verhältnisse war ich ziemlich jung, als wir den Bund der Ehe schlossen. Andererseits haben sich alle für mich gefreut: meine Familie, meine Freunde, sogar Luke. Alle hielten Valentin für einen wunderbaren Jungen.

Und das war er ja auch . . . damals . . . denn er war nur ein Junge. Die Einzige, die mir dringend davon abgeraten hat, ihn zu heiraten, war Madeleine. Wir waren in der Schule befreundet gewesen, aber als ich ihr von meiner Verlobung erzählte, meinte sie, Valentin sei egoistisch und abscheulich und hinter seinem Charme verberge sich eine schreckliche Amoralität. Damals habe ich gedacht, sie wäre eifersüchtig.«

»Und, war sie das?«

»Nein«, seufzte Jocelyn, »sie hat nur die Wahrheit gesagt. Aber die wollte ich nicht hören.« Wehmütig schaute sie auf ihre Hände.

»Aber dann hast du es bereut«, sagte Clary. »Nachdem du ihn geheiratet hattest, hast du es bereut, stimmt's?«

»Clary«, setzte Jocelyn an. Sie klang sehr müde. »Valentin und ich, wir waren *glücklich* miteinander. Zumindest während der ersten Jahre. Wir haben im Haus meiner Eltern gewohnt, dort, wo ich aufgewachsen war. Valentin wollte nicht in der Stadt leben und er wollte, dass sich auch der Rest des Kreises von Alicante und den neugierigen Blicken des Rats fernhielt. Damals lebten die Waylands in einem Landhaus nur wenige Kilometer von unserem entfernt und auch viele andere Mitglieder des Kreises wohnten in der Nähe – die Lightwoods, die Penhallows. Es kam mir vor, als befänden wir uns im Zentrum unserer Welt, mit all den Aktivitäten um uns herum, all der Leidenschaft. Und bei allem war ich immer an Valentins Seite. Er hat mir nie das Gefühl gegeben, ich wäre nebensächlich oder unbedeutend. Nein, ich besaß eine Schlüsselposition innerhalb des Kreises. Ich gehörte zu den wenigen, auf deren Meinung er vertraute. Wieder und wieder hat er mir erklärt, dass er ohne mich nichts von alldem tun könne. Ohne mich wäre er ein Niemand.«

»*Das* hat er gesagt?«, fragte Clary ungläubig. Sie konnte sich nicht vorstellen, dass Valentin so etwas jemals über die Lippen bringen würde – etwas, das ihn so verwundbar klingen ließ.

»Ja, aber das entsprach nicht der Wahrheit. Valentin hätte niemals ein Niemand sein können. Er war dazu geboren, andere zu führen, im Zentrum einer Revolution zu stehen. Im Laufe der Zeit stießen immer mehr bekehrte Schattenjäger zu ihm, magisch angezogen von seiner Leidenschaft und seinen brillanten Ideen. Damals sprach er nur selten von den Schattenweltlern. In jenen frühen Anfangstagen ging es ihm vorrangig um eine Reform des Rats, um die Veränderung von Gesetzen, die er für überholt und starr und falsch hielt. Valentin meinte, es müsse mehr Schattenjäger geben, mehr Nephilim, um die Dämonen zu bekämpfen, mehr Institute ... und dass wir uns weniger Sorgen darum machen müssten, uns zu verstecken, als die Erde vor den Dämonen zu schützen. Dass wir stolz und aufrecht durch die Welt gehen sollten. Seine Vision war verführerisch: eine Welt voller Schattenjäger, in der Dämonen schreiend davonliefen und in der Irdische uns für unsere Taten dankten, statt unsere Existenz zu bezweifeln. Wir waren jung; wir dachten, *Dankbarkeit* wäre wichtig. Wir wussten es nicht besser.« Jocelyn holte tief Luft, als wolle sie unter Wasser tauchen. »Und dann wurde ich schwanger.«

Plötzlich spürte Clary einen eisigen Schauer über den Rücken jagen und war sich nicht mehr sicher, ob sie noch länger die Wahrheit aus dem Mund ihrer Mutter hören wollte ... von ihr erneut erfahren wollte, wie Valentin Jace in ein Monster verwandelt hatte. »Mom . . .«, setzte sie an.

Doch Jocelyn schüttelte blind den Kopf. »Du hast mich gefragt, warum ich dir nie erzählt habe, dass du einen Bruder hast. Das kann ich dir erklären.« Erneut holte sie tief Luft. »Als ich herausfand, dass ich ein Kind erwartete, war ich überglücklich. Und Valentin . . . er habe schon immer Vater werden wollen, verkündete er, um seinen Sohn zu einem Krieger zu erziehen, genau wie sein Vater ihn erzogen hatte. ›Oder deine Tochter‹, warf ich dann immer ein, woraufhin er lächelte und meinte, eine Tochter könne eine ebenso gute Kriegerin werden wie ein Junge und er würde sich über beides freuen. Damals dachte ich, alles wäre einfach perfekt.

Doch dann wurde Luke von einem Werwolf gebissen. Es heißt, bei einem von zwei Gebissenen bestünde das Risiko, dass er an Lykanthropie erkrankt. Aber ich denke, dass das Verhältnis eher bei dreien von vier liegt. Nur äußerst selten habe ich erlebt, dass jemand der Krankheit entkommen konnte, und auch Luke war keine Ausnahme. Beim darauf folgenden Vollmond vollzog sich seine Verwandlung zum Werwolf. Als er am nächsten Morgen vor unserer Haustür auftauchte, war er blutüberströmt und seine Kleidung vollkommen zerrissen. Ich wollte ihn trösten, aber Valentin hielt mich zurück. ›Jocelyn‹, sagte er, ›denk an das Baby.‹ Als ob Luke sich jeden Moment auf mich stürzen und mir das Kind aus dem Leib reißen wollte! Ich meine, er war doch immer noch Luke, mein *Freund* Luke. Doch Valentin stieß mich aus dem Weg und zerrte Luke die Stufen hinunter und hinein in die Wälder. Als Valentin viele Stunden später zurückkehrte, war er allein. Ich bin sofort zu ihm gelaufen, doch er meinte, Luke hätte sich das Leben genommen, aus Verzweiflung über seine Lykanthropie. Und dass er . . . dass er tot sei.«

Der Kummer ließ Jocelyns Stimme rau und heiser klingen, überlegte Clary, selbst in diesem Moment noch, wo sie doch wusste, dass Luke nicht gestorben war. Aber Clary erinnerte sich an ihre eigene Verzweiflung, als sie Simon festgehalten hatte und er auf den Stufen des Instituts in ihren Armen gestorben war. Es gab Gefühle, die vergaß man nie mehr.

»Allerdings hatte Valentin Luke lediglich einen Dolch gegeben und ihn aufgefordert, sich selbst zu töten«, ergänzte Clary mit leiser Stimme. »Und dann hat er Amatis' Ehemann dazu gebracht, sich von ihr scheiden zu lassen, nur weil ihr Bruder sich in einen Werwolf verwandelt hatte.«

»Das wusste ich damals nicht«, sagte Jocelyn. »Nach Lukes Tod hatte ich das Gefühl, in ein schwarzes Loch zu fallen. Monatelang verließ ich mein Schlafzimmer nicht, blieb die ganze Zeit im Bett und aß, wenn überhaupt, nur wegen des Kindes, das ich erwartete. Irdische würden diesen Zustand als eine Depression bezeichnen, aber Schattenjäger kennen solche Begriffe nicht. Valentin war überzeugt, ich hätte nur eine schwierige Schwangerschaft. Er hat allen erzählt, ich wäre krank. Und ich war ja auch krank: Ich konnte nicht schlafen, glaubte, seltsame Geräusche zu hören, Schreie in der Nacht. Daraufhin gab Valentin mir abends immer einen Schlaftrunk, aber die verursachten bei mir Albträume. Furchtbare Träume, in denen Valentin mich unter Wasser tauchte, ein Messer in mich rammte oder mich mit irgendeinem Gift zum Erbrechen brachte. Morgens war ich dann wie gerädert und hab den ganzen Tag vor mich hin gedämmert. Ich hatte keine Ahnung, was jenseits meiner Schlafzimmerwände vor sich ging, keine Ahnung, dass Valentin Stephen zu einer Scheidung von Amatis gezwungen und ihn überredet hatte, Céline zu heiraten. Ich lebte wie in einem Nebel. Und dann . . .« Jocelyn verschränkte die Hände in ihrem Schoß, damit sie nicht länger zitterten. »Und dann bekam ich das Baby.«

Sie verstummte und schwieg so lange, dass Clary sich schon fragte, ob sie überhaupt noch weitererzählen würde. Blind starrte Jocelyn zu den Dämonentürmen hinauf; ihre Finger trommelten nervös auf ihren Knien. Schließlich fuhr sie fort: »Meine Mutter war bei mir, als das Kind auf die Welt kam. Du hast sie nicht mehr kennengelernt . . . deine Großmutter. Sie war eine so liebe und gütige Frau. Du hättest sie bestimmt gemocht. Als sie mir meinen Sohn reichte, sah ich zuerst nur, dass er perfekt in meinen Arm passte, dass seine Decke ganz weich war und dass er so winzig und zerbrechlich war, mit einem kleinen blonden Haarbüschel mitten auf dem Kopf. Und dann schlug er die Augen auf.«

Jocelyns Stimme klang matt, fast tonlos – und trotzdem spürte Clary, dass sie zu zittern begann, aus Furcht vor dem, was ihre Mutter als Nächstes sagen würde. *Nicht,* wollte sie rufen, *erzähl es mir nicht.* Doch Jocelyn fuhr fort und die Worte strömten wie kaltes Gift über ihre Lippen:

»Eine Woge des Entsetzens erfasste mich. Ich hatte das Gefühl, als hätte man mich in Säure getaucht – meine Haut schien sich von den Knochen zu lösen und ich musste mich förmlich zwingen, das Baby nicht fallen zu lassen und laut loszuschreien. Es heißt, jede Mutter würde ihr eigenes Kind instinktiv erkennen. Vermutlich gilt das auch für das Gegenteil: Jede Faser meines Körpers schrie, dass dies nicht mein Baby war, dass dies etwas Schreckliches war, ein unnatürliches Wesen, so unmenschlich wie ein Parasit. Wie konnte es sein, dass meine Mutter das nicht sah? Doch sie lächelte mich an, als wäre alles in bester Ordnung.

›Er heißt Jonathan‹, sagte in dem Moment eine Stimme von der Schlafzimmertür her. Ich schaute auf und sah, dass Valentin die Szene vor ihm mit einem Ausdruck der Freude betrachtete. Und das Baby schlug erneut die Lider auf, als hätte es den Klang seines Namens erkannt. Seine Augen waren schwarz, schwarz wie die Nacht, bodenlos wie Tunnel, die in seinen Schädel gebohrt waren. In ihnen war nichts Menschliches.«

In der darauf folgenden Stille saß Clary wie versteinert da und starrte ihre Mutter in sprachlosem Entsetzen an. *Sie redet hier von Jace*, dachte sie. *Von Jace, als er noch ein Baby war. Wie konnte man angesichts eines* Babys *nur so empfinden?*

»Mom«, wisperte Clary. »Vielleicht . . . vielleicht hast du ja unter Schock gestanden oder so was. Oder vielleicht warst du krank . . .«

»Dasselbe hat Valentin mir auch erzählt«, erwiderte Jocelyn mit ausdrucksloser Stimme. »Dass ich krank sei. Valentin liebte Jonathan über alles. Er konnte nicht verstehen, was mit mir los war. Und ich wusste, dass er recht hatte. Ich war ein Monster, eine Mutter, die ihr eigenes Kind nicht ausstehen konnte. Damals habe ich daran gedacht, mir das Leben zu nehmen. Vielleicht hätte ich das auch getan, doch dann erhielt ich eine Nachricht, eine Flammenbotschaft von Ragnor Fell. Er war der Hexenmeister, der unserer Familie immer am nächsten gestanden hatte, derjenige, den wir kommen ließen, wenn wir einen Heilspruch benötigten oder ähnliche Dinge. Fell hatte herausgefunden, dass Luke noch lebte und zum Anführer eines Werwolfrudels im Brocelind-Wald aufgestiegen war, in der Nähe der Ostgrenze. Nachdem ich die Nachricht gelesen hatte, habe ich sie vernichtet. Denn ich wusste, dass Valentin niemals davon erfahren durfte. Allerdings musste ich erst noch zum Lager der Werwölfe reisen und Luke mit eigenen Augen *sehen,* bis ich begriff, dass Valentin mich belogen hatte, dass er Lukes Selbstmord mir gegenüber nur vorgetäuscht hatte. Und das war der Moment, in dem ich Valentin zu hassen begann.«

»Aber Luke hat erzählt, du hättest gewusst, dass mit Valentin irgendetwas nicht stimmte – dass er irgendwelche schrecklichen Dinge durchführte. Er sagte, du hättest davon gewusst, noch bevor er sich in einen Werwolf verwandelte.«

Jocelyn schwieg einen Moment. »Weißt du«, fuhr sie schließlich fort, »eigentlich hätte Luke nicht gebissen werden dürfen. Das hätte niemals passieren dürfen. Es war doch nur eine Routinepatrouille in den Wäldern . . . er war mit Valentin unterwegs . . . es hätte wirklich nicht passieren dürfen.«

»Mom . . .«

»Luke hat recht: Offenbar habe ich ihm noch vor seiner Verwandlung erzählt, dass ich mich vor Valentin fürchtete . . . dass ich nachts Schreie hören konnte, die durch die Mauern des Landhauses zu dringen schienen . . . dass ich einen Verdacht hegte, einen schlimmen Verdacht. Und Luke – treuer, vertrauensseliger Luke – sprach Valentin am nächsten Tag direkt darauf an. In jener Nacht nahm Valentin Luke mit auf die

Jagd, während der er gebissen wurde. Ich glaube . . . ich glaube, Valentin hat mir etwas gegeben, das mich alles vergessen ließ, was ich gesehen hatte, alles, wovor ich mich fürchtete. Er hat mir eingeredet, dass es sich nur um einen schlechten Traum gehandelt hätte. Und ich glaube außerdem, dass *er* dafür gesorgt hat, dass Luke in jener Nacht gebissen wurde. Ich denke, er wollte Luke aus dem Weg schaffen, damit niemand mich daran erinnern konnte, dass ich mich vor meinem eigenen Ehemann fürchtete. Aber das habe ich nicht erkannt, jedenfalls nicht sofort. An dem Tag, an dem ich Ragnor Fells Nachricht erhalten hatte, haben Luke und ich uns nur kurz gesehen. Eigentlich wollte ich ihm unbedingt von Jonathan erzählen, aber ich habe es nicht fertiggebracht, ich konnte es einfach nicht. Jonathan war mein Sohn. Trotzdem hat mich die Begegnung mit Luke – das Wissen, dass er noch lebte – stärker gemacht. Ich ritt nach Hause in der festen Absicht, mir mehr Mühe mit Jonathan zu geben und ihn lieben zu lernen. Mich dazu zu überwinden, ihn zu lieben.

In jener Nacht wurde ich vom Weinen eines Babys geweckt. Ruckartig fuhr ich hoch. Ich war allein im Haus – Valentin war fort, zu einer Versammlung des Kreises –, daher konnte ich meine Verwunderung mit niemandem teilen.

Du musst wissen, dass Jonathan nie geweint oder auch nur das geringste Geräusch von sich gegeben hat. Sein Schweigen zählte zu den Dingen, die mich am meisten an ihm erschreckten. Atemlos rannte ich durch den Flur zu seinem Zimmer, aber er schlief tief und fest und völlig still. Trotzdem konnte ich ein Kind weinen hören, da war ich mir absolut sicher. Ich lief die Treppe hinunter, folgte den schluchzenden Babygeräuschen. Sie schienen aus dem leeren Weinkeller zu kommen, dessen Tür jedoch verriegelt war, da wir den Raum nicht nutzten. Aber schließlich war ich in dem Landhaus aufgewachsen – ich wusste, wo mein Vater den Schlüssel versteckte . . .«

Während Jocelyn erzählte, starrte sie gedankenverloren geradeaus, als wäre sie vollkommen in ihre Erinnerungen versunken.

»Als du klein warst, habe ich dir nie die Geschichte von König Blaubart und seiner Frau vorgelesen, oder? Darin untersagt der König seiner Frau, einen Blick in einen verschlossenen Raum zu werfen; doch die Frau ignoriert das Verbot und stößt in dem Raum auf die Überreste sämtlicher früherer Frauen ihres Mannes, die dieser ermordet und wie Schmetterlinge in einer Vitrine ausgestellt hat. Ich selbst hatte keine Ahnung, was mich hinter der verriegelten Weinkellertür erwarten würde. Wenn man mich heute fragt, ob ich das noch mal tun würde . . . ob ich noch mal in der Lage wäre, die Tür zu öffnen und mich von meinem Elbenlicht durch die Dunkelheit führen zu lassen, dann wüsste ich darauf keine Antwort, Clary. Ich wüsste es wirklich nicht.

Als Erstes schlug mir der Geruch entgegen, ein grässlicher Geruch nach Blut und Verderben und Tod. Valentin hatte unter dem Weinkeller eine tiefe Gruft ausgehoben. Und das, was ich gehört hatte, war nicht das Weinen eines Babys gewesen: In der Gruft befanden sich etliche Zellen – Zellen, in denen Wesen kauerten. Dämonen-Kreaturen, die mit Elektrumketten gefesselt waren, gekrümmte, sich windende und röchelnde Gestalten. Doch das war längst nicht alles: In den nächsten Zellen befanden sich die leblosen Körper von Schattenwesen – in unterschiedlichen Verfalls- und Verwesungszuständen. Werwölfe, deren Muskulatur von Silberpulver halb zerfressen war. Vampire, die man mit dem Kopf in Eimer mit Weihwasser gesteckt hatte, bis sich ihre Haut in Fetzen von den Knochen gelöst hatte. Feenwesen, deren Haut mit kaltem Eisen durchbohrt war.

Selbst jetzt, in diesem Moment, sehe ich Valentin noch immer nicht als einen Folterknecht. Nicht wirklich. Er schien eher wissenschaftliche Studien zu betreiben. An jeder Zellentür war ein Pult angebracht, auf dem ein Buch mit Notizen lag – akribische Aufzeichnungen seiner Experimente: Wie lange es gedauert hatte, bis der jeweilige Insasse gestorben war. Einem der Vampire hatte Valentin wieder und wieder die Haut versengt, um herauszufinden, bis zu welchem Grad sich die arme Kreatur regenerieren konnte. Es fiel mir schwer, seine Notizen zu lesen; am liebsten wäre ich in Ohnmacht gefallen oder hätte mich übergeben. Aber irgendwie gelang es mir, diesen Drang zu unterdrücken.

Eine Seite hatte Valentin den Experimenten gewidmet, die er an sich selbst durchgeführt hatte. Offenbar hatte er irgendwo gelesen, dass Dämonenblut als Verstärker derjenigen Kräfte fungieren könnte, mit denen Schattenjäger geboren werden. Also hatte er versucht, sich dieses Blut zu injizieren, aber ohne sichtbaren Erfolg; ihm war davon lediglich schlecht geworden. Schließlich kam er zu dem Schluss, dass er bereits zu alt war und dass das Blut bei ihm seine volle Wirkung nicht mehr entfalten konnte. Stattdessen müsste es einem Kind verabreicht werden – vorzugsweise einem ungeborenen.

Auf der gegenüberliegenden Buchseite hatte er weitere Be

obachtungen notiert – unter einer Überschrift, die ich sofort erkannte. Dort stand *mein* Name. *Jocelyn Morgenstern*.

Ich weiß noch, wie meine Finger zitterten, als ich die folgenden Seiten umblätterte, während Valentins Notizen sich mir förmlich ins Hirn brannten: ›Jocelyn hat die Mischung auch heute Abend wieder getrunken. Bei ihr sind noch keine sichtbaren Veränderungen festzustellen, aber mir es geht in erster Linie ja auch um das Ungeborene . . . Mit weiteren regelmäßigen Verabreichungen von dämonischem Wundsekret müsste das Kind später zu allen erdenklichen Leistungen fähig sein . . . Letzte Nacht habe ich seinen Herzschlag gehört – stärker als jedes menschliche Herz, der Klang einer mächtigen Glocke, die den Beginn einer neuen Generation von Schattenjägern einläutet. Einer Rasse von Nephilim, bei denen sich das Blut von Engeln und Dämonen zu einer Mischung vereinigt, deren Macht und Stärke alles Dagewesene in den Schatten stellt . . . Die Tage, in denen die Kräfte der Schattenwesen die stärksten auf Erden waren, sind endgültig gezählt . . .‹

Valentins Notizen füllten Seite um Seite. Mit zitternden Fingern blätterte ich weiter, während vor meinem inneren Auge die Schlaftrunke und Mixturen wieder auftauchten, die Valentin mir Abend für Abend verabreicht hatte. Nun verstand ich auch meine allnächtlichen Albträume, in denen ich das Gefühl hatte, man würde mich erstechen, ersticken oder vergiften. Doch nicht ich wurde vergiftet, sondern Jonathan. Valentin vergiftete Jonathan, den er in eine Art halb dämonische *Kreatur* verwandelt hatte. Und *das,* Clary, war der Moment, in dem ich erkannte, wer Valentin wirklich war.«

Clary ließ die Luft – von der sie gar nicht gemerkt hatte, dass sie sie angehalten hatte – langsam aus ihren Lungen strömen. Diese Geschichte war entsetzlich, unsagbar entsetzlich, fügte sich aber mit allem zusammen, was Ithuriel ihr in der Vision gezeigt hatte. Clary war sich nicht sicher, für wen sie mehr Mitleid empfunden sollte: für ihre Mutter oder für Jonathan. Jonathan – sie konnte ihn einfach nicht mehr als Jace sehen, nicht in Gegenwart ihrer Mutter und mit den frischen Bildern dieser Geschichte im Kopf. Jonathan – zu einem halb menschlichen Dasein verurteilt, von einem Vater, der sich mehr für die Ermordung von Schattenweltlern interessierte als für das Wohlergehen seiner eigenen Familie.

»Aber damals hast du Valentin noch immer nicht verlassen, oder?«, fragte Clary mit gepresster Stimme. »Du bist geblieben . . .«

»Ja, aus zwei Gründen«, erklärte Jocelyn. »Der erste Grund war der Aufstand. Meine Entdeckungen in jener Nacht im Keller waren wie ein Schlag ins Gesicht, der mich aus meinem Dämmerzustand weckte und mir die Augen für das öffnete, was um mich herum vorging. Als mir erst einmal klar geworden war, was Valentin vorhatte – das Abschlachten von Schattenweltlern im großen Stil –, da wusste ich, dass ich das nicht zulassen durfte. Also habe ich mich heimlich mit Luke getroffen. Ich konnte ihm zwar nicht erzählen, was Valentin mir und unserem Kind angetan hatte, weil ich wusste, dass dieses Wissen Luke rasend gemacht hätte. Er hätte bestimmt versucht, Valentin zu stellen und zu töten, da war ich mir sicher, und dabei hätte er nur sein eigenes Leben riskiert. Und ich konnte auch sonst niemandem anvertrauen, was Valentin mit Jonathan gemacht hatte. Denn trotz allem war er doch noch mein Kind. Aber ich habe Luke von den entsetzlichen Entdeckungen im Keller erzählt und von meiner Überzeugung, dass Valentin den Verstand verlor, dass er zunehmend dem Wahnsinn verfiel. Gemeinsam planten Luke und ich, den Aufstand zu vereiteln. Ich konnte gar nicht anders, Clary, ich fühlte mich innerlich dazu verpflichtet. Es war eine Art Sühne . . . der einzige Weg, um mich von der Sünde reinzuwaschen und dafür zu büßen, dass ich jemals dem Kreis angehört hatte, dass ich Valentin vertraut, dass ich ihn geliebt hatte.«

»Und er hat nichts gemerkt? Valentin, meine ich. Er hat nicht herausbekommen, was du vorhattest?«

Jocelyn schüttelte den Kopf. »Wenn jemand dich liebt, vertraut er dir in der Regel. Außerdem habe ich zu Hause so getan, als wäre alles in Ordnung. Ich verhielt mich so, als hätte ich meinen anfänglichen Widerwillen gegen Jonathan überwunden. Ich nahm ihn regelmäßig mit zu Maryse Lightwood, ließ ihn mit deren Sohn Alec spielen. Manchmal gesellte sich auch Céline Herondale zu uns – sie war zum damaligen Zeitpunkt schwanger. ›Dein Mann ist so freundlich‹, erzählte sie mir immer wieder. ›Er ist so um Stephens und mein Wohlergehen bemüht. Und er gibt mir Mixturen und Schlaftrünke . . . für die Gesundheit meines Babys. Sie wirken einfach wundervoll.‹«

»Oh mein Gott«, stieß Clary hervor.

»Genau das hab ich auch gedacht«, bestätigte Jocelyn finster. »Ich hätte ihr so gern geraten, Valentin nicht zu trauen oder keine seiner Mixturen anzurühren, aber das konnte ich nicht. Ihr Ehemann war Valentins bester Freund und sie hätte ihm sofort von meiner Warnung erzählt. Also hielt ich den Mund. Und dann . . .«

». . . hat sie sich das Leben genommen«, ergänzte Clary, da sie sich an den Fortgang der Geschichte erinnerte. »Weil Valentin ihr das angetan hatte?«

Jocelyn schüttelte den Kopf. »Nein, das glaube ich nicht. Stephen kam bei einem Überfall auf ein Vampirnest ums Leben, und als Céline davon erfuhr, schlitzte sie sich die Pulsadern auf und verblutete. Damals war sie im achten Monat.« Jocelyn schwieg kurz und fuhr dann fort. »Hodge war derjenige, der sie fand. Und Valentin schien wirklich bestürzt über den Tod der beiden. Er stürmte aus dem Haus und blieb fast den ganzen Tag danach verschwunden. Als er nach Hause zurückkehrte, wirkte er erschöpft und abgekämpft. Aber in gewisser Weise war ich fast dankbar für seine Geistesabwesenheit. Denn es bedeutete, dass er dem, was *ich* tat, weniger Aufmerksamkeit widmete. Meine Sorge, dass Valentin die Verschwörung aufdecken könnte, wuchs von Tag zu Tag. Ich musste befürchten, dass er dann versuchen würde, die Wahrheit aus mir herauszupressen: Wer gehörte alles unserem geheimen Bündnis an? Wie viele seiner Pläne hatte ich bereits verraten? Ich fragte mich, wie lange ich einer Folter wohl standhalten würde, und musste mir eingestehen, dass ich wahrscheinlich nicht lange Widerstand bieten konnte. Also beschloss ich, entsprechende Maßnahmen zu ergreifen, um sicherzugehen, dass es niemals so weit kommen würde. Ich wandte mich an Ragnor Fell und er stellte einen speziellen Trank für mich zusammen . . .«

»Der Trank aus dem Weißen Buch«, erkannte Clary in dem Moment. »Dafür brauchtest du es also. Für diesen Zaubertrank

und das Gegenmittel. Und wie ist das Buch dann in der Bibliothek der Waylands gelandet?«

»Ich habe es dort eines Abends während einer Feier versteckt«, erklärte Jocelyn, mit einem leisen Lächeln um die Lippen. »Ich wollte Luke nicht davon erzählen, weil ich wusste,
dass ihm diese ganze Geschichte, die Sache mit dem Zaubertrank nicht gefallen würde. Aber alle anderen, die ich kannte,
gehörten dem Kreis an. Und Ragnor ließ mich wissen, dass er
Idris verlassen wolle und nicht wisse, wann er zurückkehren
würde; allerdings könnte ich ihm jederzeit eine Nachricht zukommen lassen. Doch wer sollte ihm im Zweifelsfall die Nachricht schicken? Schließlich wurde mir klar, dass es nur einen
Menschen gab, dem ich davon erzählen konnte – jemand, der
Valentin genügend hasste, um mich niemals an ihn zu verraten. Also schrieb ich Madeleine einen Brief, in dem ich mein
Vorhaben erläuterte und ihr mitteilte, der einzige Weg zu
meiner Rettung bestünde darin, Ragnor Fell aufzusuchen. Obwohl ich von ihr keine Antwort erhielt, musste ich einfach darauf vertrauen, dass sie meine Nachricht bekommen und verstanden hatte. Das war das Einzige, woran ich mich klammern
konnte.«

»Zwei Gründe . . . Du hast gesagt, du wärst aus zwei Gründen bei Valentin geblieben«, warf Clary ein. »Der erste Grund
war der Aufstand. Und was war der andere?«

Jocelyn wirkte zwar müde, warf Clary aber einen leuchtenden Blick aus ihren grünen Augen zu. »Kannst du das nicht er-
raten, Clary?«, fragte sie. »Der zweite Grund war die Tatsache,
dass ich erneut schwanger war. Mit dir.«

»Oh«, murmelte Clary mit dünner Stimme und erinnerte sich

an Lukes Worte: *Sie trug ein weiteres Kind unter dem Herzen, hatte schon seit Wochen gewusst, dass sie wieder schwanger war.* »Aber hat das nicht den Wunsch in dir geweckt, nun erst recht zu fliehen?«, hakte Clary nach.

»Doch«, erklärte Jocelyn. »Aber ich wusste, dass das unmöglich war. Wenn ich vor Valentin geflohen wäre, hätte er Himmel und Hölle in Bewegung gesetzt, um mich zurückzubekommen. Er hätte mich bis ans Ende der Welt verfolgt, weil ich ihm gehörte und er mich niemals hätte gehen lassen. Vielleicht wäre ich das Risiko für mich selbst ja eingegangen und hätte es darauf ankommen lassen, aber ich hätte niemals zulassen können, dass er dir ein Leid zufügt.« Sie strich sich eine Haarsträhne aus dem erschöpften Gesicht. »Es gab nur einen Weg, das zu verhindern. Und der bestand darin, dass Valentin sterben musste.«

Überrascht schaute Clary ihre Mutter an. Jocelyn wirkte zwar noch immer müde, aber in ihren Augen funkelte eine eiserne Entschlossenheit.

»Ich ging davon aus, dass er bei dem Aufstand ums Leben kommen würde«, fuhr sie fort. »Ich hätte ihn niemals eigenhändig töten können. Irgendwie konnte ich mich nicht dazu überwinden. Aber ich hätte nicht gedacht, dass er die Schlacht überleben könnte. Und später, als ich vor den Überresten des niedergebrannten Landguts stand, wollte ich glauben, dass er tot war. Wieder und wieder habe ich mir einzureden versucht, dass er und Jonathan in dem Feuer umgekommen waren. Aber tief in mir drin wusste ich . . .« Ihre Stimme verstummte einen Moment und sie sprach erst nach einer Weile weiter. »Das ist der Grund, warum ich Idris verlassen und all die Dinge getan habe, die du mir vorgeworfen hast. Ich dachte, es sei der einzige Weg, dich zu beschützen – indem ich dir deine Erinnerungen nahm und dich weitestgehend wie eine Irdische aufwachsen ließ. Indem ich dich in der Welt der Irdischen versteckte. Das war dumm – das weiß ich inzwischen auch. Dumm und falsch. Und es tut mir leid, Clary. Ich kann nur hoffen, dass du mir verzeihen wirst – wenn nicht jetzt, dann doch vielleicht eines Tages.«

»Mom.« Clary musste sich räuspern; sie hatte seit etwa zehn Minuten das Gefühl, jeden Moment in Tränen auszubrechen. »Ist schon in Ordnung. Es . . . es gibt da nur noch eine Sache, die ich nicht verstehe.« Aufgewühlt wickelte sie den Stoff ihres Umhangs um ihre Finger. »Ich . . . ich wusste ja bereits in Teilen, was Valentin Jace angetan hat – ich meine, Jonathan angetan hat. Aber die Art und Weise, wie du Jonathan beschreibst . . . das klingt, als wäre er ein Monster. Aber, Mom, so ist Jace nicht. So ist er überhaupt nicht. Wenn du ihn kennen würdest . . . wenn du ihn nur einmal treffen könntest . . .«

»Clary.« Jocelyn nahm Clarys Hand in ihre und hielt sie fest. »Da ist noch etwas, was ich dir erzählen muss. Nichts, das ich vor dir verborgen oder weswegen ich dich belogen hätte. Aber es gibt da ein paar Fakten, die ich selbst nicht wusste und erst kürzlich herausgefunden habe. Ein paar schwer verdauliche Fakten.«

Schlimmer als das, was du mir bisher erzählt hast?, schoss es Clary durch den Kopf. Doch sie biss sich auf die Lippe und nickte. »Schieß los und erzähl es mir. Ich möchte lieber die ganze Wahrheit hören.«

»Als Madame Dorothea mir berichtete, dass Valentin in New

York gesichtet worden war, wusste ich, dass er mich suchte – mich und den Engelskelch. Ich wollte fliehen, konnte mich aber nicht dazu überwinden, dir den Grund zu erklären. Ich mache dir überhaupt keine Vorwürfe, dass du an jenem schrecklichen Abend fortgelaufen bist, Clary. Im Gegenteil: Ich war einfach nur froh, dass du nicht da warst, als dein Vater . . . als Valentin und seine Dämonen in unsere Wohnung einbrachen. Mir blieb gerade noch genügend Zeit, den Zaubertrank zu schlucken – ich konnte sie bereits an der Wohnungstür hören . . .« Jocelyn verstummte einen Augenblick, und als sie schließlich fortfuhr, klang ihre Stimme angespannt. »Ich hatte gehofft, Valentin würde mich für tot halten und zurücklassen, aber das tat er nicht. Er brachte mich in Renwicks Ruine und versuchte mit unterschiedlichen Mitteln, mich wieder aufzuwecken, doch nichts davon funktionierte. Ich befand mich in einer Art Trancezustand; im Unterbewusstsein bekam ich mit, dass er da war, konnte mich aber nicht bewegen oder seine Fragen beantworten. Vermutlich hat er nicht gedacht, dass ich ihn hören oder verstehen könnte. Und dennoch saß er Stunde für Stunde an meinem Bett und sprach mit mir.«

»Er hat mit dir gesprochen? Worüber denn?«

»Über unsere Vergangenheit. Unsere Ehe. Wie sehr er mich geliebt habe und dass ich ihn hintergangen hätte. Und dass er seitdem keine andere mehr habe lieben können. Ich denke, er meinte es wirklich ernst – so ernst Valentin diese Dinge überhaupt meinen kann. Schon früher war ich immer diejenige gewesen, der er sich anvertraut hatte, der er seine Zweifel und seine Schuldgefühle gestanden hatte. Und in den Jahren nach meiner Flucht glaube ich nicht, dass er irgendjemand anderen zum Reden hatte. Ich denke, er konnte einfach nicht dem Drang widerstehen, mir alles zu erzählen, obwohl er wusste, dass er das eigentlich nicht tun sollte. Ich glaube, er hatte einfach das dringende Bedürfnis, mit jemandem zu reden.« Jocelyn holte tief Luft und fuhr dann fort: »Man sollte annehmen, dass ihn das, was er diesen armen Menschen, diesen Forsaken angetan hatte, am meisten beschäftigt hätte, oder seine Pläne bezüglich des Rats. Aber das war nicht der Fall. Er wollte ausschließlich über Jonathan reden.«

»Und worüber genau?«

Jocelyn presste die Lippen zusammen. »Er wollte mir sagen, wie leid ihm all die Dinge täten, die er Jonathan vor dessen Geburt angetan hatte, weil er wusste, dass ich fast daran zugrunde gegangen war. Er hatte gewusst, dass ich mir wegen Jonathan beinahe das Leben genommen hätte – allerdings ahnte er nicht, dass mich auch das Wissen um die Experimente, die *er* im Keller durchführte, fast in den Wahnsinn trieb. Na, jedenfalls war er irgendwie in den Besitz von Engelsblut gekommen. Engelsblut ist für Schattenjäger eine fast legendäre Substanz. Es heißt, der Genuss verleihe unglaubliche Kräfte. Valentin hatte es an sich selbst ausprobiert und dabei festgestellt, dass das Blut ihm nicht nur mehr Kraft schenkte, sondern auch ein Gefühl der Euphorie und des Glücks. Also hatte er etwas Blut genommen, es zu Pulver getrocknet und dieses unter mein Essen gemischt, in der Hoffnung, es würde gegen meine Verzweiflung helfen.«

Ich weiß, woher er dieses Engelsblut hatte, dachte Clary und erinnerte sich schmerzhaft an Ithuriel. »Und, hat es gewirkt?«

»Heute frage ich mich, ob das vielleicht der Grund dafür war, dass ich plötzlich wieder klar denken und Luke dabei helfen konnte, Valentins Pläne für den Aufstand zu durchkreuzen. Welch eine Ironie des Schicksals – wenn man bedenkt, warum Valentin mir das Blut verabreicht hatte. Allerdings ahnte Valentin zu der Zeit nicht, dass ich bereits mit dir schwanger war. Und während das Engelsblut bei mir möglicherweise eine leichte Wirkung zeigte, muss es dich auf jeden Fall enorm beeinflusst haben. Ich denke, das ist der Grund dafür, dass du heute diese Fähigkeiten besitzt . . . dass du Runen erschaffen kannst.«

»Und möglicherweise auch der Grund, weswegen du solche Dinge tun kannst wie das Bild des Engelskelchs in einer Tarotkarte zu verstecken. Und weswegen Valentin den Fluch, der auf Hodge lag, aufheben konnte . . .«, überlegte Clary.

»Valentin hat jahrelang die unterschiedlichsten Experimente an sich selbst durchgeführt. Er ist heute einem Hexenmeister so nahe, wie es einem Menschen, einem Schattenjäger nur möglich ist«, erklärte Jocelyn. »Doch nichts von alldem hätte bei ihm eine so tief greifende Wirkung entfalten können wie bei dir oder Jonathan, weil ihr beide damals so jung wart. Ich bin mir nicht sicher, ob so etwas schon jemals zuvor ausprobiert worden war, jedenfalls nicht an Ungeborenen.«

»Dann sind Jace – Jonathan – und ich also tatsächlich Experimente.«

»Bei dir war das Ganze nicht geplant. Aber mit Jonathan wollte Valentin eine Art Superkrieger erschaffen, der stärker und schneller und besser sein sollte als jeder andere Schattenjäger. Und in Renwicks Ruine hat Valentin mir erzählt, dass sein Plan aufgegangen ist und Jonathan tatsächlich all diese Eigenschaften besitzt. Aber er ist auch grausam und amoralisch und seltsam seelenlos. Jonathan war gegenüber Valentin zwar immer loyal, aber ich vermute, Valentin hat erkannt, dass er beim Versuch, ein Kind zu erschaffen, das allen anderen überlegen ist, auch einen Sohn schuf, der ihn niemals richtig würde lieben können.«

Unwillkürlich musste Clary an Jace denken, an die Art und Weise, wie er in Renwicks Ruine ausgesehen hatte und die scharfkantige Portalscherbe so fest umklammerte hatte, dass ihm das Blut zwischen den Fingern hindurchgesickert war. »Nein«, widersprach sie. »Nein, nein und nochmals nein. So ist Jace nicht. Er liebt Valentin. Er weiß, dass er das nicht sollte, aber er kann nichts dagegen machen. Und er ist auch alles andere als seelenlos. Jace ist das genaue Gegenteil von all dem, was du gesagt hast.«

Jocelyns Hände zuckten in ihrem Schoß. Sie waren über und über mit feinen weißen Narben bedeckt – den weißen Narben aller Schattenjäger, den verblassten Erinnerungen an einst aufgetragene Runenmale. Doch Clary hatte die Narben ihrer Mutter noch nie bewusst wahrgenommen. Magnus' Magie hatte immer dafür gesorgt, dass sie den Anblick sofort wieder vergessen hatte. Eine der Narben, an der Innenseite des Handgelenks, erinnerte an die Form eines Sterns . . .

Doch als ihre Mutter im nächsten Moment weitersprach, schienen sämtliche anderen Gedanken wie weggeblasen: »Ich rede hier nicht von Jace.«

»Aber . . .«, setzte Clary an. Plötzlich schien sich alles um sie herum ganz langsam zu bewegen, als befände sie sich in einem Traum. *Vielleicht träume ich ja,* dachte sie. *Vielleicht ist meine Mutter ja gar nicht aufgewacht und ich träume das alles nur.* »Jace ist Valentins Sohn. Ich meine, wer könnte er sonst sein?«, fragte sie verwirrt.

Jocelyn sah ihrer Tochter direkt in die Augen. »In der Nacht, in der Céline Herondale starb, war sie im achten Monat schwanger. Valentin hatte auch ihr seinen Schlaftrunk, sein Pulver verabreicht. Er testete an ihr, was er bereits an sich ausprobiert hatte, mit Engelsblut – in der Hoffnung, dass Stephens Kind so stark und mächtig werden würde, wie er es von Jonathan erwartete, allerdings ohne Jonathans negative Charaktereigenschaften. Den Gedanken, dass dieses Experiment durch Célines Tod zunichte gemacht würde, konnte er nicht ertragen. Also schnitt er mit Hodges Hilfe das ungeborene Kind aus dem Bauch seiner Mutter heraus – Céline war noch nicht lange tot . . .«

Clary stieß ein würgendes Geräusch hervor. »Das kann doch nicht wahr sein.«

Doch Jocelyn fuhr fort, als hätte Clary überhaupt nicht gesprochen. »Valentin nahm das Kind und ließ es von Hodge in sein eigenes Elternhaus bringen, in einem Tal nicht weit vom Lyn-See entfernt. Aus diesem Grund war er auch die ganze Nacht unterwegs. Hodge kümmerte sich bis zum Aufstand um das Kind. Danach gab Valentin sich als Michael Wayland aus, zog mit dem Kind in das Landhaus der Waylands und erzog es als Michael Waylands Sohn.«

»Dann ist Jace . . .«, flüsterte Clary, »dann ist Jace also *nicht* mein Bruder?«

Sie spürte, wie Jocelyn ihre Hand drückte – eine mitfühlende Geste. »Nein, Clary, er ist nicht dein Bruder«, bestätigte sie bedauernd.

Clarys Sicht verschwamm und sie fühlte, wie ihr Herz zu rasen begann – kräftige, schnelle Schläge. *Ich tue meiner Mutter leid,* dachte sie vage. *Meine Mutter glaubt, das sei eine* schlechte *Nachricht.* Clarys Hände begannen zu zittern. »Und was ist mit den Knochen, die man in den Überresten des niedergebrannten Hauses gefunden hat? Von wem stammten die? Luke meinte, darunter wären auch die Knochen eines Kindes gewesen . . .«

Jocelyn schüttelte den Kopf. »Das waren Michael Waylands Knochen und die seines Sohnes. Valentin hatte beide ermordet und ihre Leichen verbrannt. Er wollte den Rat glauben machen, dass er und sein Sohn tot seien.«

»Und Jonathan . . .?«

»Lebt noch«, erklärte Jocelyn und ein schmerzhafter Ausdruck huschte über ihr Gesicht. »Zumindest hat mir Valentin das in Renwicks Ruine erzählt. Valentin ließ Jace auf dem Herrensitz der Familie Wayland aufwachsen und Jonathan in dem Haus am See. Er teilte seine Zeit zwischen beiden Jungen auf, reiste zwischen den Häusern hin und her und ließ die Jungen manchmal auch wochenlang allein. Offenbar hat Jace nie von Jonathan erfahren, während Jonathan möglicherweise von Jace gewusst hat. Allerdings sind sie sich nie begegnet, obwohl sie nur wenige Kilometer voneinander entfernt aufwuchsen.«

»Und in Jace' Adern fließt kein Dämonenblut? Er ist nicht – verflucht?«

»Verflucht?« Jocelyn schaute Clary überrascht an. »Nein, er

hat kein Dämonenblut in sich. Valentin hat an dem ungeborenen Jace mit demselben Blut herumexperimentiert wie an mir, also an dir. Mit *Engels*blut. Jace ist nicht verflucht. Ganz im Gegenteil. Alle Schattenjäger tragen das Blut des Engels in sich – aber ihr zwei habt einfach ein bisschen mehr davon.«

Clarys Gedanken überschlugen sich förmlich. Sie versuchte, sich vorzustellen, wie Valentin zwei Kinder gleichzeitig aufzog, eines mit dämonischem Blut in den Adern und eines mit dem Blut des Engels. Ein Junge der Finsternis und ein Junge des Lichts. Vielleicht hatte Valentin sie ja beide geliebt, so weit er dazu überhaupt fähig war. Jace hatte nie von der Existenz des anderen Jungen erfahren, aber hatte Jonathan von ihm gewusst? Von seinem Gegenstück, seinem Gegenspieler? Hatte er den Gedanken an ihn gehasst? Oder sich danach gesehnt, ihn kennenzulernen? Oder war es ihm vielleicht egal gewesen? Beide Jungen waren schrecklich einsam gewesen. Und einer von ihnen war ihr Bruder – ihr richtiger, zu hundert Prozent leiblicher Bruder. »Glaubst du, er ist heute immer noch wie früher? Ich meine Jonathan. Glaubst du, er könnte sich verändert haben . . . zum Besseren?«

»Nein. Nein, ich fürchte, nicht«, sagte Jocelyn leise.

»Aber wie kannst du dir da so sicher sein?« Clary wandte sich ruckartig ihrer Mutter zu. »Vielleicht hat er sich ja verändert. Ich meine, seitdem sind doch so viele Jahre vergangen. Vielleicht . . .«

»Valentin hat mir erzählt, dass er Jahre damit verbracht hat, Jonathan zu unterrichten . . . ihm beizubringen, wie man auf andere freundlich wirkt und sogar charmant. Er wollte ihn zu seinem Spion machen, aber man kann nicht als Spion arbeiten, wenn man allen anderen schreckliche Angst einjagt. Jonathan lernte sogar bis zu einem gewissen Grad, einen leichten Zauberglanz zu erschaffen, um die Menschen davon zu überzeugen, dass er sympathisch und vertrauenswürdig sei.« Jocelyn seufzte. »Ich erzähle dir das, damit du dir keine Vorwürfe machst, weil du darauf hereingefallen bist, Clary. Denn du hast Jonathan bereits kennengelernt. Allerdings nicht unter seinem richtigen Namen, weil er sich als jemand anderes ausgegeben hat. Du kennst ihn als Sebastian Verlac.«

Sprachlos starrte Clary ihre Mutter an. *Aber er ist doch der Cousin der Penhallows,* beharrte ein Teil von ihr, ehe ihr wieder bewusst wurde, dass das natürlich nie gewesen war: Alles, was Sebastian gesagt hatte, war eine Lüge gewesen. Plötzlich musste sie wieder an ihre erste Begegnung denken und ihre damaligen Gefühle. Sie hatte den Eindruck gehabt, als hätte sie jemanden wiedererkannt, den sie schon ihr ganzes Leben kannte, jemanden, der ihr so vertraut war wie sie selbst. Bei Jace hatte sie so etwas nie empfunden. »Sebastian ist mein Bruder?«

Jocelyns feines Gesicht wirkte abgespannt; sie hatte die Hände im Schoß verschränkt und ihre Fingerspitzen waren weiß, als drückte sie sie zu fest gegeneinander. »Ich habe heute Morgen lange mit Luke gesprochen, über alles, was seit deiner Ankunft in Alicante passiert ist. Er hat mir von den Dämonentürmen erzählt und seinem Verdacht, dass Sebastian die Schutzschilde deaktiviert hat – auch wenn Luke nicht wusste, wie er das angestellt haben soll. In dem Moment wurde mir klar, wer Sebastian wirklich ist.«

»Du meinst, weil er sich als Sebastian Verlac ausgegeben hat? Und weil er ein Spion Valentins ist?«

»Ja, genau aus diesen beiden Gründen«, sagte Jocelyn, »allerdings dämmerte es mir erst, als Luke erzählte, du hättest ihm gesagt, dass Sebastian sich die Haare gefärbt hätte. Natürlich könnte ich mit meiner Vermutung falsch liegen, aber ein Junge, der ein bisschen älter ist als du, mit blonden Haaren und dunklen Augen und ohne Eltern, noch dazu Valentin absolut treu ergeben – da liegt der Gedanke, dass es sich um Jonathan handeln muss, auf der Hand. Aber da ist noch mehr: Valentin hat immer nach einem Weg gesucht, die Schutzschilde zu deaktivieren. Er war sich sicher, dass es eine Möglichkeit geben müsste. Seine Experimente an Jonathan mit Dämonenblut . . . Valentin behauptete, er hätte den Jungen dadurch stärker und zu einem besseren Krieger machen wollen, aber dahinter steckte noch mehr . . .«

Clary starrte ihre Mutter mit großen Augen an. »Was meinst du damit?«

»Dahinter verbarg sich das Ziel, die Schutzschilde auszuschalten«, erklärte Jocelyn. »Einerseits kann kein Dämon Alicantes Schutzschilde passieren, andererseits benötigt man Dämonenblut, um sie zu deaktivieren. Jonathan hat Dämonenblut; es fließt durch seine Adern. Und als Schattenjäger kann er die Stadt jederzeit betreten, wie und wann er will. Ich bin mir sicher, er hat sein eigenes Blut verwendet, um die Schilde außer Kraft zu setzen.«

Sofort musste Clary an Sebastian denken, wie er bei den Ruinen des Fairchild-Landhauses vor ihr gestanden hatte. Wie ihm die dunklen Haare durchs Gesicht geweht waren. Wie er sie an den Handgelenken festgehalten hatte und sich seine Nägel in ihre Haut gegraben hatten. Und wie er hervorgestoßen hatte, dass Valentin Jace unmöglich geliebt haben könnte. Damals hatte sie gedacht, er hätte das gesagt, weil er Valentin hasste. Aber das war gar nicht der Grund, wurde ihr plötzlich klar. Sebastian war . . . eifersüchtig gewesen.

Als Nächstes fiel ihr wieder der dunkle Prinz aus ihren eigenen Zeichnungen ein, derjenige, der so große Ähnlichkeit mit Sebastian besaß. Damals hatte sie das als einen Zufall abgetan, als einen Trick ihrer Fantasie, doch nun fragte sie sich, ob das Band ihres gemeinsamen Blutes sie vielleicht dazu bewogen hatte, ihrem unglücklichen Helden das Gesicht ihres bis dahin unbekannten Bruders zu verleihen. Sie versuchte, sich ihren Prinzen wieder vorzustellen, doch das Bild schien vor ihrem inneren Auge zu zersplittern und sich aufzulösen wie Asche, die vom Wind fortgetragen wurde. Es gelang ihr nicht mehr, etwas anderes zu sehen als Sebastian, in dessen schwarzen Augen sich kalte Wut gespiegelt hatte.

»Jace«, stieß Clary plötzlich hervor. »Jemand muss ihm all das erzählen. Ihm die Wahrheit sagen.« Ihre Gedanken überschlugen sich: Wenn Jace davon gewusst hätte . . . wenn er gewusst hätte, dass kein Dämonenblut durch seine Adern floss, vielleicht hätte er sich dann nicht auf die Suche nach Valentin gemacht. Wenn er gewusst hätte, dass er überhaupt nicht ihr Bruder war . . .

»Aber ich dachte, niemand wüsste, wo er sich aufhält . . .?«, warf Jocelyn ein, auf deren Gesicht sich eine Mischung aus Mitleid und Verwirrung spiegelte.

Doch ehe Clary darauf antworten konnte, schwangen die

Flügeltüren der Abkommenshalle auf und helles Licht ergoss sich über die Säulenarkade und die Marmorstufen. Laute Stimmen drangen nach draußen, als Luke durch die Tür trat. Er sah erschöpft aus, aber sein Gang hatte eine Leichtigkeit an sich, die er zuvor nicht besessen hätte – Luke wirkte beinahe erleichtert.

Sofort sprang Jocelyn auf. »Luke. Was ist los?«

Er ging ein paar Schritte auf sie zu und blieb dann auf halber Strecke zwischen Tür und Treppe stehen. »Jocelyn«, sagte er, »tut mir leid, dass ich dich unterbrechen muss.«

»Ist schon in Ordnung, Luke.«

Warum nennen die beiden sich ständig beim Namen?, fragte Clary sich trotz ihrer Verwirrung. Zwischen Luke und Jocelyn hing irgendeine merkwürdige Spannung in der Luft – irgendetwas war anders als sonst. »Ist was Schlimmes passiert?«, wandte sie sich nun an Luke.

Luke schüttelte den Kopf. »Nein. Zur Abwechslung mal was Gutes.« Er schenkte Clary ein Lächeln, an dem sie jedoch nichts Merkwürdiges feststellen konnte: Luke schien sehr zufrieden mit ihr und sogar ein wenig stolz. »Du hast es geschafft, Clary«, sagte er. »Der Rat hat zugestimmt, die Schattenjäger mit deiner Rune versehen zu lassen. Es wird keine Kapitulation geben!«

18
Sei gegrüsst und leb wohl!

Das Tal war schöner, als Jace es in seiner Vision gesehen hatte. Vielleicht lag es am glitzernden Mondlicht, das den Bach zwischen den grünen Ufern silbern aufleuchten ließ. Weißbirken und Espen säumten die Hänge; ihre Blätter zitterten im Wind. Hier oben ging eine frische Brise, stellte Jace fest.

Dies war zweifellos der Ort, an dem er Sebastian zum letzten Mal gesehen hatte. Endlich würde er ihn einholen. Nachdem er Wayfarer an einen Baum gebunden hatte, nahm Jace den blutigen Stofffaden aus seiner Tasche und wiederholte das Ortungsritual, nur um sicherzugehen.

Er schloss die Augen und hoffte, Sebastian zu sehen, bestenfalls irgendwo in der Nähe – vielleicht sogar noch in diesem Tal . . .

Doch stattdessen sah er nur Dunkelheit.

Sein Herz begann, wild zu schlagen.

Er versuchte es erneut, nahm den Faden in die linke Faust und zeichnete mit der rechten, schwächeren Hand ungelenk eine Ortungsrune auf den linken Handrücken. Dann holte er tief Luft und schloss die Augen.

Wieder nichts. Nur eine wogende, schemenhafte Dunkelheit. Mit zusammengebissenen Zähnen stand Jace eine geschlagene Minute reglos da; der kalte Wind drang schneidend durch seine Jacke und verursachte ihm eine Gänsehaut. Schließlich öffnete er fluchend die Augen – und in einem Anfall verzweifelter Wut die Faust. Sofort erfasste der Wind den Faden und trug ihn fort, so schnell, dass Jace ihn nicht hätte zurückholen können, selbst wenn er seinen Entschluss umgehend bereut hätte.

Seine Gedanken überschlugen sich. Offensichtlich funktionierte die Ortungsrune nicht mehr. Vielleicht war Sebastian ja aufgefallen, dass er verfolgt wurde, und er hatte etwas unternommen, um die Magie der Rune zu blockieren. Aber was konnte man gegen eine Ortungsrune schon unternehmen? Vielleicht befand er sich ja in der Nähe eines großen Gewässers – Wasser beeinträchtigte die Wirkung von Magie.

Aber das half ihm jetzt auch nicht weiter. Schließlich konnte er nicht jeden See im Land absuchen und nachsehen, ob Sebastian vielleicht in dessen Mitte trieb. Dabei war er ihm schon so nahe gewesen – so nahe! Er hatte dieses Tal *gesehen*, hatte Sebastian darin gesehen. Und dort unten lag das Haus, kaum sichtbar zwischen den Bäumen in der Talsenke. Es konnte nicht schaden, ihm einen Besuch abzustatten, überlegte Jace – vielleicht fand er dort ja irgendetwas, das auf Sebastians oder Valentins Aufenthaltsort hindeutete.

Resigniert nahm er die Stele und versah sich mit verschiedenen rasch wirkenden Kampfrunen: eine, die ihn lautlos machte, eine für Schnelligkeit und eine, die ihm einen sicheren Stand verlieh. Als er fertig war und das vertraute Brennen auf der Haut spürte, steckte er die Stele ein, gab Wayfarer einen aufmunternden Klaps und machte sich an den Abstieg ins Tal.

Der Hang war mit tückischem, losem Geröll bedeckt und

trügerisch steil. Vorsichtig suchte Jace sich einen Weg nach unten und wechselte dabei zwischen Klettern und Rutschen – was zwar schneller ging, aber auch gefährlicher war. Als er endlich die Talsohle erreicht hatte, bluteten seine Finger, da er auf dem losen Geröll mehrfach ausgerutscht war. Rasch wusch er sich die Hände im klaren, eisig kalten Bachwasser.

Schließlich richtete er sich auf, schaute sich um und erkannte, dass er das Tal nun aus einer anderen Perspektive sah als in seiner Ortungsvision. Vor ihm lag ein Wäldchen mit knorrigen Bäumen, deren Äste und Zweige dicht miteinander verwoben waren, und die Hänge des Tals ragten steil in den Himmel hinauf. Endlich entdeckte er das kleine Haus hinter dichtem Gestrüpp. Sämtliche Fenster waren dunkel und aus dem Schornstein stieg kein Rauch, stellte Jace mit einer Mischung aus Erleichterung und Enttäuschung fest. Natürlich würde ihm die Durchsuchung der Räume leichter fallen, wenn das Haus leer war – aber andererseits war es eben auch leer.

Während Jace sich dem Gebäude näherte, fragte er sich, was ihm daran in seiner Vision so unheimlich erschienen war. Aus der Nähe betrachtet, handelte es sich um ein ganz normales idrisches Gehöft, gemauert aus weißen und grauen Steinquadern. Die Fensterläden mussten einst in leuchtendem Blau gestrahlt haben, doch jetzt sahen sie so aus, als hätte sich seit Jahren niemand mehr darum gekümmert: Ihre Farbe war verblasst und abgeblättert.

Vorsichtig hievte Jace sich auf eine der Fensterbänke und blinzelte durch die milchige Glasscheibe. Dahinter lag ein großer, leicht staubiger Raum mit einer Werkbank, die sich entlang einer der Wände erstreckte. Allerdings handelte es sich bei den darauf verstreuten Gerätschaften nicht um die Arbeitsmittel eines normalen Handwerkers – es waren die Werkzeuge eines Hexenmeisters: Stapel von schmuddeligem Pergament; schwarze Wachskerzen; schwere Kupferkessel mit einer getrockneten dunklen Flüssigkeit am Rand; ein Sortiment von Messern, manche so dünn wie Ahlen, andere mit breiten Klingen. Auf dem Boden prangte ein mit Kreide gezeichnetes Pentagramm, dessen Konturen verwischt waren und dessen Spitzen fünf unterschiedliche Runen präsentierten. Jace verspürte ein mulmiges Gefühl im Magen – die Runen sahen genauso aus wie diejenigen, die um Ithuriels Füße in den Boden gemeißelt gewesen waren. War dies möglicherweise Valentins Werk? Konnten dies seine Werkzeuge sein? War dies vielleicht sein Versteck – ein Versteck, von dem Jace bisher nicht einmal geahnt hatte?

Behutsam ließ er sich von der Fensterbank hinunter und landete weich auf einem Stück trockenen Rasen – als ein Schatten über das Antlitz des Monds streifte. Aber hier gab es doch gar keine Vögel, überlegte Jace und schaute gerade noch rechtzeitig auf, um einen Raben zu entdecken, der hoch über ihm kreiste. Jace erstarrte und zog sich hastig in den Schatten eines Baumes zurück, durch dessen Zweige er zum Himmel hinaufspähte. Als der Rabe näher kam, wusste Jace, dass ihn sein Instinkt nicht getäuscht hatte. Dies war nicht irgendein Vogel – dies war Hugo, der Rabe, der einst Hodge gehört hatte und den dieser gelegentlich für die Übermittlung von Nachrichten aus dem Institut eingesetzt hatte. Erst später hatte Jace erfahren, dass Hugo ursprünglich der Rabe seines Vaters gewesen war.

Jace drückte sich dicht gegen den Baumstamm; sein Herz raste erneut, dieses Mal jedoch vor freudiger Erregung. Wenn Hugo hier war, konnte das nur bedeuten, dass er eine Nachricht überbrachte, die allerdings nicht mehr für Hodge bestimmt war – sondern für Valentin. Daran gab es keinen Zweifel. Wenn es ihm doch nur gelänge, dem Raben zu folgen . . .

Im nächsten Moment ließ Hugo sich auf einer der Fensterbänke nieder und blinzelte durch die Scheibe. Als er offensichtlich erkannte, dass das Haus leer war, schwang er sich mit einem gereizten Krächzen wieder in die Lüfte und flog in Richtung des Bachlaufs.

Sofort trat Jace aus dem Baumschatten und machte sich an die Verfolgung des Raben.

»Das bedeutet also: Obwohl Jace nicht mit dir verwandt ist, hast du genau genommen dennoch deinen Bruder geküsst«, stellte Simon fest.

»Simon!« Clary war entsetzt. »Halt die KLAPPE!« Sie wirbelte auf ihrem Platz herum, um nachzusehen, ob ihnen jemand zugehört hatte. Aber glücklicherweise schien niemand etwas von ihrem Gespräch mitbekommen zu haben. Clary saß auf einem der hochlehnigen Stühle auf dem Podium der Abkommenshalle, mit Simon an ihrer Seite, während ihre Mutter am Rand des Podiums stand, sich zu Amatis hinunterbeugte und sich mit ihr unterhielt.

In der gesamten Halle herrschte das reinste Chaos, da immer mehr Schattenweltler hereinströmten und sich entlang der Wände verteilten. Clary erkannte verschiedene Mitglieder von Lukes Rudel wieder, darunter auch Maia, die ihr quer durch den Saal zugrinste. Neben den Feenwesen, die so bleich, kühl und grazil wie Eiszapfen wirkten, entdeckte sie etliche Hexenmeister, von deren Fingerspitzen blaue Funken sprühten, wenn sie sich durch den Raum bewegten. Einige von ihnen hatten Fledermausschwingen oder Ziegenfüße und Clary entdeckte sogar einen mit Hörnern. Nervös verteilten sich die anwesenden Schattenjäger zwischen den Neuankömmlingen.

Die Stele fest umklammert, schaute Clary sich ängstlich um. Wo steckte Luke? Er war irgendwo in der Menge verschwunden. Einen kurzen Moment später entdeckte sie ihn bei Malachi, der vehement den Kopf schüttelte. Amatis hatte sich inzwischen ebenfalls zu ihnen gesellt und warf dem Konsul finstere Blicke zu.

»Lass mich das ja nicht bereuen, dass ich dir das alles anvertraut habe, Simon«, wandte Clary sich wieder an ihren Freund und sah ihn warnend an. Sie hatte ihm eine Kurzversion von Jocelyns Geschichte erzählt – das meiste im Flüsterton, während Simon ihr geholfen hatte, sich einen Weg durch die Menge zu bahnen und ihren Platz auf dem Podium einzunehmen. Es erschien ihr merkwürdig, hier oben zu sitzen und auf den Saal hinabzublicken, als wäre sie die Königin aller Anwesenden. Aber eine Königin wäre nicht annähernd so von Panik erfüllt wie sie, überlegte Clary. »Außerdem hat er richtig furchtbar geküsst«, fügte sie für Simon hinzu.

»Oder vielleicht war es einfach nur deshalb so furchtbar, weil er, na ja . . . weil er *dein Bruder* war.« Simon schien sich über die ganze Angelegenheit köstlich zu amüsieren – wozu er nach Clarys Meinung überhaupt kein Recht hatte.

»Wiederhol das ja nicht in Gegenwart meiner Mutter, sonst bring ich dich um!«, stieß sie wütend funkelnd hervor. »Ich hab jetzt schon das Gefühl, dass ich mich jeden Moment übergeben muss oder in Ohnmacht falle. Mach es nicht noch schlimmer.«

Jocelyn, die vom Rand des Podiums zurückgekehrt war und Clarys letzte Worte aufgeschnappt hatte – glücklicherweise aber nicht den Anlass für Clarys und Simons Gespräch –, klopfte ihrer Tochter ermunternd auf die Schulter. »Mach dir keine Sorgen, Süße. Du warst vorhin einfach großartig. Kann ich dir irgendetwas besorgen? Eine Decke, heißes Wasser . . .«

»Mir ist nicht kalt«, erwiderte Clary geduldig, »und ich wollte auch kein Bad nehmen. Mir geht's so weit gut. Ich wünschte nur, Luke würde herkommen und mir sagen, was jetzt passiert.«

Sofort winkte Jocelyn Luke quer durch den Saal zu, um seine Aufmerksamkeit zu erregen, wobei sie irgendetwas stumm mit den Lippen formulierte, was Clary aber nicht entziffern konnte.

»Mom«, fauchte sie, »nicht!« Doch es war bereits zu spät. Luke blickte auf – und mit ihm eine Reihe von Schattenjägern. Die meisten schauten zwar genauso rasch wieder fort, aber Clary spürte die Faszination in ihren Blicken. Der Gedanke, dass ihre Mutter in Schattenjägerkreisen eine Art Legende war, erschien Clary irgendwie seltsam. Nahezu jeder im Saal kannte Jocelyns Namen und hatte sich eine Meinung über sie gebildet, sei es eine positive oder negative. Clary fragte sich, wie es ihrer Mutter gelang, sich nicht davon beeinflussen zu lassen. Sie machte zumindest nicht den Eindruck, als würde es sie interessieren – stattdessen wirkte sie gefasst, beherrscht und gefährlich.

Einen Moment später gesellte Luke sich zu ihnen aufs Podium, Amatis an seiner Seite. Er schien zwar immer noch erschöpft, aber zugleich auch wachsam und sogar ein wenig aufgeregt. »Noch einen Moment Geduld. Gleich geht's los«, wandte er sich an Clary.

»Malachi . . .«, setzte Jocelyn an, ohne Luke direkt anzusehen, »hat er irgendwelchen Ärger gemacht?«

Luke winkte abschätzig ab. »Er meint, wir sollten Valentin eine Nachricht schicken und seine Bedingungen offiziell ablehnen. Aber ich bin der Meinung, dass wir uns nicht zu rühren brauchen. Soll Valentin mit seinem Heer doch in der Brocelind-Ebene auftauchen, in der Erwartung einer Kapitulation. Malachi war der Ansicht, das sei nicht sehr fair. Und als ich ihm erklärte, dass ein Krieg kein Schülerfußballturnier sei, erwiderte er: Falls einer der Schattenweltler auch nur ansatzweise über die Stränge schlüge, würde er sofort einschreiten und die ganze Geschichte beenden. Ich habe keine Ahnung, was seiner Ansicht nach hier passieren wird – als ob Schattenweltler nicht mal fünf Minuten friedlich sein könnten.«

»Aber genau das denkt er«, warf Amatis ein. »Wir reden hier schließlich von Malachi. Wahrscheinlich fürchtet er, dass ihr euch gegenseitig auffressen könntet.«

»Amatis! Jemand könnte dich hören!«, protestierte Luke und drehte sich dann um, da hinter ihm zwei Männer die Stufen zum Podium hinaufstiegen: Bei dem ersten Mann handelte es sich um einen groß gewachsenen, schlanken Elbenritter mit blattgrünen Augen und langem dunklem Haar, das sein schmales Gesicht wie zwei glatte Tücher rahmte. Er trug eine Rüstung aus einem schimmernden weißen Material – winzige, einander überlappende Metallplättchen, wie die Schuppen eines Fischs.

Der zweite Mann war Magnus Bane, der mit ernstem Gesicht auf Luke zutrat. Er trug einen langen dunklen, bis zum Kragen zugeknöpften Mantel und hatte sein schwarzes Haar straff nach hinten gekämmt.

»Du siehst so *schlicht* aus«, stellte Clary verblüfft fest.

Magnus schenkte ihr ein mattes Lächeln. »Ich habe gehört, du wolltest uns eine Rune zeigen«, erwiderte er lediglich.

Fragend schaute Clary zu Luke, der daraufhin bestätigend nickte. »Ja«, sagte sie. »Ich brauch nur irgendwas zum Schreiben – ein Stück Papier oder so was.«

»Ich hab doch gefragt, ob du irgendetwas benötigst!«, stieß Jocelyn leise hervor und klang fast wieder wie die Mutter, die Clary kannte.

»Hier – ich hab ein Stück Papier«, meldete Simon sich, fischte irgendetwas aus seiner Jeanstasche und gab es Clary: Es war ein zerknittertes Flugblatt mit einer Vorankündigung für einen Auftritt von Simons Band in der *Knitting Factory*.

Clary zuckte die Achseln, drehte den Zettel um und nahm ihre geliehene Stele zur Hand. Als sie mit der Spitze über das Papier fuhr, sprühte der gläserne Stab kleine Funken und Clary fürchtete einen Moment, der Zettel könne Feuer fangen. Doch dann erlosch die winzige Flamme und Clary machte sich an die Zeichnung, während sie sich gleichzeitig stark konzentrierte, um alles andere um sie herum auszublenden: den Lärm der Menge, das Gefühl, dass alle sie anstarrten.

Die Rune floss auch dieses Mal fast wie von selbst auf das Papier – ein Muster aus stark miteinander verwobenen Linien, überlagert von einem Raster, das sich bis zum Rand des Blatts erstreckte, als erwarte es eine Vollendung, die noch ausstand. Behutsam wischte Clary den Staub vom Papier und hielt es hoch, wobei sie sich ein wenig merkwürdig fühlte, als wäre sie in der Schule und würde der Klasse eine Hausaufgabe präsentieren. »Das ist die Rune«, erklärte sie. »Allerdings benötigt sie eine zweite Rune, um sie zu vervollständigen . . . damit sie richtig funktionieren kann. Eine . . . eine Partnerrune.«

»Je *ein* Schattenweltler und *ein* Schattenjäger. Jeder Teil dieser Partnerschaft muss mit der Rune versehen werden«, erläuterte Luke. Dann zeichnete er eine Kopie auf die untere Hälfte des Zettels, riss diesen entzwei und reichte einen Teil seiner Schwester. »Fang schon mal an, die Rune zu verbreiten«, bat er sie. »Und zeig den Nephilim, wie sie funktioniert.«

Mit einem kurzen Nicken stieg Amatis die Stufen hinunter und verschwand in der Menge. Der Elbenritter sah ihr kopfschüttelnd nach. »Man hat mir immer erzählt, dass nur die Nephilim die Runen des Erzengels tragen können«, sagte er mit unverhohlener Skepsis in der Stimme. »Und dass wir anderen verrückt würden oder sterben, sollten wir es auch nur versuchen.«

»Bei dieser Rune handelt es sich um keine der Engelsrunen«, erwiderte Clary. »Sie stammt nicht aus dem Grauen Buch – sie stellt keinerlei Gefahr dar, das verspreche ich.«

Doch der Elbenritter wirkte nicht sonderlich beeindruckt.

Seufzend krempelte Magnus seinen Ärmel hoch und hielt Clary eine Hand entgegen. »Nur zu.«

»Das geht nicht«, widersprach Clary. »Der Schattenjäger, der dich mit der Rune versieht, wird dein Partner sein, und ich darf an der Schlacht nicht teilnehmen.«

»Das will ich auch schwer hoffen«, sagte Magnus. Dann warf er einen Blick auf Luke und Jocelyn, die dicht nebeneinanderstanden. »Ihr zwei . . . legt los«, forderte er sie auf. »Zeigt dem Elben, wie das Ganze funktioniert.«

Überrascht blinzelte Jocelyn ihn an. »Wie bitte?«

»Na ja, ich bin davon ausgegangen, dass ihr beide Partner werden würdet, da ihr ja ohnehin so gut wie verheiratet seid«, erklärte Magnus.

Auf Jocelyns Wangen breitete sich schlagartig eine verräterische Röte aus. »Ich . . . ich habe keine Stele . . .«, murmelte sie und mied Lukes Blick.

»Hier, nimm meine.« Clary reichte ihr die Stele. »Na los, zeigt es ihnen.«

Jocelyn wandte sich Luke zu, der eine bestürzte Miene zog und ihr ruckartig seine Hand entgegenstreckte, ehe sie ihn darum bitten konnte. Hastig setzte sie die Stele an, doch Lukes Hand zitterte so sehr, dass sie sein Handgelenk nahm, um es ruhig zu halten. Luke schaute von oben auf Jocelyn hinab und beobachtete, wie sie die Rune präzise auf seine Haut übertrug. Beim Anblick der beiden musste Clary an das Gespräch zurückdenken, das sie vor einiger Zeit mit Luke über ihre Mutter geführt hatte – über seine Gefühle für Jocelyn. Mit einem Anflug von Trauer fragte sie sich, ob ihre Mutter überhaupt wusste, dass Luke sie liebte, und wie sie wohl darauf reagieren würde, wenn sie es erfuhr.

»So.« Jocelyn nahm die Stele fort. »Fertig.«

Luke hob seine Hand und hielt sie so, dass der Elbenritter die verschlungene schwarze Rune in der Mitte der Handfläche sehen konnte. »Bist du jetzt zufrieden, Meliorn?«

»*Meliorn?*«, fragte Clary. »Wir sind uns doch schon mal begegnet, oder nicht? Du bist doch früher mal mit Isabelle Lightwood gegangen.«

Meliorn verzog keine Miene, aber Clary hätte schwören können, dass sich in seinen Augen eine Spur Unbehagen abzeichnete. Luke schüttelte den Kopf. »Clary, Meliorn ist ein Ritter am Lichten Hof. Es scheint ziemlich unwahrscheinlich, dass er . . .«

»Doch, doch, doch!«, widersprach Simon. »Und ob er mit Isabelle zusammen war! Aber sie hat sich von ihm getrennt. Zumindest hat sie gesagt, dass sie das vorhabe. So ein Pech auch!«

Meliorn blinzelte Simon an. »Bist *du* etwa der gewählte Vertreter der Nachtkinder?«, entgegnete er angewidert.

Simon schüttelte den Kopf. »Nein. Ich bin nur ihretwegen hier«, sagte er und deutete auf Clary.

»Die Kinder der Nacht«, erklärte Luke nach kurzem Zögern, »wirken nicht mit, Meliorn. Das habe ich deiner Königin aber auch übermitteln lassen. Sie haben sich entschlossen . . . eigene Wege zu gehen.«

Meliorns elegante Züge verzogen sich zu einer finsteren Miene. »Wenn ich das gewusst hätte!«, grollte er. »Die Nachtkinder sind ein weises und vorsichtiges Volk. Jeder Plan, der ihren Zorn erregt, weckt *mein* Misstrauen.«

»Von *Zorn* habe ich nichts gesagt«, erwiderte Luke, mit einer Mischung aus gewollter Gelassenheit und leichter Gereiztheit. Clary bezweifelte, dass irgendjemand, der ihn nicht gut kannte, seine Verärgerung überhaupt bemerkte. Doch dann spürte sie, dass sich seine Aufmerksamkeit verlagerte: Luke schaute auf den Saal hinab, und als Clary seinem Blick folgte, entdeckte sie eine vertraute Gestalt, die sich einen Weg durch die Menge bahnte – Isabelle, deren schwarzes Haar bei jedem Schritt hin und her schwang und die ihre Peitsche wie eine Reihe goldener Armbänder um ihr Handgelenk gewickelt hatte.

Clary wandte sich Simon zu und zog ihn einen Schritt beiseite. »Die *Lightwoods*. Ich hab gerade Isabelle gesehen.«

Stirnrunzelnd warf er einen Blick über die Menge. »Ich wusste nicht, dass du sie gesucht hast.«

»Bitte geh zu ihr und rede mit ihr. Ich kann hier im Moment nicht weg«, flüsterte sie und sah sich verstohlen um, ob auch niemand mithörte. Doch die anderen waren alle beschäftigt: Luke gestikulierte mit jemandem in der Menge, während Jocelyn mit Meliorn redete, der sie mit ziemlicher Beunruhigung musterte. »Bitte sag Isabelle und Alec alles, was meine Mutter mir erzählt hat. Von Jace und wer er wirklich ist, und von Sebastian. Sie müssen es unbedingt erfahren. Sag ihnen, sie sollen so bald wie möglich zu mir kommen. Bitte, Simon.«

»Okay.« Sichtlich beunruhigt von Clarys eindringlichem Ton, befreite Simon sein Handgelenk aus ihrem Griff und strich ihr kurz über die Wange, um sie zu beruhigen. »Bin gleich wieder zurück.« Damit stieg er die Stufen hinunter und verschwand im Gewimmel.

Als Clary sich wieder umdrehte, sah sie, dass Magnus mit einem schiefen Lächeln um die Lippen zu ihr herüberschaute.

»Kein Problem«, sagte er – offensichtlich eine Antwort auf eine Frage, die Luke ihm gerade gestellt hatte. »Ich kenne die Brocelind-Ebene. Ich werde das Portal draußen auf dem Platz errichten. Allerdings gehe ich davon aus, dass es aufgrund der erforderlichen Größe nicht von langer Dauer sein wird. Daher solltest du alle Paare, die bereits mit der Rune versehen sind, rasch hindurchschicken.«

Als Luke nickte und sich zu Jocelyn umdrehte, beugte Clary sich schnell vor und flüsterte: »Übrigens: Vielen Dank. Für alles, was du für meine Mutter getan hast.«

Magnus' schiefes Grinsen wurde noch breiter. »Du hast nicht geglaubt, dass ich meinen Teil der Vereinbarung einhalten würde, oder?«

»Ehrlich gesagt, hatte ich gewisse Zweifel«, räumte Clary ein. »Vor allem, wenn man bedenkt, dass du es bei unserem Treffen in Fells Haus nicht für nötig gehalten hast, mir mitzuteilen, dass Jace Simon nach Alicante mitgebracht hatte. Bisher hatte ich noch keine Gelegenheit, dich deswegen anzuschreien . . . aber *was* hast du dir eigentlich dabei gedacht? Dass mich das nicht interessieren würde?«

»Ganz im Gegenteil: Dass dich das zu *sehr* interessieren würde«, entgegnete Magnus. »Und dass du alles stehen und liegen lassen und hinauf zur Garnison rennen würdest. Aber ich brauchte deine gesamte Aufmerksamkeit für die Suche nach dem Weißen Buch.«

»Das war skrupellos«, sagte Clary wütend. »Und außerdem liegst du völlig falsch. Ich hätte . . .«

». . . genau das getan, was jeder getan hätte. Das, was ich getan hätte, wenn es um jemanden gegangen wäre, der *mir* am

Herzen liegt. Ich mache dir doch gar keine Vorwürfe, Clary. Ich habe dir Simons Anwesenheit nicht deshalb verschwiegen, weil ich dich für schwach halte, sondern weil du ein Mensch bist. Und ich kenne mich mit der menschlichen Natur aus. Schließlich bin ich schon lange genug auf Erden.«

»Als ob du keine Gefühle hättest und nie etwas Dummes tun würdest!«, schnaubte Clary. »Wo wir gerade davon reden: Wo ist eigentlich Alec? Warum bist du nicht jetzt in diesem Moment auf dem Weg zu ihm, um ihn zu deinem Partner zu machen?«

Magnus zuckte zusammen. »Ich würde mich ihm niemals nähern, solange er bei seinen Eltern steht. Das weißt du doch genau.«

Clary stützte das Kinn auf die Hände. »Manchmal ist es verdammt hart, das Richtige zu tun, wenn man jemanden liebt.«

»Das kannst du laut sagen«, bestätigte Magnus.

Der Rabe flog in großen, trägen Kreisen und schwang sich über die Baumwipfel in Richtung Westen. Inzwischen stand der Mond hoch am Himmel, sodass Jace auf das Licht seines Elbensteins verzichten konnte, während er dem Vogel im Schutz der Bäume folgte.

Nach einer Weile stieg vor ihm der westliche Talhang steil auf, eine massive Wand aus grauem Felsgestein. Der Rabe schien dem Lauf des Bachs stromaufwärts zu folgen, der sich durch das Geröll schlängelte und schließlich in einer schmalen Felsspalte zu verschwinden schien. Bei dem Versuch, den Vogel nicht aus den Augen zu verlieren, hätte Jace sich auf dem feuchten steinigen Untergrund fast ein paarmal den Knöchel verstaucht und am liebsten lauthals geflucht, doch Hugo hätte ihn bestimmt gehört. Stattdessen konzentrierte er sich darauf, sich möglichst tief zu ducken und dabei nicht das Gleichgewicht zu verlieren.

Als er endlich den Rand des Tals erreichte, war sein Hemd schweißgetränkt. Einen Moment lang fürchtete er, er hätte Hugo aus der Sicht verloren, und verspürte maßlose Enttäuschung. Doch dann entdeckte er den schwarzen Schatten des Raben, als dieser tiefer zu kreisen begann und Sekunden später in einer dunklen, zerklüfteten Lücke in der Felswand verschwand. Sofort stürmte Jace los, erleichtert, dass er nicht länger gekrümmt schleichen musste. Als er sich der Felsspalte näherte, erkannte er eine wesentlich größere dunkle Öffnung dahinter – eine Höhle. Hastig holte Jace seinen Elbenstein hervor und folgte dem Raben in die Finsternis.

Durch den Eingang fiel nur wenig Licht in die Höhle und selbst diese geringe Lichtmenge schien nach ein paar Metern von einer erdrückenden Dunkelheit geschluckt zu werden. Jace hob seinen Elbenstein und ließ dessen Strahlen zwischen seinen Fingern hindurchscheinen.

Zunächst dachte er, er befände sich wieder im Freien und über ihm würden die Sterne in ihrer ganzen Pracht prangen. Nirgendwo auf der Welt funkelten die Sterne so wie in Idris – aber es handelte sich nicht um ihren Schein, den Jace jetzt sah. Das Elbenlicht in seiner Hand ließ Dutzende glitzernder Katzengoldablagerungen im Felsgestein um ihn herum aufleuchten, die die Wände mit schimmernden Lichtpunkten überzogen.

Als seine Augen sich daran gewöhnt hatten, erkannte er,

dass er sich in einem schmalen Durchgang aus massivem Fels befand; der Höhleneingang lag hinter ihm und zwei abzweigende dunkle Tunnel taten sich vor ihm auf. Unwillkürlich musste Jace an die Geschichten denken, die ihm sein Vater erzählt hatte – von Helden, die sich in Labyrinthen mithilfe von Seilen oder Garnknäueln orientiert hatten, um sich nicht zu verirren. Allerdings hatte er jetzt weder das eine noch das andere bei sich. Vorsichtig bewegte er sich auf die Tunnelgänge zu und verharrte einen Moment, um zu lauschen. Aus weiter Ferne hörte er das Tröpfeln von Wasser, dahinter das Rauschen des Bachs, einen Flügelschlag und – Stimmen!

Ruckartig wich Jace zurück. Die Stimmen kamen aus dem linken Tunnel, da war er sich sicher. Rasch strich er mit dem Daumen über den Elbenstein, um dessen Licht zu dimmen, bis es nur noch so schwach leuchtete, dass er selber den Weg finden konnte. Und dann tauchte er in die Dunkelheit des Tunnels ein.

»Ist das dein Ernst, Simon? Stimmt das wirklich? Das ist ja fantastisch! Einfach wundervoll!« Isabelle griff nach der Hand ihres Bruders. »Hast du das gehört, Alec? Jace ist *nicht* Valentins Sohn!«

»Und wessen Sohn ist er dann?«, fragte Alec, obwohl Simon das Gefühl hatte, dass er nur mit halbem Ohr zuhörte. Er schien sich die ganze Zeit im Saal umzusehen, als würde er etwas suchen. Seine Eltern standen ein Stück entfernt und schauten stirnrunzelnd in Richtung der drei Jugendlichen. Simon hatte schon befürchtet, dass er ihnen ebenfalls die ganze Geschichte erzählen müsste, aber sie hatten ihm freundli-

cherweise ein paar Minuten allein mit Isabelle und Alec gestattet.

»Ist doch egal!«, entgegnete Isabelle und riss begeistert die
Hände hoch. Aber dann hielt sie inne. »Gute Frage. Wer ist
denn nun sein Vater? Etwa doch Michael Wayland?«

Simon schüttelte den Kopf. »Stephen Herondale.«

»Also war die Inquisitorin Jace' Großmutter«, überlegte Alec.
»Dann muss *das* der Grund gewesen sein, weshalb sie . . .« Er
unterbrach sich und starrte in die Ferne.

»Weshalb sie *was?*«, hakte Isabelle nach. »Alec, hör gefälligst
zu. Oder sag uns wenigstens, wonach du suchst.«

»Nicht *wonach*, sondern *nach wem*«, erklärte Alec. »Ich suche
nach Magnus. Ich wollte ihn fragen, ob er in der Schlacht mein
Partner sein will. Aber ich hab keine Ahnung, wo er steckt.
Hast *du* ihn vielleicht gesehen?«, wandte er sich an Simon.

Simon schüttelte den Kopf. »Eben war er noch auf dem Podium bei Clary, aber . . .« – er reckte den Hals und sah sich um –
»jetzt ist er nicht mehr da. Wahrscheinlich ist er irgendwo in
der Menge.«

»Ist das dein Ernst, Alec? Willst du ihn wirklich bitten, dein
Partner zu werden?«, fragte Isabelle. »Diese ganze Partner-Geschichte ist wie Ringelpiez mit Anfassen, nur mit dem Unterschied, dass man dabei getötet werden kann«, kicherte sie.

»Also *genau* wie Ringelpiez mit Anfassen«, konterte Simon.

»Vielleicht sollte ich ja dann dich bitten, mein Partner zu
sein, Simon«, sinnierte Isabelle und hob fragend eine Augenbraue.

Stirnrunzelnd musterte Alec seine Schwester. Wie sämtliche
Schattenjäger im Saal trug auch er seine vollständige Kampf-

montur – von Kopf bis Fuß in Schwarz gekleidet, der Gürtel mit diversen Waffen bestückt und über der Schulter einen riesigen Bogen. Simon war froh, dass Alec einen Ersatz für seinen alten Bogen gefunden hatte, den Sebastian zerbrochen hatte.

»Isabelle, du brauchst keinen Partner, weil du nicht kämpfen wirst. Du bist zu jung. Und wenn du auch nur im Traum daran denkst, bring ich dich um.« Ruckartig hob Alec den Kopf. »Wartet mal – ist das da *drüben* nicht Magnus?«

Isabelle folgte seinem Blick und schnaubte. »Alec, das ist ein Werwolf. Ein Werwolf-*Mädchen*. Genau genommen, ist das ... wie heißt sie noch mal? May?«

»Maia«, berichtigte Simon. Das Mädchen stand ein Stück von ihnen entfernt. Sie trug ein enges schwarzes T-Shirt mit dem Aufdruck WAS MICH NICHT UMBRINGT ... SOLLTE SICH SCHON MAL WARMLAUFEN über einer braunen Lederhose und hatte ihre zahlreichen Zöpfe mit einer Kordel zusammengebunden. Im nächsten Moment drehte sie sich um, als hätte sie die Blicke der drei gespürt, und schaute lächelnd in ihre Richtung. Simon erwiderte ihr Lächeln. Doch als Isabelle ein finsteres Gesicht zog, hörte er hastig damit auf. Wann genau war sein Leben eigentlich so verdammt kompliziert geworden?

Eine Sekunde später lichtete sich Alecs Miene. »Da ist Magnus ja«, sagte er und setzte sich sofort in Bewegung, ohne Isabelle oder Simon noch eines Blickes zu würdigen. Entschlossen bahnte er sich einen Weg durch die Menge zu der Stelle, wo der hochgewachsene Hexenmeister stand. Magnus' Überraschung darüber, dass Alec auf ihn zukam, war deutlich zu erkennen, selbst aus dieser Entfernung.

»Irgendwie verhält er sich ja süß«, murmelte Isabelle, während sie Alec und Magnus beobachtete, »wenn auch wenig überzeugend.«

»Wieso ›wenig überzeugend‹?«

»Weil Alec einerseits Magnus dazu bewegen möchte, ihn ernst zu nehmen«, erläuterte Isabelle, »aber andererseits unseren Eltern noch immer nicht von ihm erzählt hat oder davon, dass er auf . . . auf . . . na, du weißt schon . . .«

»Auf Hexenmeister steht?«, grinste Simon.

»Wirklich sehr lustig.« Isabelle funkelte ihn an. »Du weißt genau, was ich meine. Hier geht es doch darum, dass . . .«

»Ja, worum geht es hier eigentlich genau?«, fragte Maia, die sich den beiden genähert und Isabelles letzte Worte aufgeschnappt hatte. »Ich versteh nämlich diese ganze Partner-Geschichte nicht. Wie soll das funktionieren?«

»Etwa so.« Simon deutete auf Alec und Magnus, die ein wenig abseits von der Menge in ihrer eigenen kleinen Welt standen. Alec beugte sich gerade über Magnus' Hand und versah ihn mit der Rune; sein Gesicht wirkte konzentriert und die dunklen Haare waren ihm vor die Augen gefallen.

»Dann sollen wir uns also alle so eine Rune auftragen lassen?«, fragte Maia.

»Nur diejenigen, die in die Schlacht ziehen«, entgegnete Isabelle und musterte das andere Mädchen mit einem kühlen Blick. »Aber du siehst nicht aus, als ob du schon achtzehn wärst.«

Maia schenkte ihr ein verkniffenes Lächeln. »Ich bin keine Schattenjägerin. Lykanthropen gelten schon mit sechzehn als volljährig.«

»In dem Fall solltest du dich mit einer Rune versehen lassen«, erwiderte Isabelle. »Und zwar von einem Schattenjäger. Am besten ziehst du gleich los und suchst dir einen.«

»Aber . . .« Maia, die noch immer in Alecs und Magnus' Richtung geschaut hatte, verstummte abrupt.

Simon drehte sich um, um nachzusehen, was das Werwolf-Mädchen gerade zum Schweigen gebracht hatte, und riss überrascht die Augen auf.

Alec hatte die Arme um Magnus geschlungen und küsste ihn – voll auf den Mund. Magnus, der sich in einer Art Schockzustand zu befinden schien, stand wie angewurzelt da. Verschiedene Gruppen von Leuten – Schattenjäger und Schattenweltler gleichermaßen – starrten irritiert zu den beiden hinüber und tuschelten. Verstohlen warf Simon einen Blick auf die Lightwoods, die das Schauspiel mit großen Augen verfolgten. Maryse hatte eine Hand vor den Mund geschlagen.

Und auch Maia wirkte vollkommen perplex. »Einen Moment mal«, stammelte sie. »Müssen wir *das* etwa auch machen?«

Zum x-ten Mal schaute Clary über die Menge, in der Hoffnung, Simon zu entdecken. Aber sie konnte ihn einfach nicht finden. Der Saal war ein einziges Gewimmel von Schattenjägern und Schattenweltlern, von denen die ersten bereits durch die offenen Türen hinaus auf den Platz strömten. Überall blitzten Stelen auf, da immer mehr Schattenwesen und Nephilim sich zu Paaren zusammenfanden und sich gegenseitig mit der Rune versahen. Clary sah, wie Maryse Lightwood ihre Hand einer großen grünhäutigen Elfe entgegenstreckte, die genauso blass und hoheitsvoll wie sie selbst wirkte, und wie Patrick

Penhallow feierlich einen Hexenmeister mit blau sprühenden Haaren zum Partner wählte. Durch die Türen der Halle erkannte Clary das leuchtende Schimmern des Portals, das Magnus auf dem Platz errichtet hatte, während das Funkeln der Sterne über dem Glasdach des Saals dem Ganzen eine surreale Note verlieh.

»Erstaunlich, oder?«, meinte Luke, der vom Podium aus über die Menge schaute. »Schattenjäger und Schattenweltler, vereint in einem Raum. Mit einem gemeinsamen Ziel vor Augen.« Er klang fast ehrfürchtig. Aber Clary konnte nur daran denken, wie sehr sie sich wünschte, dass Jace jetzt hier wäre und alles miterleben könnte. Es gelang ihr nicht, die Sorge um ihn beiseitezuschieben, so sehr sie sich auch bemühte. Die Vorstellung, dass er vielleicht Valentin aufgestöbert hatte und möglicherweise sein Leben riskierte, weil er sich für verflucht hielt . . . dass er vielleicht sterben könnte, ohne jemals die Wahrheit zu erfahren . . .

»Clary«, unterbrach Jocelyn Clarys Gedankengang mit einem leicht amüsierten Ton in der Stimme, »hast du gehört, was ich gesagt habe?«

»Ja, hab ich«, erwiderte Clary, »und es ist *tatsächlich* erstaunlich, ich weiß.«

Jocelyn legte ihre Hand auf Clarys. »Nein, das hab nicht *ich* gesagt, sondern Luke. Aber egal. Luke und ich werden beide in die Schlacht ziehen – das weißt du ja. Aber du bleibst mit Isabelle und den anderen Kindern hier.«

»Ich bin kein Kind mehr.«

»Ich weiß, aber du bist viel zu jung zum Kämpfen. Und selbst wenn du alt genug wärst, würde dir das Training fehlen.«

»Aber ich will nicht einfach hier rumsitzen und tatenlos zusehen.«

»Tatenlos?«, wiederholte Jocelyn erstaunt. »Clary, ohne dich
wäre nichts von alldem hier auch nur denkbar gewesen. Wir
hätten nicht einmal die Chance zu kämpfen, wenn du nicht gewesen wärst. Ich bin so stolz auf dich. Und ich wollte dir nur
noch schnell sagen: Auch wenn Luke und ich gleich fort sind,
werden wir auf jeden Fall zurückkehren. Mach dir keine Sorgen – alles wird gut.«

Clary schaute ihre Mutter an und sah ihr direkt in die grünen
Augen, die ihren eigenen so ähnelten. »Mom, erzähl mir keine
Märchen«, sagte sie.

Jocelyn zog scharf die Luft ein, richtete sich auf und nahm ihre Hand fort. Doch bevor sie etwas erwidern konnte, weckte
etwas anderes Clarys Aufmerksamkeit – ein vertrautes Gesicht
in der Menge. Eine schmächtige dunkle Gestalt, die zielgerich-
tet auf sie zukam und sich mit erstaunlicher Leichtigkeit durch
das Gewimmel schlängelte – fast als würde sie sich *durch* die
Menge bewegen, wie Rauch durch die Latten eines Zauns.

Und genauso war es auch, erkannte Clary schlagartig: Vor
ihr stand Raphael, in der gleichen Kleidung, die er auch bei ihrer ersten Begegnung getragen hatte – weißes Hemd über
schwarzer Hose. Clary hatte ganz vergessen, wie klein er war.
Er wirkte kaum älter als vierzehn, als er die Stufen hinaufkam,
sein schmales Gesicht ruhig und engelsgleich, wie ein Chor-
knabe, der zum Altar emporsteigt.

»Raphael«, stieß Luke mit einer Mischung aus Erstaunen und
Erleichterung hervor. »Ich hätte nicht gedacht, dass du dich zu
uns gesellen würdest. Haben die Nachtkinder es sich anders

überlegt und werden nun doch mit uns gemeinsam gegen Valentin kämpfen? Der Sitz in der Kongregation steht euch immer noch offen – du brauchst nur einzuschlagen.« Er streckte Raphael seine Hand entgegen.

Raphael musterte ihn ausdruckslos aus klaren dunklen Augen. »Ich kann dir nicht die Hand geben, Werwolf.« Als ein gekränkter Ausdruck über Lukes Gesicht huschte, lächelte der Vampirjunge, gerade so breit, dass die weißen Spitzen seiner Eckzähne zum Vorschein kamen. »Ich bin eine Projektion«, fügte er hinzu und hob die Hand, damit die anderen das Licht hindurchschimmern sehen konnten. »Ich kann nichts berühren.«

»Aber . . . Warum . . .«, setzte Luke an und schaute zum Mondlicht hinauf, das durch das Glasdach fiel. »Na ja, ich bin jedenfalls froh, dass du hier bist. Ganz gleich, in welcher Erscheinungsform.«

Raphael schüttelte den Kopf. Einen Moment lang ruhten seine Augen auf Clary – ein Blick, der ihr überhaupt nicht gefiel –, dann wandte er sich Jocelyn zu und sein Grinsen verbreiterte sich. »Du«, sagte er, »Valentins Frau. Andere meiner Art, die während des Aufstands dabei waren, haben mir von dir erzählt. Ich muss gestehen, dass ich nicht gedacht hätte, dich jemals persönlich zu Gesicht zu bekommen.«

Jocelyn neigte den Kopf. »Damals haben viele Kinder der Nacht große Tapferkeit gezeigt. Bedeutet deine Anwesenheit, dass wir möglicherweise ein weiteres Mal Seite an Seite kämpfen?«

Es erschien Clary merkwürdig, ihre Mutter so beherrscht und formell reden zu hören, aber für Jocelyn war das offenbar vollkommen normal – genauso normal wie in einem alten farbbekleksten Overall auf dem Boden zu hocken und ein Bild zu malen.

»Das hoffe ich zumindest«, erwiderte Raphael, während sein Blick Clary erneut streifte, wie die Berührung einer kalten Hand. »Wir haben nur einen einzigen Wunsch, eine einfache, kleine Bitte. Sobald die erfüllt ist, werden die Nachtkinder vieler Länder mit dem größten Vergnügen gemeinsam mit euch in die Schlacht ziehen.«

»Der Sitz in der Kongregation«, sagte Luke. »Natürlich – das kann sofort in die Wege geleitet werden. Die Dokumente sind innerhalb einer Stunde aufgesetzt . . .«

»Nein, nicht der Kongregationssitz«, entgegnete Raphael, »sondern etwas anderes.«

»Etwas . . . anderes?«, wiederholte Luke verdutzt. »Aber was denn? Ich versichere dir, wenn es in unserer Macht liegt . . .«

»Oh ja, das tut es«, lächelte Raphael zuckersüß. »Genau genommen, handelt es sich um etwas, das sich jetzt, in diesem Moment, innerhalb dieser Mauern befindet.« Er drehte sich um und deutete in Richtung der Menge. »Wir wollen diesen Jungen . . . diesen Tageslichtler. Wir wollen Simon!«

Der Tunnel schien sich in endlosen Krümmungen serpentinenartig durch den Fels zu winden, sodass Jace nach einer Weile das Gefühl hatte, er würde durch die Gedärme eines riesigen Monsters kriechen. Die Luft roch nach feuchtem Gestein, Asche und irgendetwas anderem – etwas Dumpfem, Muffigem, das Jace entfernt an den Geruch in der Stadt der Gebeine erinnerte.

Endlich öffnete sich der Tunnel zu einer kreisrunden Höhlenkammer. Gewaltige Stalaktiten mit glatten, schimmernden Oberflächen hingen von der zerklüfteten hohen Höhlendecke. Auch der Boden wirkte wie poliert und war mit glitzernden Steinplatten in einem geheimnisvollen Muster durchsetzt. Eine Reihe rauer Stalagmiten säumte den Rand der Höhle, in deren Mitte ein einzelner massiver Quarzstalagmit wie ein gigantischer Fangzahn aufragte. Als Jace genauer hinschaute, erkannte er, dass das rötlich schimmernde Gestein an den Seiten tatsächlich transparent und seine vermeintliche Maserung nur das Ergebnis *darin* wirbelnder, wogender Schwaden war – wie ein Reagenzglas, gefüllt mit rotem Rauch.

Durch ein kreisrundes Loch in der hohen Felsdecke fiel gedämpftes Licht auf den Boden der Höhle, bei der es sich eindeutig um einen künstlich geschaffenen Hohlraum handelte – das komplizierte Muster der Steinplatten ließ gar keinen anderen Schluss zu. Doch wer sollte so eine gigantische unterirdische Kammer geschaffen haben? Und wozu?

Plötzlich schallte ein scharfes Krächzen durch den Raum und ließ Jace nervös zusammenzucken. Er konnte sich gerade noch rechtzeitig hinter einen wuchtigen Stalagmit ducken und das Licht seines Elbensteins löschen, als auch schon zwei schemenhafte Gestalten aus den Schatten des gegenüberliegenden Höhlenbereichs auftauchten und auf ihn zukamen, die Köpfe wie im tiefen Gespräch zusammengesteckt. Doch erst als sie die Höhlenmitte erreichten und in den von oben herabfallenden Lichtkegel traten, erkannte Jace, um wen es sich handelte.

Sebastian.

Und Valentin.

Um sich nicht erneut mitten durch die Menge schlängeln zu müssen, nahm Simon einen Umweg zurück zum Podium. Gedankenverloren und mit gesenktem Kopf ging er hinter den massiven Säulen entlang, die die Seiten des Saals flankierten. Es erschien ihm merkwürdig, dass Alec, der nur ein oder zwei Jahre älter war als Isabelle, in eine Schlacht zog, während der Rest von ihnen zurückbleiben sollte. Isabelle hatte diesen Befehl erstaunlich ruhig hingenommen – ohne Geschrei oder hysterische Anfälle. Simon hatte fast den Eindruck, als hätte sie damit gerechnet. Und vielleicht hatte sie das ja auch. Vielleicht hatte ja niemand etwas anderes erwartet.

Nach ein paar Minuten hatte er die Stufen zum Podium fast erreicht, als er aufschaute und zu seiner Überraschung Raphael entdeckte, der vor Luke stand und wie üblich vollkommen ausdruckslos wirkte. Dagegen sah Luke ziemlich aufgebracht aus: Vehement schüttelte er den Kopf und hob abwehrend die Hände. Und Jocelyn neben ihm schien regelrecht empört. Clarys Gesicht konnte Simon nicht erkennen, da sie ihm den Rücken zugekehrt hatte, doch er kannte sie gut genug, um allein schon an den Schultern ihre Anspannung ablesen zu können.

Da er nicht wollte, dass Raphael ihn bemerkte, duckte Simon sich hinter eine Säule und spitzte die Ohren. Selbst über das laute Stimmengewirr der Menge hinweg konnte er Lukes erhobene Stimme hören.

»Völlig ausgeschlossen«, sagte Luke. »Ich kann nicht fassen, dass du es überhaupt wagst, so etwas zu verlangen.«

»Und ich kann nicht fassen, dass du ablehnst.« Raphaels Stimme klang eisig und scharf – die klare, noch immer hohe

Stimme eines vorpubertären Jungen. »Schließlich geht es hier nur um eine Kleinigkeit, eine läppische Angelegenheit.«

»Das ist keine Kleinigkeit«, konterte Clary wütend. »Hier geht's um Simon. Und er ist keine *Angelegenheit,* sondern ein Mensch.«

»Er ist ein Vampir«, erwiderte Raphael, »was du offensichtlich immer wieder gern vergisst.«

»Und bist du nicht auch ein Vampir?«, fragte Jocelyn in jenem eisigen Ton, den Clary von vielen Standpauken kannte, wenn sie und Simon wieder einmal etwas ausgefressen hatten. »Willst du damit sagen, dass *dein* Leben keinerlei Wert besitzt?«

Simon drückte sich flach an die Säule. Was ging hier vor?

»Mein Leben ist von großem Wert, da es – im Gegensatz zu deinem – ewig währt«, entgegnete Raphael. »Meinem Leben sind keine Grenzen gesetzt, während deines auf ein klar gesetztes Ende zusteuert. Aber darum geht es hier nicht. Der Tageslichtler ist ein Vampir, einer von uns, und ich verlange, dass er mir zurückgegeben wird.«

»Du kannst ihn nicht *zurück*haben«, fauchte Clary. »Schließlich hat er dir nie gehört. Du hast dich ja nicht mal für ihn interessiert – bis zu dem Moment, in dem du herausgefunden hast, dass er am helllichten Tag herumspazieren kann . . .«

»Möglicherweise«, räumte Raphael ein, »aber nicht aus den Gründen, die du zu kennen glaubst.« Er neigte den Kopf leicht zur Seite und musterte sie aus dunklen, funkelnden Vogelaugen. »Kein Vampir sollte die Kräfte besitzen, die *er* besitzt«, fuhr er fort, »genau wie kein Schattenjäger die Kräfte haben sollte, die dich und deinen Bruder kennzeichnen. Jahrhundertelang hat man uns erzählt, wir seien ein Fehler der Natur, wir seien widernatürlich. Doch das Einzige wider die Natur ist der Tageslichtler.«

»Raphael.« Lukes Ton klang warnend. »Ich habe keine Ahnung, was du dir erhoffst. Aber wir werden auf keinen Fall zulassen, dass du Simon Schaden zufügst.«

»Wohingegen ihr keine Bedenken habt, dass Valentin und sein Dämonenheer all diesen Leuten, euren Verbündeten, Schaden zufügen.« Mit einer weit ausholenden Geste deutete Raphael auf die Menge. »Ihr lasst zu, dass sie freiwillig ihr Leben aufs Spiel setzen, wollt Simon aber nicht die gleiche Wahlmöglichkeit einräumen? Vielleicht würde er ja eine ganz andere Entscheidung treffen als ihr.« Langsam ließ er den Arm sinken. »Ihr wisst, dass wir nicht mit euch kämpfen werden, wenn ihr ihn uns nicht übergebt. Die Kinder der Nacht werden an diesem Tag nicht teilhaben.«

»Dann eben nicht«, erwiderte Luke. »Ich werde eure Kooperation nicht mit einem unschuldigen Leben erkaufen. Ich bin nicht Valentin.«

Sofort wandte Raphael sich Jocelyn zu. »Und was ist mit dir, Schattenjägerin? Willst du zulassen, dass dieser Werwolf darüber bestimmt, was für dein Volk das Beste ist?«

Jocelyn musterte Raphael, als wäre er eine Kakerlake, die über ihren sauberen Küchenboden krabbelte. Und dann sagte sie sehr langsam und deutlich: »Wenn du auch nur eine Hand an Simon legst, Vampir, dann zerhack ich dich in winzige Stückchen und verfüttere dich an meine Katze. Hast du mich verstanden?«

Raphael presste die Lippen zu einem dünnen Strich zusammen. »Also schön, wie ihr wollt«, stieß er hervor. »Aber wenn ihr in der Brocelind-Ebene im Sterben liegt, könnt ihr euch ja mal fragen, ob *ein* Leben den Verlust so vieler wirklich wert war.« Und damit verschwand er.

Luke drehte sich rasch zu Clary um, doch Simon schaute nicht länger auf das Podium: Er blickte auf seine Hände hinab. Er hätte gedacht, sie würden zittern, aber sie wirkten so reglos wie die Hände eines Toten. Langsam, sehr langsam ballte er sie zu Fäusten.

Valentin sah aus wie immer: ein kräftiger Mann in maßgeschneiderter Schattenjägermontur, dessen breite, massige Schultern einen seltsamen Kontrast zu seinem scharfkantigen, eleganten Gesicht bildeten. Das Heft des Engelsschwerts ragte hinter seinem Rücken auf und er trug ein schweres Bündel über der Schulter. Sein robuster Gürtel war mit zahlreichen Waffen bestückt: breite Jagdmesser, schmale Dolche und scharfe Abdeckklingen. Während Jace im Schutz des Stalagmiten zu Valentin hinüberstarrte, fühlte er wieder das, was er beim Gedanken an seinen Vater immer verspürte – eine hartnäckige familiäre Zuneigung, durchsetzt von Kälte, Enttäuschung und Misstrauen.

Es war seltsam, seinen Vater hier mit Sebastian zu sehen, der irgendwie verändert wirkte. Auch er trug eine Kampfmontur und ein langes Schwert mit silbernem Heft an der Hüfte. Aber nicht seine Kleidung erschien Jace so merkwürdig – es waren seine Haare, die sein Gesicht nicht länger mit dunklen Locken rahmten, sondern mit einem hellen Schein umgaben, einem fast weißblonden Haarkranz. Diese Farbe stand ihm deutlich besser als die dunklen Haare – seine Haut wirkte jetzt nicht mehr so furchtbar blass. Offensichtlich hatte er sich die Locken schwarz gefärbt, um dem echten Sebastian Verlac ähnlicher zu sehen, und das hier war seine natürliche Haarfarbe. Eine bittere, brausende Woge des Hasses wallte in Jace auf und er musste sich zwingen, nicht hinter dem Fels hervorzuspringen und Sebastian an die Kehle zu gehen.

Im nächsten Moment krächzte Hugo erneut auf, ließ sich aus großer Höhe herabfallen und landete auf Valentins Schulter. Der Anblick des Raben in einer Haltung, die er jahrelang mit Hodge verbunden hatte, versetzte Jace einen heftigen Stich. Im Grunde hatte Hugo Tag und Nacht auf der Schulter seines alten Lehrers gehockt und es erschien Jace irgendwie seltsam, fast falsch, den Vogel nun mit Valentin zu sehen – trotz allem, was Hodge getan hatte.

Valentin hob die Hand, strich dem Raben über das schwarze, glänzende Gefieder und nickte ein paarmal, als wären Mensch und Vogel in ein angeregtes Gespräch vertieft.

Sebastian beobachtete die beiden mit hochgezogenen Augenbrauen. »Irgendwelche Neuigkeiten aus Alicante?«, fragte er, als Hugo sich von Valentins Schulter abstieß und in die Lüfte erhob, wobei seine Flügel die funkelnden Spitzen der Stalaktiten streiften.

»Nein, jedenfalls nichts Konkretes«, erwiderte Valentin. Die Stimme seines Vaters klang wie immer kühl und unerschütterlich und fuhr Jace durch Mark und Bein. Seine Hände zuckten unwillkürlich und er presste sie fest gegen seine Beine, dankbar für den breiten Felsen, der ihm Sichtschutz bot. »Aber eines ist sicher: Der Rat verbündet sich mit Lucians Schattenweltler-Streitkräften«, fuhr Valentin fort.

Sebastian runzelte die Stirn. »Aber Malachi hat doch gesagt . . .«

»Malachi hat versagt.« Valentin presste die Kiefer fest aufeinander.

Zu Jace' Überraschung ging Sebastian auf Valentin zu und legte ihm vertraulich eine Hand auf die Schulter. Diese Geste hatte etwas derart Selbstsicheres und Intimes an sich, dass Jace das Gefühl bekam, ein Haufen Würmer hätte sich in seinem Magen eingenistet. Niemand berührte Valentin auf diese Weise. Nicht einmal *er* hätte seinen Vater auf diese Weise angefasst. »Bist du verärgert?«, fragte Sebastian eine Sekunde später, mit derselben Vertraulichkeit in der Stimme, derselben grotesken, eigenartigen Andeutung von Nähe und Zugehörigkeit.

»Der Rat befindet sich in einem schlimmeren Zustand, als ich gedacht hätte. Ich wusste zwar, dass die Lightwoods hoffnungslos korrupt sind und dass diese Art von Korruption ansteckend wirkt. Deswegen habe ich ja versucht, sie an der Einreise nach Idris zu hindern. Aber dass die restlichen Schattenjäger sich so leicht von Lucians Gift infizieren lassen, wo er doch nicht einmal mehr ein Nephilim ist . . .« Valentins Abscheu war offensichtlich, aber er rückte keinen Millimeter von Sebastian ab und machte keine Anstalten, die Hand des Jungen von seiner Schulter zu streifen, wie Jace mit zunehmendem Unverständnis registrierte. »Das enttäuscht mich zutiefst. Ich hätte gedacht, der Rat würde Vernunft annehmen. Mir wäre es lieber gewesen, die ganze Geschichte nicht auf diese Weise beenden zu müssen.«

Sebastian zog eine belustigte Miene. »Da kann ich dir nicht

zustimmen«, erwiderte er. »Stell dir die ganze Truppe doch nur einmal vor: wie sie kampfbereit mit Pauken und Trompeten in die Schlacht ziehen, nur um dann herauszufinden, dass das alles überhaupt keine Rolle mehr spielt. Dass ihre Bemühungen vollkommen umsonst sind. Mal dir doch nur mal den Ausdruck auf ihren Gesichtern aus.« Sebastians Lippen verzogen sich zu einem spöttischen Grinsen.

»Jonathan«, seufzte Valentin, »hier geht es um eine nüchterne Notwendigkeit – nichts, woran man sich ergötzen sollte.«

Jonathan? Jace klammerte sich an den Felsen; seine Hände waren plötzlich feucht und schlüpfrig geworden. Warum sollte Valentin Sebastian mit *seinem* Namen anreden? Handelte es sich um einen Versprecher? Aber Sebastian wirkte kein bisschen überrascht.

»Ist es denn nicht besser, dass ich an dem, was ich tue, Freude empfinde?«, entgegnete Sebastian. »In Alicante hab ich mich jedenfalls prächtig amüsiert. Die Lightwoods sind unterhaltsamer, als du mir erzählt hattest, vor allem diese Isabelle. Jedenfalls habe ich unter unsere Bekanntschaft einen eindrucksvollen Schlusspunkt gesetzt. Und was Clary betrifft . . .«

Allein die Erwähnung von Clarys Namen versetzte Jace' Herz einen schmerzhaften Stich.

»Sie war ganz anders, als ich sie mir vorgestellt hatte«, fuhr Sebastian schmollend fort. »Überhaupt nicht so wie ich.«

»Niemand ist so wie du, Jonathan. Und Clary kam schon immer nach ihrer Mutter.«

»Sie will einfach nicht zugeben, was sie wirklich will«, sinnierte Sebastian. »Noch nicht. Aber sie wird schon noch Vernunft annehmen.«

Fragend hob Valentin eine Augenbraue. »Was meinst du mit ›Vernunft annehmen‹?«

Sebastian grinste – ein Grinsen, das Jace mit einer fast unbändigen Wut erfüllte; um sich zu beherrschen, biss er sich auf die Lippe, bis er Blut schmeckte. »Na ja, du weißt schon: auf unsere Seite wechseln. Ich kann es gar nicht erwarten«, erklärte Sebastian. »Sie hereinzulegen, war das größte Vergnügen, das ich seit Langem hatte.«

»Du solltest dich nicht vergnügen – du solltest herausfinden, wonach sie gesucht hat!«, konterte Valentin. »Und als sie es dann gefunden hatte – ohne dein Beisein, wohlgemerkt –, da hast du zugelassen, dass sie es einem Hexenmeister gab. Und dann ist es dir nicht einmal gelungen, sie mit hierherzubringen – trotz der Bedrohung, die sie für uns darstellt. Das würde ich nicht gerade als Erfolg bezeichnen, Jonathan.«

»Ich habe doch *versucht,* sie mitzunehmen. Aber die anderen haben sie nicht aus den Augen gelassen und ich konnte sie ja wohl kaum einfach mitten aus der Abkommenshalle entführen«, erwiderte Sebastian trotzig. »Außerdem hab ich dir doch schon gesagt, dass sie keine Ahnung hat, wie sie ihre Runen-Fähigkeiten einsetzen muss. Sie ist viel zu naiv, um irgendeine Gefahr darzustellen . . .«

»Ganz gleich, welche Pläne der Rat in diesem Moment auch schmieden mag – Clary ist der Schlüssel«, schnaubte Valentin. »Hugin hat sie auf dem Podium der Halle gesehen. Wenn es ihr gelingt, dem Rat ihre Kräfte zu demonstrieren . . .«

Sofort spürte Jace einen Anflug von Furcht um Clary, vermischt mit einer merkwürdigen Art Stolz: Natürlich war sie der Schlüssel zu allem – so kannte er sie.

»Dann werden die Nephilim kämpfen«, ergänzte Sebastian Valentins Satz. »Aber genau das wollen wir doch, oder etwa nicht? Clary spielt keine Rolle. Die Schlacht ist das Einzige, was zählt.«

»Ich denke, du unterschätzt sie«, sagte Valentin ruhig.

»Nein, nein, ich hab sie eine ganze Weile beobachtet«, widersprach Sebastian. »Wenn ihre Kräfte wirklich so unbegrenzt wären, wie du glaubst, dann hätte sie sie dazu nutzen können, ihren kleinen Vampirfreund aus dem Gefängnis zu holen – oder diesen Narren Hodge gerettet, als er im Sterben lag . . .«

»Eine Kraft muss nicht notwendigerweise unbegrenzt sein, um eine tödliche Wirkung zu entfalten«, hielt Valentin entgegen. »Und was Hodge betrifft: Du solltest ein wenig mehr Respekt gegenüber seinem Tod zeigen, zumal du derjenige bist, der ihn getötet hat.«

»Er war gerade dabei, ihnen von dem Engel zu erzählen. Ich *musste* es tun.«

»Nein, du *wolltest* es tun. So wie du es immer willst.« Valentin holte ein Paar schwere Lederhandschuhe aus seiner Jackentasche und streifte sie langsam über. »Vielleicht hätte Hodge ihnen davon erzählt. Vielleicht aber auch nicht. All die Jahre hat er sich im Institut um Jace gekümmert und sich bestimmt gefragt, wen er da aufzog. Hodge war einer der wenigen, der wusste, dass es mehr als einen Jungen gab. Ich konnte mir sicher sein, dass er mich nicht betrügen würde – dazu war er viel zu feige«, erklärte er und dehnte stirnrunzelnd die Finger.

Mehr als einen Jungen? Wovon redete Valentin?, grübelte Jace.

»Wen kümmert es schon, was Hodge gedacht hat?«, entgegnete Sebastian mit einer abschätzigen Handbewegung. »Er ist tot und das ist gut so!« Seine Augen funkelten düster. »Brichst du jetzt sofort zum See auf?«

»Ja. Du weißt, was zu tun ist?« Valentin deutete mit dem Kinn auf das Schwert an Sebastians Hüfte. »Nutz das da. Es ist zwar nicht das Engelsschwert, aber es besitzt genügend dämonische Kräfte, um seinen Zweck zu erfüllen.«

»Kann ich dich nicht zum See begleiten?« Sebastians Stimme hatte einen weinerlichen Ton angenommen. »Können wir das Heer nicht einfach schon jetzt freisetzen?«

»Es ist noch nicht Mitternacht. Ich habe dem Rat gesagt, dass ich ihm bis Mitternacht geben würde. Vielleicht ändern die Nephilim ja noch ihre Meinung.«

»Ganz bestimmt nicht . . .«, schmollte Sebastian.

»Ich habe ihnen mein Wort gegeben und dazu stehe ich«, beendete Valentin die Diskussion. »Falls du bis Mitternacht nichts von Malachi hörst, öffne das Tor.« Als er sah, dass Sebastian zögerte, musterte er ihn ungeduldig. »Ich brauche dich hier, Jonathan. Ich kann nicht bis Mitternacht warten; es kostet mich ohnehin schon eine Stunde, um durch die Tunnel zum See zu gelangen, und ich habe nicht die Absicht, die Schlacht in die Länge zu ziehen. Zukünftigen Generationen muss bewusst sein, wie schnell der Rat verloren hat und wie endgültig unser Sieg war.«

»Es ist nur so schade, dass ich die Beschwörung verpasse. Dabei wäre ich so gern dabei gewesen, wenn du ihn heraufbeschwörst.« Sebastian zog ein wehmütiges Gesicht, doch in seinen Augen lag etwas Berechnendes, etwa Höhnisches und

Gieriges und seltsam *Kaltes* – auch wenn Valentin das überhaupt nicht zu interessieren schien.

Zu Jace' Verblüffung strich Valentin Sebastian kurz über die Wange – eine rasche, unverhohlen zärtliche Geste –, ehe er sich abwandte und zum hinteren Ende der Höhle ging, die in tiefem Schatten lag. Dort hielt er einen Moment inne, eine bleiche Gestalt vor dunklem Hintergrund. »Jonathan«, rief er und Jace schaute unwillkürlich auf – er konnte einfach nicht anders. »Eines Tages wirst du dem Engel persönlich ins Antlitz schauen können. Schließlich erbst du einmal die Engelsinsignien, wenn ich nicht mehr bin. Und vielleicht wirst auch *du* eines Tages Raziel heraufbeschwören.«

»Das würde mir gefallen«, bestätigte Sebastian und wartete reglos, bis Valentin mit einem letzten Kopfnicken in der Dunkelheit verschwunden war. »Oh, ja, das würde mir sehr gefallen«, murmelte er mit gesenkter Stimme. »Und dann würde ich diesem Mistkerl ins Gesicht spucken.« Im nächsten Moment wirbelte er herum, sein Gesicht eine weiße Maske. »Du kannst genauso gut auch herauskommen, Jace«, sagte er. »Ich weiß, dass du da bist.«

Jace erstarrte, doch nur einen Sekundenbruchteil. Sein Körper hatte sich bereits in Bewegung gesetzt, bevor sein Verstand reagieren konnte, und brachte ihn ruckartig auf die Beine. Blitzschnell stürmte er in Richtung Tunnelausgang, nur von einem Gedanken beherrscht: Er musste es bis nach draußen schaffen, musste Luke irgendwie eine Nachricht zukommen lassen.

Doch der Ausgang war versperrt. Sebastian stand davor, mit kühler, selbstgefälliger Miene und die Arme so weit ausgestreckt, dass seine Finger fast die Tunnelwände berührten. »Also wirklich«, höhnte er, »du hast doch nicht ernsthaft geglaubt, dass du schneller wärst als ich?«

Jace kam schlitternd zum Stehen. Sein Herz schlug unregelmäßig, wie ein defektes Metronom, doch seine Stimme klang ruhig: »Da ich dir in jeder anderen Hinsicht überlegen bin, lag die Vermutung durchaus nahe.«

Sebastian lächelte nur zuckersüß. »Ich habe dein Herz schlagen hören«, sagte er sanft. »Als du mich mit Valentin beobachtet hast. Und, hat dir das zu schaffen gemacht?«

»Dass du dich mit meinem Vater triffst?«, erwiderte Jace achselzuckend. »Du bist ein bisschen zu jung für ihn, wenn du mich fragst.«

»*Was?*« Zum ersten Mal seit ihrer ersten Begegnung schien Sebastian total perplex. Allerdings konnte Jace sich nur kurz daran erfreuen, ehe Sebastian seine Selbstbeherrschung wiedererlangte. In seinen Augen funkelte ein düsteres Licht, das eines deutlich machte: Er würde Jace nicht verzeihen, dass er seinetwegen die Fassung verloren hatte. »Manchmal hast du mich ins Grübeln gebracht«, fuhr Sebastian nun mit zuckersüßer Stimme fort. »Hin und wieder schienst du etwas an dir zu haben, etwas Besonderes. Irgendetwas blitzte manchmal hinter deinen gelben Augen auf – ein Anflug von Intelligenz, ganz im Gegensatz zum Rest deiner strohdummen Adoptivfamilie. Aber ich schätze, das war nur eine Pose, eine Attitüde. Du bist genauso dämlich wie der Rest, trotz deiner jahrelangen guten Erziehung.«

»Was weißt du denn schon über meine Erziehung?«

»Mehr als du denkst.« Sebastian ließ die Arme sinken. »Derselbe Mann, der dich erzogen hat, hat auch mich großgezogen. Nur mit dem Unterschied, dass er nicht nach zehn Jahren genug von mir hatte.«

»Wie meinst du das?« Jace' Stimme war nur noch ein Flüstern. Er musterte Sebastians regungslose, unfreundliche Züge, als würde er den anderen Jungen zum ersten Mal sehen – die weißblonden Haare, die anthrazitschwarzen Augen, die kantigen, wie aus Stein gemeißelten Gesichtszüge. Plötzlich tauchte vor Jace' innerem Auge das Gesicht seines Vaters auf, das der Engel ihm gezeigt hatte: jung und scharf und wachsam und gierig. Und in dem Moment *wusste* er es. »Du«, stieß er hervor. »Valentin ist dein Vater. Du bist mein *Bruder*.«

Doch Sebastian stand nicht länger vor ihm – plötzlich war er hinter ihm, die Arme auf Höhe von Jace' Schultern, als wolle er ihn umarmen; aber seine Hände waren zu Fäusten geballt. »Sei gegrüßt und leb wohl, mein Bruder«, fauchte er. Dann streckte er die Finger, legte sie um Jace' Kehle und drückte zu.

Clary war erschöpft. Ein dumpfer, dröhnender Schmerz pochte in ihrem Schädel – die Nachwirkungen von der Erschaffung der Rune. Sie hatte das Gefühl, als versuchte jemand, von der falschen Seite eine Tür einzutreten.

»Alles in Ordnung?«, fragte Jocelyn und legte Clary eine Hand auf die Schulter. »Du siehst nicht aus, als würde es dir besonders gut gehen.«

Clary warf einen Blick auf die Hand ihrer Mutter und sah die spinnwebartige schwarze Rune auf ihrem Handrücken, das Gegenstück zur Rune auf Lukes Hand. Unwillkürlich verkrampfte sich Clarys Magen. Irgendwie gelang es ihr, sich mit der Tatsache zu arrangieren, dass ihre Mutter in wenigen Stunden gegen ein *Heer von Dämonen* kämpfen würde – aber nur mit äußerster Mühe und indem sie den Gedanken sofort verdrängte, sobald er auftauchte.

»Ich frage mich nur, wo Simon steckt.« Langsam streckte Clary die Beine und stand auf. »Ich werde ihn mal suchen gehen.«

»Wo? Da unten?«, fragte Jocelyn skeptisch und warf einen beunruhigten Blick auf die noch immer unüberschaubare Menge, die sich allmählich lichtete, da die bereits mit Runen versehenen Paare hinaus auf den Platz strömten. Malachi stand mit unbewegter Miene an der Tür und zeigte den Schattenweltlern und Schattenjägern den Weg zum Portal.

»Keine Sorge. Ich bin gleich wieder zurück«, erklärte Clary und schob sich an Jocelyn und Luke vorbei zur Podiumstreppe.

Als sie die Stufen hinabstieg und sich unter die Menge mischte, spürte sie, wie sich viele der Anwesenden umdrehten und ihr nachsahen, spürte ihre Blicke wie eine schwere Last auf ihren Schultern. Hastig suchte sie nach den Lightwoods oder Simon, konnte jedoch niemand Bekanntes entdecken – es war ohnehin schon schwierig genug, mit ihrer Körpergröße überhaupt irgendetwas zu sehen. Seufzend wandte Clary sich in die westliche Richtung der Halle, wo sich das Gewimmel schon etwas gelichtet hatte.

In dem Moment, in dem sie sich den hohen Marmorsäulen näherte, schoss eine Hand dahinter hervor, packte sie am Arm und zog sie in die Schatten. Clary konnte gerade noch überrascht nach Luft schnappen, ehe sie bereits in der Dunkelheit mit dem Rücken gegen die kalte Marmorwand gedrückt wurde.

»*Nicht schreien*, okay? Ich bin's nur«, flüsterte eine Stimme – Simon.

»Natürlich werde ich nicht schreien. Mach dich nicht lächerlich.« Clary schaute sich um – zwischen den Säulen hindurch konnte sie nur Teile des Saals sehen – und fragte sich, was los war. »Aber was soll dieses James-Bond-Spielchen? Ich war ohnehin auf der Suche nach dir.«

»Ich weiß. Ich hab auf dich gewartet, bis du endlich vom Podium heruntergekommen bist. Ich muss mit dir reden . . . unter vier Augen.« Nervös fuhr er sich mit der Zunge über die Lippen. »Ich hab gehört, was Raphael gesagt hat. Was er gefordert hat.«

»Oh, Simon.« Clary ließ die Schultern hängen. »Hör zu, es ist nichts passiert. Luke hat ihn weggeschickt . . .«

»Vielleicht hätte er das nicht tun sollen«, sagte Simon. »Vielleicht hätte er Raphael geben sollen, was er verlangt hat.«

Clary blinzelte ihn verblüfft an. »Du meinst *dich*? Auf keinen Fall. Ich sehe keine Möglichkeit . . .«

»Doch, es gibt eine Möglichkeit.« Simons Griff um ihre Arme verstärkte sich. »Clary, ich will das hier durchziehen. Ich will, dass Luke Raphael mitteilt, dass die Vereinbarung gilt. Sonst werde ich es ihm selbst sagen.«

»Ich weiß, was du vorhast«, protestierte Clary. »Und das respektiere ich auch – ich bewundere dich sogar dafür! Aber du musst das nicht tun, Simon, wirklich nicht. Raphaels Forderung ist falsch und niemand wird dich dafür verurteilen, dass du dich nicht für einen Krieg aufopferst, der nicht deiner ist . . .«

»Aber genau darum geht es ja«, widersprach Simon. »Raphael hat recht: Ich *bin* ein Vampir – was du tatsächlich ständig vergisst. Oder vielleicht willst du es auch nur vergessen. Doch ich bin nun mal ein Schattenweltler, so wie du eine Schattenjägerin bist, und dieser Kampf betrifft uns alle.«

»Aber du bist nicht wie die anderen . . .«

»Ich bin einer von ihnen.« Simon sprach langsam, dezidiert, als wollte er absolut sichergehen, dass Clary jedes Wort verstand. »Und das werde ich immer sein. Wenn die Schattenweltler diesen Krieg an der Seite der Schattenjäger austragen, aber ohne die Beteiligung von Raphaels Volk, dann wird es für die Nachtkinder keinen Sitz in der Kongregation geben. Sie werden nicht an der neuen Welt teilhaben, die Luke zu schaffen versucht – eine Welt, in der Schattenjäger und Schattenwesen zusammenarbeiten. Zusammenleben. Die Vampire werden aus dieser Welt ausgeschlossen sein. Sie werden die Feinde der Nephilim sein. *Ich* werde *dein* Feind sein.«

»Du würdest niemals mein Feind sein.«

»Allein der Gedanke würde mich schon umbringen«, sagte Simon schlicht. »Aber ich kann hier nicht einfach nur herumstehen und so tun, als ginge mich das alles nichts an. Und ich werde dich nicht um deine Erlaubnis bitten. Ich könnte deine Hilfe gebrauchen, aber wenn du dich weigerst, werde ich Maia bitten, mich zum Lager der Vampire zu bringen. Und dann werde ich mich Raphael ergeben. Hast du das verstanden?«

Sprachlos schaute Clary Simon an. Er hielt ihre Arme so fest, dass sie ihren eigenen Pulsschlag unter dem Druck seiner Hände spüren konnte. Unentschlossen fuhr sie sich mit der Zunge über die trockenen Lippen; sie hatte einen bitteren Geschmack im Mund. »Wie kann ich dir helfen?«, fragte sie schließlich leise.

Als Simon ihr sein Vorhaben erklärte, starrte sie ihn ungläubig an und schüttelte bereits den Kopf, ehe er seinen Satz beendet hatte. »Nein«, stieß sie hervor, »der Plan ist der reinste Irrsinn, Simon. Das ist keine Gabe – das ist eine *Strafe*...«

»Aber möglicherweise nicht für mich«, erwiderte Simon und schaute in Richtung der Menge. Clary folgte seinem Blick und entdeckte Maia, die am Rand stand und sie neugierig beobachtete. Sie wartete eindeutig auf Simon. *Zu schnell,* dachte Clary. *Das geht mir alles viel zu schnell!*

»Es ist auf jeden Fall besser als die Alternative, Clary«, fuhr Simon fort.

»Nein...«

»Vielleicht verursacht es mir ja überhaupt keine Schmerzen. Ich meine, ich bin doch bereits *gestraft,* oder? Schon jetzt kann ich keine Kirche, keine Synagoge mehr betreten. Ich kann den Namen G... keine heiligen Namen aussprechen. Ich kann nicht älter werden und bin bereits von einem normalen Leben ausgeschlossen. Vielleicht würde diese Geschichte überhaupt nichts verändern.«

»Aber vielleicht ja doch.«

Simon ließ Clarys Arme los und zog Patricks Stele aus ihrem Gürtel. »Hier«, sagte er und hielt sie ihr entgegen. »Tu es für mich, Clary. Bitte.«

Mit tauben Fingern nahm Clary die Stele, hob sie hoch und setzte die Spitze auf Simons Stirn, direkt oberhalb der Augen. *Das erste Runenmal,* hatte Magnus gesagt, *das allererste.* Clary konzentrierte sich und die Stele setzte sich wie von selbst in Bewegung, wie ein Tänzer beim Einsetzen der Musik. Schwarze Linien zeichneten sich auf Simons Stirn ab, wie eine Blüte, die sich im Zeitraffer entfaltet. Als Clary fertig war, schmerzte und pochte ihre rechte Hand, doch sie ließ die Stele sinken und betrachtete ihr Werk. Sie wusste, dass sie etwas Perfektes geschaffen hatte – etwas Perfektes und Ungewöhnliches und sehr Altes, etwas vom Anbeginn der Zeit. Das Mal strahlte wie ein Stern über Simons Augen, während er sich mit den Fingern über die Stirn strich, einen verwirrten und verwunderten Ausdruck im Gesicht.

»Ich kann es fühlen«, sagte er. »Fast wie eine Verbrennung.«

»Keine Ahnung, was jetzt passieren wird«, flüsterte Clary. »Ich weiß nicht, welche Langzeitwirkungen damit verbunden sind.«

Simon schenkte ihr ein schiefes Lächeln und berührte Clary vorsichtig an der Wange. »Lass uns hoffen, dass wir die Gelegenheit haben, das herauszufinden.«

19
PENUEL

Auf dem Weg in den Wald lief Maia die meiste Zeit schweigend neben Simon her; sie hielt den Kopf gesenkt, schaute nur gelegentlich mit leicht gerümpfter Nase von links nach rechts. Simon fragte sich, ob sie den richtigen Weg wohl *erschnüffelte*, und kam zu dem Schluss, dass dies ein sehr nützliches Talent sein musste, auch wenn es ein wenig seltsam aussah. Außerdem stellte er fest, dass er mühelos mit ihr Schritt halten konnte, ganz gleich wie schnell sie sich vorwärtsbewegte. Selbst als sie den ausgetretenen Pfad erreichten, der geradewegs in den Wald führte, und Maia zu laufen begann – schnell, ruhig und dicht über den Boden gebeugt – konnte er ihr Tempo ohne Anstrengung halten. Dies war endlich einmal ein Vorzug des Vampirdaseins, den er wirklich genoss.

Doch schon nach kurzer Zeit wurde der Wald zunehmend dichter und bald darauf liefen sie zwischen den Bäumen hindurch über halb verfaultes Laub, aus dem gelegentlich dicke Baumwurzeln hervorragten. Die Äste über ihnen wirkten gegen den sternenhellen Himmel wie das Muster einer Spitzendecke. Irgendwann tauchte zwischen den Bäumen eine Lichtung auf, übersät mit großen Felsbrocken, die im Nachtlicht schimmerten wie rechteckige weiße Zähne. Dazwischen lagen hier und dort große Blätterhaufen, als hätte jemand den Ort mit einem gigantischen Rechen bearbeitet.

»Raphael!« Maia hatte die Hände an den Mund gelegt und rief so laut, dass die Vögel in den Baumkronen über ihnen überrascht aufflatterten. »Raphael, zeig dich!«

Eine Weile blieb alles still. Dann raschelte es in den Schatten und kurz darauf ertönte ein gedämpftes Prasseln, wie Regentropfen auf einem Blechdach. Die Blätterhaufen auf der Erde erhoben sich in die Luft und verwirbelten zu kleinen Windhosen. Simon hört Maia husten; sie hatte die Hände erhoben, als ob sie die Blätter von ihrem Gesicht, ihren Augen wegfegen wollte.

So plötzlich, wie der Wind aufgekommen war, so schnell legte er sich auch wieder. Dann stand Raphael vor ihnen, nur wenige Meter von Simon entfernt. Hinter ihm sah er eine ganze Gruppe von Vampiren, bleich und regungslos wie Bäume im Mondlicht. Sie musterten ihn kalt; in ihren Augen lag nichts als offene Feindseligkeit. Einige von ihnen kannte Simon noch aus dem Hotel Dumort: die zierliche Lily und den blonden Jacob, dessen Augen zu Schlitzen zusammengekniffen waren. Doch viele von ihnen hatte er noch nie zuvor gesehen.

Schließlich machte Raphael einen Schritt auf sie zu. Seine Haut wirkte fahlgelb und er hatte schwarze Ringe unter den Augen, doch er lächelte Simon an.

»Tageslichtler«, sagte er knapp. »Du bist gekommen.«

»Ja, ich bin gekommen«, erwiderte Simon. »Ich bin hier, also . . . ist alles geklärt.«

»Es ist längst nicht alles geklärt, Tageslichtler«, entgegnete Raphael und schaute dann zu Maia: »Lykanthrop, kehr zum

Anführer deines Rudels zurück und danke ihm dafür, dass er seine Meinung geändert hat. Sag ihm, dass die Kinder der Nacht in der Brocelind-Ebene neben ihm und seinesgleichen kämpfen werden.«

Maias Gesicht war angespannt. »Luke hat seine Meinung nicht . . .«

Doch Simon unterbrach sie hastig: »Alles in Ordnung, Maia. Geh jetzt.«

»Simon, überleg dir das gut«, warf Maia ein und musterte ihn aus leuchtenden, traurigen Augen. »Du musst das nicht tun.«

»Doch, ich muss«, erklärte er mit fester Stimme. »Vielen Dank, Maia, dass du mich hierhergebracht hast. Und jetzt geh.«

»Simon . . .«

»Wenn du jetzt nicht gehst«, sagte er leise, »töten sie uns beide, und das alles hier wäre vollkommen umsonst gewesen. Geh jetzt. Bitte.«

Maia nickte. Dann wandte sie sich von ihm ab und begann im selben Moment, sich zu verwandeln – wo eben noch ein junges Mädchen gestanden hatte, mit geflochtenen Perlenzöpfen, die auf ihren Schultern auf und ab hüpften, kauerte im nächsten Augenblick ein flinker, kraftvoller Wolf, der sich lautlos in Bewegung setzte, auf allen vier Pfoten quer über die Lichtung huschte und in den Schatten verschwand.

Simon drehte sich wieder zu den Vampiren um – und hätte fast laut aufgeschrien, da Raphael plötzlich direkt vor ihm stand, nur Zentimeter entfernt. Unter seiner bleichen Haut schimmerte das vielsagende dunkle Adergeflecht, das seinen Hunger verriet. Unwillkürlich musste Simon an die Nacht im

Hotel Dumort zurückdenken – Gesichter, die aus den Schatten auftauchten, flüchtiges Gelächter, der Geruch von Blut – und er erschauderte.

Im nächsten Moment packte Raphael Simon an den Schultern; der Griff seiner trügerisch schmächtigen Hände fühlte sich an wie der von Eisenklauen. »Dreh den Kopf«, knurrte er, »und schau hinauf zu den Sternen. Das wird es leichter machen.«

»Dann willst du mich also tatsächlich töten«, sagte Simon und stellte überrascht fest, dass er bei dem Gedanken weder Angst noch Anspannung verspürte. Alles schien wie in Zeitlupe abzulaufen – ein Augenblick perfekter Klarheit. Er nahm jedes Blatt an den Zweigen über ihm wahr, sah jeden winzigen Kiesel auf dem Boden, spürte sämtliche Augenpaare, die auf ihn gerichtet waren.

»Was hast du denn gedacht?«, erwiderte Raphael – ein wenig traurig, überlegte Simon. »Es ist nichts Persönliches, das musst du mir glauben. Aber wie ich schon sagte, du bist zu gefährlich, um einfach so weiterleben zu dürfen. Wenn ich gewusst hätte, was aus dir werden würde . . .«

»Hättest du mich niemals aus diesem Grab klettern lassen – ich weiß«, ergänzte Simon.

Raphael schaute ihn an. »Wir alle tun, was wir tun müssen, um zu überleben. In dieser Hinsicht gleichen selbst wir den Menschen.« Seine nadelspitzen Zähne glitten wie kleine Rasiermesser aus ihren Scheiden. »Halt still«, sagte er, »dann geht es ganz schnell.« Mit diesen Worten beugte er sich vor.

»Warte!«, rief Simon, und als Raphael mit einem finsteren Gesichtsausdruck innehielt, wiederholte er mit mehr Nachdruck: »Warte. Es gibt noch etwas, das ich dir zeigen muss.«

Raphael stieß ein tiefes Fauchen aus. »Du musst dir schon etwas Besseres einfallen lassen, um mich aufzuhalten, Tageslichtler.«

»Keine Sorge. Es gibt wirklich etwas, das du meiner Meinung nach unbedingt sehen solltest«, erklärte Simon, fasste sich an die Stirn und strich sein Haar zurück. Diese Geste fühlte sich zwar töricht an, fast schon theatralisch, doch während er so dastand, sah er Clarys blasses Gesicht vor sich, das ihn verzweifelt anstarrte, und dachte: *Wenigstens habe ich es versucht; zumindest ihr zuliebe habe ich es versucht.*

Raphael reagierte ebenso unvermittelt wie verblüffend. Ruckartig und mit weit aufgerissenen Augen zuckte er zurück, als hätte Simon ihm ein Kruzifix entgegengestreckt. »Wer hat dir das angetan, Tageslichtler?«, stieß er hervor.

Simon konnte ihn nur sprachlos anstarren. Er wusste zwar nicht, welche Reaktion er erwartet hatte, aber damit hatte er ganz sicher nicht gerechnet.

»Clary«, sagte Raphael und beantwortete damit seine eigene Frage, »wer sonst! Nur eine Kraft wie ihre würde so etwas zustande bringen – ein Vampir mit einem Runenmal. Noch dazu mit einem Mal wie diesem . . .«

»Was für ein Mal meinst du?«, hakte Jacob nach, der schlanke blonde Junge, der direkt hinter Raphael stand. Auch die übrigen Vampire starrten wie gebannt auf Simon und in ihren Gesichtern spiegelte sich eine Mischung aus Verwirrung und wachsender Furcht. Alles, was Raphael verängstigte, jagte natürlich auch ihnen Angst und Schrecken ein, überlegte Simon.

»Dieses Runenmal . . .«, setzte Raphael an und schaute Simon dabei unverwandt an, »stammt nicht aus dem Grauen

Buch. Dieses Mal ist viel älter – vom Anbeginn der Zeit, gezeichnet vom Schöpfer persönlich.« Er machte eine Bewegung, als wolle er Simons Stirn berühren, brachte es aber offenbar nicht über sich. Seine Finger schwebten einen Augenblick über der Rune, dann ließ er den Arm sinken. »Ich habe von solchen Runenmalen gelesen, doch noch nie eines gesehen. Und dieses hier . . .«

»*Da sprach der HERR: Fürwahr, wer Kain totschlägt, zieht sich siebenfache Rache zu! Und der Herr gab dem Kain ein Zeichen, dass ihn niemand erschlüge, der ihn fände*«, erwiderte Simon. »Du kannst ja *versuchen,* mich zu töten, Raphael. Aber ich würde es dir nicht empfehlen.«

»Das Kainsmal?«, fragte Jacob ungläubig. »Die Rune auf deiner Stirn ist das Kainsmal?«

»Töte ihn«, sagte eine rothaarige Vampirin direkt neben Jacob, mit schwerem Akzent – eine Russin, dachte Simon, aber er war sich nicht sicher. »Töte ihn trotzdem.«

Auf Raphaels Gesicht spiegelte sich eine Mischung aus Wut und Unglauben. »Das werde ich nicht tun«, fauchte er. »Jeder Schaden, den man ihm zufügt, wird seinem Verursacher siebenfach angetan. Das ist die Macht, die dieses Mal besitzt. Aber wenn einer von euch dieses Risiko eingehen möchte . . . bitte sehr, nur zu.«

Niemand bewegte sich oder sagte etwas.

»Das habe ich mir gedacht«, meinte Raphael. Seine Augen musterten Simon. »Wie die böse Königin im Märchen hat Lucian Graymark mir einen vergifteten Apfel gesandt. Wahrscheinlich hat er gehofft, ich würde dich töten und danach die Strafe erhalten, die auf dieses Vergehen folgt.«

»Nein«, widersprach Simon schnell. »Luke hat keine Ahnung, was ich getan habe. Er hat in gutem Glauben gehandelt. Ihr müsst euren Teil der Abmachung einhalten.«

»Und das hast du dir *freiwillig* auftragen lassen?« Zum ersten Mal lag etwas anderes als Verachtung in Raphaels Blick. »Das da ist kein simpler Schutzzauber, Tageslichtler. Weißt du überhaupt, wie Kain bestraft wurde?«, fuhr er mit leiser Stimme fort, als ob er Simon ein Geheimnis mitteilen wollte. »*Und nun sollst du verbannt sein aus dem Land . . . unstet und flüchtig sollst du sein auf Erden!*«

»Wenn das so ist«, sagte Simon, »werde ich eben unstet und flüchtig sein. Ich werde tun, was ich tun muss.«

»Und all das . . . all das nur für die Nephilim«, murmelte Raphael.

»Nicht nur für die Nephilim«, widersprach Simon. »Ich tue das auch für dich. Selbst wenn du es nicht willst.« Dann hob er die Stimme, damit die schweigenden Vampire um sie herum ihn hören konnten: »Ihr macht euch Sorgen, dass andere Vampire von meinem Schicksal erfahren und denken könnten, dass sie sich mit Schattenjägerblut in ihren Adern ebenfalls dem Licht der Sonne aussetzen könnten. Aber das ist nicht der Grund für meine Fähigkeit. Der Grund liegt vielmehr darin, was Valentin getan hat – er hat ein Experiment durchgeführt. *Er* hat dies verursacht, nicht Jace. Und dieses Experiment lässt sich nicht wiederholen. Es wird nie wieder geschehen.«

»Durchaus möglich, dass er die Wahrheit sagt«, meinte Jacob, sehr zu Simons Überraschung. »Ich weiß von mindestens zwei Kindern der Nacht, die in der Vergangenheit vom Schattenjägerblut gekostet haben. Aber keiner von ihnen hat danach eine besondere Vorliebe für Sonnenlicht entwickelt.«

»Es war eine Sache, den Schattenjägern bisher nicht zu helfen«, wandte Simon sich wieder an Raphael. »Doch nun, da sie mich zu euch geschickt haben . . .« Er ließ den Rest des Satzes in der Luft hängen.

»Versuch nicht, mich zu erpressen, Tageslichtler«, schnaubte Raphael. »Aber wenn die Kinder der Nacht einmal eine Abmachung getroffen haben, halten sie sie ein, egal wie schlecht sie dabei auch wegkommen mögen.« Er lächelte säuerlich, wobei seine nadelspitzen Zähne in der Dunkelheit aufblitzten. »Da wäre nur noch eines . . . eine letzte Sache, die ich von dir einfordere als Beweis dafür, dass du tatsächlich *in gutem Glauben* gehandelt hast«, fügte er hinzu und betonte seine Worte mit eisiger Kälte.

»Und was ist das?«, fragte Simon.

»Wir werden nicht die einzigen Vampire sein, die in Lucian Graymarks Schlacht kämpfen«, sagte Raphael. »*Du* wirst uns begleiten.«

Die silberne Spirale, die sich vor Jace' Augen wild gedreht hatte, kam langsam zum Stehen. Sein Mund war mit einer bitteren Flüssigkeit gefüllt. Er musste husten und fragte sich einen Moment, ob er vielleicht ertrank, doch dann bemerkte er, dass er festen Boden unter den Füßen hatte. Er saß aufrecht gegen einen Stalagmiten gelehnt, die Hände hinter dem Rücken gefesselt. Erneut schüttelte ihn ein Hustenanfall und er schmeckte Salz in seinem Mund. Allmählich dämmerte ihm, dass er nicht ertrank, sondern an seinem eigenen Blut zu ersticken drohte.

»Schon wach, kleiner Bruder?« Sebastian hockte vor ihm, ein Seil in der Hand, mit einem Grinsen wie eine aufblitzende Rasierklinge. »Gut. Ich hatte schon befürchtet, ich hätte dich ein wenig zu früh getötet.«

Jace wandte den Kopf zur Seite und spuckte einen Mundvoll Blut auf den Boden. Sein Kopf fühlte sich an, als hätte jemand einen Ballon darin aufgepumpt, der jetzt gegen die Innenseiten seines Schädels drückte. Die silberne Spirale über seinem Kopf kam endlich zum Stillstand und entpuppte sich als der leuchtende Sternenhimmel, der durch ein Loch in der Höhlendecke zu sehen war. »Wartest du etwa auf eine besondere Gelegenheit, um mich zu töten? Weihnachten kommt bald.«

Sebastian musterte Jace mit einem nachdenklichen Blick. »Immer einen schlauen Spruch auf den Lippen. Das hast du bestimmt nicht von Valentin gelernt. Aber was hast du überhaupt von ihm gelernt? Allzu viel übers Kämpfen hat er dir jedenfalls nicht beigebracht.« Lächelnd beugte er sich vor. »Weißt du, was ich zu meinem neunten Geburtstag von ihm bekommen habe? Eine Lektion. Er hat mir eine Stelle im Rücken eines Mannes gezeigt, an der man mit einem einzigen Klingenstoß das Herz durchbohren und gleichzeitig das Rückgrat durchtrennen kann. Und was hast *du* zu deinem neunten Geburtstag bekommen, kleiner Engelsjunge? Eine Torte?«

Zum neunten Geburtstag? Jace schluckte schwer. »Dann erzähl mal: In welchem Loch hat er *dich* versteckt gehalten, während ich im Herrenhaus aufgewachsen bin? Ich kann mich nicht daran erinnern, dich dort je gesehen zu haben.«

»Ich bin hier im Tal aufgewachsen.« Sebastian deutete mit dem Kopf zum Höhlenausgang. »Und wo wir gerade davon reden: Ich erinnere mich auch nicht daran, dich jemals hier gesehen zu haben. Obwohl ich von deiner Existenz wusste. Aber ich wette, du hast nichts von mir gewusst.«

Jace schüttelte den Kopf. »Valentin hatte offenbar keine Lust, mit dir anzugeben. Ich kann mir gar nicht vorstellen, warum.«

Sebastians Augen flackerten auf. Jetzt war die Ähnlichkeit mit Valentin nicht mehr zu übersehen: die gleiche ungewöhnliche Kombination aus silberweißem Haar und schwarzen Augen, die gleichen schmalen Wangenkochen, die in einem weniger kantigen Gesicht zart und elegant gewirkt hätten. »Ich weiß alles über dich. Aber du weißt rein gar nichts über mich, oder?«, schnaubte er und erhob sich. »Ich habe dich nur am Leben gelassen, damit du dir das hier ansiehst, kleiner Bruder«, fuhr er fort. »Also schau her und sieh genau zu.« Mit einer blitzschnellen, fast unsichtbaren Bewegung zog er sein Schwert aus der Scheide. Die Klinge über dem Heft aus Silber schimmerte matt und dunkel wie das Engelsschwert und trug ein Muster aus Sternen, das das himmlische Sternenlicht reflektierte, glühend wie Feuer.

Jace hielt den Atem an. Er fragte sich, ob Sebastian ihn jetzt umbringen würde – doch das hätte er auch schon tun können, während er noch bewusstlos war. Stattdessen beobachtete Jace, wie Sebastian langsam auf die Höhlenmitte zuging, das schwere Schwert locker in der Hand, und seine Gedanken überschlugen sich. Wie konnte es sein, dass Valentin noch einen anderen Sohn hatte? Und wer war dann seine Mutter? Jemand anderes aus dem Kreis? War Sebastian älter oder jünger als Jace?

Inzwischen hatte Sebastian den gewaltigen rötlichen Stalagmiten im Zentrum der Höhle erreicht. Als er näher kam, schien der Tropfstein zu pulsieren und der Rauch im Inneren wirbelte immer schneller. Sebastian kniff die Augen halb zusammen und hob sein Schwert. Dann sprach er ein paar Worte in einer rau klingenden Dämonensprache und ließ die Klinge schnell und kraftvoll im Bogen hinabsausen.

Die Spitze des Stalagmiten flog durch die Luft. Das Innere des Tropfsteins war so hohl wie ein Reagenzglas, gefüllt mit schwarzen und roten Rauchschwaden, die nun aufstiegen wie Gas aus einem geplatzten Ballon. Dann ertönte ein Dröhnen – weniger ein Klang als eine Art Druckwelle. Jace spürte ein Knacken in den Ohren und bemerkte plötzlich, dass ihm das Atmen schwerfiel. Er wollte sein Hemd am Kragen lockern, konnte aber seine Hände nicht bewegen: Sie waren immer noch fest hinter dem Rücken gefesselt.

Sebastian war hinter der rot-schwarzen Säule aus brodelndem, wirbelndem Rauch kaum noch zu erkennen. »Sieh her!«, rief er mit glühendem Gesicht. Seine Augen leuchteten, sein weißblondes Haar wehte im aufkommenden Wind und Jace fragte sich, ob sein Vater in seiner Jugend auch so ausgesehen hatte: furchterregend und faszinierend zugleich. »Sieh her und erblicke Valentins Armee!«

Seine weiteren Worte gingen in einem immer lauter werdenden Tosen unter. Es erinnerte an die Brandung des Ozeans, an das Brechen einer gigantischen Welle, die eine Unmenge Schutt und Geröll mit sich trug, das Zerbersten ganzer Städte, den Ansturm einer großen und bösen Macht. Eine gewaltige Masse wirbelnder, brausender, flatternder Schwärze quoll aus dem zerschlagenen Stalagmiten, stieg auf und strömte wie durch einen Trichter durch das Loch in der Höhlendecke. *Dämonen*. Sie erhoben sich kreischend, heulend und knurrend, eine brodelnde Menge aus Klauen und Krallen und Zähnen und glühenden Augen. Jace musste daran denken, wie er auf dem Deck von Valentins Schiff gelegen hatte, als der Himmel und die Erde und das Meer um ihn herum sich in einen Albtraum verwandelt hatten – doch das hier war viel schlimmer. Es kam ihm so vor, als wäre die Erde aufgerissen und als würde die Hölle daraus hervorquellen. Die Dämonen verbreiteten einen Gestank wie Tausende verwesender Leichen. Jace verdrehte die Hände hinter dem Rücken und zerrte an den Seilen, bis seine Handgelenke bluteten. Ein säuerlicher Geschmack stieg in seiner Kehle auf und er würgte hilflos Blut und Gallenflüssigkeit hoch, bis auch der letzte Dämon aufgestiegen und im Himmel über ihnen verschwunden war – eine schwarze Flut des Schreckens, die die Sterne verdunkelte.

Jace fühlte sich, als ob er für ein paar Minuten das Bewusstsein verloren hätte. Auf jeden Fall hatte es Momente völliger Dunkelheit gegeben, in denen das Kreischen und Heulen über ihm immer leiser geworden war und er im Raum zu schweben schien, irgendwo zwischen Himmel und Erde, seltsam losgelöst und irgendwie . . . friedlich.

Doch dieser Augenblick währte nur kurz, denn sein Körper holte ihn ruckartig in die Wirklichkeit zurück, mit schmerzenden Handgelenken und qualvoll nach hinten gedehnten Schultern. Der Gestank der Dämonen war so widerlich, dass er den Kopf zur Seite drehte und sich hilflos auf den Boden übergab. Dann hörte er ein leises Lachen, schaute auf und musste mehrfach schlucken, um die aufsteigende Säure hinabzuzwingen. Sebastian hockte über ihm, mit leuchtenden Augen. »Ist schon gut, kleiner Bruder«, sagte er. »Sie sind verschwunden.«

Jace tränten die Augen und seine Kehle fühlte sich rau und wund an. »Er sagte Mitternacht«, krächzte er heiser. »Valentin wollte das Tor um Mitternacht öffnen. Es kann noch nicht Mitternacht sein.«

»In Situationen wie dieser habe ich es immer für besser gehalten, nachträglich um Vergebung zu bitten, als vorher um Erlaubnis zu fragen«, erwiderte Sebastian und blickte in den inzwischen wieder klaren Himmel hinauf. »Von hier aus sollten sie bis zur Brocelind-Ebene höchstens fünf Minuten brauchen – wahrscheinlich deutlich weniger, als Vater benötigt, um den See zu erreichen. Ich möchte dabei sein, wenn ein wenig Nephilim-Blut vergossen wird. Ich möchte sehen, wie sich die Schattenjäger am Boden winden und sterben. Sie verdienen Schande, bevor ihr endgültiger Untergang naht.«

»Glaubst du wirklich, dass die Schattenjäger den Dämonen unterlegen sind? Schließlich haben sie sich auf den Kampf vorbereiten können . . .«

Sebastian unterbrach Jace mit einer abschätzigen Handbewegung. »Ich dachte, du hättest uns zugehört. Hast du den Plan denn überhaupt nicht begriffen? Weißt du immer noch nicht, was mein Vater vorhat?«

Jace schwieg.

»Ich bin dir wirklich dankbar dafür, dass du mich in jener Nacht zu Hodge geführt hast«, fuhr Sebastian fort. »Hätte er nicht preisgegeben, dass der Lyn-See der Spiegel ist, nach dem wir suchten, wäre die heutige Nacht wahrscheinlich nicht denkbar gewesen. Denn jeder, der die ersten beiden Insignien der Engel bei sich trägt und vor dem Engelsspiegel steht, kann den Erzengel Raziel herbeirufen, so wie Jonathan Shadowhunter es vor eintausend Jahren getan hat. Und hat man den Engel einmal herbeigerufen, kann man von ihm etwas einfordern. Eine Sache. Eine Aufgabe. Eine . . . Gunst.«

»Eine Gunst?« Jace wurde plötzlich eiskalt. »Und Valentin will die Niederlage der Schattenjäger bei Brocelind einfordern?«

Sebastian stand auf. »Das wäre eine Verschwendung«, sagte er. »Nein. Er wird von Raziel einfordern, dass alle Schattenjäger, die nicht aus dem Engelskelch getrunken haben – also all jene, die nicht seine Anhänger sind – ihre Kräfte verlieren. Sie werden nicht länger Nephilim sein. Und das bedeutet, dass sie aufgrund der Runen, die sie tragen . . .«, er lächelte, »zu Forsaken werden – eine leichte Beute für die Dämonen. Und alle Schattenwesen, die bis dahin noch nicht geflohen sind, werden ebenfalls schnell ausgelöscht.«

In Jace' Ohren sirrte ein schriller, blecherner Ton. Ihm wurde schwindlig. »Nicht einmal Valentin«, keuchte er, »nicht einmal Valentin würde so etwas tun . . .«

»Ach, ich bitte dich«, erwiderte Sebastian. »Glaubst du ernsthaft, dass mein Vater das, was er sich vorgenommen hat, nicht auch durchführen wird?«

»*Unser Vater*«, sagte Jace.

Sebastian schaute auf ihn hinab. Sein Haar umgab ihn wie ein weißer Heiligenschein und ließ ihn aussehen wie einen gefallenen Engel, der Luzifer aus dem Himmel gefolgt war. »Was höre ich da?«, fragte er amüsiert. »*Betest* du etwa?«

»Nein. Ich sagte ›*Unser* Vater‹. Ich meinte Valentin. Nicht *dein* Vater. Unserer.«

Einen Moment lang blieb Sebastians Gesicht ausdruckslos; dann verzogen sich seine Mundwinkel zu einem spöttischen Grinsen. »Kleiner Engelsjunge«, höhnte er. »Du bist wahrhaftig ein Narr – genau wie mein Vater stets gesagt hat.«

»Warum nennst du mich immer so?«, herrschte Jace ihn an. »Und warum faselst du ständig was von Engeln . . .«

»Grundgütiger!«, spottete Sebastian. »Du kapierst aber auch *gar* nichts, oder? Hat mein Vater dir jemals etwas erzählt, das *keine* Lüge war?«

Jace schüttelte den Kopf. Während der ganzen Zeit hatte er an dem Seil gezerrt, das um seine Handgelenke gebunden war, doch die Fesselung schien dadurch nur fester geworden zu sein. Er spürte den Pulsschlag seines Blutes in jedem einzelnen Finger. »Woher willst du wissen, dass er nicht *dich* angelogen hat?«, konterte er.

»Weil ich sein eigen Fleisch und Blut bin. Ich bin genau wie er. Und wenn er einmal nicht mehr ist, werde ich an seiner Stelle den Rat leiten.«

»An deiner Stelle würde ich nicht damit angeben, genau so zu sein wie er.«

»Und auch das unterscheidet uns beide«, sagte Sebastian ausdruckslos. »Ich versuche erst gar nicht, jemand anderer zu sein, als ich tatsächlich bin. Ich benehme mich nicht, als ob ich den Gedanken nicht ertragen könnte, dass mein Vater alles in seiner Macht Stehende tut, um sein Volk zu retten – selbst wenn es gar nicht gerettet werden will oder, wenn du mich fragst, gerettet zu werden verdient. Was für einen Sohn hättest *du* denn lieber: einen Jungen, der stolz darauf ist, dass du sein Vater bist, oder einen, der in Schande und Furcht feige vor dir im Staub kriecht?«

»Ich habe vor Valentin keine Angst«, erwiderte Jace.

»Das musst du auch nicht«, erklärte Sebastian. »Du solltest lieber Angst vor mir haben.«

In seiner Stimme lag ein Unterton, der Jace im Kampf gegen seine Fesseln innehalten und aufschauen ließ. Sebastian hielt noch immer das schwarz glänzende Schwert in der Hand. *Was für eine dunkle, wunderschöne Waffe,* dachte Jace, selbst als Sebastian die Schwertspitze so weit absenkte, dass sie auf Jace' Schlüsselbein ruhte, nur Millimeter von seinem Adamsapfel entfernt. »Und was jetzt?«, fragte er laut und bemühte sich, ein Zittern in seiner Stimme zu unterdrücken. »Willst du mich töten, während ich gefesselt bin? Hast du so viel Angst beim Gedanken an einen Kampf?«

Sebastians blasses Gesicht zeigte nicht einmal den Anflug einer Regung. »Du bist keine Bedrohung für mich«, sagte er. »Du bist nur ein Schädling. Eine Plage.«

»Also, warum bindest du dann nicht meine Hände los?«

Sebastian starrte ihn an, vollkommen reglos. *Er sieht aus wie eine Statue,* dachte Jace, *wie das Standbild irgendeines längst verstorbenen Prinzen – jemand, der jung gestorben und zutiefst verdorben gewesen war.* Und genau darin lag der Unterschied zwischen Sebastian und Valentin: Obwohl sich beide in ihrem kalten, skulpturenähnlichen Äußeren glichen, hatte Sebastian einen Hauch von Verfall an sich – wie etwas, das von innen heraus zerfressen wurde. »Ich bin kein Narr«, sagte Sebastian nun, »und du kannst mich nicht ködern. Ich habe dich nur so lange am Leben gelassen, damit du die Dämonen sehen konntest. Wenn du jetzt stirbst und zu deinen Engel-Vorfahren zurückkehrst, kannst du ihnen sagen, dass es für sie in dieser Welt keinen Platz mehr gibt. Sie haben den Rat im Stich gelassen und der Rat braucht sie nicht länger. Wir haben jetzt Valentin.«

»Du bringst mich um, damit ich *Gott* eine Nachricht von dir überbringe?« Jace schüttelte den Kopf, wobei die Schwertspitze über seine Kehle kratzte. »Du bist ja noch verrückter, als ich dachte.«

Doch Sebastian lächelte nur und schob die Klinge etwas weiter vor. Als Jace schlucken musste, spürte er, wie die Spitze gegen seine Luftröhre drückte. »Wenn du tatsächlich ein Gebet sprechen willst, kleiner Bruder, dann wäre jetzt der richtige Moment dafür.«

»Ich will kein Gebet sprechen«, entgegnete Jace. »Aber ich habe eine Botschaft für unseren Vater. Wirst du sie ihm überbringen?«

»Natürlich«, sagte Sebastian leichthin, doch in seinem Tonfall lag etwas, der Hauch einer Unsicherheit, der Jace bestätigte, was er bereits geahnt hatte.

»Du lügst«, erwiderte er. »Du wirst ihm meine Botschaft nicht überbringen, weil du ihm gar nicht erzählen willst, was du getan hast. Er hat dich nie dazu aufgefordert, mich zu töten, und er wäre alles andere als erfreut, wenn er davon erfährt.«

»Unsinn. Du bedeutest ihm überhaupt nichts.«

»Du glaubst also, dass er nie herausfinden wird, was mit mir passiert ist, wenn du mich jetzt und hier tötest? Natürlich kannst du behaupten, dass ich im Kampf gefallen sei, oder vielleicht geht er ja auch einfach davon aus. Aber du täuschst dich, wenn du glaubst, dass er es nicht erfährt. Valentin erfährt immer alles.«

»Du hast doch keine Ahnung, wovon du redest«, entgegnete Sebastian, aber seine Gesichtszüge wirkten angespannt.

»Trotzdem wirst du es nicht vor ihm verbergen können«, fuhr Jace fort und versuchte, seinen Vorteil auszunutzen. »Denn es gibt einen Zeugen.«

»Einen *Zeugen?*« Einen Moment wirkte Sebastian beinahe überrascht, was Jace als eine Art Sieg für sich verbuchte. »Was redest du da?«

»Der Rabe«, erklärte Jace. »Er beobachtet uns aus den Schatten heraus – und er wird Valentin alles berichten.«

»Hugin?« Ruckartig schaute Sebastian nach oben, und obwohl der Rabe nirgendwo zu sehen war, standen ihm die Zweifel deutlich ins Gesicht geschrieben.

»Wenn Valentin erfährt, dass du mich ermordet hast, während ich gefesselt und hilflos war, wird er von dir angewidert sein«, fuhr Jace fort und bemerkte dabei, wie seine Stimme den Tonfall seines Vaters annahm – sanft und überzeugend, so wie Valentin sprach, wenn er etwas erreichen wollte. »Er wird dich einen Feigling nennen – und er wird dir niemals vergeben.«

Sebastian schwieg. Wütend starrte er Jace an, die Lippen zusammengekniffen, und in seinen Augen brodelte der Hass wie Gift.

»Bind mich los«, sagte Jace leise. »Bind mich los und kämpf gegen mich. Es ist der einzige Weg.«

Sebastians zusammengepresste Lippen zuckten unkontrolliert und Jace fürchtete, dass er diesmal zu weit gegangen war: Sebastian zog das Schwert zurück, hob es über den Kopf, sodass sich das Mondlicht darauf in Tausenden silberner Scherben brach, silbern wie die Sterne, wie die Farbe seines Haares. Dann bleckte er die Zähne – und das Schwert durchschnitt pfeifend die Nachtluft, als er es mit einem Aufschrei in einem Halbkreis hinabsausen ließ.

Clary saß auf den Stufen des Podiums der Abkommenshalle und hielt die Stele in den Händen. Noch nie hatte sie sich so einsam gefühlt – die Halle war vollkommen leer und ausgestorben. Nachdem alle Kämpfer durch das Portal verschwunden waren, hatte sie überall nach Isabelle gesucht, sie aber nicht finden können. Aline hatte ihr erzählt, dass Isabelle wahrscheinlich zum Haus der Penhallows zurückgekehrt war, wo sie selbst und ein paar andere Teenager auf mindestens ein Dutzend Kinder aufpassen sollten, die noch zu jung zum Kämpfen waren. Sie hatte versucht, Clary zum Mitkommen zu überreden, doch diese hatte abgelehnt: Wenn sie Isabelle nicht finden konnte, wollte sie lieber allein sein als zusammen mit ein paar völlig Fremden. Zumindest hatte sie das angenommen, doch als sie nun hier saß, empfand sie die Stille und die Leere als immer bedrückender. Trotzdem hatte sie sich nicht vom Fleck bewegt. Sie versuchte alles, um nicht an Jace zu denken, nicht an Simon zu denken, nicht an ihre Mutter oder Luke oder Alec – und sie hatte festgestellt, dass ihr das nur gelang, wenn sie reglos sitzen blieb, auf eine einzige Platte des Marmorbodens starrte und wieder und wieder die Risse im Gestein zählte.

Es waren sechs. *Eins, zwei, drei. Vier, fünf, sechs.* Clary hörte auf zu zählen und begann wieder von vorn. *Eins . . .*

Plötzlich explodierte der Himmel über ihr.

Oder zumindest hörte es sich so an. Clary warf den Kopf in den Nacken und schaute nach oben, durch das Glasdach der Halle. Noch vor wenigen Augenblicken war der Himmel schwarz gewesen, doch jetzt sah sie über sich eine brodelnde Mischung aus Flammen und Dunkelheit, durchzogen von einem hässlichen Orange. Und vor diesem Hintergrund bewegte sich etwas – grauenhafte Schatten, die sie gar nicht genau erkennen wollte und in diesem Halbdunkel zum Glück auch nicht genau erkennen konnte. Die flüchtigen Eindrücke waren schlimm genug.

Das durchsichtige Dach über ihr erzitterte und bog sich wie unter extremer Hitze, während das Dämonenheer vorüberzog. Sekunden später ertönte so etwas wie ein Pistolenschuss und ein gewaltiger Sprung erschien im Glas, der sich rasend schnell in ein Spinnennetz aus zahllosen kleinen Rissen verwandelte. Sofort duckte Clary sich und riss schützend die Arme über den Kopf, als die Glasscherben auch schon wie Tränen auf sie herabfielen.

Sie hatten das Schlachtfeld fast erreicht, als der Donner die Nacht zerriss. Wo die Wälder zuvor noch schweigend und dunkel dagelegen hatten, leuchtete der Himmel im nächsten Augenblick in einem glühenden Orange auf. Simon stolperte und wäre fast gefallen; er konnte sich gerade noch an einem Baumstumpf abstützen. Als er nach oben schaute, traute er seinen Augen kaum. Die anderen Vampire um ihn herum starrten ebenfalls in den Himmel; ihre weißen Gesichter wirkten wie Nachtschattengewächse, die versuchten, das Mondlicht einzufangen, während eine Schreckensvision nach der anderen über ihnen den Himmel durchpflügte.

»Ständig wirst du mir ohnmächtig«, schmollte Sebastian. »Das ist extrem ermüdend.«

Jace öffnete die Augen und ein heißer Schmerz durchbohrte seinen Kopf. Er hob eine Hand, um sich an die Stirn zu fassen, und stellte dabei fest, dass er nicht länger gefesselt war. Ein Stück Seil hing von seinem Handgelenk herab. Als er seine Finger wieder von der Stirn nahm, waren sie schwarz – von seinem Blut, das im Mondlicht dunkel schimmerte.

Langsam schaute er sich um. Sie befanden sich nicht mehr in der Höhle; stattdessen lag er im weichen Gras der Talsohle, ganz in der Nähe des Steinhauses. Er konnte das Wasser des kleinen Flusses hören. Zwar filterten knorrige Äste über ihnen das Licht des Mondes, doch er schien noch immer ziemlich hell.

»Steh auf«, sagte Sebastian. »Du hast fünf Sekunden, bevor ich dich an Ort und Stelle töte.«

Jace erhob sich so langsam, wie er konnte. Ihm war noch immer schwindlig und er versuchte, sein Gleichgewicht und einen stabilen Stand zu finden, indem er die Hacken seiner Stiefel in den weichen Boden grub. »Warum hast du mich hierhergebracht?«

»Aus zwei Gründen«, erwiderte Sebastian. »Zum einen hat es mir gefallen, dich bewusstlos zu schlagen. Zum anderen wäre es schlecht für uns beide, wenn Blut auf den Boden der Höhle käme – glaub mir. Und ich habe vor, dein Blut in alle Himmels-richtungen zu verspritzen.«

Jace griff nach seinem Gürtel und sein Mut sank. Entweder hatte er die meisten seiner Waffen verloren, als Sebastian ihn durch die Tunnel geschleift hatte, oder – und das war wahr-scheinlicher – Sebastian hatte sie weggeworfen. Ihm war nur ein Dolch geblieben, mit einer kurzen Klinge. Damit würde er gegen das Schwert keine Chance haben.

»Nicht gerade eine beeindruckende Waffe«, meinte Sebasti-an grinsend; sein Gesicht leuchtete weiß im gesprenkelten Mondlicht.

»Damit kann ich nicht kämpfen«, sagte Jace und versuchte, dabei so jämmerlich und nervös zu klingen wie nur möglich.

»Wie schade.« Sebastian kam langsam näher, noch immer breit grinsend. Er hielt sein Schwert bewusst locker, gespielt unbekümmert, während seine Finger einen leisen Rhythmus auf dem Heft klopften. *Jetzt oder nie,* dachte Jace – eine besse-re Gelegenheit würde sich ihm nicht mehr bieten. Blitzschnell holte er aus und schlug Sebastian mit aller Kraft ins Gesicht.

Knochen knirschten unter seiner Faust. Der Schlag schickte Sebastian zu Boden und er rutschte rückwärts durch den Staub, wobei das Schwert seinen Händen entglitt. Jace machte einen Satz nach vorn und fing es auf und einen Sekunden-bruchteil später stand er über Sebastian, die Klinge in der Hand.

Blut sickerte aus Sebastians Nase und zeichnete eine schar-lachrote Spur quer über sein Gesicht. Er hob die Hand, zog sei-nen Kragen zur Seite und entblößte seine blasse Kehle. »Mach schon«, sagte er. »Töte mich endlich.«

Jace zögerte. Er hatte nicht zögern wollen, doch dann spürte er ihn wieder: seinen inneren Widerstand, jemanden zu töten, der hilflos vor ihm auf dem Boden lag. Jace musste daran denken, wie Valentin ihn damals in Renwicks Ruine verspottet hatte, weil er es als Sohn nicht über sich brachte, seinen Vater zu töten – doch Jace war selbst dann nicht dazu in der Lage gewesen. Aber Sebastian war ein Mörder, der Max und Hodge auf dem Gewissen hatte . . .

Jace hob das Schwert.

Doch plötzlich schnellte Sebastian vom Boden hoch, schneller als das Auge die Bewegung erfassen konnte. Er schien förmlich durch die Luft zu fliegen, vollführte einen eleganten Rückwärts-Flickflack und trat dabei Jace gegen den Schwertarm. Während er graziös auf dem Gras landete, knapp einen halben Meter von Jace entfernt, segelte das Schwert durch die Luft. Sebastian fing es lachend auf und stieß dann blitzschnell zu, genau in Richtung von Jace' Herz. Aber Jace machte einen Satz rückwärts, sodass die Klinge ihr Ziel knapp verfehlte. Allerdings war seine Hemdenbrust aufgeschlitzt und er spürte einen stechenden Schmerz und sah, wie Blut aus einer flachen Schnittwunde auf seiner Brust hervorquoll.

Sebastian lachte leise und kam langsam auf Jace zu, der weiter zurückwich und dabei nach dem so gut wie nutzlosen Dolch an seinem Gürtel tastete. Hastig schaute er sich um, verzweifelt auf der Suche nach etwas, das er als Waffe verwenden konnte – ein langer Stock oder irgendetwas anderes. Doch um ihn herum gab es nichts als Gras, den nahen Fluss und die Bäume über ihm, deren kräftige Äste und Blätter ein dichtes grünes Netz über ihnen spannten. Plötzlich erinnerte er sich an die Maleachi-Anordnung, in der die Inquisitorin ihn gefangen hatte: Sebastian war nicht der Einzige, der gut springen konnte.

Erneut schlug Sebastian mit dem Schwert nach ihm, doch Jace war bereits gesprungen – geradewegs hoch in die Luft. Der niedrigste Ast befand sich etwa sechs Meter über der Erde; er bekam ihn zu fassen, zog sich daran hoch und schwang sich hinauf. Auf dem Ast kniend sah er unter sich Sebastian, der verwirrt herumfuhr und dann nach oben schaute. Sofort schleuderte Jace den Dolch und hörte Sebastian aufschreien. Außer Atem richtete er sich auf . . .

Und entdeckte Sebastian auf dem Ast neben sich. Sein sonst so blasses Gesicht war rot vor Zorn und von seinem Schwertarm tropfte Blut. Offenbar hatte er das Schwert ins Gras fallen lassen, doch damit standen ihre Chancen lediglich gleich, dachte Jace, denn sein Dolch lag ebenfalls dort unten. Allerdings bemerkte er mit leiser Befriedigung, dass Sebastian erstmals wütend wirkte – wütend und überrascht, als hätte ihn ein vermeintlich zahmes Haustier gebissen.

»Bis hierher war es noch Spaß«, sagte Sebastian. »Doch das ist jetzt vorbei.«

Damit warf er sich auf Jace, packte ihn an den Hüften und stieß ihn vom Ast. In einer wütenden Umklammerung stürzten die beiden sechs Meter tief – und landeten krachend auf dem Boden, so hart, dass Jace Sterne vor den Augen sah. Doch im nächsten Moment bekam er Sebastians verletzten Arm zu fassen und grub seine Finger tief in die Wunde. Sebastian schrie auf und schlug Jace mit dem Handrücken ins Gesicht. Jace' Mund füllte sich mit salzig schmeckendem Blut und er musste würgen, während sie beide durch das Gras und den Staub rollten und aufeinander einschlugen.

Plötzlich traf ihn eisige Kälte wie ein Schock: Sie waren den leichten Abhang zum Fluss hinuntergerollt und lagen nun halb im Wasser. Sebastian schnappte keuchend nach Luft, doch Jace ergriff die Gelegenheit, ihn an der Kehle zu packen, seine Hände darum zu schließen und immer fester zuzudrücken. Würgend bekam Sebastian Jace' rechtes Handgelenk zu fassen und riss es so brutal zurück, dass die Knochen knackten. Wie aus weiter Entfernung hörte Jace sich selbst schreien und Sebastian nutzte seinen Vorteil und verdrehte die gebrochene Hand gnadenlos, bis Jace von ihm abließ und rückwärts in den kalten Schlamm des Flussufers fiel, gepeinigt von unerträglichen Schmerzen im Arm.

Einen Sekundenbruchteil später kniete Sebastian halb auf Jace' Brust, presste ihm das andere Knie in die Rippen und starrte mit höhnischem Grinsen auf ihn hinab. Seine Augen leuchteten weiß und schwarz in seinem mit Schlamm und Blut verschmierten Gesicht und irgendetwas glitzerte in seiner rechten Hand – Jace' Dolch. Sebastian musste ihn auf dem Boden gefunden haben. Die Spitze zeigte direkt auf Jace' Herz.

»Und damit sind wir genau dort, wo wir vor fünf Minuten auch schon waren«, höhnte Sebastian. »Du hattest deine Chance, Wayland. Irgendwelche letzten Worte?«

Jace starrte ihn an. Sein Mund war voller Blut; Schweiß brannte ihm in den Augen und er fühlte nichts mehr außer tiefer, abgrundtiefer Erschöpfung. Würde er auf diese Weise also sterben?

»Wayland?«, keuchte er. »Du weißt doch, dass das nicht mein Name ist.«

»Du hast genauso viel Recht auf diesen Namen wie auf den Namen Morgenstern«, erwiderte Sebastian. Dann beugte er den Oberkörper vor und verstärkte den Druck auf den Dolch, dessen Spitze sich in Jace' Haut bohrte und einen stechenden Schmerz durch seinen Körper jagte. Sebastians Gesicht war jetzt nur noch Zentimeter entfernt und seine Stimme klang wie ein zischendes Flüstern: »Hast du *wirklich* geglaubt, du wärst Valentins Sohn? Hast du tatsächlich gedacht, ein jämmerliches, erbärmliches Etwas wie du hätte das Recht, den Namen Morgenstern zu tragen, *mein Bruder* zu sein?« Mit einem Kopfschütteln warf er sein weißes Haar zurück, das vor Schweiß und Flusswasser klebte. »Du bist ein Wechselbalg«, fuhr er fort. »Mein Vater hat einen Leichnam geschlachtet, um an dich heranzukommen und dich dann in eines seiner Experimente zu verwandeln. Er hat versucht, dich als seinen eigenen Sohn großzuziehen, aber du warst zu schwach, um für ihn von Nutzen zu sein. Aus dir wäre nie ein Krieger geworden. Du warst ein Nichts. Nutzlos. Also hat er dich den Lightwoods angedreht, in der Hoffnung, dass du irgendwann in der Zukunft für ihn von Nutzen sein könntest, als Lockvogel oder als Köder. *Er hat dich nie geliebt.*«

Jace blinzelte, um das Brennen aus seinen Augen zu vertreiben. »Dann bist du . . .«

»*Ich* bin Valentins Sohn. Jonathan Christopher Morgenstern. Du hattest nie das Recht, diesen Namen zu tragen. Du bist ein Geist. Ein Heuchler.« Sebastians Augen waren schwarz und glänzend, wie die Rückenpanzer toter Insekten, und plötzlich hörte Jace wie im Traum die Stimme seiner Mutter – die nicht seine Mutter war: *Jonathan ist kein normaler Säugling mehr. Er ist nicht einmal ein Mensch – er ist ein Monster.*

»*Du* bist das also«, keuchte Jace. »Der Junge mit dem Dämonenblut. Nicht ich.«

»Ganz genau.« Die Dolchspitze drang immer tiefer in Jace' Haut ein. Sebastians Grinsen wirkte nun wie das Lachen eines Totenschädels. »Und du bist der Engelsjunge. Ständig musste ich mir Geschichten über dich anhören – du mit deinem hübschen Engelsgesicht und deinen guten Manieren und deinem ach so zarten Seelchen. Du konntest noch nicht einmal einen Vogel sterben sehen, ohne gleich loszuheulen. Kein Wunder, dass Valentin sich deinetwegen schämte.«

»Nein.« Jace vergaß das Blut in seinem Mund, vergaß die Schmerzen. »*Du* bist derjenige, dessen er sich geschämt hat. Du glaubst, er hätte dich nicht mit zum See genommen, weil er dich hier brauchte, damit du um Mitternacht das Tor öffnest? Als ob er nicht gewusst hätte, dass du nicht so lange abwarten konntest! Er hat dich nicht mitgenommen, weil er sich geschämt hätte, vor den Engel treten und ihm zeigen zu müssen, was er erschaffen hat – ihm das *Ding* zu zeigen, das er erschaffen hat. *Dich* zu zeigen.« Jace blickte Sebastian ins Gesicht und spürte, wie Mitleid in seinen Augen aufflackerte – schrecklich und triumphierend zugleich. »Er wusste, dass in dir nichts Menschliches steckt. Vielleicht liebt er dich, aber er hasst dich auch . . .«

»Halt 's Maul!«, knurrte Sebastian, drückte den Dolch abwärts und drehte dabei das Heft. Mit einem Schrei bog Jace den Rücken durch, während unerträgliche Schmerzen wie

Blitze durch seinen Körper zuckten. *Ich werde sterben,* dachte er. *Ich sterbe. Es ist so weit.* Er fragte sich, ob sein Herz bereits durchbohrt war. Er konnte sich nicht mehr bewegen, nicht mehr atmen. Jetzt wusste er, wie sich ein Schmetterling fühlen musste, den man auf eine Tafel aufspießte. Er versuchte, zu sprechen, einen Namen zu sagen, aber aus seinem Mund kam nur noch Blut.

Und doch schien Sebastian es in seinen Augen zu lesen. »*Clary.* Das hätte ich ja beinahe vergessen. Du liebst sie, nicht wahr? Die Scham über deine hässlichen inzestuösen Lustgefühle muss dich fast umgebracht haben. Zu schade, dass du nicht wusstest, dass sie gar nicht deine Schwester ist. Du hättest den Rest deines Lebens mit ihr verbringen können, wenn du nur nicht so dumm gewesen wärst.« Bewusst langsam beugte er sich weiter vor und drückte die Klinge noch fester abwärts, bis ihre Spitze auf Knochen traf. »Und sie hat dich ebenfalls geliebt«, flüsterte er Jace leise ins Ohr. »Denk daran, während du stirbst.«

Dunkelheit umflutete Jace' Blick – wie Tinte, die sich über ein Foto ergießt und das Bild verdeckt. Plötzlich spürte er keinen Schmerz mehr. Er spürte überhaupt nichts mehr, nicht einmal Sebastians Gewicht auf seinem Körper und es kam ihm so vor, als ob er schweben würde. Sebastians Gesicht leuchtete irgendwo über ihm, weiß vor der aufkommenden Dunkelheit, den Dolch hoch erhoben. Irgendetwas Goldglänzendes schimmerte an seinem Handgelenk, als würde er ein Armband tragen. Doch es konnte kein Armband sein, schoss es Jace durch den Kopf, denn es bewegte sich. Überrascht schaute Sebastian auf seine Hand, während der Dolch ihm aus den nun geöffneten Fingern glitt und mit einem hörbaren Klatschen im Schlamm auftraf.

Und dann fiel seine Hand, am Handgelenk abgetrennt, neben dem Dolch zu Boden.

Staunend beobachtete Jace, wie Sebastians abgeschnittene Hand über den Boden rollte und schließlich neben einem Paar hoher schwarzer Stiefel liegen blieb. In diesen Stiefeln steckte ein Paar zierlicher Beine, die in einen schlanken Körper übergingen und zu einem vertrauten Gesicht gehörten, eingerahmt von einer Flut schwarzer Haare. Mühsam schaute Jace hoch und sah Isabelle, die mit blutverschmierter Peitsche Sebastian musterte – der seinerseits mit vor Verblüffung offenem Mund auf seinen blutigen Armstumpf starrte.

»Das war für Max, du Dreckskerl«, stieß Isabelle mit grimmigem Lächeln hervor.

»Du *Miststück*«, zischte Sebastian und sprang auf die Füße, während Isabelles Peitsche mit unglaublichem Tempo erneut auf ihn niedersauste, doch er wich ihr aus und war im nächsten Moment verschwunden. Jace hörte ein Rascheln – wahrscheinlich war Sebastian in die Büsche geflohen. Aber es hätte ihn zu viel Kraft gekostet, den Kopf zu heben und ihm nachzusehen.

»Jace!« Isabelle kniete sich neben ihn, eine schimmernde Stele in der Linken. Tränen glänzten in ihren Augen. *Wenn Isabelle mich so anschaut,* dachte Jace, *muss ich wohl ziemlich übel dran sein.*

»Isabelle«, versuchte er zu sagen. Er wollte sie anflehen, zu verschwinden, davonzulaufen. Denn so großartig und mutig und talentiert sie auch sein mochte – und daran bestand überhaupt kein Zweifel –, hatte sie letztlich nicht die geringste Chance gegen Sebastian; und Sebastian würde sich niemals von einem kleinen Rückschlag wie einer abgetrennten Hand aufhalten lassen. Doch stattdessen kam nur eine Art röchelndes Gurgeln aus Jace' Mund.

»Nicht reden«, murmelte Isabelle und Jace spürte ein Brennen auf seiner Brust, dort wo sie die Spitze ihrer Stele ansetzte. »Du wirst schon wieder.« Isabelle bemühte sich um ein tapferes Lächeln. »Wahrscheinlich fragst du dich, was zum Teufel ich hier tue«, fuhr sie fort. »Ich weiß nicht, wie viel du inzwischen weißt . . . ich habe auch keine Ahnung, was Sebastian dir erzählt hat . . . aber du bist nicht Valentins Sohn.« Die Heilrune war inzwischen fast fertiggestellt; Jace konnte bereits spüren, wie seine Schmerzen nachließen. Er nickte leicht, versuchte, ihr mitzuteilen: *Ich weiß*. »Na, jedenfalls hatte ich eigentlich gar nicht vor, dir zu folgen, weil du das in deinem Brief ja geschrieben hattest und ich das auch eingesehen habe. Aber ich konnte dich doch nicht sterben lassen in dem Glauben, du hättest Dämonenblut in dir . . . und ohne dir zu sagen, dass mit dir alles in Ordnung ist, obwohl, mal ehrlich, wie konntest du so was Dämliches überhaupt jemals glauben . . .« Isabelles Hand zitterte und sie musste innehalten, um die Rune nicht zu ruinieren. »Außerdem musstest du doch erfahren, dass Clary nicht deine Schwester ist«, fuhr sie etwas weniger aufgewühlt fort. »Denn schließlich . . . schließlich hast du das immer angenommen. Also habe ich Magnus gebeten, dich für mich zu orten. Dafür haben wir den kleinen Holzsoldaten benutzt, den du Max geschenkt hast. Normalerweise hätte Magnus so was sicher nicht getan, aber sagen wir einfach mal, er war *ungewöhnlich* guter Laune . . . und vielleicht lag es ja auch daran, dass ich ihm erzählt habe, Alec hätte ihn um diesen Gefallen gebeten – was genau genommen nicht ganz richtig ist, aber es wird eine Weile dauern, bis er das herausfindet. Und als ich dann erst mal wusste, wo du warst . . . na ja, Magnus hatte ja bereits ein Portal geöffnet und ich bin *ziemlich* gut im Anschleichen . . .«

Im nächsten Moment schrie Isabelle laut auf. Jace griff nach ihr, doch sie war bereits außerhalb seiner Reichweite, wurde hochgerissen und zur Seite geschleudert. Ihre Peitsche fiel zu Boden. Mühsam kam die Schattenjägerin wieder auf alle viere, doch Sebastian stand schon vor ihr, mit loderndem Hass in den Augen und einen blutigen Stofffetzen um seinen Handstumpf gewickelt. Sofort warf Isabelle sich auf ihre Peitsche, aber Sebastian war schneller: Er trat nach ihr und sein Stiefel traf sie mit voller Wucht gegen den Brustkorb. Jace glaubte, Isabelles Rippen brechen zu hören, als sie zurückprallte und seltsam verkrümmt auf der Seite landete. Und dann hörte er sie schreien – Isabelle, die *niemals* vor Schmerzen schrie –, als Sebastian sie erneut trat, anschließend nach ihrer Peitsche griff und sie prüfend schwang.

Entschlossen rollte Jace sich auf die Seite. Die fast fertiggestellte Heilrune hatte geholfen, doch er spürte noch immer starke Schmerzen in der Brust, spuckte Blut und wusste – auf seltsam distanzierte Weise –, dass seine Lunge punktiert sein musste. Er war sich nicht sicher, wie viel Zeit ihm noch blieb – wenige Minuten vielleicht. Langsam kroch er zu der Stelle, wo Sebastian den Dolch hatte fallen lassen, direkt neben den grausigen Überresten seiner Hand. Dann kam er wacklig auf die Füße. Der Geruch von Blut war überall. Sofort musste er an Magnus' Vision denken – die Welt in Blut getränkt – und seine blutverschmierte Hand schloss sich um den Griff des Dolchs.

Unsicher machte er einen Schritt vorwärts. Dann noch einen. Jeder Schritt fühlte sich an, als ob er durch Beton waten würde. Isabelle schrie und verfluchte Sebastian, der höhnisch lachend die Peitsche auf ihren Körper hinabsausen ließ. Ihre Schmerzensschreie zogen Jace vorwärts wie einen Fisch am Haken, doch sie schienen bei jedem seiner Schritte schwächer zu werden. Stattdessen begann sich die Welt um ihn herum immer schneller zu drehen, wie auf einem Karussell.

Nur noch ein Schritt, sagte er sich. *Und noch einer.* Sebastian hatte ihm den Rücken zugedreht; seine ganze Konzentration war auf Isabelle gerichtet. Wahrscheinlich hielt er Jace schon für tot – was auch beinahe stimmte. *Noch ein Schritt . . .* doch Jace schaffte es nicht mehr, konnte sich nicht bewegen, konnte seine Füße nicht dazu zwingen, einen weiteren Schritt vorwärts zu tun. Und wieder überflutete Dunkelheit sein Blickfeld – eine viel tiefere Finsternis als die Schatten des Schlafs. Eine Finsternis, die alles auslöschen würde, was seine Augen je gesehen hatten, und die ihm eine Ruhe bringen würde, die endgültig war. Frieden. Plötzlich musste er an Clary denken – Clary, so wie er sie das letzte Mal gesehen hatte, schlafend, das Haar auf dem Kopfkissen ausgebreitet, eine Hand unter die Wange geschoben. Damals hatte er gedacht, dass er noch nie zuvor in seinem Leben etwas so Friedvolles gesehen hatte – dabei hatte sie einfach nur geschlafen, so wie wahrscheinlich jeder andere Mensch auch schlief. Nicht der tiefe Frieden,

den sie ausstrahlte, hatte ihn überrascht, sondern der Friede, den sie ihm schenkte – ein Frieden, den er nur spürte, wenn er in ihrer Nähe war und der sich mit nichts vergleichen ließ, was er je gespürt hatte.

Quälende Schmerzen jagten durch sein Rückgrat und überrascht stellte er fest, dass ihn seine Beine irgendwie, ganz ohne sein eigenes Zutun, den letzten, entscheidenden Schritt vorangebracht hatten. Sebastian hielt den Arm hoch erhoben, die Peitsche glänzte in seiner Hand; vor ihm lag Isabelle im Gras, zusammengekrümmt, stumm und ohne jede Regung. »Du miese kleine Lightwood-Schlampe«, zischte Sebastian. »Ich hätte dir dein Gesicht mit dem Hammer zertrümmern sollen, als ich die Möglichkeit dazu hatte . . .«

Und dann hob Jace seine Hand mit dem Dolch und rammte die Klinge tief in Sebastians Rücken.

Sebastian stolperte vorwärts; die Peitsche entglitt seiner Hand. Langsam drehte er sich um und schaute Jace an – und einen Moment lang stieg in Jace der furchteinflößende Gedanke auf, dass Sebastian womöglich wirklich kein Mensch war und dass er ihn überhaupt nicht töten könne. Doch dann wurden die Gesichtszüge des anderen Jungen weich, die Feindseligkeit verschwand aus seinem Blick und das dunkle Feuer in seinen Augen erlosch. Er sah nicht länger aus wie Valentin – eher wie ein ängstlicher kleiner Junge.

Sebastian öffnete den Mund, als ob er Jace irgendetwas sagen wollte, doch seine Knie gaben bereits unter ihm nach. Er sackte zu Boden und rutschte den Abhang hinunter in den Fluss hinein. Dort blieb er auf dem Rücken liegen und starrte aus blinden Augen in den Himmel über ihm, während das strömende Wasser dunkle Spuren seines Blutes flussabwärts treiben ließ.

Er hat mir eine Stelle im Rücken eines Mannes gezeigt, an der man mit einem einzigen Klingenstoß das Herz durchbohren und gleichzeitig das Rückgrat durchtrennen kann, hatte Sebastian gesagt. *Ich schätze, wir haben in jenem Jahr das gleiche Geburtstagsgeschenk bekommen, großer Bruder,* dachte Jace. *Nicht wahr?*

»Jace!« Isabelle hatte sich aufgesetzt; ihr Gesicht war voller Blut. *»Jace!«*

Er versuchte, sich ihr zuzuwenden, irgendetwas zu sagen, doch er hatte keine Worte mehr. Langsam fiel er auf die Knie. Ein gewaltiges Gewicht lastete auf seinen Schultern und die Erde rief nach ihm: *tiefer, tiefer, tiefer.* Er hörte gerade noch, wie Isabelle weinend seinen Namen rief, dann trug ihn die Dunkelheit fort.

Simon war ein in zahlreichen Schlachten kampferprobter Veteran – sofern man die Schlachten mitzählte, die er bei *Dungeons and Dragons*-Spielen geschlagen hatte. Sein Freund Eric liebte Militärgeschichte und hatte sich immer um den kriegerischen Teil ihrer Spieleabende gekümmert, der meist darin bestand, dass Dutzende winziger Figuren in einer auf Packpapier gezeichneten Landschaft gegeneinander antraten.

Genau so – oder so, wie er sie aus Filmen kannte – hatte Simon sich bisher jede Schlacht vorgestellt: Zwei Gruppen von Menschen rückten in einer Ebene gegeneinander vor, in gerader Linie und nach geordneten Abläufen.

Doch das hier hätte unterschiedlicher nicht sein können.

Hier herrschte das reinste Chaos, ein Schlachtfeld voller Gebrüll und Bewegung und der Boden war auch nicht eben, sondern eine Masse aus Matsch und Blut, verrührt zu einer dicken, rutschigen Paste. Simon hatte sich ausgemalt, dass die Kinder der Nacht zum Schlachtfeld vorrücken und dort von irgendeinem Anführer begrüßt werden würden; er hatte sich eingebildet, er würde die Schlacht erst aus einiger Entfernung sehen und zuschauen können, wie beide Seiten aufeinanderprallten. Aber es gab keine Begrüßung und es gab auch keine Seiten. Die Schlacht tauchte unerwartet und bedrohlich aus der Dunkelheit auf, so als ob er durch Zufall aus einer menschenleeren Seitenstraße mitten in einen Aufruhr auf dem Times Square gestolpert wäre – plötzlich wogten Menschenmengen um ihn herum, Hände zerrten an ihm, schoben ihn aus dem Weg und die Vampire verteilten sich und tauchten in den Kampf ein, ohne auch nur noch einen Blick in seine Richtung zu werfen.

Und dann sah er die Dämonen – sie waren überall – und er hätte sich nie vorstellen können, welche Geräusche sie von sich gaben. Er hörte Kreischen, Heulen und Grunzen, doch noch viel schlimmer waren andere Geräusche – von zerreißendem Fleisch und gieriger Befriedigung. Simon wünschte, er könnte sein Vampirgehör ausblenden, doch das war nicht möglich und die Töne stachen wie Messer in sein Trommelfell.

Er stolperte über einen Körper, der halb im Schlamm vergraben lag, wandte sich ihm zu, um zu sehen, ob er helfen konnte, und stellte fest, dass der Schattenjäger zu seinen Füßen von den Schultern aufwärts nicht mehr existierte. Weiße Knochen schimmerten vor dem dunklen Erdboden und trotz seines Vampirmagens wurde Simon übel. *Ich muss der einzige*

Vampir sein, dem beim Anblick von Blut schlecht wird, dachte er – und dann traf ihn irgendetwas Hartes in den Rücken und er fiel und rutschte einen schlammigen Abhang hinunter in eine Grube.

Simon war nicht das einzige Wesen dort unten. Er drehte sich gerade auf den Rücken, als der Dämon drohend über ihm auftauchte. Die Kreatur sah aus wie das Abbild des Todes auf einem mittelalterlichen Holzschnitt – ein lebendiges Skelett mit einem blutbefleckten Beil in der Knochenhand. Simon konnte sich gerade noch zur Seite werfen, als das Beil herabfuhr und sein Gesicht nur um Zentimeter verfehlte. Das Skelett gab ein enttäuschtes Zischen von sich und hob das Beil erneut . . .

Und wurde an der Seite von einem knorrigen Holzknüppel getroffen, der das Skelett zerplatzen ließ wie eine mit Knochen gefüllte Piñata. Mit einem Geräusch wie klackernde Kastagnetten zerbrachen die Knochen und verschwanden in der Dunkelheit.

Ein Schattenjäger stand über Simon – jemand, den er noch nie zuvor gesehen hatte, hochgewachsen, bärtig und blutbefleckt. Der Mann fuhr sich mit einer schlammigen Hand über die Stirn, wobei er dunkle Streifen auf seiner Haut hinterließ. »Alles in Ordnung?«, fragte er.

Simon nickte verblüfft und rappelte sich auf. »Ja, vielen Dank.«

Der Fremde beugte sich vor und streckte Simon eine Hand entgegen, um ihm aufzuhelfen. Simon ergriff sie – und flog in hohem Bogen aus der Grube. Schwankend landete er auf beiden Füßen und wäre beinahe im feuchten Matsch wieder ausgerutscht. »Tut mir leid«, sagte der Fremde mit einem entschuldigenden Lächeln. »Schattenweltlerstärke – mein Partner ist ein Werwolf. Ich bin daran noch nicht gewöhnt.« Er schaute Simon ins Gesicht. »Du bist ein Vampir, richtig?«

»Woher wissen Sie das?«

Der Mann lächelte – es war ein erschöpftes Lächeln, aber durchaus nicht unfreundlich. »Deine Fangzähne. Sie kommen heraus, wenn du kämpfst. Ich weiß es, weil . . .« Er unterbrach sich. Simon hätte den Rest des Satzes für ihn beenden können: . . . *weil ich schon einige Vampire in meinem Leben getötet habe.* »Nicht so wichtig. Vielen Dank dafür, dass du mit uns kämpfst«, fuhr der Schattenjäger fort.

»Ich . . .«, setzte Simon an, um dem Mann zu sagen, dass er bisher noch gar nicht richtig gekämpft hatte, eigentlich noch gar nichts getan hatte. Doch mehr als dieses eine Wort brachte er nicht heraus, als auch schon irgendetwas unglaublich Riesiges und Krallenbewehrtes mit gezackten Flügeln aus dem Himmel geschossen kam und seine Klauen in den Rücken des Schattenjägers schlug.

Der Mann stieß noch nicht einmal einen Schrei aus. Sein Kopf flog in den Nacken, als ob er überrascht nach oben schauen würde und sich fragte, was ihn da gerade gepackt hatte – und dann war er verschwunden, fortgerissen in den leeren schwarzen Himmel von einem Strudel aus Zähnen und Krallen. Sein Knüppel fiel polternd zu Boden, genau vor Simons Füße.

Simon stand wie angewurzelt da. Die ganze Angelegenheit, von dem Augenblick an, in dem er in die Grube gefallen war, hatte noch nicht einmal eine Minute gedauert. Wie betäubt drehte er sich um, starrte auf die Klingen, die um ihn herum durch die Dunkelheit wirbelten, auf die vernichtenden Klauen der Dämonen und auf die Lichtpunkte, die hier und dort durch die Dunkelheit glitten wie Glühwürmchen durch den Nachthimmel – bis ihm klar wurde, worum es sich handelte: das Leuchten von Seraphklingen.

Er konnte weder die Lightwoods ausmachen noch die Penhallows oder Luke oder irgendjemand anderen, den er kannte. Er war kein Schattenjäger. Und doch hatte dieser Mann ihm dafür gedankt, dass er zusammen mit ihm kämpfte. Es stimmte, was er Clary gesagt hatte: Dies hier war auch seine Schlacht und er wurde hier gebraucht. Aber nicht Simon der Mensch, der sanft war und ein Bücherwurm und der den Anblick von Blut hasste, sondern Simon der Vampir, eine Kreatur, die er selbst kaum kannte.

Ein wahrer Vampir weiß, dass er tot ist, hatte Raphael gesagt. Aber Simon fühlte sich nicht tot – er hatte sich noch nie lebendiger gefühlt. Plötzlich bemerkte er eine Bewegung an der Seite und sah gerade noch rechtzeitig, wie ein weiterer Dämon bedrohlich vor ihm auftauchte. Echsenähnlich, schuppenbewehrt und mit Zähnen wie ein Nagetier stürzte er sich auf Simon, die schwarzen Krallen ausgefahren.

Blitzschnell machte Simon einen Satz, traf den massiven Rumpf des Wesens und grub ihm die Fingernägel in die Flanke, bis die Schuppen unter seinem Griff nachgaben. Das Runenmal auf seiner Stirn pulsierte, als er seine Fangzähne in den Nacken des Dämons schlug.

Es schmeckte scheußlich.

Der Regen aus Glasscherben hatte aufgehört. Anstelle der Glaskuppel war nun ein Loch in der Decke, über einen Meter groß, als ob ein Meteor eingeschlagen wäre. Kalte Nachtluft wehte durch den Saal und Clary stand fröstelnd auf und fegte sich die Glassplitter von der Kleidung.

Das Elbenlicht, das die Halle erleuchtet hatte, war erloschen und nun lag der Raum düster, staubig und voller Schatten vor ihr. Durch die offenen Türen konnte sie das schwache Glühen des verblassenden Portals auf dem Platz erkennen.

Wahrscheinlich war sie hier nicht länger sicher, überlegte Clary, am besten ging sie zu den Penhallows und schloss sich Aline an. Zögernd setzte sie sich in Bewegung und hatte den Saal etwa zur Hälfte durchquert, als sie Schritte auf dem Marmorboden hörte. Mit klopfendem Herzen drehte sie sich um und entdeckte Malachi, der wie ein langer, spinnenähnlicher Schatten im Halbdunkel auf das Podium zusteuerte. Was machte er noch hier? Hätte er nicht längst mit den anderen Schattenjägern auf dem Schlachtfeld sein sollen?

Als er sich dem Podium näherte, bemerkte sie etwas, das sie rasch die Hand vor den Mund schlagen ließ, um nicht überrascht aufzuschreien. Auf Malachis Schulter kauerte ein dunkler Schatten. Ein Vogel. Ein Rabe, um genau zu sein.

Hugo.

Clary duckte sich hinter eine Säule, während Malachi die Stufen zum Podium hinaufstieg. In der Art und Weise, wie er sich umschaute, lag etwas unverkennbar Schuldbewusstes. Offensichtlich beruhigt, dass ihn niemand beobachtete, zog er einen kleinen, glitzernden Gegenstand aus der Tasche und streifte ihn über einen Finger. Ein Ring? Er fasste danach und drehte ihn und Clary erinnerte sich daran, wie Hodge in der Bibliothek des Instituts Jace einen Ring vom Finger gezogen hatte . . .

Die Luft vor Malachi begann, schwach zu flimmern, wie vor Hitze. Dann hörte Clary eine Stimme, eine wohlbekannte Stimme, ruhig und kultiviert, jedoch mit einem Anflug von Verärgerung.

»Was gibt es, Malachi? Ich bin im Augenblick nicht in der Stimmung für ein Schwätzchen.«

»Valentin, mein Gebieter«, sagte Malachi. Seine übliche Feindseligkeit war einer kriecherischen Unterwürfigkeit gewichen. »Hugin hat mir soeben Neuigkeiten gebracht. Ich nehme an, dass Ihr Euch bereits beim Spiegel befindet und dass er mich deshalb an Eurer Stelle aufsuchte. Ich dachte, dass Euch das interessieren würde.«

»Nun gut«, erwiderte Valentin kurz angebunden. »Welche Neuigkeiten?«

»Es geht um Euren Sohn, mein Herr. Euren *anderen* Sohn. Hugin hat ihn bis ins Tal der Höhle verfolgt. Er könnte Euch sogar durch die Tunnel zum See gefolgt sein.«

Clarys Hände umkrampften die Säule so stark, dass ihre Fingerknöchel weiß hervortraten. Die beiden sprachen über Jace.

Valentin räusperte sich. »Hat er seinen Bruder dort getroffen?«

»Hugin sagt, er habe die beiden kämpfend zurückgelassen.«

Clary spürte, wie sich ihr der Magen umdrehte. Jace im Kampf mit Sebastian? Sie musste daran denken, wie Sebastian Jace in der Garnison hochgehoben und weggeschleudert hatte wie eine Feder. Eine Woge der Panik stieg in ihr auf, so stark, dass ihr die Ohren sausten. Bis sie sich wieder gefangen hatte, war ihr die Antwort Valentins entgangen.

»Ich sorge mich um diejenigen, die noch zu jung sind zum Kämpfen, aber schon alt genug, um Runen zu tragen«, sagte Malachi gerade. »Sie hatten bei der Entscheidung der Kongregation keine Stimme. Es schiene mir unfair, wenn sie auf dieselbe Weise bestraft würden wie diejenigen, die in den Kampf gezogen sind.«

»Ich habe das in Erwägung gezogen.« Valentins Stimme klang jetzt tief und dröhnend. »Da Jugendliche oberflächlicher mit Runen versehen sind, dauert es länger, bis sie zu Forsaken werden – mindestens einige Tage. Ich denke daher, dass sich dieser Prozess umkehren lässt.«

»Während diejenigen unter uns, die aus dem Kelch der Engel getrunken haben, vollkommen unbeeinträchtigt bleiben?«

»Ich bin sehr beschäftigt, Malachi«, erwiderte Valentin. »Außerdem habe ich dir schon gesagt, dass du nicht in Gefahr schwebst. Ich vertraue diesem Prozess mein eigenes Leben an. Hab also ein wenig mehr Vertrauen.«

Malachi senkte den Kopf. »Ich habe absolutes Vertrauen, mein Gebieter. Ich habe es seit vielen Jahren bewahrt, in aller Stille, und Euch immer gedient.«

»Und dafür wirst du belohnt werden«, sagte Valentin.

Malachi schaute auf. »Mein Gebieter . . .«

Doch das Flimmern hatte aufgehört; Valentin war verschwunden. Malachi runzelte die Stirn, stieg dann die Stufen des Podiums hinunter und ging in Richtung Ausgang. Sofort zog Clary sich noch weiter hinter die Säule zurück und hoffte verzweifelt, dass er sie nicht entdecken würde. Ihr Herz raste.

Was hatte das alles zu bedeuten? Und was sollte diese Geschichte mit den Forsaken? Die Antwort schlummerte irgendwo in ihrem Kopf, doch sie erschien ihr zu schrecklich, um genauer darüber nachzudenken. Nicht einmal Valentin würde . . .

Plötzlich flog Clary irgendetwas ins Gesicht, wie ein dunkler Wirbelsturm. Sie konnte gerade noch schützend die Hände vor das Gesicht reißen, als ihr auch schon die Handrücken aufgeschlitzt wurden. Sie hörte ein wütendes Krächzen und spürte, wie Flügel gegen ihre erhobenen Arme schlugen.

»Hugin! Genug!«, hallte Malachis scharfer Befehl durch den Saal. »*Hugin!*« Ein weiteres Krächzen ertönte, gefolgt von einem dumpfen Schlag, und dann trat Ruhe ein. Clary ließ die Hände sinken und sah den Raben reglos zu Füßen des Konsuls liegen – ob betäubt oder tot, konnte sie nicht sagen. Mit einem Schnauben trat Malachi Hugin zur Seite und marschierte dann auf Clary zu. Er packte sie mit finsterer Miene an einem ihrer blutenden Handgelenke und zerrte sie auf die Füße. »Du dumme Göre«, stieß er hervor. »Wie lange hast du schon gelauscht?«

»Lange genug, um zu wissen, dass Sie dem Kreis angehören«, fauchte Clary und versuchte vergeblich, sich seinem Griff zu entwinden. »Sie sind auf Valentins Seite.«

»*Es gibt nur eine Seite.*« Seine Stimme klang wie ein Zischen. »Der Rat ist töricht und fehlgeleitet, wenn er sich mit Halbmenschen und Monstern abgibt. Ich will ihn nur zu früherer Größe zurückführen, ihn wieder reinigen – ein Ziel, dem sich eigentlich jeder Schattenjäger anschließen sollte. Aber nein, sie hören stattdessen auf Narren und Dämonenfreunde wie dich und Lucian Graymark. Und jetzt habt ihr die Blüte der Nephilim zum Sterben in diese lächerliche Schlacht geschickt – eine leere Geste, mit der nichts erreicht werden wird. Valentin hat das Ritual bereits begonnen; bald wird der Engel auferstehen und alle Nephilim werden sich in Forsaken verwandeln. Alle bis auf die wenigen, die unter Valentins Schutz stehen . . .«

»Das ist Mord! Er ermordet Schattenjäger!«

»Kein Mord«, erwiderte der Konsul und seine Stimme bekam einen fanatischen Beiklang, »sondern Läuterung. Valentin wird eine neue Welt für die Schattenjäger erschaffen – eine Welt, aus der Schwäche und Korruption ausgemerzt wurden.«

»Schwäche und Korruption sind nicht Teil der Welt«, fauchte Clary. »Sie sind Teil mancher Menschen – und daran wird sich nie etwas ändern. Darum braucht die Welt auch gute Menschen, die für ein Gleichgewicht sorgen. Aber die wollt ihr alle umbringen!«

Malachi schaute sie für einen Moment ehrlich erstaunt an, als ob die Leidenschaft in ihrer Stimme ihn überrascht hätte. »Noble Worte von einem Mädchen, das versucht hat, ihren eigenen Vater zu hintergehen.« Dann riss er sie an sich und verdrehte brutal ihr blutendes Handgelenk. »Ich bin gespannt, ob es Valentin etwas ausmacht, wenn ich dir beibringe zu . . .«

Aber Clary sollte nie herausfinden, was er ihr beibringen wollte. Ein dunkler Schatten warf sich zwischen sie, mit ausgebreiteten Flügeln und vorgestreckten Krallen.

Der Rabe erwischte Malachi mit der Spitze einer Klaue und zog eine blutige Furche quer über sein Gesicht. Mit einem Aufschrei ließ der Konsul Clary los und riss abwehrend die Arme hoch, doch Hugo war bereits umgedreht und hackte wütend mit Schnabel und Klauen auf ihn ein. Malachi stolperte mit rudernden Armen rückwärts, bis er hart gegen die Kante einer Bank prallte, die krachend umstürzte. Im nächsten Moment fiel er mit einem erstickten Schrei der Länge nach darüber – und verstummte urplötzlich.

Clary lief zu der Stelle, an der Malachi zusammengekrümmt auf dem Marmorboden lag, inmitten einer Blutlache. Er war in einen Haufen Scherben gestürzt, die von der zerbrochenen Decke stammten, und eine der gezackten Spitzen hatte seine Kehle durchbohrt. Hugo kreiste noch immer über der Szenerie und beäugte Malachis Leichnam. Er gab ein triumphierendes Krächzen von sich, während Clary ihn anstarrte – offensichtlich hatten ihm die Tritte des Konsuls gar nicht gefallen. Malachi hätte es besser wissen müssen, dachte Clary: Niemand attackierte ungestraft eine von Valentins Kreaturen, denn sie waren genauso nachtragend wie ihr Herr und Meister.

Doch jetzt war nicht die Zeit, um lange über Malachi nachzudenken. Alec hatte ihr erzählt, dass rund um den See Schutzschilde errichtet worden waren, die einen Alarm auslösten, wenn irgendjemand in ihrer Nähe ein Portal öffnete. Valentin befand sich wahrscheinlich schon am Spiegel – sie durfte also keine Zeit verlieren. Langsam, die Augen konstant auf den Raben gerichtet, machte Clary ein paar Schritte rückwärts; dann drehte sie sich um und lief in Richtung der Eingangstüren, auf das schimmernde Portal zu.

20

GEWOGEN UND ALS ZU LEICHT BEFUNDEN

Die Fluten trafen sie wie ein Schlag ins Gesicht. Nach Luft ringend, versank Clary in eisiger Finsternis. War das Portal vielleicht schon zu weit verblasst und nicht mehr funktionsfähig gewesen und steckte sie nun in der wirbelnden Dunkelheit des Zwischenraums fest, wo sie langsam ersticken und sterben würde – genau wie Jace sie vor der ersten Nutzung eines Portals gewarnt hatte?

Oder war sie vielleicht schon tot?

Vermutlich hatte sie nur wenige Sekunden das Bewusstsein verloren, doch es erschien Clary wie das Ende allen Daseins. Als sie wieder zu sich kam, erwachte sie mit einem Schock – vergleichbar dem Schock, den man beim Einbruch durch eine dünne Eisdecke erleidet. Im einen Moment war sie noch ohnmächtig gewesen und im nächsten schlagartig hellwach. Sie lag mit dem Rücken auf einem kalten, feuchten Boden und starrte hinauf zum Himmel, der so sternenübersät war, dass er wie ein schwarzes Tuch mit dicht verstreuten Silbersplittern aussah. Plötzlich spürte Clary einen Schwall fauliger Flüssigkeit in ihrem Mund, beugte sich hastig zur Seite und hustete und würgte, bis sie wieder Luft bekam.

Als ihr Magen nicht länger krampfartig Flüssigkeit nach

oben schickte, rollte sie sich auf die Seite. Ihre Handgelenke waren mit einem schwach glühenden Lichtband gefesselt und ihre Beine fühlten sich schwer und seltsam an, als würden Tausende von Nadeln darin stecken. Clary fragte sich, ob sie vielleicht falsch gelegen und sich einen Nerv eingeklemmt hatte oder ob es sich nur um die Nachwirkungen ihres beinahen Ertrinkungstods handelte. Außerdem schmerzte ihr Nacken, als wäre sie von einer Wespe gestochen worden. Schnaufend hievte Clary sich in eine aufrechte Sitzposition, wobei ihre Beine seltsam taub vor ihr lagen, und schaute sich um.

Sie befand sich am Ufer des Lyn-Sees, wo der Flutsaum langsam in weichen Sand überging. Hinter ihr erhob sich eine steile schwarze Felswand – die Klippen, an die sie sich noch von ihrem letzten Aufenthalt am See, zusammen mit Luke, erinnerte. Der Strand wirkte dunkel und glitzerte nur dort silbern, wo Elbenlichtfackeln brannten und die Luft mit ihrem hellen Schein erfüllten, der sich wie eine funkelnde Perlenkette auf der Wasseroberfläche spiegelte.

Am Ufer des Sees, nur wenige Meter von ihr entfernt, ragte ein niedriger, altarartiger Tisch auf, der aus aufeinandergestapelten flachen Steinen bestand. Offensichtlich hatte jemand die Steine in großer Eile arrangiert, denn obwohl in den Zwischenräumen feuchter Sand schimmerte, waren einige der Steine bereits seitlich weggerutscht. Auf der obersten Steinplatte befand sich etwas, das Clary den Atem anhalten ließ: der Kelch der Engel und darauf das Schwert der Engel – eine lang gestreckte schwarze Flamme im hellen Elbenlicht. In den Sand um den improvisierten Altar herum waren schwarze Runen gegraben. Angestrengt versuchte Clary, sie zu entziffern, doch sie schienen wirr und ohne Bedeutung . . .

Plötzlich bewegte sich ein Schatten über den Strand und kam rasch auf sie zu – der lange schwarze Schatten eines Mannes, der im tanzenden Schein der Fackeln flackernd und verschwommen wirkte. Als Clary endlich mühsam den Kopf gehoben hatte, stand er bereits vor ihr.

Valentin.

Der Schock seines Anblicks war so groß, dass sie es fast schon nicht mehr als Schock empfand. Sie spürte rein gar nichts, während sie ihrem Vater ins Gesicht starrte, das vor dem schwarzen Nachthimmel wie ein fahler Mond leuchtete – weiß, ernst und mit schwarzen Augenhöhlen, die an tiefe Meteoritenkrater erinnerten. Eine Reihe von Ledergurten spannte sich über seine Brust, jeweils bestückt mit etwa einem Dutzend Waffen, die hinter seinem Rücken wie die Stacheln eines Stachelschweins aufragten. Valentin wirkte riesig und unfassbar breitschultrig – die Furcht einflößende Statue eines auf Zerstörung sinnenden Kriegsgottes.

»Clarissa«, sagte er, »du bist ein ziemliches Risiko eingegangen, dich einfach hierherzuteleportieren. Du kannst froh sein, dass ich dich im Wasser entdeckt habe und gerade noch rechtzeitig herausziehen konnte. Du warst bewusstlos – wenn ich nicht gewesen wäre, wärst du ertrunken.« Ein Muskel in seinem Mundwinkel zuckte leicht. »Und an deiner Stelle würde ich auch nicht allzu große Hoffnung in die Schutzschilde rund um den See setzen – ich habe sie gleich nach meiner Ankunft deaktiviert. Also weiß niemand, dass du hier bist.«

Das glaube ich dir nicht! Clary öffnete den Mund, um ihm die

Worte ins Gesicht zu schleudern. Doch es kam kein Ton über ihre Lippen. Clary fühlte sich wie in einem jener Albträume, in denen sie laut schreien wollte, aber nichts passierte. Lediglich ein Hauch warmer Luft drang aus ihrem Mund – das Röcheln eines Menschen, der mit aufgeschlitzter Kehle zu schreien versucht.

Valentin schüttelte den Kopf. »Bemüh dich erst gar nicht. Ich habe dich im Nacken mit einer Schweigerune versehen, eine jener Runen, die die Brüder der Stille gern verwendet haben. Deine Handgelenke sind mit einer Fesselungsrune zusammengebunden und eine weitere Rune macht deine Beine unbrauchbar. An deiner Stelle würde ich gar nicht erst versuchen aufzustehen – deine Beine werden dich nicht tragen und das Ganze würde dir nur zusätzliche Schmerzen bereiten.«

Wütend funkelte Clary ihn an und versuchte, ihn mit einem hasserfüllten Blick zu durchbohren. Doch Valentin nahm davon keinerlei Notiz.

»Du solltest wissen, es hätte viel schlimmer kommen können. Als ich dich aus dem See zog, hatte das Seewasser bereits begonnen, seine giftige Wirkung zu entfalten. Ich habe dich geheilt, nebenbei bemerkt. Allerdings erwarte ich keine Dankesbezeugungen.« Er lächelte matt. »Du und ich, wir zwei haben uns nie richtig unterhalten können, oder? Jedenfalls kein richtiges Gespräch führen können. Sicherlich fragst du dich, warum ich mich als Vater nie für dich interessiert habe. Es tut mir leid, falls du darunter gelitten haben solltest.«

Clarys hasserfüllter Blick wandelte sich in reine Skepsis. Wie konnten sie ein Gespräch führen, wenn sie nicht einmal in der Lage war zu sprechen? Erneut versuchte sie, ein paar Worte über ihre Lippen zu bringen, doch ihrer Kehle entwich nur ein leiser Lufthauch.

Valentin drehte sich nun zum Altar um und legte eine Hand auf das Engelsschwert – Mellartach, das ein schwarzes Licht ausstrahlte, eine Art umgekehrtes Glühen, als würde es den Schein der Elbenfackeln aus der Luft aufsaugen. »Ich wusste nicht, dass deine Mutter mit dir schwanger war, als sie mich verließ«, fuhr Valentin fort. Er sprach mit ihr auf eine Art und Weise, wie er es nie zuvor getan hatte, dachte Clary. Sein Ton war ruhig, fast ungezwungen – doch das war es nicht, was ihr so merkwürdig erschien. »Ich wusste, dass irgendetwas nicht stimmte. Deine Mutter dachte, sie könnte ihre Niedergeschlagenheit vor mir verbergen. Also nahm ich etwas von Ithuriels Blut, trocknete es zu einem Pulver und rührte es unter ihr Essen, in der Annahme, dass dies vielleicht ihre Melancholie heilen würde. Wenn ich gewusst hätte, dass sie zu diesem Zeitpunkt wieder schwanger war, hätte ich das niemals getan. Ich hatte mich ohnehin schon entschlossen, keine Experimente mehr mit einem leiblichen Kind durchzuführen.«

Du lügst!, wollte Clary ihm entgegenschleudern, bekam allerdings allmählich selbst Zweifel. Valentin klang immer noch sehr merkwürdig. Verändert. Aber vielleicht lag das nur daran, dass er zur Abwechslung einmal die Wahrheit sagte.

»Nachdem deine Mutter aus Idris geflohen war, habe ich jahrelang nach ihr gesucht«, fuhr Valentin fort. »Und das nicht nur, weil sie den Engelskelch mitgenommen hatte. Sondern weil ich sie geliebt habe. Ich dachte, wenn ich nur einmal Gelegenheit hätte, mit ihr zu reden, könnte ich sie vielleicht dazu bringen, Vernunft anzunehmen. Was ich in jener Nacht in

Alicante getan habe, geschah in einem Anfall von Wut – ich wollte sie zerstören, alles zerstören, was unser gemeinsames Leben betraf. Doch danach . . .« Er schüttelte den Kopf, wandte sich ab und schaute über den See. »Als ich sie endlich aufgespürt hatte, hörte ich die Gerüchte . . . dass sie ein weiteres Kind bekommen habe, eine Tochter. Ich nahm an, das Kind sei von Lucian. Er hatte sie schon immer geliebt, sie mir immer wegnehmen wollen. Ich ging davon aus, dass sie ihm nach all den Jahren nachgegeben hatte. Dass sie einverstanden gewesen war, ein Kind von einem dreckigen Schattenweltler zu bekommen.« Valentins Stimme klang nun wieder angespannt. »Als ich sie schließlich in eurer Wohnung in New York fand, war sie kaum noch bei Bewusstsein. Aber sie fauchte mir noch entgegen, dass ich ihr erstes Kind in ein Monster verwandelt hätte und sie mich verlassen hätte, ehe ich ihrem zweiten dasselbe antun konnte. Danach fiel sie in meinen Armen ins Koma. All diese Jahre hatte ich nach ihr gesucht und dann blieb mir nur dieser kurze Moment mit ihr. Diese wenigen Sekunden, in denen sie mich mit einem lebenslang angestauten Hass anstarrte. In dem Moment ist mir etwas bewusst geworden.«

Mit einer kraftvollen Bewegung hob Valentin Mellartach an. Clary erinnerte sich an ihren Versuch, das noch nicht vollständig verwandelte Engelsschwert in die Hand zu nehmen, erinnerte sich daran, wie schwer es damals schon gewesen war. Nun konnte sie beobachten, wie auch die Muskulatur von Valentins Armen sich deutlich abzuzeichnen begann – harte Stränge wie Seile, die sich unter der Haut strafften.

»Damals ist mir klar geworden, dass sie mich aus einem

einzigen Grund verlassen hatte – um dich zu schützen«, setzte Valentin seinen Monolog fort. »Jonathan hat sie gehasst, aber dich ... für dich hätte sie alles getan, um dich zu schützen. Vor *mir* zu schützen. Sie hat es sogar auf sich genommen, inmitten von Irdischen zu leben, was sie sehr viel Überwindung gekostet haben muss. Es muss ihr sehr schwergefallen sein, dich nicht nach unseren Traditionen und Gebräuchen großziehen zu können. Du bist nur die Hälfte von dem Mädchen, das du eigentlich sein könntest. Du hast deine besondere Runen-Gabe, doch dieses Talent wurde durch deine irdische Erziehung verschwendet.«

Langsam ließ er das Schwert sinken. Die Spitze schwebte auf Höhe von Clarys Gesicht; sie konnte sie aus dem Augenwinkel erkennen, wo sie wie ein silberner Nachtfalter am Rand ihres Sichtfelds verharrte.

»In dem Moment wusste ich, dass Jocelyn niemals zu mir zurückkehren würde ... deinetwegen! Du bist das Einzige auf der Welt, was sie mehr liebt als mich. Deinetwegen hasst sie mich nun. Und aus diesem Grund hasse ich deinen Anblick.«

Ruckartig wandte Clary das Gesicht ab. Wenn er sie jetzt töten würde, wollte sie ihren nahenden Tod nicht auch noch direkt vor Augen haben.

»Clarissa«, sagte Valentin. »Sieh mich an.«

Nein. Clary starrte eisern auf den See hinaus. Auf der anderen Seite des spiegelnden Gewässers konnte sie einen schwachen rötlichen Schein erkennen, wie von glimmender Glut inmitten warmer Asche. Sie wusste, dass es sich um die Flammen der Schlacht handeln musste. Ihre Mutter war dort drüben und Luke. Vielleicht war es ja nur passend, dass die beiden Seite an Seite kämpften, auch wenn sie nicht bei ihnen sein konnte.

Ich werde meine Augen auf diesen Lichtschein heften, dachte Clary. *Ich werde einfach nur dorthin schauen, egal, was kommt. Er soll das Letzte sein, was ich jemals sehe.*

»Clarissa«, wiederholte Valentin. »Du siehst genauso aus wie sie, hast du das gewusst? Genau wie Jocelyn.«

Clary spürte einen stechenden Schmerz an der Wange – die Klinge des Engelsschwerts. Valentin drückte die Kante gegen ihre Haut, um sie zu zwingen, den Kopf in seine Richtung zu drehen.

»Ich werde jetzt den Erzengel herbeirufen«, erklärte er. »Und ich will, dass du dabei zusiehst.«

Ein bitterer Geschmack breitete sich in Clarys Mund aus. *Ich weiß, weshalb du so besessen von meiner Mutter bist. Sie war die Einzige, von der du gedacht hast, du würdest sie vollkommen beherrschen, doch dann hat sie sich gegen dich gewandt und dir wehgetan. Du hast geglaubt, sie würde dir gehören, aber das war ein Irrtum. Und deswegen würdest du sie gern hier haben, jetzt in diesem Moment, damit sie Zeuge deines Triumphs wird. Und nur aus diesem Grund begnügst du dich nun mit mir.*

Das Schwert drückte sich tiefer in ihre Wange. *»Sieh mich an, Clary«*, forderte Valentin.

Und Clary sah ihn an; sie wollte es zwar nicht, aber der Schmerz war einfach zu groß. Fast gegen ihren Willen fuhr ihr Kopf herum und das Blut lief in dicken, fetten Tropfen von ihrer Wange und spritzte auf den Sand. Übelkeit erfasste sie, als sie den Kopf hob, um ihren Vater anzusehen.

Valentin betrachtete die Klinge des Engelsschwerts, an der

Clarys Blut klebte. Als er schließlich wieder zu ihr schaute, funkelte ein seltsames Licht in seinen Augen. »Die Vollendung dieses Rituals erfordert Blut«, sinnierte er. »Eigentlich wollte ich mein eigenes dafür nehmen, aber als ich dich im See entdeckte, wusste ich sofort, dass Raziel mir auf diese Weise zu verstehen gab, ich solle das Blut meiner Tochter verwenden. Deswegen habe ich dein Blut auch von allem Gift gereinigt, das das Seewasser hinterlassen hat. Du bist nun geläutert – geläutert und bereit. Und deshalb danke ich dir, Clarissa, für die Bereitstellung deines Blutes.«

Er meint es wirklich so, überlegte Clary. *Auf irgendeine seltsame Art und Weise meint er diese Dankbarkeit wirklich ernst.* Offenbar hatte Valentin schon vor langer Zeit die Fähigkeit verloren, zwischen Zwang und Zusammenarbeit zu unterscheiden, zwischen Furcht und Bereitschaft, zwischen Liebe und Folter. Diese Erkenntnis wurde von einem plötzlichen tauben Gefühl begleitet – welchen Zweck hatte es, Valentin dafür zu hassen, dass er ein Monster war, wenn er es selbst nicht einmal wusste?

»Und nun«, fuhr Valentin fort, »benötige ich noch ein kleines bisschen mehr.«

Ein kleines bisschen mehr wovon?, dachte Clary, doch als Valentin im selben Moment das Schwert nach oben schwang und sich das Licht Tausender Sterne in der Klinge brach, war es ihr sofort klar: *Natürlich! Er will nicht nur mein Blut – er will meinen Tod!* Das Schwert musste eigentlich schon mit genügend Blut getränkt sein – wahrscheinlich hatte es Geschmack daran gefunden, genau wie Valentin. Clarys Augen folgten dem schwarzen Licht, das Mellartach aussandte: Auf dem Weg zu ihrer Kehle durchschnitt das Schwert die Luft ...

Und segelte im hohen Bogen davon, hinein in die Dunkelheit, Valentins Griff entglitten. Mit großen Augen starrte Valentin ungläubig auf seine blutende Schwerthand und schaute dann – im gleichen Moment wie Clary – auf, um zu sehen, wer ihm das Engelsschwert aus der Hand geschlagen hatte.

Jace stand am Rand des Sandufers, kaum einen Schritt von Valentin entfernt, ein funkelndes Schwert in der linken Hand. Am Gesichtsausdruck ihres Vaters konnte Clary ablesen, dass er Jace' Herannahen genauso wenig bemerkt hatte wie sie selbst.

Bei seinem Anblick blieb Clary fast das Herz stehen: Getrocknetes Blut klebte an seiner Wange und an seiner Kehle schimmerte eine hässliche rote Wunde. Seine Augen leuchteten wie Spiegel und wirkten im Elbenlicht vollkommen schwarz – so schwarz wie Sebastians Augen. »Clary«, sagte er, ohne den Blick auch nur eine Sekunde von Valentin abzuwenden. »Clary, alles in Ordnung mit dir?«

Jace! Verzweifelt versuchte Clary, seinen Namen auszusprechen, doch die Blockade in ihrer Kehle ließ kein einziges Wort über ihre Lippen kommen. Clary hatte das Gefühl, als würde sie ersticken.

»Sie kann dir nicht antworten«, erklärte Valentin. »Sie kann nicht reden.«

Jace' Augen blitzten wütend auf. »Was hast du ihr angetan?«, herrschte er Valentin an und stieß das Schwert in seine Richtung, worauf dieser einen Schritt zurückwich. Der Ausdruck auf Valentins Gesicht zeugte von Argwohn, aber nicht von Angst. Und in seinen Augen lag etwas Berechnendes, das Clary überhaupt nicht gefiel. Sie wusste, dass sie eigentlich triumphieren sollte, aber das gelang ihr nicht. Im Gegenteil: Jetzt verspürte sie noch mehr Panik als vor wenigen Augenblicken. Sie hatte begriffen, dass Valentin sie töten würde, hatte den Gedanken akzeptiert, doch nun war Jace hier und ihre Sorge weitete sich auch auf ihn aus. Er wirkte so . . . so *zugrunde gerichtet*. Ein Ärmel seiner Schattenjägermontur klaffte bis zum Ellbogen auf und die Haut darunter war mit etlichen Striemen übersät. Auch die Brust seines Hemdes hing in Fetzen an ihm herab und über dem Herzen schimmerte eine verblassende Heilrune, die die hässliche rote Narbe darunter nicht hatte beseitigen können. Seine Kleidung starrte vor Dreck, als hätte er sich auf dem Boden gewälzt. Doch am meisten schreckte Clary der Ausdruck in seinen Augen – sie wirkten völlig . . . *leer.*

»Eine Schweigerune. Sie wird dadurch keinen Schaden davontragen.« Valentins Augen hefteten sich auf Jace – gierig, dachte Clary, als würde er seinen Anblick in sich aufsaugen. »Ich nehme nicht an, dass du gekommen bist, um dich mir anzuschließen?«, fragte Valentin. »Um an meiner Seite ebenfalls vom Erzengel gesegnet zu werden?«

Jace musterte seinen Stiefvater mit unverändertem Ausdruck. In seinen Augen war nichts zu erkennen – nicht der Hauch von Zuneigung oder Liebe oder wohlwollender Erinnerung. Nicht einmal Hass. Nur . . . Verachtung, überlegte Clary. Eine kalte Verachtung. »Ich weiß, was du vorhast«, erwiderte Jace. »Ich weiß, warum du den Erzengel herbeirufen willst. Aber das werde ich nicht zulassen. Ich habe bereits Isabelle losgeschickt, um die Schattenjäger zu warnen . . .«

»Warnungen werden ihnen nichts nutzen. Dies ist nicht die Sorte von Gefahr, vor der man davonlaufen kann.« Valentins

Blick fiel auf Jace' Schwert. »Leg das nieder«, setzte er an, »und dann können wir reden . . .« Doch im nächsten Moment hielt er abrupt inne. »Das ist nicht dein Schwert«, murmelte er. »Das ist ein Morgenstern-Schwert.«

Jace lächelte – ein unergründliches, sanftes Lächeln. »Stimmt. Es gehörte Jonathan. Aber er ist ja tot.«

Fassungslos starrte Valentin ihn an. »Du meinst . . .«

»Ich habe es vom Boden aufgehoben, wo er es hat fallen lassen«, sagte Jace emotionslos, »nachdem ich ihn getötet hatte.«

Valentin wirkte wie vor den Kopf geschlagen. »Du hast Jonathan getötet? Wie konntest du das tun?«

»Er hätte sonst *mich* getötet«, erklärte Jace. »Mir blieb keine andere Wahl.«

»So hab ich das nicht gemeint.« Benommen schüttelte Valentin den Kopf; er sah aus wie ein schwer getroffener Boxer kurz vor dem K. o. »Ich habe Jonathan erzogen . . . ich habe ihn persönlich ausgebildet. Es gab keinen besseren Krieger als ihn.«

»Offensichtlich wohl doch«, erwiderte Jace.

»Aber . . . aber . . .«, stammelte Valentin mit brechender Stimme. Es war das erste Mal, dass Clary einen Riss in seiner beherrschten, glatten Maske bemerkte. »Aber er war dein Bruder.«

»Nein, das war er nicht.« Jace ging einen Schritt vor und schob die Klinge näher an Valentins Herz heran. »Was ist mit meinem richtigen Vater passiert? Isabelle meinte, er wäre bei einem Überfall gestorben, aber stimmt das auch wirklich? Oder hast *du* ihn getötet – genau wie meine Mutter?«

Valentin wirkte noch immer fassungslos. Clary spürte, dass

er sich angestrengt bemühte, seine Selbstbeherrschung wiederzuerlangen. Kämpfte er gegen den Kummer an? Oder hatte er einfach nur Angst vor dem Tod? »Ich habe deine Mutter nicht getötet. Sie hat sich selbst das Leben genommen. Ich habe dich lediglich aus ihrem toten Leib herausgeschnitten. Wenn ich das nicht getan hätte, wärst du mit ihr gestorben.«

»Aber *warum?* Warum hast du das getan? Du brauchtest keinen Sohn – du hattest doch bereits einen!«, konterte Jace. Im kalten Mondlicht wirkte er unerbittlich, dachte Clary, unerbittlich und seltsam, wie ein Fremder. Seine Hand, die Valentin das Schwert an die Kehle hielt, schwankte keinen Millimeter. »Ich will die Wahrheit wissen«, fuhr Jace fort. »Und keine weiteren Lügen über ›vom selben Fleisch und Blut‹. Eltern belügen ihre Kinder, aber du . . . du bist nicht mein Vater. Also rück mit der Wahrheit heraus.«

»Ich . . . ich brauchte keinen Sohn . . . sondern einen Krieger«, erklärte Valentin. »Und ich hatte gehofft, Jonathan könnte dieser Krieger werden, doch er hatte zu viele dämonische Eigenschaften an sich. Er war zu wild, zu launisch, nicht geschickt genug. Schon damals, als er noch in den Windeln lag, fürchtete ich, dass er niemals die Geduld oder die Anteilnahme aufbringen würde, um mir zu folgen, um nach meinem Tod den Rat in meinem Sinne weiterzuführen. Also habe ich mit dir einen neuen Versuch gestartet. Aber du hast mir die genau entgegengesetzten Schwierigkeiten bereitet. Du warst zu sanftmütig. Zu mitfühlend. Du hast den Schmerz anderer empfunden, als wäre es dein eigener; du konntest noch nicht einmal den Tod deines Haustiers ertragen. Versteh mich nicht falsch, mein Sohn – für diese Eigenschaften habe ich dich geliebt. Doch genau diese Eigenschaften haben dich für mich auch nutzlos gemacht.«

»Du hast also geglaubt, ich sei verweichlicht und wertlos«, sagte Jace. »Dann wird es dich wohl überraschen, wenn dein verweichlichter und wertloser Sohn dir jetzt die Kehle durchschneidet.«

»Das haben wir doch schon hinter uns«, verkündete Valentin mit ruhiger Stimme, doch Clary glaubte, Schweißperlen auf seiner Haut glitzern zu sehen, an den Schläfen und an der Kehlgrube. »Das würdest du doch nicht tun. Schon in Renwicks Ruine hast du das nicht gewollt und jetzt willst du es auch nicht.«

»Da irrst du dich«, erwiderte Jace in gemessenem Ton. »Seit dem Tag, an dem ich dich laufen ließ, habe ich es jede Minute bereut. Mein Bruder Max ist heute tot, weil ich dich damals nicht getötet habe. Dutzende, vielleicht Hunderte von Menschen sind tot, weil ich nicht die Hand an dich gelegt habe. Aber ich kenne deine Pläne. Ich weiß, dass du nahezu jeden Schattenjäger in Idris abschlachten willst. Und da frage ich mich, wie viele noch sterben müssen, ehe ich das tue, was ich bereits auf Blackwell's Island hätte tun sollen«, fuhr Jace fort. »Nein, ich *will* dich nicht töten. *Aber ich werde es tun.*«

»Tu das nicht«, widersprach Valentin. »Bitte. Ich möchte nicht . . .«

»Sterben? Niemand möchte sterben, Vater.« Die Spitze von Jace' Schwert sackte tiefer und tiefer, bis sie genau über Valentins Herz schwebte. Jace' Gesicht wirkte vollkommen ruhig – das Gesicht eines Engels, der himmlische Gerechtigkeit bringt. »Hast du noch irgendwelche letzten Worte?«

»Jonathan . . .«

Blut sickerte durch Valentins Hemd, wo die Klingenspitze auf seiner Haut ruhte, und Clary sah vor ihrem inneren Auge Jace, wie er mit zitternder Hand in Renwicks Ruine gestanden hatte, unfähig, seinen Vater zu verletzen. Und wie Valentin ihn verhöhnt hatte: *Komm schon. Stoß mit der Klinge zu. Zehn Zentimeter reichen, vielleicht fünfzehn.* Dieses Mal sah die Lage jedoch vollkommen anders aus: Jace' Hand war völlig ruhig. Und auf Valentins Gesicht spiegelte sich Angst.

»*Letzte Worte*«, zischte Jace. »Hast du noch irgendetwas zu sagen?«

Valentin hob den Kopf und betrachtete den Jungen vor ihm aus schwarzen, ernsten Augen. »Es tut mir leid«, sagte er. »Es tut mir so leid.« Langsam streckte er eine Hand aus, als wolle er Jace noch einmal berühren. Seine Hand drehte sich, seine Finger öffneten sich . . . und dann blitzte etwas Silberfarbenes auf und schoss wie eine Gewehrkugel an Clary vorbei in die Dunkelheit. Sie spürte den Luftsog an ihrer Wange. Im nächsten Moment fing Valentin den Gegenstand auf – eine lange, silberfarbene Klinge, die dunkel in seiner Hand aufflammte, eher er sie hinabsausen ließ.

Mellartach, das Engelsschwert. Es hinterließ eine Spur schwarzen Lichts in der Luft, als Valentin die Klinge tief in Jace' Herz stieß.

Jace' Augen weiteten sich ruckartig. Ein Ausdruck ungläubigen Staunens huschte über sein Gesicht und er schaute an sich hinab bis zu der Stelle, wo Mellartach grotesk aus seiner Brust ragte. Der Anblick wirkte eher bizarr als schrecklich, wie ein Requisit aus einem Albtraum, der keinen Sinn ergab. Im nächsten Moment zog Valentin seine Hand zurück und riss dabei das Schwert aus Jace' Brust, als würde er einen Dolch aus der Scheide ziehen. Sofort fiel Jace auf die Knie, als wäre die Waffe das Einzige gewesen, was ihn noch aufrecht gehalten hätte. Sein eigenes Schwert entglitt seiner Hand und landete auf dem feuchten Boden. Verwirrt starrte er auf die Waffe, als verstünde er nicht, wieso er sie überhaupt gezückt hatte oder warum er sie hatte fallen lassen. Langsam öffnete er den Mund, als wollte er eine Frage stellen, und Blut quoll über seine Lippen, lief am Kinn herab und befleckte die Reste seines zerrissenen Hemdes.

Danach schien sich für Clary alles nur noch in Zeitlupe abzuspielen, als dehnte sich jede Sekunde unendlich aus. Sie sah, wie Valentin zu Boden sank und Jace auf seinen Schoß zog, als wäre er noch ein kleines Kind und könne mühelos gehalten werden. Er zog ihn an sich und wiegte ihn in seinen Armen, dann senkte er sein Gesicht und drückte es gegen Jace' Schulter; und einen Moment lang dachte Clary, er würde vielleicht sogar weinen. Doch als Valentin den Kopf wieder hob, schimmerte keine einzige Träne in seinen Augen. »Mein Sohn«, flüsterte er. »Mein Junge.«

Die schreckliche Dehnung der Zeit wickelte sich um Clary wie ein erdrosselndes Seil, während Valentin Jace im Arm hielt und ihm die blutigen Haare aus der Stirn strich. Er hielt Jace fest, während er starb und das Licht in seinen Augen erlosch. Dann legte Valentin seinen toten Stiefsohn behutsam auf den Boden und verschränkte ihm die Arme vor der Brust, als wollte er die klaffende, blutende Wunde verdecken. »Ave . . .«, setzte er an, um Jace mit dem traditionellen Totengruß der Schattenjäger zu verabschieden, doch dann brach seine Stimme und er wandte sich abrupt ab und marschierte zum Altar zurück.

Clary konnte sich nicht bewegen. Konnte kaum atmen. Sie hörte ihren eigenen Herzschlag, das Kratzen ihres Atems in ihrer trockenen Kehle. Aus dem Augenwinkel sah sie ihren Vater, der am Seeufer stand. Blut strömte von der Klinge des Engelsschwerts und tropfte in den Engelskelch. Valentin psalmodierte Worte, die Clary nicht verstand. Aber es war ihr auch egal. Schon bald würde sowieso alles vorüber sein und der Gedanke stimmte sie fast froh. Sie fragte sich, ob sie wohl noch genügend Kraft besaß, um sich zu Jace hinüberzuschleppen, sich neben ihn zu legen und an seiner Seite das Ende abzuwarten. Mühsam starrte sie zu ihm hinüber, zu seiner reglosen Gestalt im aufgewühlten, blutigen Sand. Seine Augen waren geschlossen, sein Gesicht wirkte ruhig; wenn nicht die klaffende Wunde in seiner Brust gewesen wäre, hätte Clary sich einreden können, dass er nur schlief.

Doch er schlief nicht. Er war ein Schattenjäger – gestorben im Kampf. Er verdiente den letzten Segen. *Ave atque vale.* Clarys Lippen formten die Worte, auch wenn nur warme Luft aus ihrer Kehle drang. Doch nach der Hälfte des Abschiedsgrußes hielt sie abrupt inne. Was sollte sie sagen? Sei gegrüßt und leb wohl, Jace Wayland? Aber das war nicht sein richtiger Name. Er hatte nie einen *eigenen* Namen erhalten, dachte Clary gequält, lediglich den eines toten Kindes, weil das Valentins Zwecken damals gedient hatte. Dabei steckte so viel Macht in einem Namen . . .

Ruckartig hob Clary den Kopf und schaute in Richtung des Altars. Die Runen, die ihn umgaben, hatten zu glühen begonnen. Jetzt erkannte sie auch ihre Bedeutung: Es handelte sich um Beschwörungsrunen, Benennungsrunen und Fesselungsrunen – den Runen nicht unähnlich, die Ithuriel im Keller unter dem Wayland-Herrensitz gefangen gehalten hatten. Regelrecht gegen ihren Willen musste Clary an Jace denken, an die Art und Weise, wie er sie damals mit funkelnden Augen angesehen hatte, voller Vertrauen in ihre Fähigkeiten. Jace hatte sie immer für stark gehalten. Das hatte er ihr wieder und wieder bewiesen, mit jedem Blick und jeder Berührung. Sicher, auch Simon glaubte an sie, aber wenn er sie gehalten hatte, dann wie etwas leicht Zerbrechliches, etwas aus dünnem Glas. Dagegen hatte Jace sie immer mit all seiner Kraft in die Arme genommen, sich nie gefragt, ob sie ihm gewachsen war – er hatte gewusst, dass sie genauso stark war wie er.

Inzwischen tauchte Valentin das blutige Schwert wieder und wieder in den See, während er leise und schnell psalmodierte. Die Oberfläche des Sees begann, sich zu kräuseln, als würden die Finger einer riesigen Hand sanft darüberstreichen.

Clary schloss die Augen. Sie musste an Jace' Blick denken, als sie Ithuriel befreit hatte – und daran, wie er sie jetzt wohl ansehen würde, während sie versuchte, sich neben ihn in den Sand zu legen und zu sterben. Er würde ihr Verhalten nicht für eine noble Geste halten – er wäre wütend auf sie, weil sie einfach aufgab. Er wäre furchtbar *enttäuscht*.

Clary ließ sich auf den Boden sinken, bis sie bäuchlings auf dem Strand lag, die tauben Beine hinter sich. Dann robbte sie langsam auf Knien und gefesselten Händen durch den Sand vorwärts. Das glühende Lichtband um ihre Handgelenke brannte und schmerzte; ihr T-Shirt riss, während sie sich über den Boden hievte, und der Sand schürfte die nackte Haut ihres Bauchs blutig. Doch Clary bemerkte es kaum. Es kostete sie enorme Kraft, sich auf diese Weise vorwärtszuschleppen: Schweißtropfen bildeten sich auf ihrem Rücken, sickerten zwischen den Schulterblättern hindurch. Als sie endlich den Runenkreis um den Altar erreichte, schnaufte sie so laut, dass sie schreckliche Angst hatte, Valentin würde sie hören.

Doch er drehte sich nicht einmal zu ihr um. Er hielt den Engelskelch in der einen und das Engelsschwert in der anderen Hand. Clary beobachtete, wie er mit der rechten Hand ausholte, mehrere Worte sprach, die wie Griechisch klangen, und dann den Kelch kraftvoll in Richtung See warf. Der Kelch schimmerte wie eine Sternschnuppe, während er im hohen Bogen auf das Wasser zuflog und dann mit einem leisen Platscher darin verschwand.

Sofort begann der Runenkreis schwache Hitze zu entwickeln, wie ein glimmendes Feuer. Clary musste sich winden und drehen, um mit der Hand an ihre Stele zu gelangen, die in ihrem Gürtel steckte. Der Schmerz in ihren Handgelenken nahm schlagartig zu, als sie die Finger um den Griff der Stelle krümmte, doch schließlich gelang es ihr, den gläsernen Stab mit einem unterdrückten Seufzer der Erleichterung aus dem Gürtel zu ziehen.

Da sie ihre Handgelenke nicht auseinanderbewegen konnte, umfasste sie die Stele ungelenk mit beiden Händen. Dann robbte sie sich mit den Ellbogen bis dicht an den Runenkreis heran und schaute auf die Zeichen hinab, deren Hitze sie nun im Gesicht spüren konnte. Inzwischen leuchteten die Runen so hell wie Elbenlicht. Valentin hielt das Engelsschwert bereit, um es ebenfalls in den See zu schleudern; er psalmodierte gerade die abschließenden Worte der Beschwörungsformel. Mit letzter Kraft rammte Clary die Spitze der Stele in den Sand und begann zu zeichnen, wobei sie Valentins Runen jedoch nicht verwischte, sondern mit ihrem eigenen Muster überlagerte und eine neue Rune über das Zeichen schrieb, das seinen Namen symbolisierte. Solch eine winzige Rune, dachte Clary, solch eine winzige Veränderung – in nichts mit ihrer mächtigen Allianz-Rune oder dem Kainsmal zu vergleichen.

Aber zu mehr war sie nicht mehr fähig. Erschöpft rollte sie sich auf die Seite – genau in dem Moment, in dem Valentin ausholte und das Engelsschwert warf.

Mellartach wirbelte kopfüber um die eigene Achse – ein schwarz-silberner Schatten, der sich nahtlos in das Schwarzsilber des Gewässers fügte. Als das Schwert in der Seemitte landete, spritzte eine gewaltige Wasserfontäne hoch, eine Blüte aus platingrauen Tropfen. Die Fontäne stieg höher und höher, wie ein Geysir aus flüssigem Silber, wie aufwärts fallender Regen. Gleichzeitig ertönte ein gewaltiges Dröhnen, wie das Geräusch von brechendem Eis oder einem kalbenden Gletscher – und dann schien der See förmlich zu explodieren: silberne Tropfen, die wie ein umgekehrter Hagelschauer in alle Richtungen spritzten.

Und innerhalb des Hagelsturms stieg der Engel empor. Clary war sich nicht sicher, was sie erwartet hatte – vielleicht jemanden wie Ithuriel, aber Ithuriel war von den vielen Jahren der Gefangenschaft und Folter geschwächt gewesen. Doch hier stieg ein Engel in seiner ganzen Pracht aus den Fluten auf und Clarys Augen begannen zu brennen, als würde sie in die Sonne starren.

Valentin ließ die Hände sinken und schaute mit einem verzückten Ausdruck im Gesicht wie gebannt gen Himmel – ein Mann, der miterlebte, wie sein größter Wunsch in Erfüllung ging. »*Raziel*«, stieß er atemlos hervor.

Der Engel stieg weiter und weiter empor, als würde der See unter ihm sich senken und eine gewaltige Marmorsäule in seiner Mitte freigeben. Zunächst tauchte Raziels Haupt aus den Fluten auf, mit fließenden Haaren wie Ketten aus Silber und Gold. Dann die Schultern, weiß wie Stein, gefolgt vom nackten Torso, der über und über mit Runen bedeckt war, allerdings mit goldenen, lebendigen Malen, die wie aufsteigende Funken über seine weiße Haut zuckten. Irgendwie erschien der Engel zugleich gigantisch und doch nicht größer als ein Mensch: Clary schmerzten die Augen beim Versuch, ihn in seiner ganzen Pracht aufzunehmen, und dennoch konnte sie nichts anderes sehen. Während er weiter aufstieg, entfalteten sich hinter seinem Rücken zwei gewaltige Schwingen mit goldenen Federn, von denen jede einzelne mit einem großen goldenen Auge bestückt war.

Der Anblick des Engels war atemberaubend und Furcht einflößend zugleich. Clary wollte die Augen abwenden, doch es gelang ihr nicht. Sie würde sich alles ansehen . . . sie würde für Jace zuschauen, weil er es nicht mehr konnte.

Es sieht genauso aus wie auf den Bildern, dachte sie: Der aus dem See emporsteigende Engel, das Schwert in der einen und den Kelch in der anderen Hand. Wasser strömte von den Engelsinsignien herab, während Raziel vollkommen trocken aus den Fluten stieg; kein Tropfen schimmerte auf seinen Schwingen. Seine weißen, nackten Füße standen auf der Oberfläche des Sees, dessen Wasser zu kleinen Kräuseln aufgeworfen wurde. Sein überirdisch schönes Gesicht neigte sich langsam nach vorne und schaute schließlich auf Valentin herab.

Und dann sprach der Engel.

Seine Stimme klang wie ein Schrei und wie ein Ruf und wie Musik – alles zugleich. Und obwohl das, was er sagte, nicht aus Worten bestand, war er klar und deutlich zu verstehen. Die Kraft seines Atems warf Valentin beinahe um; verbissen grub er die Fersen seiner Stiefel in den Sand, während sein Kopf leicht nach hinten gedrückt wurde, als kämpfte er gegen einen Sturm an. Clary spürte, wie der Wind des Engelsatems über sie hinwegstreifte – heiß wie die Luft aus einem glühenden Ofen und erfüllt vom Aroma exotischer Gewürze.

Es sind tausend Jahre vergangen, seit ich das letzte Mal an diesem Ort heraufbeschworen wurde, sprach Raziel. *Damals hat Jonathan Shadowhunter mich herbeigerufen und mich gebeten, mein Blut mit dem der Irdischen in einem Kelch zu mischen und ein Volk von Kriegern zu erschaffen, das das Antlitz der Erde von allen Dämonen befreien würde. Ich habe seinem Wunsch entsprochen und ihm gesagt, dass er keine weitere Hilfe erwarten könne. Also, warum hast du mich nun heraufbeschworen, Nephilim?*

»Eintausend Jahre sind verstrichen, oh glorreicher Himmelsfürst«, erwiderte Valentin mit erwartungsvoller Stimme, »doch das Dämonengeschlecht ist noch immer hier.«

Was hat das mit mir zu tun? Eintausend Jahre verstreichen für einen Engel zwischen zwei Wimpernschlägen.

»Die Nephilim, die Ihr erschaffen habt, waren ein großartiges Volk. Viele Jahre lang haben sie mutig gekämpft, um diese Welt vom Gift der Dämonen zu befreien. Doch letztendlich haben sie versagt – aufgrund von Schwäche und Korruption in den eigenen Reihen. Ich beabsichtige, die Nephilim wieder zu alter Größe zurückzuführen, zu früherer Pracht und Herrlichkeit, zu Ruhm und Ehre . . .«

Ehre? Der Engel klang fast neugierig, als wäre ihm das Wort fremd. *Ehre gebührt Gott allein.*

Doch Valentin ließ sich nicht beirren. »Der Rat, wie er zu Zeiten der ersten Nephilim geschaffen wurde, existiert nicht länger. Seine Mitglieder haben sich mit Schattenwesen verbündet, von Dämonen befallenen Unmenschen, die diese Welt heimsuchen wie Flöhe den Kadaver einer Ratte. Ich habe die feste Absicht, diese Welt zu reinigen, zu läutern . . . jedes Schattenwesen zu vernichten, zusammen mit jedem Dämon . . .«

Dämonen besitzen keine Seele. Doch die Wesen, von denen du sprichst, die Kinder des Mondes, die Kinder der Nacht, Liliths Kinder und die Feenkinder – sie alle haben eine Seele. Mir scheint, deine Maßstäbe dafür, was einen Menschen ausmacht und was nicht, sind strenger als unsere eigenen. Clary hätte schwören können, dass in der Stimme des Engels eine leicht belustigte Note mitschwang. *Beabsichtigst du, den Himmel herauszufordern – so wie jener andere Morgenstern, dessen Namen du trägst, Schattenjäger?*

»Nein, ich will den Himmel nicht herausfordern, nein, mein Fürst Raziel. Ich will mich mit dem Himmel verbünden . . .«

In einem von dir angezettelten Krieg? Wir sind der Himmel, Schattenjäger. Wir kämpfen nicht in deinen irdischen Schlachten.

Als Valentin seine Erwiderung formulierte, klang er fast gekränkt: »Himmelsfürst Raziel, Ihr hättet doch sicher nicht die
Existenz eines Rituals zugelassen, mit dem Ihr heraufbeschworen werdet, wenn Ihr gar nicht die Absicht habt, dass
man Euch herbeiruft? Wir Nephilim sind Eure Kinder. Wir
brauchen Eure Führung.«

Führung? Nun klang der Engel wirklich belustigt. *Das ist ja
wohl kaum der Grund, warum du mich herbeigerufen hast. Dir geht
es vielmehr um dein eigenes Ansehen.*

»Ansehen?«, wiederholte Valentin heiser. »Für diese Aufgabe
habe ich alles hingegeben. Meine Frau. Meine Kinder. Ich habe meine Söhne nicht verschont. Alles, was ich besitze, habe
ich für dies hier hingegeben – *alles.*«

Eine Weile schwebte der Engel einfach nur über dem See
und blickte aus seinen seltsamen, überirdischen Augen auf Valentin hinab, während seine Schwingen sich bedächtig vor
und zurück bewegten, wie langsam über den Himmel ziehen-
de Wolken. Doch schließlich sprach er: *Gott hat Abraham aufgefordert, seinen Sohn zu opfern . . . auf einem Altar, der diesem
sehr ähnelt . . . um herauszufinden, wen Abraham mehr liebte, Isaak
oder Gott. Doch niemand hat dich aufgefordert, deinen Sohn zu opfern, Valentin.*

Valentin schaute auf den Altar zu seinen Füßen, der mit Jace'
Blut besprizt war, und dann wieder zum Engel. »Wenn Ihr mir
keine andere Wahl lasst, werde ich Eure Gunst von Euch einfordern«, erklärte er. »Aber es wäre mir bedeutend lieber,
wenn Ihr mir freiwillig zustimmt.«

*Als Jonathan Shadowhunter mich herbeigerufen hat, habe ich ihm
meine Unterstützung gewährt, weil ich erkennen konnte, dass sein*

Traum von einer Welt ohne Dämonen aufrichtig war. Er träumte von einem Himmel auf Erden. Doch du träumst nur von deinem eigenen Ruhm und den Himmel liebst du schon gar nicht. Mein Bruder Ithuriel kann das bezeugen, erwiderte Raziel.

Valentin erbleichte. »Aber . . .«

Hast du wirklich geglaubt, ich hätte davon nicht gewusst? Der Engel lächelte – das furchteinflößendste Lächeln, das Clary je gesehen hatte. *Es stimmt, dass der Gebieter des Kreises, den du gezeichnet hast, von mir eine Gunst einfordern kann. Doch du bist nicht dieser Gebieter.*

Valentin starrte ihn ratlos an. »Mein Fürst Raziel . . . hier ist sonst niemand . . .«

Oh doch, hier ist sehr wohl noch jemand, erwiderte der Engel. *Deine Tochter.*

Valentin wirbelte herum. Clary, die halb bewusstlos im Sand lag, mit schmerzhaft verkrümmten Armen und Handgelenken, starrte herausfordernd zurück. Einen kurzen Moment trafen sich ihre Blicke – und Valentin sah sie an, sah sie scharf an und Clary erkannte, dass ihr Vater ihr in diesem Moment zum allerersten Mal ins Gesicht geschaut und sie wirklich *gesehen* hatte. Das erste und einzige Mal.

»Clarissa«, flüsterte er. »Was hast du getan?«

Clary streckte die Hand aus und schrieb mit einem Finger etwas in den Sand zu seinen Füßen – keine Runen, sondern Worte: Die Worte, die er geflüstert hatte, als er zum ersten Mal sah, wozu sie fähig war . . . als sie die Rune gezeichnet hatte, die sein Schiff zerstörte.

MENE, MENE, TEKEL, UPHARSIN.

Valentins Augen weiteten sich – genau wie Jace' kurz vor

seinem Tod – und er wurde kreidebleich. Langsam wandte er sich dem Engel zu, hob die Hände zu einer flehentlichen Geste. »Mein Fürst Raziel . . .«

Der Engel öffnete den Mund und spie. Zumindest sah es für Clary so aus – der Engel spie und aus seinem Mund schoss ein weiß glühender Funke, wie ein brennender Pfeil. Der Pfeil flog in schnurgerader Linie über das Wasser und bohrte sich in Valentins Brust. Vielleicht war »bohrte« aber auch nicht der richtige Ausdruck – er *schlug* durch Valentin hindurch wie ein Stein durch dünnes Papier und hinterließ ein rauchendes Loch von der Größe einer Faust. Einen Moment lang konnte Clary durch die Brust ihres Vaters hindurchsehen, den See und den feurigen Schein des Engels erkennen.

Der Moment verstrich wie in Zeitlupe. Dann stürzte Valentin wie ein gefällter Baum zu Boden und blieb reglos liegen – die Lippen zu einem stummen Schrei geöffnet, die Augen auf ewig zu einem letzten Blick ungläubiger Wut verengt.

Das war die himmlische Gerechtigkeit. Ich hoffe, du bist nicht entsetzt.

Sprachlos schaute Clary auf. Der Engel schwebte über ihr wie ein Turm aus weißen Flammen, der den Blick auf den Himmel verdeckte. Seine Stimme klang wie der Zusammenprall gewaltiger Gebirgsmassen.

Du kannst eine Gunst von mir einfordern, Clarissa Morgenstern. Wie lautet dein Wunsch?

Clary öffnete den Mund, aber kein Laut kam über ihre Lippen.

Ach, ja, sagte der Engel mit deutlich sanfterer Stimme. *Die Rune.* Die zahlreichen Augen auf seinen Schwingen blinzelten, dann streifte etwas über Clarys Körper – etwas Weiches, weicher als Seide und jeder andere Stoff, sanfter als ein Flüstern oder der Hauch einer Feder. So mussten sich Wolken anfühlen, überlegte sie. Ein schwacher Duft begleitete die Berührung – ein angenehmer Duft, betörend und süß.

Sofort fielen die Fesseln um Clarys Handgelenke ab und der Schmerz ließ nach. Auch das Brennen im Nacken war verschwunden, genau wie das Gefühl der Schwere in ihren Beinen. Langsam rappelte Clary sich auf. Mehr als alles andere in der Welt wünschte sie sich, einfach nur durch den blutigen Sand zu robben, zu der Stelle, an der Jace' Leichnam lag, zu ihm hinzukriechen, sich neben ihn zu legen und die Arme um ihn zu schlingen, auch wenn er von ihr gegangen war. Doch die Stimme des Engels hielt sie zurück; sie rührte sich nicht von der Stelle und starrte hinauf in sein strahlend goldenes Licht.

Die Schlacht in der Brocelind-Ebene nähert sich ihrem Ende. Morgensterns Macht über seine Dämonen schwand mit seinem Tod dahin. Schon jetzt fliehen viele Hals über Kopf und auch die restlichen werden bald vernichtet sein. Bereits in diesem Moment sind Nephilim auf dem Weg zu diesem See. Wenn du also einen Wunsch hast, Schattenjägerin, dann äußere ihn jetzt. Der Engel schwieg einen Moment und fuhr dann fort: *Und denk daran: Ich bin nicht der Allmächtige. Wähle deinen Wunsch weise.*

Clary zögerte – nur einen Augenblick, doch der Augenblick kam ihr unendlich vor. Sie könnte den Engel um alles Mögliche bitten, überlegte sie benommen – um was immer sie wollte: das Ende allen Hungers auf Erden, aller Schmerzen, aller Krankheiten. Weltfrieden. Andererseits lagen diese Dinge vielleicht gar nicht in der Macht eines Engels, denn sonst wären sie sicher längst gewährt worden. Oder die Menschheit musste selbst eine Lösung für diese Probleme finden.

Doch das alles spielte ohnehin keine Rolle. Letztendlich gab es auf dieser Welt nur eines, worum sie bitten konnte, nur einen einzigen Wunsch.

Clary hob die Augen und schaute den Engel an.

»Jace«, flüsterte sie.

Der Ausdruck des Engels blieb unverändert. Clary hatte keine Ahnung, ob Raziel ihre Bitte für weise hielt oder nicht – oder ob er ihren Wunsch überhaupt erfüllen wollte, überlegte sie, von plötzlicher Panik erfüllt.

Schließ die Augen, Clarissa Morgenstern, sprach der Engel.

Und Clary schloss die Augen – schließlich widersprach man einem Engel nicht, ganz gleich, was er vorhatte. Mit pochendem Herzen saß sie da und versuchte angestrengt, nicht an Jace zu denken. Doch sein Gesicht tauchte wie von selbst vor dem leeren dunklen Hintergrund ihrer geschlossenen Augenlider auf. Allerdings lächelte er sie nicht direkt an, sondern warf ihr nur kurz aus den Augenwinkeln einen Blick zu, sodass Clary die Narbe an seiner Schläfe sehen konnte, die spöttisch geschürzten Lippen und die silbern schimmernde Blessur an seiner Kehle, wo Simon ihn gebissen hatte: sämtliche Narben und Makel und Unvollkommenheiten, die den Menschen ausmachten, den Clary mehr als jeden anderen auf der Welt liebte. *Jace.* Ein strahlendes Licht färbte ihre Vision in einem leuchtenden Scharlachrot und Clary sank rückwärts in den Sand und fragte sich, ob sie in Ohnmacht fallen oder vielleicht sogar sterben würde. Aber sie wollte nicht sterben – nicht jetzt, wo sie Jace' Gesicht so deutlich vor sich sehen konnte. Sie glaubte sogar, seine Stimme zu hören, die ihren Namen rief, so wie damals in Renwicks Ruine, als er wieder und wieder ihren Namen geflüstert hatte: *Clary. Clary. Clary.*

»Clary«, sagte Jace. »Öffne die Augen.«

Und Clary öffnete die Augen.

Sie lag im Sand, in ihren zerrissenen, nassen und blutbeschmierten Sachen. So weit hatte sich also nichts verändert. Was sich jedoch verändert hatte, war die Tatsache, dass der Engel verschwunden war und mit ihm das blendende weiße Licht, das die Finsternis taghell erleuchtet hatte. Clary schaute hinauf in den Nachthimmel, zu den Sternen, die wie Spiegel in der Dunkelheit funkelten, und dann in zwei Augen, die auf sie hinabblickten und deren Licht stärker leuchtete als jeder Stern – Jace.

Begierig sog sie seinen Anblick in sich auf, jeden Zentimeter von ihm – von den zerzausten Haaren über sein blutverschmiertes, schlammbespritztes Gesicht bis hin zu den schmutzumrandeten Augen; von den Blutergüssen unter seinen aufgeschlitzten Ärmeln bis zu der blutgetränkten, zerrissenen Brust seines Hemdes, unter der seine nackte Haut schimmerte. Doch keine Narbe und keine klaffende Wunde zeugten noch von der Stelle, wo das Schwert ihn durchbohrt hatte. Clary konnte den Pulsschlag in seiner Kehlgrube erkennen und hätte fast die Arme um ihn geschlungen, weil dies bedeutete, dass sein Herz schlug und dass . . .

»Du lebst«, flüsterte sie. »Du lebst wirklich.«

Mit einem Ausdruck größter Verwunderung hob er die Hand, um sanft ihr Gesicht zu berühren. »Ich war in der Dunkelheit«, sagte er leise. »Dort gab es nichts außer Schatten und auch ich war ein Schatten . . . und ich wusste, dass ich tot war, dass es vorbei war, alles vorbei war. Doch dann hörte ich deine Stimme. Ich hörte, wie du meinen Namen gesagt hast, und das hat mich zurückgebracht.«

»Nicht ich – der Engel hat dich zurückgebracht«, flüsterte Clary mit einem Kloß im Hals.

»Weil du ihn darum gebeten hast.« Schweigend zeichnete Jace mit einem Finger die Konturen ihres Gesichts nach, als müsse er sich vergewissern, dass sie kein Traum, sondern Wirklichkeit war. »Du hättest dir alles auf der Welt wünschen können, doch du hast dir mich gewünscht.«

Lächelnd schaute Clary zu ihm auf. Obwohl er vor Dreck starrte und von Kopf bis Fuß mit Blut und Schlamm bedeckt war, hatte sie in ihrem Leben noch nie etwas Schöneres gesehen. »Aber ich will gar nichts anderes auf der Welt.«

In dem Moment flammte das bereits warme Licht in seinen Augen zu solcher Helligkeit auf, dass Clary kaum hinsehen konnte. Sie musste an den Engel denken – daran, dass er wie Tausende Fackeln gestrahlt hatte und dass in Jace' Adern ebenfalls Spuren dieses weiß glühenden Blutes flossen und dass dieses Leuchten aus ihm herausstrahlte, aus seinen Augen, wie Licht durch die Ritzen einer Tür.

Ich liebe dich, wollte Clary sagen und: *Ich würde es immer wieder tun. Ich würde mir immer nur dich wünschen.* Doch stattdessen stieß sie schließlich etwas ganz anderes hervor.

»Du bist nicht mein Bruder«, sprudelte es aus ihr heraus, weil sie es ihm gar nicht schnell genug mitteilen konnte. »Aber das weißt du, oder?«

Langsam, sehr langsam breitete sich ein Lächeln auf Jace' blutigem, dreckigem Gesicht aus. »Ja«, grinste er. »Ja, das weiß ich.«

EPILOG
MIT STERNEN AN DEN HIMMEL GESCHRIEBEN

———◆———

Dich habe ich geliebt, deshalb zog ich diese
Männerfluten an mich und schrieb mit Sternen
meinen Willen droben an den Himmel

T. E. Lawrence

Der Rauch stieg in einer trägen Spirale auf und zeichnete feine schwarze Linien an den klaren Himmel. Jace saß allein auf dem Hügel oberhalb des Friedhofs, die Ellbogen auf die Knie gestützt, und beobachtete die nach oben steigenden Schwaden. Welch eine Ironie des Schicksals: Das war alles, was von seinem Vater übrig geblieben war.

Von seinem Platz aus konnte er die von Flammen und Qualm umgebene Totenbahre sehen und die kleine Gruppe von Trauergästen, die sich darum versammelt hatte. Jocelyn erkannte er sofort an ihren leuchtend roten Haaren; neben ihr stand Luke, eine Hand auf ihrer Schulter. Jocelyn hatte den Kopf abgewandt, fort von dem brennenden Scheiterhaufen.

Jace hätte zu dieser Gruppe gehören können, wenn er es gewollt hätte. Er war am Morgen aus dem Krankenhaus entlassen worden, wo er die letzten Tage verbracht hatte, und hatte sich sofort auf den Weg zur Einäscherung gemacht. Doch als er sich dem Scheiterhaufen näherte – einem Stapel entrindeter Baumstämme, so weiß wie Knochen –, war ihm schlagartig bewusst geworden, dass er keinen Schritt weitergehen konnte. Er hatte auf dem Absatz kehrtgemacht und war den Hügel hinaufgeklettert, statt dem Trauerzug zu folgen. Luke hatte ihm noch nachgerufen, doch Jace hatte sich nicht mehr umgedreht.

Schweigend hatte er vom Hügel zugesehen, wie sich die Trauergemeinde um die Totenbahre versammelte und wie Patrick Penhallow in seiner pergamentweißen Robe den Holzstapel mit einer Fackel entzündete. Es war das zweite Mal innerhalb einer Woche, dass Jace einer Einäscherung beiwohnte, aber im Gegensatz zu Max' herzzerreißend kleiner Kinderleiche waren Valentins sterbliche Überreste – selbst flach auf dem Rücken liegend, mit verschränkten Armen vor der Brust und einer Seraphklinge in der Faust – überraschend groß. Wie es die Tradition verlangte, hatte man ihm die Augen mit einem weißen Seidenband für immer geschlossen und auch sonst alle Riten beachtet – trotz allem, was Valentin getan hatte, überlegte Jace.

Sebastian hatte man dagegen nicht bestattet. Eine Gruppe Schattenjäger war zum Tal aufgebrochen, hatte seinen Leichnam aber nicht finden können – vermutlich war er vom Fluss fortgespült worden, hatte man Jace erzählt, doch er war sich dessen nicht so sicher.

Jace hielt in der Menge um die Totenbahre nach Clary Ausschau, konnte sie aber nirgends entdecken. Seit den Ereignissen am See vor zwei Tagen hatte er sie nicht mehr gesehen und er vermisste sie mit jeder Faser seines Körpers. Es war nicht ihre Schuld, dass sie sich danach nicht gesprochen hatten: In jener Nacht am See hatte sie zu Recht befürchtet, dass er für einen Portaltransport nach Alicante zu schwach war. Als die ersten Schattenjäger bei ihnen eintrafen, hatte er sich bereits in einem komaartigen Dämmerzustand befunden. Erst am nächsten Tag war er im Krankenhaus aufgewacht, mit Magnus Bane an seinem Bett, der ihn mit einem merkwürdigen Gesichtsausdruck musterte – allerdings ließ sich bei dem Hexenmeister nur schwer sagen, ob es sich um tiefe Besorgnis oder reine Neugier handelte. Magnus erzählte ihm, dass der Erzengel Jace zwar körperlich geheilt hatte, aber dass sein Geist und sein Verstand derart erschöpft waren, dass nur noch ausgiebige Bettruhe half. Jedenfalls fühlte Jace sich nun deutlich besser – gerade noch rechtzeitig für die Bestattung.

Nach einer Weile kam Wind auf und blies den Rauch fort. In der Ferne konnte Jace die schimmernden Türme Alicantes erkennen, deren Kräfte vollständig wiederhergestellt waren. Er war sich nicht sicher, was er sich davon versprach, hier oben zu sitzen und die Einäscherung seines Vaters zu beobachten – oder was er möglicherweise gesagt hätte, wenn er bei der Trauergemeinde geblieben wäre und ihre letzten Worte an Valentin mit angehört hätte. *Du warst nie mein richtiger Vater,* hätte er vielleicht gesagt oder *Du warst der einzige Vater, den ich je gekannt habe.* Beide Aussagen trafen gleichermaßen zu, auch wenn sie sich gegenseitig zu widersprechen schienen.

Als Jace am See die Augen aufgeschlagen hatte – im Wissen, dass er tot gewesen, nun aber wieder unter die Lebenden zurückgekehrt war –, konnte er nur an einen Menschen denken: Clary, die wenige Meter von ihm mit geschlossenen Augen im blutüberströmten Sand lag. Von plötzlicher Panik erfüllt war er zu ihr gekrochen, in der Annahme, dass sie verletzt oder vielleicht sogar tot war. Und als sie dann die Augen geöffnet hatte, war er nur von einem Gedanken beherrscht gewesen: Sie lebte! Erst viel später, als andere Schattenjäger ihm auf die Beine halfen und ihre Verwunderung über die Szenerie gar nicht fassen konnten, sah er Valentins Leichnam zusammengekrümmt am Seeufer liegen, und die Erkenntnis, dass er wirklich tot war, traf ihn wie ein Faustschlag in den Magen. Jace hatte sich zwar gewünscht, dass Valentin tot war – er hätte ihn schließlich selbst gern töten wollen –, doch der Anblick seiner sterblichen Überreste schmerzte ihn trotz allem sehr. Clary hatte ihn mit traurigen Augen angesehen und in dem Moment hatte er gewusst, dass sie trotz ihres Hasses auf Valentin – zu dem sie allen Grund besaß – dennoch Jace' Verlust spürte.

Langsam schloss Jace die Augen und eine Flut von Bildern zeichnete sich auf der Innenseite seiner Lider ab: Valentin, der ihn schwungvoll aus dem Gras hochhob und in die Arme nahm; Valentin, der ihn im Bug eines Kanus festhielt und ihm zeigte, wie man das Boot im Gleichgewicht hielt. Aber auch andere, düstere Erinnerungen kehrten zurück: Valentins

Hand, die ihm ins Gesicht schlug; ein toter Falke; der in Ketten geschlagene Engel im Keller des Wayland-Herrensitzes.

»Jace.«

Überrascht schaute Jace auf. Vor ihm stand Luke, eine schwarze Silhouette vor der blendenden Sonne. Er trug eine Jeans und sein übliches Karohemd – keine Zugeständnisse an die traditionelle weiße Trauerkleidung.

»Die Zeremonie ist vorbei«, erklärte Luke. »Das Ganze ging ziemlich schnell über die Bühne.«

»Kann ich mir vorstellen.« Jace grub die Finger in das Gras neben seinen Beinen und begrüßte den Schmerz, den die Erde und die Steine unter seinen Fingernägeln verursachten. »Hat irgendjemand etwas gesagt?«

»Nur die üblichen Worte.« Bedächtig ließ Luke sich neben Jace auf dem Boden nieder und zuckte dabei leicht zusammen. Jace hatte ihn nicht gefragt, wie die Schlacht verlaufen war – er hatte es gar nicht hören wollen. Ihm reichte das Wissen, dass der Kampf schneller vorüber gewesen war, als alle erwartet hatten: Nach Valentins Tod waren die von ihm heraufbeschworenen Dämonen schlagartig geflohen und aus dieser Welt verschwunden wie Nebel in der Sonne. Doch das bedeutete nicht, dass es keine Toten zu beklagen gab. Valentins Leichnam war nicht der einzige Leichnam, den man in den vergangenen Tagen in Alicante verbrannt hatte.

»Und Clary war nicht . . . ich meine, sie ist nicht . . .«

»Zum Begräbnis gekommen? Nein. Sie wollte nicht.« Jace spürte, dass Luke ihm einen Seitenblick zuwarf. »Hast du sie denn nicht mehr gesehen? Nicht seit . . .«

»Nein, seit den Ereignissen am See nicht mehr«, erklärte

Jace. »Ich bin erst heute Morgen aus dem Krankenhaus entlassen worden und musste einfach hierherkommen.«

»Das hättest du nicht tun müssen«, erwiderte Luke. »Du hättest auch fortbleiben können.«

»Ich wollte es aber«, räumte Jace ein. »Was immer das auch über mich aussagen mag.«

»Beerdigungen sind für die Lebenden, Jace, nicht für die Toten. Valentin war eher dein Vater als Clarys, auch wenn ihr beide nicht miteinander verwandt wart. Du bist derjenige, der sich verabschieden muss . . . derjenige, der ihn vermissen wird.«

»Ich hätte nicht gedacht, dass ich ihn vermissen darf.«

»Stephen Herondale hast du nie kennengelernt und zu Robert Lightwood bist du erst gekommen, als du den Kinderschuhen schon fast entwachsen warst«, sagte Luke. »Valentin war der Vater deiner Kindheit. Er sollte dir fehlen.«

»Ich muss ständig an Hodge denken«, überlegte Jace laut. »Oben in der Garnison hab ich ihn wieder und wieder gefragt, warum er mir nie gesagt hat, wer ich wirklich bin. Damals hab ich noch geglaubt, ich hätte Dämonenblut in meinen Adern. Und Hodge hat darauf geantwortet, er hätte nichts gesagt, weil er es nicht gewusst hätte – was ich für eine Lüge hielt. Doch jetzt denke ich, dass er es ernst gemeint hat. Er war einer der wenigen Menschen, die überhaupt von der Existenz des Herondale-Babys wussten, davon, dass es lebte. Und als ich Jahre später im Institut auftauchte, hatte er keine Ahnung, welchen Sohn Valentin ihm geschickt hatte. Den leiblichen oder den adoptierten. Schließlich hätte ich beides sein können – Dämon oder Engel. Und ich glaube, es ist ihm erst klar geworden, als er Jonathan in der Garnison sah. Das heißt also, dass er all die Jahre lang sein Bestes getan hat, um mich zu erziehen – zumindest so lange, bis Valentin wieder aufkreuzte. Das muss ein ziemliches Gottvertrauen erfordert haben, meinst du nicht?«

»Stimmt«, bestätigte Luke.

»Hodge meinte, er hätte gehofft, dass die Erziehung möglicherweise die entscheidende Rolle spielte – ganz gleich welches Blut auch in meinen Adern floss. Daran muss ich immer wieder denken: Wenn ich bei Valentin geblieben wäre . . . wenn er mich nicht zu den Lightwoods geschickt hätte, wäre ich dann genauso geworden wie Jonathan? Wäre das der Mensch, der ich jetzt wäre?«

»Spielt das denn eine Rolle?«, fragte Luke. »Du bist, wer du bist – und zwar aus einem ganz bestimmten Grund. Und wenn du mich fragst, hat Valentin dich zu den Lightwoods geschickt, weil er wusste, dass das für dich das Beste war. Sicher, möglicherweise hatte er auch andere Gründe. Aber du kommst nicht um die Tatsache herum, dass er dich zu Menschen geschickt hat, von denen er wusste, dass sie dich lieben und liebevoll erziehen würden. Möglicherweise war dies das Einzige, was er jemals für einen anderen Menschen getan hat.« Luke klopfte Jace aufmunternd auf die Schulter – eine solch väterliche Geste, dass Jace fast grinsen musste. »Wenn ich du wäre, würde ich das niemals vergessen.«

Clary schaute aus Isabelles Fenster und beobachtete den Rauch, der den Himmel über Alicante mit Schlieren überzog, wie eine schmierige Hand auf einer Glasscheibe. Sie wusste, dass in dieser Stunde Valentin verbrannt, dass ihr eigener Vater eingeäschert wurde, draußen in der Nekropole vor den Toren der Stadt.

»Du weißt doch von dem Fest heute Abend, oder?«, hörte Clary in dem Moment Isabelles Stimme. Die junge Schattenjägerin stand hinter ihr und hielt zwei Kleider hoch, ein blaues und ein stahlgraues. »Was meinst du, welches soll ich anziehen?«, fragte sie.

Für Isabelle würde Kleidung immer wie eine Therapie wirken, dachte Clary und zeigte auf das linke Kleid: »Das blaue.«

Sorgfältig legte Isabelle die beiden Kleider auf das Bett. »Und was willst du tragen? Du kommst doch zu dem Fest, oder?«

Clary dachte an das silberfarbene Seidenkleid auf dem Boden von Amatis' Truhe, an den federleichten Stoff mit den feinen Trägern; aber wahrscheinlich würde Amatis es ihr niemals leihen. »Keine Ahnung«, erklärte sie. »Vermutlich Jeans und T-Shirt und darüber meinen grünen Umhang.«

»Wie langweilig«, schnaubte Isabelle und warf Aline einen Blick zu, die in einem Sessel neben dem Bett saß und las. »Findest du das nicht auch furchtbar langweilig?«

»Ich finde, du solltest Clary tragen lassen, was sie will.« Aline schaute nicht einmal von ihrem Buch auf. »Außerdem ist es ja nicht so, als würde sie sich für jemand Besonderen zurechtmachen.«

»Sie macht sich für Jace zurecht!«, erwiderte Isabelle, als wäre es das Naheliegendste der Welt. »Und dazu hat sie auch allen Grund.«

Verwirrt blickte Aline auf, blinzelte ein paarmal und lächelte dann. »Oh ja, stimmt. Das vergesse ich immer wieder. Muss doch merkwürdig sein zu wissen, dass er nicht dein Bruder ist, oder?«, wandte sie sich an Clary.

»Nein, überhaupt nicht«, erklärte Clary mit fester Stimme. »Die Vorstellung, er sei mein Bruder, war merkwürdig. Aber das hier fühlt sich . . . fühlt sich richtig an.« Sie drehte sich wieder zum Fenster. »Allerdings hab ich ihn danach nicht mehr gesehen – nicht seitdem wir wieder in Alicante sind.«

»Eigenartig«, sagte Aline.

»Das ist überhaupt nicht eigenartig«, widersprach Isabelle und warf Aline einen bedeutungsschwangeren Blick zu, den diese aber nicht zu bemerken schien. »Jace war im Krankenhaus und ist erst heute entlassen worden.«

»Und dann ist er nicht direkt zu dir gekommen?«, fragte Aline Clary.

»Er konnte nicht«, sagte Clary. »Er musste zu Valentins Beerdigung. Das ist doch wohl selbstverständlich.«

»Ja, vielleicht«, erwiderte Aline unbekümmert. »Aber vielleicht interessiert er sich auch nicht mehr für dich. Jetzt, da es nichts Verbotenes mehr ist. Manche Leute wollen nur das, was sie nicht haben können.«

»Jace aber nicht«, warf Isabelle rasch ein. »So ist er nicht.«

Aline stand auf und ließ das Buch auf das Bett fallen. »Ich sollte mich langsam mal umziehen. Wir sehen uns nachher?«, fragte sie und spazierte, ohne eine Antwort abzuwarten, summend aus dem Zimmer.

Kopfschüttelnd schaute Isabelle ihr nach. »Glaubst du, sie mag dich nicht?«, fragte sie. »Vielleicht ist sie ja eifersüchtig – eine Weile schien sie zumindest an Jace interessiert zu sein.«

»Ha!«, stieß Clary hervor, einen kurzen Moment amüsiert. »Nein, sie interessiert sich nicht für Jace. Ich denke, sie gehört einfach nur zu der Sorte von Leuten, die mit allem herausplatzen, was ihnen gerade durch den Kopf geht. Und möglicherweise hat sie ja sogar recht.«

Isabelle zog eine lange Haarnadel aus ihrem Knoten und ließ die Haare auf die Schultern herabfallen, während sie den Raum durchquerte und sich neben Clary ans Fenster stellte. Der Himmel hatte sich inzwischen gelichtet und der Rauch war verschwunden. »Glaubst *du* denn, dass sie recht hat?«, fragte sie.

»Ich weiß es nicht. Vermutlich muss ich das Jace fragen. Ich schätze, ich sehe ihn heute Abend bei der Party . . . bei der Siegesfeier oder wie das auch immer heißt.« Clary wandte sich Isabelle zu. »Hast du eine Ahnung, was da genau passieren wird?«

»Na ja, auf jeden Fall wird eine Parade stattfinden und vermutlich auch ein Feuerwerk«, erklärte Isabelle. »Außerdem Musik, Tanz, Spiele, diese Sorte von Vergnügungen. Wie eine große Straßenparty in New York.« Mit einem wehmütigen Ausdruck in den Augen schaute sie aus dem Fenster. »Max hätte das geliebt.«

Vorsichtig streckte Clary eine Hand aus und strich Isabelle übers Haar, so wie sie einer Schwester über die Haare gestrichen hätte. »Ich weiß. Das hätte er ganz bestimmt.«

Jace musste zweimal an der Tür des alten Kanalhauses klopfen, ehe er eilige Schritte hörte, die durch den Flur zum Eingang hasteten. Sein Herz machte einen Satz, beruhigte sich aber, als die Tür geöffnet wurde und Amatis Herondale vor ihm stand und ihn erstaunt musterte. Sie sah aus, als wollte sie sich gerade für die Feierlichkeiten umziehen: Sie trug ein bodenlanges taubengraues Kleid und helle Metallohrringe, die die silbernen Strähnen in ihrem Haar gut zur Geltung kommen ließen. »Hallo, Jace«, sagte sie und schaute ihn fragend an.

»Clary«, setzte Jace an, verstummte dann aber, da er sich nicht sicher war, was er sagen sollte. Wohin war nur seine Redegewandtheit verschwunden? Die war ihm eigentlich immer geblieben, auch wenn er sonst nichts mehr besaß; doch jetzt kam er sich vor, als hätte man ihn aufgeschlitzt und als wären sämtliche klugen, eloquenten Worte aus ihm herausgepurzelt. »Ich . . . ich hab mich gefragt, ob Clary vielleicht hier ist«, stammelte er. »Ich wollte mit ihr sprechen.«

Bedauernd schüttelte Amatis den Kopf. Der fragende Ausdruck auf ihrem Gesicht war verschwunden und sie musterte ihn nun so eingehend, dass Jace nervös wurde. »Nein, sie ist nicht hier. Ich glaube, sie ist bei den Lightwoods.«

»Oh.« Jace war überrascht, wie sehr ihn diese Antwort enttäuschte. »Tut mir leid für die Störung.«

»Du hast mich nicht gestört. Genau genommen bin ich sogar froh, dich zu sehen«, erwiderte Amatis lebhaft. »Da gibt es nämlich etwas, das ich mit dir besprechen wollte. Komm rein, ich bin gleich wieder da.«

Während Amatis im Flur verschwand, trat Jace ein und fragte sich, worüber um alles in der Welt sie wohl mit ihm reden wollte. Vielleicht war Clary ja zu dem Schluss gekommen, dass sie nichts mehr mit ihm zu tun haben wollte, und überließ es nun Amatis, ihm diese Nachricht zu übermitteln.

Eine Sekunde später kehrte Amatis wieder zurück. Zu Jace' Erleichterung hielt sie allerdings keinen Brief oder etwas Derartiges in der Hand, sondern ein kleines, elegantes Metallkästchen mit einem zierlichen Vogelrelief. »Jace«, setzte Amatis feierlich an. »Luke hat mir erzählt, dass du Stephens . . . dass Stephen Herondale dein Vater war. Er hat mir erzählt, was passiert ist.«

Jace nickte – mehr bedurfte es seiner Ansicht nach nicht. Die Neuigkeit verbreitete sich nur langsam und das kam ihm gerade recht. Hoffentlich war er wieder zurück in New York, bevor ganz Idris davon wusste und jeder ihn neugierig anstarren würde.

»Du weißt ja, dass ich Stephens Frau war, ehe er deine Mutter geheiratet hat«, fuhr Amatis mit angespannter Stimme fort, als würden die Worte sie schmerzen. Jace starrte sie sprachlos an. Wollte sie mit ihm über seine Mutter reden? Verübelte sie ihm etwa, dass er schlimme Erinnerungen an eine Frau weckte, die gestorben war, noch bevor er das Licht der Welt erblickt hatte? »Von allen noch lebenden Menschen habe ich deinen Vater vermutlich am besten gekannt«, fügte Amatis hinzu.

»Ja«, murmelte Jace und wünschte sich ganz weit weg. »Ich bin mir sicher, da hast du recht.«

»Ich weiß, dass du ihm gegenüber wahrscheinlich gemischte Gefühle empfindest«, überraschte sie ihn, weil sie damit den Nagel auf den Kopf traf. »Du hast ihn ja nie kennengelernt und er war auch nicht der Mann, der dich großgezogen hat, aber du siehst genau so aus wie er – bis auf die Augen. Die hast du von deiner Mutter. Und vielleicht bin ich ja ein wenig verrückt, dass ich dich mit alldem hier belästige. Vielleicht willst du ja gar nichts über Stephen erfahren. Aber er war nun mal dein Vater, und wenn er dich gekannt hätte . . .« Abrupt hielt Amatis Jace das Metallkästchen entgegen, so ruckartig, dass er fast einen Satz zurück gemacht hätte. »Hier drin sind ein paar Sachen von ihm, die ich über die Jahre aufbewahrt habe. Briefe, Fotos, ein Familienstammbaum. Sein Elbenlichtstein. Und vielleicht hast du ja im Moment noch keine Fragen, aber wenn eines Tages doch welche auftauchen sollten, dann . . . dann hast du zumindest dieses Kästchen.« Sie stand vollkommen reglos da und bot ihm das Kästchen wie einen kostbaren Schatz an. Wortlos nahm Jace es entgegen; das Kästchen war schwer und das Metall fühlte sich kalt auf seiner Haut an.

»Danke«, sagte er – zu mehr fühlte er sich nicht in der Lage. Doch nach kurzem Zögern fügte er hinzu: »Da wäre noch eine Sache. Etwas, das ich mich die ganze Zeit gefragt habe.«

»Ja?«

»Wenn Stephen mein Vater war, dann war die Inquisitorin – Imogen – meine Großmutter, richtig?«

»Ja, das war sie. Sie war eine . . .« Amatis schwieg einen Moment. »Eine sehr schwierige Frau. Aber sie war deine Großmutter.«

»Sie hat mir das Leben gerettet«, sagte Jace. »Eine ganze Weile hat sie zwar so getan, als würde sie mich abgrundtief hassen. Aber dann hat sie das hier gesehen.« Er zog den Kragen seines Hemdes beiseite und zeigte Amatis die weiße sternförmige Narbe auf seiner Schulter. »Und daraufhin hat sie mir das Leben gerettet. Aber ich verstehe nicht, welche Bedeutung die Narbe für sie gehabt haben könnte.«

Amatis musterte ihn aus großen Augen. »Du erinnerst dich nicht daran, wie du dir diese Narbe zugezogen hast, oder?«

Jace schüttelte den Kopf. »Valentin hat mir erzählt, sie stamme von einer Verletzung, als ich noch ganz klein gewesen war, aber jetzt . . . habe ich Zweifel, ob ich das glauben soll.«

»Das da ist keine Narbe, sondern ein Muttermal – ein Muttermal, um das sich eine alte Familienlegende rankt: Es heißt, einem der ersten Herondales, die zu Schattenjägern gemacht wurden, sei im Traum ein Engel erschienen. Der Engel habe ihn an der Schulter berührt und nach dem Aufwachen habe der Mann dieses Mal auf seiner Haut entdeckt, das auch sämtliche seiner Nachfahren nun tragen.« Amatis zuckte die Achseln. »Keine Ahnung, ob an der Geschichte etwas Wahres ist, aber alle Herondales haben dieses Muttermal. Auch dein Vater hatte eines . . . hier oben.« Sie berührte eine Stelle auf ihrem linken Oberarm. »Es heißt, das Mal bedeute, dass du Kontakt zu einem Engel gehabt hast. Dass du irgendwie gesegnet wärst. Imogen muss das Mal gesehen und erkannt haben, wer du wirklich bist.«

Jace blickte in Amatis' Richtung, schaute aber eigentlich durch sie hindurch: Er erinnerte sich wieder an die Nacht auf Valentins Schiff, an das feuchte schwarze Deck und an die Inquisitorin, die zu seinen Füßen starb. »Sie hat irgendetwas zu mir gesagt«, murmelte er, »während sie im Sterben lag. Sie sagte: ›Dein Vater wäre stolz auf dich.‹ Damals hielt ich das für eine bösartige Bemerkung. Ich dachte, sie würde Valentin meinen . . .«

Amatis schüttelte den Kopf. »Sie hat Stephen gemeint«, erklärte sie leise. »Und sie hatte recht. Er wäre stolz auf dich gewesen.«

Clary drückte die Haustür auf und dachte darüber nach, wie vertraut ihr Amatis' Heim geworden war. Sie musste nicht länger über die verschiedenen Wege im Haus nachdenken oder darüber, wie sie den klemmenden Türknauf zu drehen hatte, damit die Tür aufsprang. Auch der Anblick der glitzernden Sonne auf dem Kanal und die Aussicht über Alicante waren ihr vertraut und sie konnte sich fast vorstellen, hier zu leben, für immer in Idris zu bleiben. Allerdings fragte sie sich, was sie wohl als Erstes vermissen würde. Den chinesischen Schnellimbiss? Das Kino? Oder den Comicladen?

Sie wollte gerade die Treppe hinaufgehen, als sie die Stimme ihrer Mutter aus dem Wohnzimmer hörte – sie klang schroff und angespannt. Aber was konnte Jocelyn derart verärgert haben? Eigentlich war doch jetzt alles in bester Ordnung, oder etwa nicht? Ohne lange nachzudenken, lehnte Clary sich gegen die Wand in der Nähe der Wohnzimmertür und hörte zu.

»Was meinst du mit ›Ich bleibe hier‹?«, fragte Jocelyn. »Soll das heißen, du kommst nicht nach New York zurück?«

»Man hat mich gefragt, ob ich nicht in Alicante bleiben und die Werwölfe in der Kongregation vertreten will«, erklärte Luke. »Ich habe den Ratsmitgliedern gesagt, ich würde ihnen meine Entscheidung heute Abend mitteilen.«

»Aber kann das denn nicht jemand anderes machen? Einer der Anführer der hiesigen Rudel?«

»Ich bin der einzige Leitwolf, der früher einmal ein Schattenjäger war. Deshalb wollen sie mich auf diesem Posten.« Luke seufzte. »Ich habe all das hier angefangen, Jocelyn, jetzt sollte ich auch hierbleiben und es zu Ende bringen.«

Es entstand eine kurze Stille, doch schließlich räusperte Jocelyn sich. »Wenn du das so siehst, solltest du natürlich bleiben«, sagte sie, aber in ihrer Stimme schwang Unsicherheit mit.

»Ich müsste natürlich zuerst die Buchhandlung verkaufen ... meine Sachen in Ordnung bringen.« Lukes Stimme klang rau. »Es ist ja nicht so, als ob ich gleich morgen umziehen würde.«

»Darum könnte ich mich kümmern. Nach allem, was du getan hast ...« Jocelyn schien nicht mehr die Kraft zu besitzen, weiterhin einen heiteren Ton anzuschlagen, und verstummte. Stille breitete sich im Raum aus – eine Stille, die so lange andauerte, dass Clary bereits überlegte, sich laut zu räuspern und das Wohnzimmer zu betreten, um Luke und Jocelyn über ihre Anwesenheit zu informieren.

Doch eine Sekunde später war sie froh, dass sie gewartet hatte. »Hör zu«, setzte Luke an, »ich möchte dir etwas sagen – etwas, das ich dir schon vor langer Zeit sagen wollte, wozu ich aber nie den Mut hatte. Ich wusste, es würde keinen Unterschied machen, weil ich nun mal so bin, wie ich bin. Du hast nie gewollt, dass diese Welt ein Teil von Clarys Leben wird, aber jetzt weiß sie davon und daher spielt es vermutlich keine Rolle mehr. Und deshalb kann ich es dir jetzt ebenso gut auch sagen: Ich liebe dich, Jocelyn. Ich liebe dich seit zwanzig Jahren.« Er schwieg einen Moment und Clary spitzte die Ohren, um die Antwort ihrer Mutter nicht zu verpassen, doch Jocelyn blieb stumm. Schließlich fuhr Luke mit schwerer Stimme fort: »Ich muss zurück zur Halle und der Kongregation mitteilen, dass ich hierbleiben werde. Hör zu, Jocelyn, wir brauchen über dieses Thema nie wieder zu reden, aber ich fühle mich einfach besser, jetzt, da ich es nach all den Jahren endlich ausgesprochen habe.«

Clary drückte sich flach gegen die Wand, als Luke eine Sekunde später mit gesenktem Kopf aus dem Wohnzimmer kam und an ihr vorbeistürmte, scheinbar ohne sie überhaupt wahrzunehmen. Mit einem Ruck riss er die Haustür auf, blieb einen Augenblick blinzelnd in der Sonne stehen, deren Strahlen vom Kanalwasser reflektiert wurden, und war im nächsten Moment verschwunden, während die Tür hinter ihm krachend ins Schloss fiel.

Clary blieb wie angewurzelt stehen, den Rücken flach an die Wand gepresst. Das Ganze tat ihr furchtbar leid, sowohl für Luke als auch für ihre Mutter. Anscheinend erwiderte Jocelyn Lukes Gefühle nicht und vielleicht würde sie das auch niemals können. Es war genau wie bei ihr und Simon – nur mit dem Unterschied, dass Clary keine Möglichkeit sah, wie Luke und ihre Mutter wenigstens ihre Freundschaft retten konnten. Nicht, wenn Luke hier in Idris bleiben würde. Tränen stiegen ihr in die Augen und sie wollte sich gerade von der Wand abdrücken und ins Wohnzimmer gehen, als sie hörte, wie die Küchentür geöffnet wurde und eine weitere Stimme erklang, eine müde und leicht resignierte Stimme: Amatis.

»Tut mir leid, dass ich euer Gespräch mitbekommen habe, aber ich bin froh, dass Lucian bleibt«, sagte sie. »Nicht nur, weil er dann in meiner Nähe ist, sondern, weil es ihm die Chance bietet, über *dich* hinwegzukommen.«

Jocelyn versuchte, sich zu verteidigen: »Amatis, ich . . .«

»Es ist so viel Zeit vergangen, Jocelyn«, fuhr Amatis unbeirrt fort. »Wenn du ihn nicht liebst, solltest du ihn gehen lassen.«

Jocelyn schwieg. Clary wünschte, sie könnte den Gesichtsausdruck ihrer Mutter sehen. Wirkte sie traurig? Wütend? Resigniert?

Doch in dem Moment stieß Amatis erstaunt hervor: »Es sei denn . . . du liebst ihn doch?!«

»Amatis, ich kann nicht . . .«

»Du liebst ihn! Du liebst ihn ja doch!« Ein lautes Geräusch ertönte, als hätte Amatis in die Hände geklatscht. »Ich wusste es! Ich habe es immer gewusst!«

»Aber es spielt keine Rolle«, erwiderte Jocelyn müde. »Es wäre Luke gegenüber nicht fair.«

»Komm mir doch nicht mit so einem Unsinn!« Ein lautes Rascheln drang durch die Wohnzimmertür und Jocelyn protestierte unterdrückt. Clary fragte sich, ob Amatis ihre Mutter vielleicht bei den Schultern gepackt hatte. »Wenn du ihn liebst«, rief Amatis, »dann gehst du ihm nach und sagst es ihm! Jetzt sofort, noch bevor er mit der Kongregation sprechen kann.«

»Aber sie wollen ihn doch als Repräsentanten der Werwölfe! Und er will es auch . . .«

»Das Einzige, was Lucian will, bist du«, entgegnete Amatis mit fester Stimme. »Du und Clary. Etwas anderes hat er nie gewollt. Und jetzt lauf!«

Bevor Clary sich auch nur rühren konnte, kam Jocelyn bereits in den Flur gestürmt, auf dem Weg zur Haustür. Doch als sie ihre Tochter bemerkte, blieb sie abrupt stehen und starrte sie überrascht an.

»Clary!« Jocelyn klang, als bemühte sie sich um eine fröhliche, heitere Note, doch sie versagte kläglich. »Ich hab gar nicht gewusst, dass du hier bist.«

Clary drückte sich von der Wand ab, packte den Knauf der Haustür und riss sie weit auf. Strahlendes Sonnenlicht fiel in den Flur. Jocelyn stand wie angewurzelt im hellen Schein und musterte blinzelnd ihre Tochter.

»Wenn du Luke nicht sofort nachläufst, dann muss ich dich leider persönlich umbringen«, sagte Clary mit klarer und deutlicher Stimme.

Einen Moment lang wirkte Jocelyn verwirrt, doch dann lächelte sie. »Tja, wenn du es *so* formulierst . . .«, sagte sie.

Eine Sekunde später war sie bereits aus dem Haus und lief den Kanal entlang in Richtung Abkommenshalle. Langsam schloss Clary die Tür hinter ihr und lehnte sich dagegen.

Amatis kam aus dem Wohnzimmer, marschierte zum Flurfenster und drückte die Nase neugierig gegen die Scheibe. »Denkst du, sie schafft es, ihn einzuholen, ehe er die Halle erreicht?«

»Meine Mutter hat ihr halbes Leben damit verbracht, mir hinterherzurennen«, erklärte Clary. »Sie ist verdammt *schnell.*«

Amatis warf Clary einen Blick zu und lächelte. »Ach, da fällt mir ein . . . Jace war eben hier; er wollte mit dir reden. Ich glaube, er hofft, dich nachher bei der Siegesfeier zu sehen.«

»Wirklich?«, erwiderte Clary nachdenklich. *Vielleicht sollte ich sie doch fragen. Wer nicht wagt, der nicht gewinnt.* »Amatis«, setzte sie an und Lukes Schwester wandte sich vom Fenster ab und sah sie neugierig an.

»Ja? Was denn?«

»Du hast doch dieses silberfarbene Kleid in deiner Truhe«, sagte Clary. »Würdest du es mir vielleicht leihen?«

Die Straßen der Stadt füllten sich bereits mit den ersten Feiernden, als Clary zum Haus der Lightwoods aufbrach. Kurz zuvor hatte die Abenddämmerung eingesetzt und die Straßenlaternen erleuchteten die Gassen mit ihrem rosafarbenen Schein. Weiße Blüten ergossen sich von den Blumenkörben an den Fensterbänken und gaben ihren aromatischen Duft an die ungewöhnlich milde Abendluft ab. An jeder Haustür, die Clary passierte, brannten dunkelgoldfarbene Feuerrunen, die von Triumph und Freudenfesten erzählten.

Zahlreiche Schattenjäger strebten bereits in Richtung des Engelsplatzes, doch keiner von ihnen trug die übliche Kampfmontur. Stattdessen hatten sie sich in Festkleidung unterschiedlicher Stilrichtungen gekleidet – neben modernen Anzügen und Kostümen entdeckte Clary auch elegante Abendroben, die fast an historische Gewänder erinnerten, und viele Frauen trugen Ballkleider, deren weite Röcke bei jedem Schritt hin und her schwangen. Als Clary in die Gasse einbog, in der das Haus der Lightwoods lag, überquerte vor ihr eine schlanke dunkle Gestalt die Straße – Raphael, Hand in Hand mit einer groß gewachsenen dunkelhaarigen Frau in einem roten Cocktailkleid. Der junge Vampir warf Clary über die Schulter einen Blick zu und schenkte ihr ein Lächeln – ein Lächeln, das ihr einen leichten Schauer über den Rücken jagte. Es stimmte tatsächlich, überlegte Clary, manchmal hatten Schattenwesen wirklich etwas Exotisches an sich, etwas Exotisches und Furchteinflößendes. Aber nicht alles Furchteinflößende musste notwendigerweise auch schlecht sein. Allerdings hatte Clary bei Raphael so ihre Zweifel . . .

Die Haustür der Lightwoods stand sperrangelweit offen

und verschiedene Mitglieder der Familie warteten bereits auf dem Gehweg. Maryse und Robert Lightwood unterhielten sich mit zwei anderen Erwachsenen, die sich zu Clarys Überraschung als die Penhallows entpuppten, Alines Eltern. Maryse lächelte Clary zu, als sie an ihnen vorbeiging; die große Schattenjägerin trug einen eleganten Hosenanzug aus dunkelblauer Seide und hatte ihre Haare mit einem breiten Silberband zurückgebunden. Trotz des Lächelns wirkte Maryse furchtbar traurig und ähnelte dadurch Isabelle so sehr, dass Clary fast eine Hand ausgestreckt und sie ihr auf die Schulter gelegt hätte. *Sie denkt an Max, genau wie Isabelle,* dachte Clary. *Sie denkt daran, wie sehr der kleine Junge all das hier genossen hätte.*

»Clary!« Mit wehenden Haaren sprang Isabelle die Stufen hinunter. Sie trug keines der beiden Kleider, die sie Clary am Nachmittag gezeigt hatte, sondern ein schillerndes goldfarbenes Satinkleid, das ihren Körper wie geschlossene Blütenblätter eng umschmiegte.

Als Clary die mit Eisenspitzen versehenen Sandalen der jungen Schattenjägerin sah, musste sie an eine frühere Bemerkung von Isabelle denken – über Dämonenjagd und Mode – und innerlich lächeln.

»Du siehst *umwerfend* aus«, sagte Isabelle.

»Danke.« Ein wenig verlegen zupfte Clary an dem durchscheinenden Stoff ihres silbernen, schulterfreien Seidenkleides herum – es handelte sich wahrscheinlich um das Femininste, das sie je getragen hatte. Und jedes Mal, wenn ihre Haare die nackte Haut ihrer Schultern streiften, musste sie einen fast unbezwingbaren Drang unterdrücken, sich eine Jacke

oder einen Kapuzenpullover zu greifen und sich hineinzuku-
scheln. »Du aber auch«, fügte sie, an Isabelle gewandt, hinzu.

Isabelle beugte sich vor und flüsterte ihr ins Ohr: »Jace ist
nicht hier.«

Bestürzt wich Clary zurück. »Und wo . . .?«

»Alec meint, er könnte schon auf dem Platz sein, wo gleich
das Feuerwerk stattfindet. Es tut mir leid, aber ich hab keine
Ahnung, was mit ihm los ist.«

Clary zuckte die Achseln und versuchte, ihre Enttäuschung
zu verbergen. »Ist schon okay.«

Im nächsten Moment traten Alec und Aline aus der Haustür:
Das Mädchen trug ein leuchtend rotes Kleid, das ihre Haare
blauschwarz schimmern ließ, während Alec gekleidet war wie
immer – dunkle Hose unter dunklem Pullover. Allerdings
musste Clary ihm zugute halten, dass der Pullover dieses Mal
wenigstens keine sichtbaren Löcher hatte. Alec schenkte Clary
ein freundliches Lächeln und sie stellte überrascht fest, dass
er trotz der üblichen Kleidung dennoch verändert wirkte – irgendwie erleichtert, als wäre ihm eine schwere Last von den
Schultern genommen.

»Ich war noch nie bei einer Feier, an der auch Schattenweltler teilgenommen haben«, bemerkte Aline und warf einen ner-
vösen Blick auf eine junge Elfe, die ein paar Meter weiter
stand. Ihre langen Haare waren mit Blüten durchflochten –
nein, überlegte Clary bei näherem Hinsehen, ihr Haar *bestand*
aus Blüten, die durch zarte grüne Ranken miteinander verwoben waren. Die Blumenelfe zupfte ein paar weiße Blüten aus
einem der Fensterkörbe, betrachtete sie andächtig und schob
sie sich dann in den Mund.

»Ach, das wird dir bestimmt gefallen«, erklärte Isabelle. »Schattenweltler wissen, wie man eine anständige Party feiert.« Dann winkte sie ihren Eltern noch einmal kurz zu und brach mit den anderen Jugendlichen zum Platz des Engels auf. Auf dem Weg dorthin kämpfte Clary weiterhin gegen den Drang an, ihre Arme vor der Brust zu verschränken, um die obere Körperhälfte zu bedecken. Der Rock ihres Kleides umwirbelte ihre Füße wie schwerer Rauch im Wind. Unwillkürlich musste sie an den Qualm denken, der noch vor wenigen Stunden den Himmel über Alicante verdüstert hatte, und erschauderte.

»He, seht mal!«, rief Isabelle in dem Moment und deutete auf Simon und Maia, die ihnen aus einer Seitenstraße entgegenkamen. Clary hatte Simon fast den ganzen Tag nicht zu Gesicht bekommen; er war bereits mittags zur Halle gegangen, um der vorbereitenden Sitzung der Kongregation beizuwohnen – er wollte wissen, wen man als Repräsentanten der Vampire gewählt hatte. An Simons Seite ging Maia, die Clary sich überhaupt nicht in so etwas Mädchenhaftem wie einem Kleid vorstellen konnte. Und tatsächlich trug das Werwolfkind dunkelgrüne Armeeshorts und ein schwarzes T-Shirt mit dem Aufdruck WÄHLE DEINE WAFFE! Darunter war ein Würfel abgebildet. Ein Gamer-Shirt, dachte Clary und fragte sich, ob Maia sich wirklich für Computerspiele interessierte oder dieses T-Shirt nur trug, um Simon zu beeindrucken. Falls ja, hatte sie eine gute Wahl getroffen. »Seid ihr auch auf dem Weg zum Platz des Engels?«, rief Isabelle den beiden entgegen, die gleichzeitig nickten.

Nachdem Maia und Simon sich ihnen angeschlossen hatten,

setzte sich die ganze Gruppe in Bewegung und schlenderte in Richtung Engelsplatz. Nach ein paar Metern ließ Simon sich zurückfallen, lächelte Clary kurz an und ging dann schweigend neben ihr her. Es tat gut, wieder in seiner Nähe zu sein, überlegte Clary – er war der Erste gewesen, den sie nach ihrer Rückkehr nach Alicante hatte sehen wollen. Sie hatte ihn fest in die Arme genommen und lange an sich gedrückt, unendlich erleichtert, dass er noch lebte. Vorsichtig hatte sie das Runenmal auf seiner Stirn berührt.

»Hat es dich beschützt?«, hatte sie ihn gefragt, weil sie unbedingt wissen wollte, ob seine Kennzeichnung mit dem Mal nicht umsonst gewesen war.

Doch Simon hatte nur geantwortet: »Ja, es hat mich beschützt.«

»Ich wünschte, ich könnte es von dir nehmen«, hatte Clary erklärt. »Ich wünschte, ich wüsste, was dir deswegen vielleicht noch alles bevorsteht.«

Doch Simon hatte nur ihre Hand genommen und behutsam von seiner Stirn fortgezogen. »Wir werden sehen«, hatte er erwidert.

In den Tagen danach hatte Clary ihn genau beobachtet und festgestellt, dass das Mal offensichtlich keine negative Wirkung auf ihn ausübte. Er wirkte vollkommen normal, so wie immer, wie Simon eben. Allerdings trug er die Haare jetzt etwas anders: leicht in die Stirn gekämmt, um das Mal zu verdecken.

»Wie war die Versammlung?«, fragte Clary ihn nun und musterte ihn von Kopf bis Fuß, um seine Kleidung zu begutachten. Simon hatte sich nicht umgezogen, aber deswegen konnte

Clary ihm kaum einen Vorwurf machen: Etwas anderes als die Sachen, die er am Leibe trug – Jeans und T-Shirt – hatte er ja nicht mitbringen können. »Und, wen haben sie zum Repräsentanten der Nachtkinder gewählt?«

»Jedenfalls *nicht* Raphael«, erklärte Simon und klang ziemlich zufrieden. »Irgendeinen anderen Vampir . . . mit so einem pompösen Namen. Nightshade oder so ähnlich.«

»Der Rat hat mich gefragt, ob ich das Emblem für die Neue Kongregation entwerfen wolle«, platzte Clary heraus. »Das ist eine große Ehre. Ich hab sofort zugesagt. Das neue Emblem soll die Rune der Kongregation zeigen, umgeben von den Symbolen der vier Schattenweltler-Familien. Ein Mond für die Werwölfe; dann dachte ich an ein vierblättriges Kleeblatt für die Feenwesen und ein Zauberbuch für die Hexenmeister. Aber für die Vampire will mir einfach nichts einfallen.«

»Wie wär's mit einem Eckzahn?«, schlug Simon vor. »Von dem vielleicht Blut herabtropft.« Er bleckte die Zähne.

»Vielen Dank. Du bist mir eine echte Hilfe«, grinste Clary.

»Ich bin froh, dass der Rat dich gefragt hat«, sagte Simon, nun wieder ernster. »Du hast diese Ehre wirklich verdient. Eigentlich müsstest du einen Orden bekommen für das, was du getan hast . . . die Allianz-Rune und all das.«

Clary zuckte die Achseln. »Ach, ich weiß nicht. Ich meine, die Schlacht hat doch nur zehn Minuten gedauert . . . Ich bin mir nicht sicher, ob ich wirklich so eine große Hilfe gewesen bin.«

»*Ich* habe an dieser Schlacht teilgenommen, Clary«, entgegnete Simon. »Und auch wenn sie nur kurz gedauert hat, waren das die schlimmsten zehn Minuten meines Lebens. Und ich möchte wirklich nicht darüber sprechen, deshalb nur so viel:

Selbst in diesen zehn Minuten hätte es noch viel mehr Tote geben können, wenn du nicht gewesen wärst. Außerdem war die Schlacht nur ein Teil des Ganzen. Wenn du nicht gehandelt hättest, gäbe es jetzt keine Neue Kongregation. Wir wären noch immer Schattenjäger und Schattenweltler, die einander hassen würden, statt Schattenjäger und Schattenweltler, die gemeinsam zu einer Party gehen.«

Clary spürte einen Kloß im Hals und starrte stumm geradeaus, um nicht in Tränen auszubrechen. »Danke, Simon«, brachte sie schließlich hervor und zögerte dann einen Moment – so kurz, dass niemand es bemerkt hätte, bis auf Simon.

»Was ist los?«, fragte er.

»Ich muss die ganze Zeit daran denken, was wir machen werden, wenn wir wieder zu Hause sind«, sagte Clary. »Ich weiß zwar, dass Magnus sich um deine Mom gekümmert hat, sodass sie deine Abwesenheit gar nicht bemerkt hat, aber was ist mit der Schule? Wir haben wahnsinnig viel Stoff verpasst. Und ich weiß nicht einmal . . .«

»Ob du dorthin zurückkehren wirst?«, beendete Simon den Satz für sie. »Glaubst du ernsthaft, ich wüsste das nicht? Du bist jetzt eine Schattenjägerin. Du wirst deine Ausbildung am Institut fortsetzen.«

»Aber was ist mit dir? Du bist ein Vampir. Willst du denn einfach so an unsere alte Schule zurückkehren?«

»Und ob!«, überraschte Simon sie. »Auf jeden Fall. Ich will ein normales Leben führen, zumindest soweit das möglich ist. Ich will meinen Abschluss machen, dann studieren . . . das ganze Programm.«

Clary drückte Simons Hand. »Dann solltest du das auch tun«,

sagte sie und schenkte ihm ein Lächeln. »Natürlich werden alle völlig ausflippen, wenn du wieder an der Schule auftauchst.«

»Ausflippen? Warum?«

»Weil du jetzt viel cooler bist als früher«, erwiderte Clary achselzuckend. »Ehrlich. Das muss wohl an dieser Vampirsache liegen.«

Simon musterte sie verblüfft. »Ich bin jetzt viel cooler?«

»Na klar. Ich meine, sieh dir doch nur mal die beiden an: Die sind total in dich verknallt.« Clary deutete auf Isabelle und Maia, die ein paar Schritte vor ihnen gingen und die Köpfe zusammengesteckt hatten.

Simon warf einen erstaunten Blick auf die beiden Mädchen und Clary hätte schwören können, dass er errötete. »Wirklich?«, fragte Simon. »Mir ist zwar aufgefallen, dass sie manchmal zusammenhocken und tuscheln und mich dann *ansehen*. Aber ich hatte keine Ahnung, worum's dabei geht.«

»Natürlich nicht«, grinste Clary. »Du armer Kerl, da hast du gleich zwei hübsche Mädchen, die um deine Liebe wetteifern. Du bist wirklich nicht zu beneiden.«

»Okay. Dann sag du mir, welche ich nehmen soll.«

»Kommt nicht infrage! Das bleibt allein dir überlassen«, erwiderte Clary. Dann senkte sie die Stimme: »Hör mal, du kannst dich verabreden, mit wem du willst – du hast meine *volle* Unterstützung. Ich bin sozusagen die Unterstützung in Person.«

»Ach, deswegen hast du mir nie verraten, wer du wirklich bist. Ich dachte mir schon, dass es etwas Hochpeinliches sein müsse.«

Clary ignorierte Simons spöttische Bemerkung. »Aber du

musst mir eines versprechen, okay? Ich weiß, wie Mädchen sein können. Ich weiß, wie sehr sie es hassen, wenn der beste Kumpel ihres Freundes ein Mädchen ist. Versprich mir einfach, dass du mich nicht vollständig aus deinem Leben ausschließen wirst. Und dass wir manchmal noch was gemeinsam unternehmen können.«

»Manchmal?« Simon schüttelte den Kopf. »Clary, du bist vollkommen verrückt.«

Clary spürte einen Stich in ihrem Herzen. »Du meinst . . .«

»Ich *meine,* dass ich niemals mit einem Mädchen zusammen sein würde, das darauf besteht, dich aus meinem Leben auszuschließen. Das steht nicht zur Debatte. He, wer auch immer ein Stück von diesem *fabulösen* Kerl will . . .« – Simon deutete auf sich selbst – »der bekommt meine beste Freundin gratis dazu! Ich würde dich niemals aus meinem Leben ausschließen, Clary, eher würde ich mir die rechte Hand abhacken und jemandem als Valentinsgeschenk überreichen.«

»Igitt!«, kicherte Clary. »Muss das wirklich sein?«

Simon grinste. »Oh ja, das muss sein.«

Der Platz des Engels war kaum wiederzuerkennen. Am hinteren Ende der Parkanlage leuchtete die Abkommenshalle in einem sanften Weiß, das teilweise von einem kunstvoll angelegten Hain in der Platzmitte verdeckt wurde. Die Baumriesen waren eindeutig das Ergebnis magischer Kräfte. Andererseits musste Clary bei ihrem Anblick an Magnus' Fähigkeit denken, im Handumdrehen Möbel und dampfenden Kaffee herbeizuzaubern – also vielleicht waren die Bäume ja doch echt, wenn auch von einem anderen Ort hierher verpflanzt. Ihre Kronen reichten fast bis zur Spitze der Dämonentürme und ihre silbern schimmernden Zweige in dem dichten Blattwerk waren mit fröhlichen Bändern und bunten Lichterketten geschmückt. Der gesamte Platz, der nach weißen Blüten, Rauch und frischen Blättern duftete, war mit langen Tischen und Bänken bestückt, und überall saßen Schattenjäger und Schattenweltler, lachten, tranken und unterhielten sich. Doch trotz des Stimmengewirrs lag eine gewisse Melancholie in der Luft, verbunden mit einer feierlichen Stimmung – eine Mischung aus Trauer und Freude.

Die Geschäfte am Platz hatten ihre Türen weit geöffnet, sodass warmes Licht auf die Gehwege fiel. Aus den Gassen strömten immer mehr Feiernde herbei, in den Händen Teller mit Speisen und langstielige Gläser mit perlendem Wein und anderen leuchtend bunten Getränken. Simon beobachtete einen Wassergeist, der mit einer blauen, schwappenden Flüssigkeit in einem hohen Glas an ihnen vorbeikam, und zog fragend eine Augenbraue hoch.

»Keine Sorge, das ist hier nicht wie bei Magnus' Party«, versicherte Isabelle ihm. »Hier sollten alle alles gefahrlos trinken können.«

»*Sollten?*« Aline zog ein bedenkliches Gesicht.

Alec schaute in Richtung des Miniwäldchens, dessen bunte Lichter sich in seinen blauen Augen spiegelten: Im Schatten eines der Bäume stand Magnus und unterhielt sich mit einem weiß gekleideten Mädchen mit üppigen hellbraunen Haaren. Als Magnus zu den Jugendlichen herüberblickte, drehte sie sich um und einen kurzen Moment trafen sich ihr und Clarys Blick quer über den Platz. Das Mädchen kam ihr irgendwie bekannt vor, doch sie konnte nicht sagen, woher sie sie kannte.

Magnus beendete die Unterhaltung und machte sich auf den Weg zu ihnen, während das Mädchen sich in den Schatten der Bäume zurückzog und im nächsten Moment darin verschwand. Der groß gewachsene Hexenmeister war wie ein viktorianischer Gentleman gekleidet: mit einem langen schwarzen Gehrock über einer violetten Seidenweste, aus deren Brusttasche ein besticktes Taschentuch mit den Initialen M. B. herausragte.

»Hübsche Weste«, sagte Alec lächelnd, als Magnus zu ihnen trat.

»Möchtest du vielleicht auch so eine?«, hakte Magnus direkt nach. »Natürlich in einer anderen Farbe.«

»Eigentlich mach ich mir nichts aus Mode«, protestierte Alec.

»Und genau das liebe ich an dir«, verkündete Magnus. »Allerdings würde ich dich natürlich auch lieben, wenn du vielleicht einen Designer-Anzug besäßest. Was hältst du davon? Wie wär's mit Dolce? Zegna? Armani?«

Alec stammelte hilflos, während Isabelle laut auflachte und Magnus die Gelegenheit ergriff, um Clary etwas ins Ohr zu flüstern: »Auf den Stufen der Abkommenshalle. Los, los.«

Verblüfft wollte Clary ihn fragen, was er damit meinte, doch Magnus hatte sich Alec und den anderen bereits wieder zugewandt und außerdem hatte sie eine leise Ahnung, worauf er hinauswollte. Bevor sie ging, drückte sie rasch noch einmal Simons Hand, der ihr ein kurzes Lächeln schenkte und sich dann weiter mit Maia unterhielt.

Clary bahnte sich einen Weg durch den glitzernden Miniwald auf die andere Seite des Platzes. Die Bäume reichten bis an den Fuß der Hallentreppe, was möglicherweise erklärte, warum die Stufen leer und verlassen dalagen. Doch dann fiel Clarys Blick auf die großen Türen, wo sie im Schatten einer der Säulen eine vertraute dunkle Gestalt erkannte. Ihr Herz machte einen Satz.

Jace.

Sorgsam raffte sie den Rock ihres Kleides – aus Furcht, sie könnte beim Besteigen der Stufen auf den Saum treten und den zarten Stoff zerreißen – und wünschte sich fast, sie hätte ihre eigenen Sachen angezogen, als sie sich Jace näherte. Er saß auf dem Boden, mit dem Rücken gegen eine Säule gelehnt, und schaute über den Platz. Im Gegensatz zu den letzten Tagen trug er ganz normale Kleidung: Jeans, ein weißes T-Shirt und darüber eine dunkle Jacke. Und zum ersten Mal seit ihrer ersten Begegnung schien er keine Waffen bei sich zu führen, überlegte Clary.

Plötzlich fühlte sie sich viel zu feierlich gekleidet und blieb ein paar Schritte von ihm entfernt stehen, unsicher, was sie sagen sollte.

Als würde er ihre Anwesenheit spüren, schaute Jace zu ihr hinüber. Er hielt etwas in seinem Schoß – ein silbernes Kästchen, wie Clary bei genauerem Hinsehen erkannte. Ein müder Ausdruck lag auf seinem Gesicht; er hatte dunkle Ringe unter den Augen und seine hellblonden Haare wirkten zerzaust. Als er Clary sah, weiteten sich seine Augen. »Clary?«

»Hast du jemand anderen erwartet?«, fragte Clary lächelnd.

Doch er erwiderte ihr Lächeln nicht. »Du siehst nicht aus wie du.«

»Das liegt an dem Kleid.« Verlegen strich Clary den Stoff glatt. »Normalerweise trage ich nicht so was . . . so was Hübsches.«

»Du siehst immer wunderschön aus«, erwiderte er und Clary erinnerte sich an den Moment, als er sie zum ersten Mal wunderschön genannt hatte, damals im Gewächshaus des New Yorker Instituts. Seine Worte kamen ihm jedoch nicht wie ein Kompliment über die Lippen, sondern eher wie eine unumstößliche Tatsache – vergleichbar der Tatsache, dass sie rote Haare hatte und gern zeichnete. »Aber du wirkst irgendwie . . . *distanziert*. So, als könnte ich dich nicht anfassen«, fuhr er fort.

Clary zögerte nicht länger und setzte sich neben ihn auf die oberste Stufe der Treppe. Die Kälte des Marmors drang augenblicklich durch ihr dünnes Kleid. Entschlossen hielt sie Jace ihre Hand entgegen, die kaum merklich zitterte. »Hier, fass mich an«, sagte sie. »Falls du willst.«

Jace nahm ihre Hand, drückte sie kurz an seine Wange und legte sie dann wieder in ihren Schoß zurück. Mit einem leichten Frösteln musste Clary an Alines Worte denken: *Vielleicht interessiert er sich ja nicht mehr für dich. Jetzt, da es nichts Verbotenes mehr ist.* Er hatte zwar gesagt, *sie* würde distanziert aussehen, aber *seine* Augen schienen in eine weit entfernte Galaxie zu blicken.

»Was ist denn da drin?«, fragte Clary schließlich und warf einen Blick auf das silberne Kästchen, das er noch immer fest umklammerte. Das Objekt wirkte kostbar und besaß ein feines Vogelrelief.

»Ich bin am Nachmittag bei Amatis gewesen, auf der Suche nach dir«, setzte er an. »Aber du warst nicht da. Also habe ich

mich mit Amatis unterhalten und sie hat mir das hier gegeben.« Er zeigte auf das Kästchen. »Es hat früher meinem Vater
gehört.«

Einen Moment schaute Clary ihn verständnislos an. *Das da
hat Valentin gehört?*, dachte sie, doch dann wurde ihr mit einem Schlag bewusst: *Nein, das hat er gar nicht gemeint.* »Natürlich«, nickte sie. »Amatis war ja mit Stephen Herondale verheiratet.«

»Ich habe mir all seine persönlichen Sachen angesehen«, erklärte Jace. »Seine Briefe gelesen, die Tagebucheinträge stu-
diert. Ich dachte, ich würde dann eine Art Verbindung zu ihm
verspüren. Etwas, das mich zwischen den Zeilen anspringen
und mir zurufen würde: *Ja, genau, das ist dein Vater.* Aber ich
empfinde überhaupt nichts. Das ist einfach nur Papier. Diese
Dinge hätte jeder schreiben können.«

»Jace«, warf Clary leise ein.

»Und da ist noch was«, fuhr er unbeirrt fort. »Ich hab jetzt
überhaupt keinen Namen mehr, oder? Ich bin nicht Jonathan
Christopher – das war jemand anderes. Aber es ist der Name,
an den ich gewöhnt bin.«

»Wer hat sich denn Jace als Spitznamen ausgedacht? Bist du
darauf gekommenen?«

Jace schüttelte den Kopf. »Nein. Valentin hat mich immer Jonathan genannt. Und deshalb hat man mich bei meiner Ankunft
im Institut ebenfalls mit diesem Namen angesprochen. Eigentlich hätte ich nie auf den Gedanken kommen dürfen, mein Name wäre Jonathan Christopher – das war ein Versehen. Diesen
Namen hatte ich in den Aufzeichnungen meines Vaters entdeckt, dabei hatte er mich überhaupt nicht gemeint. Nicht *mei-*

ne Fortschritte hatte er in seinen Tagebüchern festgehalten, sondern die von Seb. . . die von Jonathan. Und als ich Maryse dann erzählte, mein zweiter Name sei Christopher, hat sie sich wohl gedacht, sie müsse sich falsch erinnert haben – schließlich war Christopher auch der zweite Name von Michaels Sohn und seit ihrer letzten Begegnung waren immerhin zehn Jahre vergangen. Na, jedenfalls hat sie mich ab da Jace genannt. Es schien, als wollte sie mir einen neuen Namen geben, etwas, das zu ihr gehörte, zu meinem neuen Leben in New York. Und der Name gefiel mir. Jonathan hatte ich nie gemocht.« Nachdenklich drehte er das Kästchen in seinen Händen. »Heute frage ich mich, ob Maryse schon damals etwas gewusst oder geahnt hatte, es aber einfach nicht wahrhaben wollte. Sie liebte mich . . . und wollte es einfach nicht glauben.«

»Das war dann wahrscheinlich auch der Grund, weshalb sie so bestürzt war, als sie herausfand, dass du ›tatsächlich‹ Valentins Sohn warst«, überlegte Clary laut. »Weil sie dachte, sie hätte es wissen müssen. Und irgendwie hat sie es ja auch gewusst. Aber derartige Dinge wollen wir von den Menschen, die wir lieben, nie glauben. Und sie hat recht behalten, Jace – sie spürte wohl instinktiv, wer du wirklich bist . . .« Clary hielt einen Moment inne und fuhr dann fort: »Außerdem *hast* du einen Namen. Du heißt Jace. Nicht Valentin hat dir diesen Namen gegeben, sondern Maryse. Und das Einzige, was bei einem Namen eine Rolle spielt, ist die Tatsache, dass man ihn von jemandem bekommen hat, der einen liebt.«

»Jace und weiter?«, fragte er. »Vielleicht Jace Herondale?«

»Ach, ich bitte dich«, widersprach Clary. »Natürlich Jace *Lightwood*. Das weißt du doch.«

Jace schaute sie an; seine dichten Wimpern ließen das Bernsteingold seiner Augen dunkler erscheinen. Irgendwie kam er Clary etwas weniger distanziert vor, aber vielleicht bildete sie sich das auch nur ein.

»Möglicherweise bist du ja jemand anderes, als du früher gedacht hast«, fuhr sie fort, in der Hoffnung, er verstünde, was sie meinte. »Aber niemand verwandelt sich über Nacht in einen vollkommen anderen Menschen. Nur weil du jetzt weißt, dass Stephen dein leiblicher Vater war, heißt das noch nicht, dass du ihn jetzt auch automatisch liebst. Und das musst du auch nicht. Valentin war nie dein richtiger Vater – nicht, weil ihr nicht dasselbe Blut habt, sondern weil er sich nie wie ein richtiger Vater *verhalten* hat. Er hat sich nicht um dich gekümmert. Es waren immer die Lightwoods, die sich um dich gekümmert haben. *Sie* sind deine Familie. Genau wie meine Mutter und Luke meine Familie sind.« Zögernd streckte Clary eine Hand aus, um ihn an der Schulter zu berühren, ließ sie aber wieder sinken. »Tut mir leid«, sagte sie. »Hier sitze ich und halte dir Vorträge, während du doch wahrscheinlich hergekommen bist, um allein zu sein.«

»Du hast recht«, bestätigte Jace.

Clary spürte, wie ihr der Atem stockte. »Okay, dann geh ich wohl besser.« Überstürzt stand sie auf, wobei sie vergaß, ihr Kleid zu schürzen, und fast über den Saum gestolpert wäre.

»Clary!« Hastig legte Jace das Kästchen beiseite und rappelte sich auf. »Clary, warte. Das habe ich überhaupt nicht gemeint. Ich wollte damit nicht sagen, dass ich allein sein will, sondern dass du recht hast, was Valentin betrifft . . . und die Lightwoods . . .«

Langsam drehte Clary sich um und schaute ihn an. Er stand halb im Schatten und die bunten Lichter der Feier malten seltsame Muster auf seine helle Haut. Sofort musste Clary wieder an ihre erste Begegnung denken. Damals hatte sie gedacht, dass sein Erscheinungsbild sie an das eines Löwen erinnerte – wunderschön und extrem gefährlich. Doch jetzt wirkte er auf sie ganz anders: Die harte, abweisende Haltung, die er wie eine Rüstung eingesetzt hatte, war verschwunden; stattdessen trug er seine Verletzungen sichtbar und stolz. Er hatte noch nicht mal seine Stele benutzt, um die Blutergüsse zu beseitigen – weder die im Gesicht noch die entlang des Kinns oder die an seiner Kehle, wo seine Haut unter dem T-Shirt-Kragen zum Vorschein kam. Aber für sie war er noch immer wunderschön – eigentlich noch mehr als je zuvor, weil er nun menschlich wirkte, menschlich und real.

»Weißt du, Aline hat mir heute Nachmittag etwas gesagt«, hob Clary an. »Sie hat gesagt, dass du dich vielleicht nicht mehr für mich interessieren würdest. Jetzt, wo es nicht mehr verboten ist. Jetzt, da du mit mir zusammen sein könntest, wenn du es nur wolltest.« Sie fröstelte ein wenig in ihrem dünnen Kleid und schlang zitternd die Arme um ihren Körper. »Stimmt das? Hast du kein . . . Interesse mehr?«

»*Interesse?* Als ob du ein . . . ein Buch wärst oder irgendein Zeitungsbericht? Nein, ich habe kein *Interesse*. Ich bin . . .« Jace verstummte und suchte verzweifelt nach den richtigen Worten, so wie jemand in völliger Dunkelheit nach einem Lichtschalter tastet. »Kannst du dich noch erinnern, was ich dir in deinem Zimmer in Amatis' Haus gesagt habe?«, setzte er erneut an. »Ich hab dir gesagt, die Tatsache, dass du meine Schwester bist, sei mir wie eine Art kosmischer Witz erschienen. Als würde Gott mir ins Gesicht spucken . . . *uns* ins Gesicht spucken.«

»Ja, daran erinnere ich mich.«

»Aber ich habe das nie geglaubt«, erklärte Jace. »Ich meine, irgendwie hab ich es schon geglaubt – es hat mich fast zur Verzweiflung getrieben! Aber ich habe es nie *gespürt*. Ich habe nie gespürt, dass du meine Schwester bist. Weil ich für dich nicht die Gefühle empfand, die man gegenüber seiner Schwester zu empfinden hat. Doch das hat nicht bedeutet, dass ich nicht das Gefühl gehabt hätte, du wärst nicht ein Teil von mir. Denn dieses Gefühl hatte ich immer.« Als er ihren verwirrten Gesichtsausdruck sah, unterbrach er sich ungeduldig. »Ich hab das nicht richtig formuliert: Clary, ich habe jede einzelne Sekunde gehasst, in der ich dachte, du wärst meine Schwester. Ich habe jeden Augenblick gehasst, in dem ich glaubte, meine Gefühle für dich würden bedeuten, dass mit mir etwas nicht stimmte. Aber . . .«

»Aber *was*?« Clarys Herz schlug nun so schnell, dass ihr ganz schwindlig wurde.

»Ich hab gesehen, welch gehässige Freude Valentin an meinen Gefühlen für dich empfand. Und an deinen Gefühlen für mich. Er hat unsere Gefühle als Waffe gegen uns benutzt. Und dafür habe ich ihn gehasst. Mehr als für alles andere, was er mir jemals angetan hat. Und das hat dazu geführt, dass ich mich gegen ihn gewandt habe – und vielleicht war das ja der Anstoß, den ich noch benötigt hatte. Denn es gab Zeiten, in denen ich nicht wusste, ob ich ihm folgen wollte oder nicht. Es war eine schwere Entscheidung, schwerer als ich mir vielleicht eingestehen möchte.« Jace' Stimme klang angespannt.

»Vor langer Zeit habe ich dich einmal gefragt, ob ich denn eine Wahl hätte«, erwiderte Clary. »Und du hast damals geantwortet: ›Wir haben immer eine Wahl.‹ Du hast dich gegen Valentin entschieden. Letztendlich war das die Wahl, die du getroffen hast, und es spielt keine Rolle, wie schwer sie dir gefallen sein mag. Das Einzige, was wirklich zählt, ist die Tatsache, dass du sie getroffen hast.«

»Ich weiß«, bestätigte Jace. »Ich will damit nur sagen, dass ich mich teilweise deinetwegen so entschieden habe. Seit ich dich kenne, habe ich alles teilweise deinetwegen getan. Ich kann mich nicht von dir lösen, Clary – weder mit meinem Herzen noch mit meinem Blut oder meinem Verstand oder sonst irgendeinem Teil von mir. Und das will ich auch gar nicht.«

»Das willst du *nicht?*«, flüsterte Clary.

Jace ging einen Schritt auf sie zu. Seine Augen waren auf ihr Gesicht geheftet, als könnte er den Blick einfach nicht von ihr abwenden. »Ich habe immer gedacht, Liebe würde einem das Hirn vernebeln. Einen schwächen. Zu einem schlechten Schattenjäger machen. *Lieben heißt zerstören.* Das habe ich immer geglaubt.«

Clary biss sich auf die Lippe, konnte aber ebenfalls nicht den Blick von ihm abwenden.

»Ich habe immer gedacht, ein guter Krieger zu sein, würde bedeuten, dass man sich um nichts kümmert. Um nichts und niemanden und schon gar nicht um sich selbst. Ich bin jedes nur erdenkliche Risiko eingegangen, hab mich Dämonen rücksichtslos in den Weg geworfen . . . Ich glaube, damit habe ich

Alec ziemliche Komplexe bereitet«, sinnierte Jace. »Er hat sich bestimmt oft gefragt, was für eine Art Krieger er wohl sei, nur weil er am Leben bleiben wollte . . .« Jace lächelte schief. »Aber dann habe ich dich kennengelernt. Du warst eine Irdische. Schwach. Keine Kriegerin. Ohne jedes Waffentraining. Und ich sah, wie sehr du deine Mutter geliebt hast, Simon geliebt hast, und dass du bereit warst, für sie durch die Hölle zu gehen. Du bist *tatsächlich* in das Vampirhotel hineinmarschiert. Selbst Schattenjäger mit jahrzehntelanger Erfahrung hätten das nicht gewagt. Die Liebe hat dich nicht geschwächt, sondern stärker gemacht – stärker als jeden anderen Menschen, den ich bis dahin kannte. Und in dem Moment wurde mir bewusst, dass ich derjenige war, der schwach war.«

»*Nein*«, protestierte Clary geschockt, »das bist du nicht.«

»Vielleicht nicht mehr.« Jace ging einen weiteren Schritt auf sie zu und stand nun so dicht vor ihr, dass sie sich fast berührten. »Valentin konnte nicht glauben, dass ich Jonathan getötet habe«, sagte er. »Er konnte es nicht glauben, weil ich doch der Schwächere war und Jonathan der mit der längeren, besseren Ausbildung. Eigentlich hätte er *mich* töten müssen. Und das ist ihm auch fast gelungen. Doch dann dachte ich an *dich:* Ich sah dich genau vor mir, klar und deutlich, als ob du vor mir stehen, mich beobachten würdest. Und da wusste ich, dass ich unbedingt leben wollte, mehr als alles andere auf der Welt – und sei es auch nur, um dein Gesicht noch ein letztes Mal zu sehen.«

Clary wünschte, sie könnte sich bewegen . . . eine Hand heben und ihn berühren, doch es gelang ihr nicht. Ihre Arme schienen an ihren Hüften wie festgefroren. Jace' Gesicht war

nun dicht über ihrem – so dicht, dass sie ihr eigenes Spiegelbild in seinen Augen erkennen konnte.

»Und jetzt sehe ich dich an«, fuhr Jace fort, »und du fragst
mich, ob ich dich noch immer will. Als ob ich einfach aufhören
könnte, dich zu lieben! Als ob ich das Einzige auf der Welt aufgeben wollte, das mich stärker macht als alles andere. Ich habe mich nie getraut, viel von mir preiszugeben, habe mich nur
gegenüber den Lightwoods, gegenüber Isabelle und Alec ein
wenig geöffnet und selbst das hat Jahre gedauert. Aber seit ich
dich zum ersten Mal sah, Clary, habe ich voll und ganz dir gehört. Und das tue ich noch immer. Falls du mich willst.«

Für den Bruchteil einer Sekunde stand Clary reglos da. Doch
dann hatte sie Jace irgendwie am Kragen gepackt und zog ihn
zu sich hinunter. Und im nächsten Moment schlang Jace die
Arme um sie, hob sie fast aus den eleganten Sandalen und
küsste sie. Oder sie küsste ihn – Clary war sich nicht ganz sicher, aber es spielte auch keine Rolle. Die Wärme seiner Lippen war elektrisierend; ihre Hände packten ihn an den Oberarmen und zogen ihn fest an ihren Körper. Durch das T-Shirt
hindurch spürte sie sein Herz wie wild schlagen und dieses
Gefühl ließ sie schwindlig werden vor Freude. Kein anderes
Herz schlug wie das von Jace – oder wäre jemals dazu in der
Lage.

Schließlich ließ er sie los und Clary schnappte nach Luft – sie
hatte ganz vergessen zu atmen. Behutsam nahm er ihr Gesicht
in die Hände und zeichnete die geschwungene Linie ihrer
Wangenknochen mit den Daumen nach. Das Licht leuchtete
wieder in seinen Augen, so hell wie am See, allerdings mit einem kleinen, amüsierten Funkeln.

»Na also«, grinste er. »Das war doch gar nicht so schlecht, oder? Auch wenn es nicht verboten war . . .«

»Ich hab schon Schlimmeres erlebt«, erwiderte Clary mit einem zittrigen Lachen.

»Weißt du, was?«, murmelte er und beugte sich vor, bis seine Lippen ihren Mund streiften. »Falls du dir über den Mangel an *Verbotenem* Sorgen machst, könntest du mir ja immer noch manche Dinge verbieten.«

»Welche Dinge denn?«

Clary spürte, wie Jace seine Lippen mit einem breiten Grinsen auf ihre presste. »Na, das hier zum Beispiel.«

Nach einer Weile stiegen sie die Stufen hinunter und überquerten den Platz, auf dem sich inzwischen eine riesige Menge versammelt hatte, in Erwartung des angekündigten Feuerwerks. Isabelle und die anderen hatten einen Tisch am Rand des Platzes gefunden und lagerten auf Bänken und Stühlen. Als Clary und Jace sich der Gruppe näherten, machte Clary sich bereit, ihre Hand Jace' Griff zu entziehen – doch dann hielt sie inne. Sie konnten sich an der Hand halten, so oft sie wollten; daran war überhaupt nichts Falsches mehr. Der Gedanke ließ ihr fast den Atem stocken.

»Da seid ihr ja!«, rief Isabelle und tänzelte auf sie zu, ein Glas mit einer fuchsiaroten Flüssigkeit in der Hand, das sie Clary entgegenstreckte. »Hier, probier das mal!«

Misstrauisch beäugte Clary das Getränk. »Verwandle ich mich dann in ein Nagetier?«, fragte sie skeptisch.

»Wo bleibt denn da das Vertrauen?«, protestierte Isabelle und fügte dann hinzu: »Ich glaube, das ist Erdbeersaft. Aber auf jeden Fall schmeckt es superlecker. Jace? Willst du mal probieren?« Fragend hielt sie ihm das Glas entgegen.

»Ich bin ein Mann und Männer trinken keine rosafarbenen Getränke«, verkündete er kategorisch. »Mach dich von dannen, Weib, und bring mir etwas Braunes!«

»Etwas Braunes?« Isabelle verzog das Gesicht.

»Braun ist eine männliche Farbe«, erklärte Jace und zupfte an einer von Isabelles losen Haarsträhnen. »Wenn du bitte mal schauen würdest: Auch Alec trägt Braun.«

Wehmütig blickte Alec an sich hinab. »Dieser Pullover war mal schwarz«, sagte er. »Aber dann ist er verblasst.«

»Du könntest ihn mit einem paillettenbesetzten Stirnband aufpeppen«, schlug Magnus vor, während er seinem Freund ein blaues, funkelndes Getränk reichte. »War nur so ein Gedanke.«

»Beherrsch dich lieber, Alec«, warf Simon ein; er saß auf einer niedrigen Mauer neben Maia, die sich angeregt mit Aline unterhielt. »Du würdest damit nur aussehen wie Olivia Newton-John in *Xanadu*.«

»Es gibt Schlimmeres«, bemerkte Magnus.

Simon erhob sich von der Mauer und gesellte sich zu Clary und Jace. Die Hände in den Gesäßtaschen seiner Jeans, musterte er beide nachdenklich, ehe er sich schließlich räusperte.

»Du siehst glücklich aus«, wandte er sich zunächst an Clary und schaute dann zu Jace. »Und du kannst froh sein, dass sie glücklich aussieht.«

Interessiert zog Jace eine Augenbraue hoch. »Kommt jetzt der Moment, wo du mir sagst, dass du mich töten wirst, falls ich ihr jemals wehtun sollte?«

»Nein«, erwiderte Simon. »Wenn du Clary wehtust, ist sie absolut in der Lage, dich eigenhändig zu töten. Vermutlich mit einer Vielzahl von Waffen.«

Bei dem Gedanken daran zog Jace eine zufriedene Miene.

»Hör zu, ich wollte dir nur eines sagen«, verkündete Simon. »Es macht mir nichts, wenn du mich nicht magst. Solange du Clary glücklich machst, ist mir alles recht.« Entschlossen streckte er Jace die Hand entgegen, der seine Hand aus Clarys Griff löste und Simons schüttelte, einen verwunderten Ausdruck auf dem Gesicht.

»Dabei ist es keineswegs so, als ob ich dich nicht mögen würde«, erklärte Jace. »Ganz im Gegenteil! Und weil ich dich mag, möchte ich dir einen Ratschlag geben.«

»Einen Ratschlag?«, fragte Simon skeptisch.

»Wie ich sehe, bedienst du diese Vampirschiene ziemlich erfolgreich«, sagte Jace und deutete mit dem Kopf auf Isabelle und Maia. »Respekt! Viele Mädchen lieben diese ganze ›Sensibler-Untoter‹-Nummer. Aber wenn ich du wäre, würde ich das mit der Band vergessen. Vampir-Rockstars sind längst überholt und außerdem kannst du unmöglich ein guter Musiker sein.«

Simon seufzte. »Vermutlich besteht keine Chance, dass wir wieder zu dem Level zurückkehren, wo du mich einfach nur nicht gemocht hast, oder?«

»Das reicht. Hört auf – alle beide!«, rief Clary. »Ihr könnt euch nicht ewig wie zwei Vollidioten benehmen!«

»Genau genommen kann *ich* das schon«, meinte Simon.

Jace stieß ein unelegantes Geräusch hervor und nach einem Moment erkannte Clary, dass er ein Lachen zu unterdrücken versuchte, allerdings mit gemischtem Erfolg.

Simon grinste. »Erwischt.«

»Na, wenn das nicht mal der Beginn einer wunderbaren Freundschaft ist . . . «, bemerkte Clary und schaute sich nach Isabelle um, die wahrscheinlich ebenso erfreut war wie sie, dass Simon und Jace miteinander klarkamen, wenn auch auf ihre ganz eigene Weise.

Stattdessen entdeckte Clary jedoch jemand anderen.

Am Rand des illuminierten Miniwalds, wo sich die Schatten mit den Lichtern mischten, stand eine schlanke Frau in einem blattgrünen Kleid. Ihr langes scharlachrotes Haar war mit einem goldenen Reif zusammengefasst.

Die Feenkönigin. Sie schaute direkt zu Clary hinüber, und als Clary ihren Blick erwiderte, hob sie eine schlanke Hand und winkte sie zu sich. *Komm.*

Clary konnte nicht sagen, ob es ihr eigener Wunsch war oder ob es an der seltsamen Anziehungskraft des Lichten Volkes lag, aber sie murmelte eine leise Entschuldigung, löste sich von der Gruppe und schlängelte sich durch die überschwänglich Feiernden hindurch, bis zum Rand der Bäume. Als sie sich der Königin näherte, bemerkte Clary eine große Zahl von Feenwesen, die ihre Herrscherin in einem Halbkreis umstanden. Selbst wenn sie den Eindruck erwecken wollte, sie wäre allein erschienen, waren ihre Höflinge nie weit.

Gebieterisch hob die Königin die Hand. »Das reicht! Bis hierher und nicht weiter«, verkündete sie kühl.

Clary, die sich ihr bis auf wenige Schritte genähert hatte, blieb abrupt stehen. »Mylady«, sagte sie, da sie sich an die förmliche und höfliche Anrede erinnerte, die Jace am Lichten Hof gebraucht hatte. »Warum habt Ihr mich zu Euch gerufen?«

»Ich möchte, dass du mir einen Gefallen erweist«, erwiderte die Königin ohne lange Vorrede. »Und natürlich würde ich dir im Gegenzug ebenfalls eine Gunst gewähren.«

»Einen Gefallen? Ihr erbittet einen Gefallen von *mir?*«, fragte Clary erstaunt. »Aber . . . aber Ihr mögt mich doch noch nicht einmal.«

Nachdenklich legte die Königin einen langen weißen Finger an ihre roten Lippen. »Im Gegensatz zu den Menschen befasst das Feenvolk sich nicht übermäßig mit solchen Gefühlen wie *mögen*. Lieben, vielleicht . . . und hassen. Beides sehr nützliche Emotionen. Aber *mögen* . . .« Sie zuckte elegant die Achseln. »Die Kongregation hat sich noch nicht entschieden, wen sie aus unserem Volk in ihre Reihen berufen will«, fuhr sie fort. »Ich weiß, dass Lucian Graymark für dich wie ein Vater ist. Er würde auf deinen Rat hören. Deshalb möchte ich, dass du ihn bittest, meinen Ritter Meliorn als Repräsentanten der Elben zu wählen.«

Clary dachte an den Abend in der Abkommenshalle zurück, als Meliorn verkündet hatte, er wolle erst kämpfen, wenn auch die Kinder der Nacht in die Schlacht zögen. »Ich glaube nicht, dass Luke ihn besonders mag«, gab sie zu bedenken.

»Und wieder redest du von *mögen*«, entgegnete die Königin.

»Als ich Euch zum ersten Mal an Eurem Hof kennenlernte, da habt Ihr Jace und mich als Bruder und Schwester bezeichnet«, setzte Clary an. »Dabei wusstet Ihr genau, dass wir keine Geschwister sind. Habe ich recht?«

Die Königin lächelte. »In euren Adern fließt dasselbe Blut. Das Blut des Erzengels. All jene, die das Engelsblut in sich tragen, sind in gewisser Hinsicht Bruder und Schwester«, erwiderte sie.

Clary erschauderte. »Trotzdem hättet Ihr uns die Wahrheit sagen können. Aber das habt Ihr nicht getan.«

»Ich habe euch die Wahrheit gesagt, so wie ich sie gesehen habe. Wir alle erzählen die Wahrheit immer nur so, wie wir persönlich sie sehen, oder etwa nicht? Hast du dich je gefragt, welche Unwahrheiten in der Geschichte, die deine Mutter dir erzählt hat, verborgen liegen mögen, weil sie im Augenblick des Erzählens ihren Zwecken dienten? Glaubst du ernsthaft, du wüsstest nun jedes kleinste Geheimnis aus deiner Vergangenheit?«

Clary zögerte. Plötzlich hörte sie wieder Madame Dorotheas Stimme in ihrem Kopf. *Du verliebst dich in die falsche Person,* hatte die Hexe Jace prophezeit. Clary war zu dem Schluss gekommen, dass Dorothea sich nur auf die vermeintliche Verwandtschaft zwischen ihnen beiden bezogen hatte. Andererseits wusste Clary, dass ihr Gedächtnis noch immer Lücken aufwies, dass sie sich selbst jetzt noch an manche Dinge, Ereignisse nicht erinnern konnte – Geheimnisse, deren Wahrheitsgehalt sie niemals würde überprüfen können. Sie hatte sie als für immer verloren und daher unbedeutend abgehakt, aber vielleicht . . .

Nein. Clary spürte, wie sich ihre Hände zu Fäusten ballten. Das Gift der Feenkönigin war subtil, aber sehr mächtig. Gab es irgendjemanden auf der Welt, der aufrichtig von sich behaupten konnte, jedes kleinste Geheimnis über sich selbst zu wissen? Und war es nicht besser, wenn man an manche Geheimnisse einfach nicht rührte?

Entschlossen schüttelte Clary den Kopf. »Was Ihr in jener Nacht an Eurem Hof getan habt . . .«, setzte sie an. »Vielleicht war das keine Lüge. Aber Ihr wart herzlos. Und ich habe genug von Eurer und anderer Leute Herzlosigkeit.« Clary wandte sich zum Gehen.

»Willst du wahrhaftig einen Gefallen der Königin des Lichten Volkes ausschlagen?«, fragte die Königin fordernd. »Nicht jedem Irdischen wird solch eine Gunst gewährt.«

»Ich brauche keinen Gefallen von Euch«, erwiderte Clary. »Ich habe alles, was ich mir nur wünschen kann.«

Und mit diesen Worten kehrte sie der Königin den Rücken und marschierte davon.

Als Clary sich ihren Freunden wieder näherte, stellte sie fest, dass Robert und Maryse Lightwood sich zu ihnen gesellt hatten und zu Clarys Überraschung gerade Magnus Bane die Hand schüttelten. Der Hexenmeister hatte sein funkelndes Stirnband abgenommen und wirkte nun wie die Schicklichkeit in Person. Maryse hatte einen Arm um Alecs Schulter gelegt, während die anderen auf der niedrigen Mauer saßen und zusahen. Clary wollte sich gerade zu ihnen stellen, als sie spürte, wie ihr jemand auf die Schulter tippte.

»Clary!« Es war ihre Mutter, die sie anstrahlte; neben ihr stand Luke, Jocelyns Hand in seiner. Im Gegensatz zu ihrer Tochter trug Jocelyn keinerlei Festgewand, sondern Jeans und ein weites T-Shirt, das aber wenigstens nicht mit Farbklecksern bespritzt war. Allerdings konnte Clary an Lukes Blick erkennen, dass sie in seinen Augen einfach perfekt aussah. »Ich bin froh, dass wir dich endlich gefunden haben«, sagte Jocelyn.

Clary grinste Luke an. »Dann ziehst du also nicht nach Idris?«

»Ach was«, winkte er ab. Er wirkte glücklicher, als Clary ihn je zuvor gesehen hatte. »Die Pizza ist hier einfach grauenhaft.«

Jocelyn lachte und wandte sich Amatis zu, die bewundernd eine Glaskugel betrachtete, welche mit vielfarbigem Rauch gefüllt war. Fragend schaute Clary Luke an. »Hattest du eigentlich überhaupt vor, New York zu verlassen, oder hast du das nur gesagt, damit sie endlich den entscheidenden Schritt machte?«

»Clary, ich bin geschockt, dass du so etwas auch nur denken kannst!«, protestierte Luke grinsend, wurde dann aber wieder ernster. »Das ist doch für dich kein Problem, oder? Ich weiß, dass das eine gewaltige Veränderung für dich bedeutet. Ich wollte deine Mutter fragen, ob ihr beide nicht zu mir ziehen wollt, da eure Wohnung im Augenblick ohnehin unbewohnbar ist . . .«

Clary schnaubte. »Ein gewaltige Veränderung? Mein Leben hat sich bereits *total* verändert. Und das schon mehrere Male.«

Luke schaute zu Jace, der sie von seinem Platz auf der Mauer beobachtete und ihnen mit einem amüsierten Lächeln um die Lippen zunickte. »Ja, damit hast du wohl recht«, bestätigte Luke.

»Und Veränderung ist etwas Gutes«, sagte Clary.

Luke hielt seine Hand hoch. Die Allianz-Rune war inzwischen verblasst, wie bei all ihren Trägern, doch die verräterischen weißen Spuren waren noch immer zu erkennen – eine Narbe, die nie mehr ganz verschwinden würde. Nachdenklich betrachtete er das Runenmal. »Da kann ich dir nur aus ganzem Herzen zustimmen«, sagte er.

»Clary!«, rief Isabelle in dem Moment. »Das Feuerwerk!«

Clary schlug Luke leicht auf die Schulter und gesellte sich zu ihren Freunden, die in einer langen Reihe nebeneinander auf der Mauer saßen: Jace, Isabelle, Simon, Maia und Aline. Clary stellte sich neben Jace. »Ich seh kein Feuerwerk«, sagte sie und warf Isabelle einen gespielt beleidigten Blick zu.

»Geduld, Grashüpfer!«, sagte Maia. »Was lange währt, wird endlich gut.«

»Und ich dachte immer, das hieße ›Was lange gärt, wird endlich Wut‹«, warf Simon ein. »Kein Wunder, dass ich mein ganzes Leben lang immer so verwirrt gewesen bin.«

»›Verwirrt‹ ist eine nette Umschreibung dafür«, entgegnete Jace. Allerdings war er eindeutig nicht mit dem Herzen bei der Sache: Er streckte die Arme aus und zog Clary an sich, fast geistesabwesend, als wäre es eine Art Reflex. Clary lehnte sich an ihn, ließ den Kopf nach hinten gegen seine Schulter sinken und schaute hinauf zum Himmel. Doch bis auf die Dämonentürme, die ihr sanftes silberweißes Licht in die Dunkelheit sandten, war nichts zu erkennen.

»Wo bist du gewesen?«, murmelte Jace Clary so leise ins Ohr, dass nur sie ihn hören konnte.

»Die Feenkönigin wollte, dass ich ihr einen Gefallen tue«, erklärte Clary. »Dafür wollte sie mir im Gegenzug auch eine Gunst erweisen.« Sie spürte, wie Jace' Muskeln sich verkrampften. »Entspann dich. Ich hab ihren Vorschlag abgelehnt.«

»Nicht viele Leute würden eine Gunst der Königin des Lichten Volkes ausschlagen«, bemerkte Jace.

»Ich hab ihr gesagt, dass ich ihren Gefallen nicht brauche«, erläuterte Clary. »Dass ich alles habe, was ich mir nur wünschen kann.«

Bei diesen Worten lachte Jace leise und ließ seine Finger über Clarys Arm hinauf bis zu ihrer Schulter wandern. Gedankenverloren spielte er mit der Kette an ihrem Hals und Clary warf einen Blick auf das silberne Objekt, das sich glitzernd von ihrem Seidenkleid abhob. Sie hatte den Morgenstern-Ring von dem Moment an getragen, in dem Jace ihn für sie zurückgelassen hatte, und sich schon manches Mal gefragt, warum sie das eigentlich tat. Wollte sie wirklich an Valentin erinnert werden? Andererseits: Sollte man jemals die Vergangenheit einfach vergessen?

Schließlich konnte man nicht alles auslöschen, das schmerzhafte Erinnerungen hervorrief. Außerdem wollte Clary Max und Madeleine auch gar nicht vergessen, genauso wenig wie Hodge oder die Inquisitorin. Nicht einmal Sebastian. Alle Erinnerungen waren wertvoll, selbst die schlimmen. Valentin hatte vergessen wollen. Er hatte vergessen wollen, dass die Welt sich ändern musste und mit ihr auch die Schattenjäger; dass Schattenweltler eine Seele besaßen und dass alle Seelen für den Fortbestand der Welt eine Rolle spielten. Valentin hatte immer nur an die Unterschiede gedacht, die die Schattenjäger von den Schattenwesen trennten. Doch gerade ihre Gemeinsamkeiten hatten ihn ins Verderben gestürzt.

»Clary«, sagte Jace und riss sie aus ihren Gedanken. Er schlang die Arme fester um sie und Clary hob den Kopf. Die Menge jubelte den ersten Feuerwerkskörpern zu. »Sieh mal«, sagte er leise.

Clary sah zu, wie die Feuerwerksraketen in einem sprühenden Funkenregen explodierten. Funken, die die Wolken am Nachthimmel aufleuchten ließen, während sie in großen Bögen aus goldenen Flammen auf die Erde hinabgingen – wie Engel, die aus dem Himmel herabfallen.

DANKSAGUNG

Wenn man nach dem Verfassen eines Buches zurückschaut, kommt man nicht um die Erkenntnis umhin, dass es sich im Grunde um eine gewaltige Gruppenleistung handelt. Und man begreift, wie schnell das ganze Projekt wie die Titanic hätte sinken können, wenn nicht eine Reihe von Freunden hilfreich zur Stelle gewesen wäre. In diesem Sinne danke ich ganz besonders dem NB Team und den Massachusetts All-Stars; Elka, Emily, Eve und Clio für ihre wertvolle Hilfe beim Gestalten der Handlung und Holly Black dafür, dass sie dieselben Szenen geduldig wieder und wieder gelesen hat. Ich danke Libba Bray für die Bagels und dafür, dass sie mir eine Couch zum Schreiben zur Verfügung gestellt hat, Robin Wasserman, weil er mich mit Folgen von *Gossip Girl* abgelenkt hat, Maureen Johnson, weil sie mich auf furchterregende Weise angestarrt hat, während ich zu arbeiten versuchte, sowie Justine Larbalestier und Scott Westerfeld, weil sie mich gezwungen haben, mich vom Sofa zu bequemen und zum Schreiben irgendwo anders hinzugehen. Vielen Dank auch an Ioana für ihre Hilfe bei meinen (nicht existenten) Rumänischkenntnissen. Mein besonderer Dank gilt wie immer meinem Agenten Barry Goldblatt; meiner Lektorin Karen Wojtyla; den Teams von Simon & Schuster und Walker Books, weil sie sich für diese Reihe stark gemacht haben, und Sarah Payne (dafür, dass sie auch noch lange nach dem Abgabetermin Änderungen durchgeführt hat). Und selbstverständlich danke ich meiner Familie: meiner Mutter, meinem Vater, Jim und Kate, dem Esons-Clan und natürlich Josh, der immer noch glaubt, dass Simon auf ihm beruht (und vielleicht hat er ja recht).

QUELLENVERZEICHNIS

S. 7: John Milton, Das verlorene Paradies, a. d. Englischen von Hans Heinrich Meier, Reclam Stuttgart, 1968

S. 9, 353, 596, 597: Schlachter Bibel, übersetzt von F. E. Schlachter, Genfer Bibelgesellschaft, 1951

S. 293: William Shakespeare, Was ihr wollt, a. d. Englischen von August Wilhelm Schlegel

S. 667: T. E. Lawrence, Die sieben Säulen der Weisheit, Leipzig: Paul List 1936, übersetzt von Dagobert von Mikusch

Alle weiteren Quellen wurden a. d. Amerikanischen übersetzt von Franca Fritz und Heinrich Koop.

Kim Kestner

Sakura
Die Vollkommenen

Es ist die einzige Chance, die sie je haben wird: Als der Kaiser zur »Blüte«
aufruft, weiß Juri, was sie zu tun hat. Aber das Auswahlverfahren, bei
dem am Ende nur die Vollkommenen einen Platz an der Oberfläche
erhalten, ist hart und unbarmherzig – und Juri nicht makellos genug,
um daran teilzunehmen. Trotzdem kann sie nichts davon abhalten. Die
dunkle Höhle, in der sie ihr ganzes Leben verbringen musste, will sie
um jeden Preis verlassen. Verkleidet als Junge, schmuggelt sie sich
unter die Probanden. Doch ausgerechnet der Sohn des Kaisers wird
auf sie aufmerksam. Hat er Juris Tarnung durchschaut? Oder spielt
auch der Prinz ein doppeltes Spiel?

Auch als E-Book erhältlich

408 Seiten • Gebunden
ISBN 978-3-401-60318-6
www.arena-verlag.de

Cassandra Clare

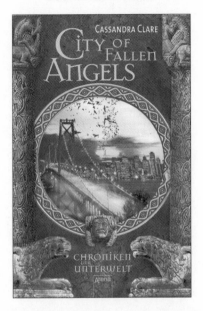

Chroniken der Unterwelt
City of Fallen Angels

Simon Lewis muss sich noch daran gewöhnen, ein Vampir zu sein. Besonders seit seine beste Freundin Clary kaum noch Zeit für ihn hat. Sie ist zu beschäftigt mit ihrer Ausbildung zur Schattenjägerin und träumt von ihrer großen Liebe. Doch finstere Dinge geschehen. Ist der Krieg, den Simon gewonnen glaubte, noch nicht vorbei?

Arena

Auch als E-Book erhältlich
Als Hörbuch bei Lübbe Audio

567 Seiten • Klappenbroschur
ISBN 978-3-401-50670-8
www.arena-verlag.de

Cassandra Clare

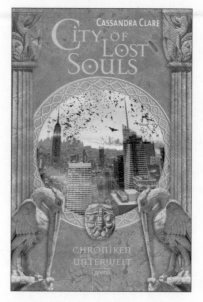

Chroniken der Unterwelt
City of Lost Souls

Kaum ist die Dämonin Lilith besiegt, fehlt von Jace, den Clary über alles liebt, jede Spur – auch ihr finsterer Halbbruder Sebastian ist verschwunden. Doch Jace findet wieder einen Weg zu Clary und enthüllt sein schreckliches Schicksal: Durch Liliths Magie ist er auf immer mit Sebastian und den dunklen Mächten verbunden. Um Jace zu retten, müssen sich auch die Schattenjäger der schwarzen Magie verschreiben. Clary geht dabei den gefährlichsten Weg: Sie möchte Jaces' Seele retten. Aber kann sie Jace überhaupt noch trauen?

Arena

Auch als E-Book erhältlich
Als Hörbuch bei Lübbe Audio

688 Seiten • Klappenbroschur
ISBN 978-3-401-50568-8
www.arena-verlag.de

Cassandra Clare

Chroniken der Unterwelt
City of Heavenly Fire

Jace trägt das Himmlische Feuer in sich und Sebastian verkündet den finalen Schlag gegen die irdische Welt. Um zu verhindern, dass Dämonen über die Städte herfallen, müssen Clary und Jace mit ihren Freunden in die Schattenwelt eindringen. Wird es ihnen gelingen, Sebastians finstere Pläne zu stoppen, ohne selbst Schaden zu nehmen? Als sie auf Clarys dunklen Bruder treffen, stellt er Clary vor eine schier unlösbare Aufgabe: Entweder sie kommt an seine Seite oder er vernichtet ihre Familie und Freunde, die Welt und alle Schattenjäger ...

Arena

Auch als E-Book erhältlich
Als Hörbuch bei Lübbe Audio

896 Seiten • Klappenbroschur
ISBN 978-3-401-50569-5
www.arena-verlag.de

Cassandra Clare
Chroniken der Schattenjäger

Clockwork Angel

Die sechzehnjährige Tessa sollte sich eigentlich darauf konzentrieren, ihren verschwundenen Bruder zu suchen – und nicht, sich in zwei Jungen gleichzeitig zu verlieben. Während in Londons Straßen nach Einbruch der Dunkelheit finstere Kreaturen umherschleichen, verstrickt Tessa sich immer tiefer in ein gefährliches Liebesgeflecht. Und schon bald braucht sie all ihre Kräfte, um nicht nur ihren Bruder zu retten, sondern auch ihr eigenes Leben.

Clockwork Prince

Tessa hat im viktorianischen London bei den Schattenjägern ein neues und sicheres Zuhause gefunden. Doch da wird die Leiterin des Instituts entlassen – ohne ihren Schutz ist Tessa Freiwild für den grausamen Magister. Zusammen mit den beiden jungen Schattenjägern Will und Jem versucht sie, das Rätsel um den Magister zu lösen und findet heraus, dass er einen sie ganz persönlich betreffenden Rachefeldzug führt.

Arena

576 Seiten • Klappenbroschur
ISBN 978-3-401-50799-6
Beide Bände auch als E-Books erhältlich

584 Seiten • Klappenbroschur
ISBN 978-3-401-50800-9
www.arena-verlag.de

Cassandra Clare

Chroniken der Schattenjäger
Clockwork Princess

Clockwork Angel
Graphic Novel

Tessa Gray sollte glücklich sein – sind das nicht alle Bräute? Doch während sie noch mitten in den Hochzeitsvorbereitungen steckt, zieht sich die Schlinge um die Schattenjäger des Londoner Instituts immer weiter zu. Denn Mortmain hat inzwischen eine riesige Armee zusammengestellt, um die Schattenjäger endgültig zu vernichten. Nur ein letztes Detail fehlt Mortmain zur Ausführung seines Plans: Er braucht Tessa. Jem und Will, die beide Anspruch auf Tessas Herz erheben, würden alles geben, um sie zu retten. Die Zeit tickt, sie alle müssen eine Wahl treffen.

Die sechzehnjährige Tessa sollte sich eigentlich darauf konzentrieren, ihren verschwundenen Bruder zu suchen – und nicht, sich in zwei Jungen gleichzeitig zu verlieben. Während in Londons Straßen nach Einbruch der Dunkelheit finstere Kreaturen umherschleichen, verstrickt Tessa sich immer tiefer in ein gefährliches Liebesgeflecht. Und schon bald braucht sie all ihre Kräfte, um nicht nur ihren Bruder zu retten, sondern auch ihr eigenes Leben.
Der Auftakt der »Chroniken der Schattenjäger«, kunstvoll in Szene gesetzt von HyeKyung Baek.

Arena

616 Seiten • Klappenbroschur
ISBN 978-3-401-50955-6
Auch als E-Book erhältlich

256 Seiten • Broschur
Durchgehend illustriert
ISBN 978-3-401-06909-8
www.arena-verlag.de

Cassandra Clare / Maureen Johnson /
Robin Wasserman / Sarah Rees Brennan

Die Legenden der Schattenjäger-Akademie

Ohne Erinnerungen muss Simon erneut herausfinden, wer er eigentlich ist. Hat er das Zeug zum Dämonen bekämpfenden Helden – wie ihm seine früheren Freunde Clary und Jace erzählen? Oder ist er doch der bleiche Comicfan, der nicht einmal die Kraft hat, eine Waffe der Nephilim richtig in der Hand zu führen? Und dann gibt es noch Isabelle, an deren Liebe er sich nicht erinnern kann, obwohl es in seinem Bauch kribbelt, immer wenn er an sie denkt. War er wirklich mit diesem tollen Mädchen zusammen, und wenn ja, wie hat er das nur angestellt?

Arena

840 Seiten • Gebunden
ISBN 978-3-401-60147-2
www.arena-verlag.de

Auch als E-Book erhältlich